Letrados y pensadores

Tulio Halperin Donghi

Letrados y pensadores

El perfilamiento del intelectual hispanoamericano en el siglo XIX

emecé

Halperín Donghi, Tulio
Letrados y pensadores. - 1a ed. - Ciudad Autónoma de Buenos Aires : Emecé, 2013.
584 p. ; 23x15 cm.

ISBN 978-950-04-3559-8

1. Historia Latinoamericana. 2. Ensayo Histórico. I. Título.
CDD 980

Publicado bajo el sello Emecé®
Independencia 1682 (1100) C.A.B.A.
www.editorialplaneta.com.ar

Diseño de cubierta:
Departamento de Arte de Grupo Editorial Planeta S.A.I.C.
1ª edición: septiembre de 2013
3.000 ejemplares
Impreso en Artesud,
Pavón 3441, Ciudad Autónoma de Buenos Aires,
en el mes de agosto de 2013.

IMPRESO EN LA ARGENTINA / PRINTED IN ARGENTINA
Queda hecho el depósito que previene la ley 11.723
ISBN: 978-950-04-3559-8

ÍNDICE

PRÓLOGO

Lo que aquí va a leerse ofrece el destilado de las innúmeras reflexiones acumuladas a lo largo del más de medio siglo en que intenté una vez y otra descifrar los testimonios que acerca de sus experiencias de vida nos han dejado un puñado de hombres de letras cuyas trayectorias cubren las doce décadas que corren entre ese año de 1794 en que el mexicano Fray Servando Teresa de Mier intentó con resultados desastrosos usar sus saberes y destrezas de letrado del Antiguo Régimen para conquistar un lugar expectable en un mundo nuevo que aún no existía, pero cuyos perfiles su imaginación clarividente había sabido prever, y los que se abrieron en 1914, en que desde su nativo Nuevo Reino de León hasta el Río de la Plata, en las tierras antes españolas del Nuevo Mundo los —y ahora también las— intelectuales, que a diferencia de los tiempos coloniales encarnaban un tipo humano cada vez más diversificado, pululaban con la misma abundancia que en los países del Viejo Mundo que hasta poco antes, en ese campo como en tantos otros, habían sido tenidos desde esas tierras por modelos inalcanzables.

Se comprende qué difícil resulta en este caso cumplir con el grato ritual de reconocer y agradecer las deudas contraídas con quienes han acompañado al autor a lo largo de esa media centuria en diálogos en que nunca se llevó contabilidad de créditos y deudas. Tomada literalmente, esa tarea requeriría trazar una exhaustiva autobiografía intelectual, que reconstruyese retrospectivamente la contabilidad de la que prescindimos en su momento. No es desde luego mi propósito intentarlo aquí, y creo haber encontrado una alternativa más adecuada para esa desaforada empresa volviéndome al proceso que produjo los textos de los capítulos que siguen e intentando dar razón de las inflexiones en el clima colectivo que fueron influyendo en su curso, en la esperanza de haber hecho debida justicia a cuantos me acompañaron en ese camino a través de un mundo en constante tormenta.

* * *

¿Cuándo se me ocurrió que en las anotaciones acerca de testimonios autobiográficos que iba acumulando en mis estudios sobre otros temas podía haber tema para un libro? No por cierto en 1962, aunque a partir de ese año, que fue el de publicación de *La literatura autobiográfica argentina* de Adolfo Prieto por las prensas de la Universidad Nacional del Litoral[1] no podía yo ignorar que tenía allí a mi disposición un acotado campo de estudios, y en su límpido y elegante texto un modelo digno de ser emulado. Pero descubrí en cambio, desplegadas en ese texto, las nociones que sin yo advertirlo me habían guiado ya en mis anteriores indagaciones en ese campo, y que llevaban la marca de esa todavía temprana segunda posguerra, reflejada en la cita de J. P. Sartre que tan certeramente ofrecía Adolfo para caracterizar el punto de vista que lo guiaba en ese libro pionero:

«Cuando se nos dice: "Napoleón, como individuo, sólo era un accidente; lo que era necesario era la dictadura militar como régimen que liquidase a la Revolución" casi no nos interesa porque eso siempre lo hemos sabido. Lo que queremos mostrar es que *ese* Napoleón era necesario, es que el desarrollo de la Revolución forjó al mismo tiempo la necesidad de la dictadura y la personalidad entera de quien iba a ejercerla y también que el proceso histórico le dio *al general Bonaparte personalmente* unos poderes previos y unas ocasiones que le permitieron —sólo a él— apresurar esa liquidación; en una palabra, no se trata de un universal abstracto, de una situación tan mal definida

[1] Adolfo Prieto, *La literatura autobiográfica argentina,* Facultad de Filosofía, Humanidades y Artes de la Universidad Nacional del Litoral, Instituto de Letras, Rosario, 1962.

que fueran *posibles* varios Bonapartes, sino de una totalización concreta en la que *esta* burguesía real, hecha con hombres reales y vivos tenía que liquidar a *esta* Revolución, y en la que *esta* revolución creaba su liquidador en la persona de Bonaparte en sí y para sí: es decir para esos burgueses y ante sus propios ojos.»[2]

Cuando hoy leo este párrafo de Sartre me pregunto cómo podía —cómo podíamos— entonces encontrar razonable una visión tan clamorosamente insensata de ese momento crítico en la trayectoria de la Revolución Francesa, que choca contra todo lo que sabemos (y se sabía entonces) acerca de éste; entre otras cosas que esa Revolución ni aún en su momento de mayor auge —que había quedado ya definitivamente atrás— había alcanzado un sólido control de sus bases en los barrios populares de París (lo que hace difícil creer que liquidarla exigiera el drástico cambio de rumbo que ese párrafo trata de explicar), y todavía que en ese momento era ya claro que el funcionamiento regular de las instituciones representativas creadas por esa misma Revolución hubiera trasferido el poder a sus enemigos si no lo hubiera impedido la intervención cada vez más brutal de los inminentes protagonistas de una dictadura militar que según aquí se nos dice se proponía alcanzar ese mismo resultado.

Si éramos tantos los que, sabiendo todo eso, aceptábamos como válida esa visión del giro tomado en Thermidor por la Revolución Francesa era porque veíamos a ésta como un momento en un proceso acerca de cuyo rumbo confiábamos contar con seguridades en las que depositábamos la fe que se presta a los axiomas. Y no me refiero aquí a lo que tiene de más específico la versión jacobino-leninista del curso de la Revolución Francesa que viene siendo objeto de un implacable ajuste de cuentas por parte de una corriente historiográfica que en el más reciente tercio de siglo ha pasado de proclamar violentamente su disidencia a constituirse en una nueva ortodoxia, sino a la visión del momento en el curso de la historia de la humanidad que nos había tocado en suerte vivir, y que subtendía tanto a esa versión hoy

[2] Cita de J. P. Sartre, *Crítica de la Razón Dialéctica,* vol. I, en Adolfo Prieto, *La literatura autobiográfica argentina,* EUDEBA, Buenos Aires, 2003 (1962), p. 14.

tan frecuentemente vilipendiada como a las exploraciones del pasado que por entonces habíamos acometido. Retrospectivamente es posible señalar con notable precisión de qué provenía ese haz de convicciones demasiado profundas para que necesitáramos articularlas: de que estábamos viviendo las últimas horas de la modernidad, cuando podíamos aún creer que estábamos avanzando en una corriente en cuya dirección confiábamos porque mal o bien había sido ella la que nos había sostenido hasta llegar al punto en que nos encontrábamos.

Pero me parece excesivamente presuntuoso proyectar esta compleja problemática sobre el trasfondo de un apocalíptico cambio de época para explicar una aproximación a la de la autobiografía que si, como fue mi caso, hubiera seguido sin duda un rumbo diferente en un marco distinto, en el que me tocó en suerte lo debió casi todo a las tanto menos grandiosas vicisitudes de una carrera de historiador que iba a avanzar a la deriva en medio de esa durísima transición. Hasta 1966 me había apoyado para mis investigaciones en los recursos del Archivo General de la Nación de mi ciudad nativa, cuyos materiales me ofrecían casi todo lo que necesitaba para ellas, ya que su base geográfica se expandía y reducía junto con la controlada por el centro de poder cuyo surgimiento me interesaba explorar, y los había completado en 1961 con casi un año de trabajos sobre análogos materiales en archivos británicos y franceses, pero a partir de entonces debí proseguirla lejos de mi país y de esos archivos que tan bien conocía y en que me sentía tan cómodo, y pronto me encontré buscando la manera de compensar esa pérdida utilizando la inmensa masa de materiales éditos e inéditos contenidos en repositorios totalmente inaccesibles en la Argentina, y ahora de fácil acceso desde los centros en que hube de continuar mi carrera.

En eso estaba en abril de 1978, cuando me tocó ofrecer el comentario para las ponencias de la sección sobre la historia económica de la región rioplatense en la reunión organizada en Lima por el Consejo Latinoamericano de Ciencias Sociales. Acepté hacerlo porque la instauración dos años antes del terrorismo de Estado en la Argentina me había llevado a dudar de que tuviera aún sentido continuar indagando en el pasado de un país sumergido en la mudez por la ferocidad de sus gobernantes, en que imaginaba que hacer historia se había reducido a un ejercicio solitario que diera voz a la desolada nostalgia de lo que se sabía perdido para siempre. Así me lo vaticinaba Eric Hobsbawm, a quien encontré a mi llegada, y que en su contacto con la vida intelectual de Buenos Aires había asistido a deslumbrantes fuegos de artificio que le habían recordado los del ocaso de la república de Weimar, y me aseguraba que también la memoria de ese frágil esplendor porteño sólo iba a sobrevivir en algún rincón comparable a los de Hampstead o del barrio de Washington Heights en Manhattan en que habían hallado refugio los sobrevivientes de esa febril danza macabra.

Así lo temía también yo, y me preguntaba si no era demasiado tarde para volcar mis esfuerzos en un país que, como estaba convencido de que era el caso del Perú, no corría riesgo de ser despojado de su futuro, pero esos pocos días limeños me bastaron para persuadirme de que quienes habían decidido despojar del suyo a mi país no lo estaban haciendo con la eficacia que desde lejos yo había imaginado. Fueron primero Juan Carlos Korol e Hilda Sabato, egresados de la Universidad de Buenos Aires en vísperas del desmantelamiento de todo lo que a juicio de quienes en 1966 la habían tomado a su cargo amenazaba subvertir el orden establecido, quienes me pusieron al tanto de lo que en Buenos Aires estaba llevando adelante un grupo de estudios de historia social estirando al máximo los muy magros recursos provistos por una fundación escandinava, y luego el conmovedor testimonio de un par de estudiosas cordobesas, que en esa ciudad castigada más que ninguna otra por el régimen de terror vigente seguían porfiadamente avanzando en un estudio monográfico comenzado en tiempos más felices acerca de una precoz manufactura de calzado allí establecida a comienzos del siglo XX, los que me persuadieron de que no necesitaba abandonar un campo de estudios en que todavía me quedaba mucho por hacer, y en efecto a partir de 1978 comencé a retornar anualmente a la Argentina, donde en el campo de las ciencias humanas y sociales comenzaban también a resurgir otras iniciativas como ésa, y donde conté con la hospitalidad del Instituto Torcuato Di Tella, que había tenido un papel central en la promoción del clima colectivo del que Hobsbawm conservaba un nostálgico recuerdo, y que tras una etapa letárgica intentaba, guardando las debidas cautelas, recuperar algo del terreno perdido, y aun estando yo convencido de que esa recuperación sería extremadamente lenta y gradual, ese tímido resurgir de la esperanza en el futuro fue suficiente para devolverme a la agenda que me había fijado desde que en 1966 debí alejarme de la Argentina, en que retenía su lugar la temática aquí explorada en relación con el perfilamiento de la figura del intelectual hispanoamericano en el siglo XIX.

En el Instituto Di Tella reanudé mis lazos con Roberto Cortés Conde, con quien había colaborado en la Universidad de Buenos Aires en los últimos años de la etapa clausurada en 1966 y luego en los Estados Unidos, y los estreché con Ezequiel Gallo y Natalio Botana. Todos ellos estaban contribuyendo a trazar una imagen enormemente acrecida en riqueza y precisión del trasfondo ofrecido por la Argentina de la segunda mitad del siglo XIX para las trayectorias que me interesaba explorar, y estaban además explorándolas ellos mismos desde perspectivas en cada caso distintas.[3] Conservo un cariñoso recuerdo de los largos y apacibles diálogos que con ellos mantuve en sucesivos inviernos porteños en un país gobernado todavía por quienes lo habían devastado y comenzaban a buscar en vano una manera de cerrar sin escándalo la criminosa etapa en la que se habían reservado el papel protagónico, y los capítulos que comparten ese trasfondo deben mucho a lo entonces conversado.

[3] Botana en *El orden conservador: la política argentina entre 1880 y 1916,* Editorial Sudamericana, Buenos Aires, 1977; *La tradición republicana: Alberdi, Sarmiento y las ideas políticas de su tiempo,* Editorial Sudamericana, Buenos Aires, 1984, *Domingo Faustino Sarmiento. Una aventura republicana,* Fondo de Cultura Económica, Buenos Aires, 1996; Cortés Conde en *El progreso argentino, 1880-1914,* Editorial Sudamericana, Buenos Aires, 1979; *Dinero, deuda y crisis: evolución fiscal y monetaria en la Argentina, 1862-1890,* Editorial Sudamericana, Instituto Torcuato Di Tella, Buenos Aires, 1989; Gallo en *Colonos en armas: las revoluciones radicales en la provincia de Santa Fe, 1893,* Editorial del Instituto Torcuato Di Tella, Buenos Aires, 1977, *La pampa gringa: la colonización agrícola en Santa Fe, 1870-1895,* Editorial Sudamericana, Buenos Aires, 1983, *Carlos Pellegrini: orden y reforma,* Fondo de Cultura Económica, Buenos Aires, 1997, *Alem: federalismo y radicalismo,* EDHASA, Buenos Aires, 2009.

Ni a ellos ni a mí se nos hubiera ocurrido llamar debates a esos diálogos en que estábamos lejos de encontrarnos siempre de acuerdo; esa palabra se imponía en cambio para los diálogos que entablé en esa misma etapa con Carlos Altamirano, Beatriz Sarlo y quienes se habían agrupado en torno a la revista *Punto de vista,* que en medio de los vestigios de una etapa de terror que no encontraba modo de cerrarse se regían por ritualizadas normas de etiqueta que reflejaban la decisión de avanzar en la línea de esos otros debates que Hobsbawm no era el único en recordar nostálgicamente, a la vez que de dejar espacio para una toma de distancia respecto del tremendismo que había dominado entonces el clima colectivo; en cuanto a la temática que aquí nos interesa ese nuevo enfoque dio su fruto en una lectura muy creativa de los artículos verdaderamente seminales de David Viñas[4] y desde luego del estudio de Adolfo Prieto, que ha dejado huellas fácilmente legibles en más de un pasaje de los capítulos que aquí han de leerse.

Al retomar esa temática me seguía preocupando hallar el modo de adaptar el proyecto que tenía en mente al cambio en el material de investigación que tenía disponible, pero pronto descubrí que los obstáculos que encontraría en el camino eran menos serios de lo que había temido. Ocurre que antes de que un giro del destino me atrajera a la órbita de Braudel (de hecho apenas descubrí que, para bien o para mal, había decidido jugar mi vida como productor y no como mero consumidor de obras de historia como las que me despertaban tan viva curiosidad) había gravitado en la de José Luis Romero, quien —bajo el signo de una visión de la historia de la cultura enraizada en una problemática definida en lo esencial en la primera posguerra— estaba ya por entonces ampliando los horizontes de la historiografía argentina, y bajo ese signo yo mismo había comenzado a explorar los temas que ahora me decidía a abordar de modo más sistemático, de lo que había quedado testimonio en un breve libro publicado en 1951[5]

[4] En particular Raquel Weinbaum [David Viñas], «Los dos ojos del romanticismo», *Contorno,* Nº 5-6, Buenos Aires, setiembre 1955, pp. 2-5.

[5] Tulio Halperin Donghi, *El pensamiento de Echeverría,* Editorial Sudamericana, Buenos Aires, 1951.

en que me había ocupado ya de algunos de los tópicos desarrollados en el presente volumen.

Pero de esos tópicos no me iba a ocupar demasiado en los años que siguieron a mi partida de la Argentina, y los habría de retomar tan sólo —y aún entonces en concurrencia con otros inspirados por el breve auge de esa disciplina de existencia fugaz que fue la economía del desarrollo— después de dejar atrás unos años de existencia trashumante para sentar mis reales en Berkeley. Para entonces demasiado había cambiado en el contexto en que los retomaba para que pudiera darse una continuidad lineal con mis primeras aproximaciones a esa temática; lo hacía ya imposible que yo mismo hubiese sido trasformado por mi activa participación en la vida de comunidades letradas de las que en 1951 sólo había tenido noticia a través de fuentes librescas, lo que se reflejaba no sólo en una modificación del abanico de actividades que debía atender que hizo que mi nueva aproximación a esa temática comenzara con un seminario graduado que ofrecí como parte de mis obligaciones docentes en Berkeley, sino —lo que era sin duda más importante— que mis experiencias en el marco de comunidades que así fuese a un siglo de distancia continuaban a las que habían dado marco a las trayectorias de las que busqué darme razón en los capítulos que siguen me permitieran apoyarme para ello en algo más que en los vuelos de mi insuficientemente informada imaginación.

Hay en particular una experiencia que tuvo aquí un papel determinante; fue en 1981 y en México, cuando —invitado por la UNAM a ocupar por un trimestre la cátedra Alfonso Caso— se me ocurrió explorar más ampliamente en el tema que ya había abordado en Berkeley. Y tuvo ese papel por dos razones, la más obvia es que —como lo refleja el texto de la clase inaugural del curso—[6] en la visión que había alcanzado entonces sobre el tema estaba ya presente casi todo lo que ahora se despliega en la que subtiende estos capítulos. La menos

[6] Publicada en *Revista Mexicana de Sociología,* XLIX, 1, 1981, bajo el título «Intelectuales, sociedad y vida pública en Hispanoamérica a través de la literatura autobiográfica».

obvia pero sin duda más decisiva fue que debido a las trágicas vicisitudes que atravesaban en esos momentos las tierras del Plata me tocó compartir con muchos de los oriundos de ellas el deslumbramiento ante ese mundo alucinante que es el mexicano, y mientras en esas diez semanas vividas en una ciudad en que cada peripecia de la vida cotidiana lleva la marca de una singularísima experiencia histórica que incita a emprender una suerte de cala arqueológica en que cada horizonte remite implacablemente a otro aún más profundo en el pasado de esa nación que, para decirlo con Alfonso Reyes, por algo lleva escrita la equis en la frente, cambió para siempre lo que para mí quiere decir la expresión «Hispanoamérica», haberlas vivido en esa compañía creó también un lazo perdurable con muchos de los oriundos de esas tierras lejanas que asistieron a las reuniones celebradas en la torre II de Humanidades. Luego de una conferencia inaugural que invitaba a emprender una de esas calas en busca de la clave del enigma mexicano, en la que predominaban ilustres personalidades que no hubieran necesitado haberse interesado nunca por el tema para considerar un agravio imperdonable no haber sido invitadas, entre los que pasado ese evento quedamos dueños del campo se contaba un muy joven historiador Alberto Díaz, entonces en los primeros pasos de una segunda carrera en el mundo editorial que iba a proseguir luego de su retorno a la Argentina, en la que mientras tomaba a su cargo la publicación de los más de los proyectos de mi autoría que se fueron sumando a lo largo de los años no cesaba de hacerme presente el compromiso que había asumido con la temática abordada en estos capítulos, y debo mencionarlo aquí porque sin su paciencia y su insistencia este libro sencillamente no existiría.

Porque, si bien fue en esas semanas de 1981 cuando comencé a tomar en cuenta la posibilidad de que en esa temática hubiese material para un libro, seguirían siendo otros los temas, vinculados como antes con los propuestos por la economía del desarrollo, que para entonces había entrado ya en la etapa descendente de su meteórica trayectoria, los que me tendrían más inmediatamente ocupado, mientras sin que me lo propusiera programáticamente no dejaba pasar en vano las ocasiones de volver a los abordados en esas semanas mexicanas.

Pero, por decisivo que hubiera sido ese momento, lo fue porque en él tomó su primera forma un proyecto cuyo *modus operandi* se apoyaba en supuestos que venían de más atrás, y que habían sido asumidos en un marco de ideas que habían ido perdiendo relieve en el camino. En la definitoria frase de Sartre con cuya cita se abren estas páginas se trataba de reemplazar los universales abstractos bajo cuyo signo el marxismo, tan prometedor en el momento de su primera irrupción, había terminado por anquilosarse quizá irreversiblemente, por totalidades concretas bajo cuyo signo se haría por lo contrario posible encontrar la explicación de un hecho en el hecho mismo. Pero apenas se examina de qué modo se proponía Sartre abordar esa tarea se advierte que esa presentación de su propósito refería a la vez a dos aspectos distintos del contencioso que lo separaba del marxismo: estaba por una parte el de sus relaciones con el que era a la vez el primer partido de Francia y el sostenedor en ese país de la causa que defendía a escala planetaria la gran vencedora de la Segunda Guerra, que fue la URSS, frente al cual aspiraba a mantener su independencia en un clima de mutuo respeto, pero por otra parte reivindicaba frente a la rigidez que también en este punto mantenía el marxismo la necesidad de ampliar el canon de las ciencias del hombre y la sociedad incorporando «los aportes del psicoanálisis, la sociología empírica y la antropología cultural».

Es sabido que el primero de esos problemas Sartre no lograría nunca resolverlo, en cuanto al segundo la madurez de pensamiento que había ya alcanzado cuando llegó a planteárselo tuvo por consecuencia que nunca logró ajustarse del todo a la gradual pero progresiva disolución del orden mundial bipolar en cuyo marco había afrontado esos dilemas al ingresar en la escena pública en la aurora de la segunda posguerra. Mientras la solidez de ese orden en que dos bloques rivales se disputaban la primacía en condiciones que hacían posible que cualquier accidente en el camino pusiera fin a la aventura de la humanidad sobre la tierra lo llevaba a plantearse esos dilemas con una intensidad trágica, por otra parte esa misma solidez lo incitaba a encarar con confianza la renovación de las perspectivas de análisis que, según esperaba, le permitiría incidir eficazmente sobre ese conflicto. Pero a quienes no nos creíamos llamados a un tan alto destino esa misma solidez nos invitaba a concentrar nuestros esfuerzos en la ampliación del canon de las ciencias humanas que, invocando a Sartre, Adolfo Prieto preconizaba en *La literatura autobiográfica argentina,* y que al introducir nuevos instrumentos de análisis permitía sumar el testimonio autobiográfico a las fuentes utilizadas desde más antiguo, tal como por mi parte lo había venido haciendo desde mi primera aproximación a esa temática en *El pensamiento de Echeverría.*

En 1981 era ya muy claro que había dado ya sus últimos frutos ese afirmarse de la modernidad en que, tal como habían profetizado Marx y Engels en 1848, todo lo sólido se desvanece en el aire, y a medida que se desdibujaba el perfil desesperantemente preciso de ese orden que mantenía al género humano en constante peligro de muerte lo único que nos iba quedando de sólido eran los textos que habíamos utilizado para explorarlo. Ese deslizamiento gradual y progresivo estaba llevando ya a una reconfiguración del objeto que aspirábamos a comprender, y que cada vez más se nos aparecía como el fruto del entrelazamiento de las acciones humanas cuyo examen habían abordado —cada una a su manera— tanto la historia como las ciencias humanas y sociales, pero que era ahora claro que bastaba recoger tal como nos las ofrecía nuestra experiencia directa para alcanzar una imagen fidedigna de esa experiencia misma.

Esa nueva manera de ver las cosas se reflejaba en un cambio en las relaciones entre la historia y las ciencias humanas y sociales que, surgidas con la modernidad, se habían propuesto ofrecer soluciones *ad hoc* a los vastos problemas que su inexorable avance planteaba a cada paso, encontraban difícil proponerlas igualmente relevantes para ese escenario radicalmente trasformado. Frente a esa suerte de desconcierto epistemológico, los historiadores, más acostumbrados a avanzar en la niebla, nos ateníamos menos problemáticamente a la lectura directa de nuestra experiencia en esos textos que antes habíamos explorado en la esperanza (a la que no nos había costado mucho renunciar) de avanzar más allá de ellos.

Fue en 1988, en una de las ocasiones de avanzar en esa temática que, como he anotado más arriba, no dejaba pasar en vano —la ofrecida por el coloquio organizado en Berkeley en conmemoración de Sarmiento en el año centenario de su muerte— cuando oí a Sylvia Molloy presentar un ensayo tan original y sagaz como suelen ser los suyos,[7] y desde entonces menudearon las ocasiones de nuevos encuentros que me han dejado recuerdos para mí encantadores de diálogos en que difícilmente estábamos de acuerdo pero tenían tan poco en común con los debates que tienen un lugar central en nuestra vida académica como los que paralelamente mantenía y mantengo con mis amigos del Di Tella.

Mientras tanto el derrumbe del mundo moderno continuaba su inexorable avance, y había ocurrido ya el casi silencioso del que era entonces conocido como socialismo realmente existente en la URSS y Europa centro-oriental cuando me encontré girando en la órbita de los *subaltern studies* que irrumpieron súbitamente en nuestro campo. Confieso que me preparé muy poco para ese nuevo desafío; mientras en años anteriores había leído a Michel Foucault con enorme interés (y espero que con algún provecho), ahora sólo explorando al azar los anaqueles de la biblioteca de Berkeley me ocurrió leer la violenta denuncia de Jacques Derrida, que hacía autoridad entre los seguidores de esa corriente, contra el imperialismo de la palabra hablada en las lenguas que usan escritura alfabética, que me costó trabajo convencerme de que no escondía ninguna intención paródica y no me incitó a seguir avanzando en la lectura de su copiosa obra.

Más útil encontré en cambio todo lo que por iniciativa de Florencia Mallon y Steve Stern llegó hasta mí del decisivo aporte indostánico a esa corriente, que marcó un nuevo avance en el camino a nuestro presente postcolonial, en que son los oriundos de ese vasto subcontinente los que conservan vivo el rico legado de la sintaxis de la lengua inglesa, al que sus pasados dominadores parecen haber renunciado con alivio. Ese trastrocamiento de las posiciones de unos y otros en una escena histórica

[7] Sylvia Molloy, «The unquiet self: Mnemonic strategies in Sarmiento's autobiographies», en Tulio Halperin Donghi, Iván Jaksic, Gwen Kirpatrick, Francine Masiello (eds.) *Sarmiento, Author of a Nation,* University of California Press, Berkeley-Los Angeles-London, 1994.

que ha perdido su centro, en que esos y otros sujetos colectivos que se descubren como tales a través del esfuerzo por asegurarse en ella un lugar a su medida es el que ofrece el trasfondo para el que ha dado en llamarse giro subjetivo, que bien pronto se hizo también sentir en el campo hispanoamericano, y en mi aproximación a éste tuvo de nuevo Florencia un papel decisivo, a través de un amistoso debate (el término es también aquí de rigor) debido a que me pareció ver en su posición una tentativa de amortiguar las consecuencias que esa multiplicación de sujetos tenía en nuestro concreto trabajo de historiadores apelando al veredicto obtenido a través de la reconstrucción de ciertos acontecimientos apoyada en datos cuya validez no podía ser desmentida por los voceros de esos sujetos rivales;[8] en cuanto a esto estaba demasiado convencido de que sólo podemos ver el mundo con los ojos que Dios nos ha dado, y que por lo tanto lo único que nos queda es comunicar lo que hayamos logrado ver luego de aguzar la mirada de la mejor manera que sepamos hacerlo, y esperar las reacciones que ello provoque.

Por lo que he visto desde que el trastrocamiento que acompaña al giro subjetivo en el mundo anglosajón comenzó también a avanzar sobre el hispanoamericano, ya sea que nos lo propongamos o no, eso es lo que de todos modos termina ocurriendo. En mi caso eso ocurrió en el marco de nuevos encuentros que han dejado su huella en la imagen de la etapa más temprana de la trayectoria explorada en los capítulos que siguen, en que el estímulo actual para la determinación de la agenda de debate deriva de la crisis en los delicados equilibrios que hasta muy recientemente habían logrado mantener la siempre frágil cohesión del entero orbe hispánico. En esos nuevos diálogos entre las ruinas, entablados en las últimas dos décadas en los más variados rincones del que fue imperio español, fueron muchos más los que se sumaron a los participantes de los más tempranos; demasiados para inscribir aquí sus nombres, pero ellos saben cuántas razones tengo para recordarlos con mi más viva gratitud.

[8] Eso es lo que me pareció leer en el argumento por ella sostenido en *Peasant and Nation: the Making of Postcolonial Mexico and Peru,* University of California Press, Berkeley-Los Angeles-London, 1995.

I

FRAY SERVANDO, PRECURSOR, MÁRTIR Y TRIUNFADOR GLORIOSO

El 12 de diciembre de 1794 Servando de Santa Teresa de Mier, Noriega y Guerra, un fraile dominico que, cercano entonces a la treintena, comenzaba a ganar nombradía como orador sagrado, pronunció el sermón de circunstancias en honor de la Virgen de Guadalupe en la Colegiata de su Villa; y el modo en que encaró su cometido tuvo consecuencias que iban a sacar para siempre de cauce a una carrera hasta entonces prometedora.

En las casi cuatro décadas que le quedarían por vivir, Fray Servando no se cansaría de volver una y otra vez sobre esa catástrofe, en un esfuerzo por dar razón de una peripecia que comenzó por aparecérsele incomprensible, y que exploraría minuciosamente primero en la *Apología* redactada en 1819, durante su prisión en la cárcel de la Inquisición de la capital de la Nueva España, y luego en versión abreviada en el *Manifiesto apologético* compuesto en 1821, de nuevo en cautiverio esta vez en la fortaleza de San Juan de Ulúa que custodiaba el puerto de Veracruz, en un par de reiterativos alegatos que ofrecen el testimonio de lo que significó para su protagonista vivir el episodio que marcó el punto de partida de la metamorfosis del letrado colonial en intelectual moderno.

Hasta el momento en que su panegírico de Guadalupe la sacó plenamente de quicio, la carrera de Fray Servando podría servir en efecto como la del *Ideal-Typus* del letrado colonial. Lo habilitaba de antemano para ese papel su origen en una familia de indudable eminencia en Monterrey, que como tantas otras constituidas en los más variados rincones de Indias durante la etapa borbónica, y destinadas a ocupar en ellos por largo tiempo posiciones de influjo y poder luego del derrumbe imperial, era fruto de una alianza entre alguno de los agentes a quienes la corona había encomendado afirmar con creciente eficacia su autoridad sobre sus dominios ultramarinos y alguno de los linajes locales que buscaban por ese medio adaptarse sin daño y aún con ventaja a una reestructuración del orden imperial que sabían destinada a mediatizar su influencia pero a la cual se sabían también incapaces de oponerse con éxito. El lugar que entre las familias de la capital del Nuevo Reino de León había logrado conquistar la fundada por un escribano asturiano de condición hidalga que, allí establecido en 1710 en el séquito de su padre, designado gobernador y capitán general del Nuevo Reino, contrajo matrimonio con una descendiente de conquistadores y primeros pobladores de éste, estaba reflejado en el muy conspicuo que en la entonces diminuta metrópoli regiomontana ocupaba la casa familiar en que en 1765 el futuro Fray Servando hizo su ingreso en el mundo.

Había sin embargo un rasgo que en el perfil de ese su clan familiar aparecía más acentuado de lo habitual entre los que integraban las elites novohispanas: era éste la extrema frecuencia con que tanto sus integrantes cuanto los que se vinculaban con él a través de nuevas alianzas matrimoniales aparecían ocupando posiciones medias y altas en la Iglesia y la administración regia (mientras en Monterrey su padre fue por cinco años teniente general y por uno gobernador del Nuevo Reino, en la capital de la Nueva España dos de sus tíos hallaron ocupación, uno de ellos como rector de la Inquisición y canónigo catedralicio, y otro como miembro y luego Regente de la Audiencia capitalina, y por su parte dos de sus hermanas se unieron en matrimonio con altos funcionarios de la administración virreinal, uno de ellos en la Renta de Tabacos y otro en la Real Hacienda). Sin duda la conquista de posiciones como ésas debía mucho a la posición eminente que ocupaban los Mier dentro de la elite regiomontana que, abrumadora en su patria chica, alcanzaba también a hacerse sentir, así fuera atenuadamente, en la capital de la Nueva España, pero su tan frecuente orientación hacia carreras eclesiásticas o administrativas sugería que no habían alcanzado el nivel de opulencia que les hubiera hecho encontrar menos atractivos esos destinos, y es sugestivo que en sus alegatos el mismo Fray Servando que martillaba incesantemente sobre la eminencia de su linaje fuese mucho más parco en alusiones a la fortuna familiar.

Esa circunstancia hizo quizá que la necesidad de asegurar posiciones lo bastante respetables a las incesantes nuevas camadas de hijos de las familias de la elite novohispana con recursos patrimoniales que no crecían en la misma proporción, que se hacía sentir aún en los linajes más opulentos, decidiera al padre de Servando de Mier, abocado a buscar destino para éste su octavo hijo de los nueve que eran fruto del segundo de sus matrimonios cuando acababa de contraer un tercero que le iba a deparar cuatro vástagos adicionales, a usar de sus vinculaciones familiares con la orden de predicadores para asegurar a ese hijo, al precio de un muy limitado sacrificio del patrimonio familiar, una posición desde la cual, si contaba para ello con los talentos necesarios, podría acrecentar aún más el honor y fama de su linaje, y si es poco probable que el futuro Fray Servando, como iba a sostener repetidamente luego, sólo engañado se había avenido a vestir el hábito de Santo Domingo, es en cambio totalmente verosímil que lo decidiera a aceptar el destino que así le era impuesto la seguridad de que, cualquiera fuese su vocación por la vida del claustro, no tenía a su alcance ninguna alternativa preferible a ella.

Pronto iba a descubrir que si su pertenencia a una de las primeras familias del remoto Monterrey había bastado para asegurar su ingreso en el convento dominicano de la capital virreinal, poco podía hacer para favorecer la carrera que así se le abría, y en busca de sobresalir en ella se iba a consagrar con empeño a la conquista de una fama y un prestigio capaces de agregar brillo a la imagen de la orden que lo había acogido, en lo que pronto reveló dotes que, una vez ordenado sacerdote, incitaron a sus superiores a impulsarlo a emprender estudios de teología en la Universidad de México. Una vez recibidas las borlas doctorales y ya agraciado Fray Servando en su ciudad nativa con la designación «esencialmente honorífica» de examinador sinodal, tres sermones por él pronunciados en la capital mexicana, que le ganaron la admiración inteligente de los conocedores, vinieron a justificar con creces la confianza que en él había depositado la orden de predicadores.

Se había abierto ya para entonces el ciclo de guerras en que bajo el signo de la Revolución la Francia primero republicana y luego imperial iba a enfrentar a las monarquías europeas, y en la esperanza sin duda de ganar así más rápida nombradía como orador sagrado, Fray Servando buscó en ese conflicto inspiración para sus sermones; así, en el primero de ellos, pronunciado en Santo Domingo en ocasión de la renovación del cabildo municipal, creyó oportuno incluir una vehemente condena de la declaración de los Derechos del Hombre por parte de la Asamblea revolucionaria francesa, así como del «sistema de Rousseau»; en el segundo «declamó» en la Catedral contra el regicidio en Francia, «tomando como asunto que la obediencia de los reyes era una obligación esencial del cristianismo», y en esa ocasión el entusiasmo suscitado por su inspirada oratoria influyó en «la liberalidad de los donativos que se hicieron para la guerra contra la Francia republicana», mientras el tercero, pronunciado de nuevo en la Catedral en ocasión del traslado a ella de los restos de Hernán Cortés, se la dio para «alabar a los reyes, principalmente actuales».

El papel que en esas oportunidades Mier había desempeñado con tanto brillo no innovaba en nada esencial sobre el que en el marco del Antiguo Régimen se esperaba de un orador sagrado en circunstancias semejantes, que no era sino el de ofrecer el aval de una autoridad más que humana en apoyo de las decisiones de quienes ejercían el gobierno temporal en nombre de su soberano, y por lo que sabemos no había nada en el texto de esos sermones —que no ha llegado hasta nosotros— que sugiriese que a sus ojos esa crisis en avance hubiera cambiado tampoco nada esencial en el vínculo que desde los tiempos fundacionales de las Indias españolas unía a ese soberano y sus súbditos. Sin duda Mier no ignoraba que la lealtad que obedeciendo a la voluntad divina esos súbditos tributaban a su monarca no les impedía alimentar sentimientos ambiguos —que él mismo compartía— frente a más de una modalidad del orden que lo tenía a su cabeza, pero no ignoraba tampoco que así había venido ocurriendo desde el comienzo mismo de la experiencia inaugurada por la conquista de Indias.

No ha de sorprender entonces que al aludir en su *Apología* a las razones que tuvo para dedicar tanto espacio en el sermón pronunciado con motivo de la inhumación en la Catedral de los restos de Cortés a «alabar a los reyes, principalmente actuales», y explicar que lo hizo con el propósito de aventar los peligros que se cernían sobre él luego de que algunas expresiones con que había dado desahogo a su humillado orgullo criollo en una conversación privada habían sido denunciadas a las autoridades por su interlocutor, y que fue el propio Virrey, a quien se dirigió para exculparse, quien le sugirió acudir a ese recurso para disiparlos, no se le ocurriese siquiera ver en la vehemencia de los sentimientos que había volcado en esas palabras imprudentes un signo de ninguna inminente crisis final del dominio español en Indias. No podía ocurrírsele cuando, como era notorio, desde el origen mismo de ese dominio la presencia de expresiones como ésa en boca de integrantes de las elites indianas había ya dado desahogo al orgullo herido de esos descendientes de conquistadores que se veían postergados por oleada tras oleada de advenedizos enviados desde ultramar por la administración regia, sin que quienes administraban en nombre del monarca sus posesiones ultramarinas hubiese visto en el tenaz resentimiento de los oriundos de ellas una amenaza que requiriese apoyar su autoridad en una presencia militar menos irrisoria que ésa cuya modestia nunca dejaba de sorprender a observadores extraños.

Cuando Mier, ansioso de no dejar pasar en vano una irrepetible oportunidad de consolidar su incipiente fama de orador sagrado que le brindaba la invitación a ofrecer el panegírico de la virgen de Guadalupe de cara a lo más granado de la elite que regía la Nueva España, pronunció el fatídico sermón de la Colegiata, estaba todavía tan lejos de advertir que la guerra entre la Francia en revolución y las monarquías europeas había abierto una crisis demasiado honda y radical para que pudiera sobrevivir a ella el equilibrio en que la lealtad y el resentimiento habían logrado convivir hasta entonces que no advirtió tampoco hasta qué punto era riesgoso elegir deliberadamente para la ocasión un argumento que sabía en extremo controversial. Por el contrario, estaba convencido de que con ello sólo iba a dar pie a una proliferación de disputas eruditas que, al agitar por largo tiempo la menuda cofradía letrada de la Nueva España, harían más memorable su paso por el púlpito de la Colegiata que el de tantos otros predicadores que lo habían precedido en él y al recurrir a enfoques más convencionales sólo habían logrado ganar para sí una celebridad efímera.

En esta ocasión afloró ya un rasgo de la *forma mentis* de Fray Servando que de nuevo iba a gravitar en el futuro, y de nuevo con consecuencias catastróficas. Mientras —como se verá más adelante— el «ingenioso argumento» que escogió para su sermón anticipaba ya los que revelarían toda su eficacia en las siguientes dos décadas a lo largo de las cuales esa crisis habría de avanzar sobre un rumbo difícilmente previsible, pero que parecía haber previsto sin siquiera advertirlo, lo que no había previsto fue el totalmente previsible impacto inmediato que su oración iba a provocar en el público de elite convocado en la Colegiata guadalupana.

Porque no podía no provocarla un argumento que invocaba en su favor las dos grietas mayores cuyo avance ponía en creciente riesgo de derrumbe al majestuoso edificio del que pronto sería el Antiguo Régimen. Cuando Fray Servando proclamaba que su propósito había sido desplegar ante ese público una versión menos vulnerable que la tradicional a los ataques de «la crítica de moda», bajo cuyos embates hacía ya años que los sermones pronunciados en honor de la Guadalupana en su santuario se habían convertido en «disertaciones apologéticas, y nadie diserta allí donde no hay oposición», aludía inequívocamente a los que, inspirados por el avance del espíritu ilustrado, estaban socavando con creciente eficacia la visión del mundo que avalaba la pretensión de la monarquía hispánica a ser reconocida como legítima por sus súbditos, mientras al invocar como argumento adicional a favor de la versión del milagro que presentaba como posible alternativa a la tradicional que, al retrotraer el origen del culto mariano en el Tepeyac a los tiempos apostólicos, venía a ofrecer un decisivo aval a la aspiración de los originarios de la Nueva España a gozar en los hechos de la perfecta igualdad con los oriundos del Viejo Mundo que les era reconocida en derecho por la monarquía católica, venía a ofrecer también, así fuera implícitamente, un argumento a favor de una radical modificación en el efectivo funcionamiento de su aparato institucional en detrimento de quienes en ese momento tenían en él el lugar de privilegio.

Es probable que cuando Mier calculaba el riesgo en que incurría al invocar esos dos argumentos en su sermón lo inquietara sobre todo la audacia implícita en esta última demanda. Aunque no dejaba de advertir que ya incurría en ellos con sólo poner en problema la autenticidad de la versión tradicional, y por esa razón, uniendo la cautela con la audacia, buscaría aventarlos absteniéndose de presentar como válidas las proposiciones favorables a una visión alternativa acerca del origen de la devoción guadalupana que enunciaba en él, lo que le permitiría alegar luego que aún si éstas eran juzgadas condenables la condena no podía alcanzarlo, puesto que se había limitado a mencionarlas como probables, es decir, merecedoras de ser abiertas a prueba, sabía también que disminuía aún más esos riesgos la presencia de dudas sobre la validez del relato tradicional acerca del origen de la devoción mariana en el Tepeyac que, como era notorio, lejos de haber surgido sólo la víspera como reflejo de un clima colectivo cada vez más afectado por los avances de «la crítica de moda», venían oyéndose desde el momento inicial de esa devoción, y entre quienes las habían formulado, a menudo volcándolas en un lenguaje mucho menos cauteloso que el que el mismo Mier iba a emplear, no habían faltado figuras venerables de la Iglesia de la Nueva España ni sabios cuya fama cruzaba los siglos y cuya ortodoxia estaba libre de toda sospecha.

Si un debate entablado en el siglo XVI seguía abierto luego de pasadas dos centurias era porque en la devoción del Tepeyac se refleja con particular nitidez todo lo que tenía —y sigue teniendo hasta hoy— de problemático la relación entre el México prehispánico y el vuelto a crear en el crisol de la conquista española. Esa dimensión problemática había sido vivida —y habría quizá que decir mejor sufrida— del modo más intenso por los franciscanos que en la etapa inicial de la conquista contribuyeron antes que ninguna otra orden a la evangelización de la inmensa masa humana que ésta había puesto a su alcance, a la que para su sorpresa, descubrieron no sólo dispuesta de antemano a recibir la Buena Nueva sino preparada a hacerlo con provecho gracias a unas prácticas de vida espontáneamente virtuosas y a la posesión de nociones religiosas que, aunque erróneas, estaban suficientemente cercanas a las del mensaje evangélico para hacerlo más fácilmente aceptable a quienes habían sido formados en ellas, y creyeron entonces posible concluir de todo ello que la tierra que acababa de abrirse a su prédica había sido destinada por la Providencia para que la fundación en ella de una cristiandad más pura que la muy corrompida que sobrevivía en el Viejo Mundo marcara el punto de partida del adviento del reino milenario de Cristo anunciado en el Apocalipsis.

Pronto iban a descubrir que en las multitudes convertidas a la nueva fe sobrevivía mucho más de la antigua de lo que habían imaginado, y no mucho más tarde comenzaron a interpretar esos decepcionantes descubrimientos sobre la misma clave que los tan exaltantes que habían antes creído alcanzar: las semejanzas entre sus viejas creencias y rituales y los de la verdadera fe, que antes habían imaginado instituidas por la Providencia con un propósito por así decirlo pedagógico, les parecían ahora inventadas por el Diablo como una sacrílega parodia de las que luego sólo habrían fingido adoptar con entusiasmo para embotar la vigilancia de sus pastores y poder así seguir practicando impunemente sus ritos demoníacos.

No ha de sorprender entonces que en el ocaso del siglo XVI, cuando las peregrinaciones al santuario de la Guadalupana estaban apenas en sus comienzos en la colina antes consagrada al culto de Tonantzin, madre de los dioses en el panteón mexica, el franciscano Bernardino de Sahagún, quien en el Colegio de Santa Cruz Tlatelolco, fundado en 1536 con el propósito de dar formación cristiana a las nuevas generaciones de la elite mexica, había reunido y aprendido a descifrar con el auxilio de sus discípulos nativos los códices prehispánicos que iba a reunir en el luego conocido como Códice florentino, estuviera ya suficientemente desencantado ante los resultados de ese esfuerzo evangelizador para que en la *Historia de las cosas de Nueva España,* en que había volcado en la lengua de los conquistadores lo aprendido al lado de esos discípulos, declarara sospechosa la súbita popularidad de ese supuesto santuario mariano, al que creía saber que estaban acudiendo los muchos que no habían olvidado a esa deidad pagana para continuar en secreto rindiéndole culto.

En el siglo siguiente, mientras ese santuario comenzaba a atraer peregrinos desde rincones cada vez más remotos de la Nueva España, y en su colina se habían erigido ya más sustanciales edificios de culto costeados por iniciativa de las elites de la cercana ciudad de México, Miguel Sánchez, criollo mexicano, publicó en 1648 en su *Imagen de la Virgen María, Madre de Dios de Guadalupe* la primera versión escrita de la aparición de María en 1531, por él reconstruida a partir de tradiciones orales, centrando su narrativa en el milagro que logró vencer el escepticismo del obispo Zumárraga frente al mensaje que en su nombre le trasmitía Juan Diego. Un año después, el licenciado Luis Laso de la Vega, vicario desde 1647 del santuario del Tepeyac, publicó una versión náhuatl del relato del milagro, que tenia por núcleo una sucesión de diálogos entre la Madre de Dios y quien ella había escogido por mensajero, y entre éste y el obispo, que —tal como señala David Brading— aunque se atenía en lo esencial al relato de Sánchez, en cuanto a estilo y estructura dramática ofrecía un profundo contraste con éste, ya que mientras ambos textos son igualmente retóricos, el uno se apoya en metáforas bíblicas y el otro recurre con considerable maestría a «prácticas literarias nativas [que] infunden al texto un sabor decididamente no europeo».[1]

No todos iban a aceptar que en ese núcleo Laso de la Vega hubiera vertido muy libremente en náhuatl el relato compuesto por Sánchez en español; a fines del siglo XVII el erudito criollo Carlos de Sigüenza y Góngora iba a declarar bajo juramento que entre los papeles de Fernando de Alva había visto con sus propios ojos el original mexicano del *Nican Mopohua,* de puño y letra de don Antonio Valeriano, uno de los discípulos y colaboradores de Sahagún, al que el mismo don Fernando había agregado el relato de otros milagros más tardíos para completar la narrativa publicada por Laso de la Vega en 1649.[2]

[1] David Brading, *Mexican Phoenix. Our Lady of Guadalupe: Image and Tradition across Five Centuries,* Cambridge, Cambridge University Press, 2001, p. 83.
[2] Brading, *op. cit.*, p. 117.

Quienes, junto con Brading, han hecho suyos los argumentos de todos los que no encuentran ese testimonio del todo convincente pueden coincidir con el autor de *Mexican Phoenix,* que descubre una *poignant irony* en que «en el momento mismo en que el *Nican Mopohua* ha sido reconocido [por la más alta autoridad de la Iglesia Católica] como un texto inspirado, un evangelio mexica, sus verdaderos autores *hayan* sido identificados como dos clérigos criollos».[3] El escepticismo de Brading se funda en parte en que Sigüenza y Góngora, que contribuyó quizá más que nadie a poner las bases del patriotismo criollo de los españoles americanos, estaba demasiado interesado en ver reconocida la autenticidad de los milagrosos hechos de 1531 para que su demasiado categórica atribución de la autoría del *Nican Mopohua* a Antonio Valeriano, invocando haber reconocido su letra en el manuscrito original que había visto entre los papeles de Laso de la Vega, estuviera por encima de toda sospecha. Y no hay duda del interés de Sigüenza por multiplicar los signos del favor celeste para su patria mexicana, que lo llevó también a proyectar una obra sobre la predicación de Santo Tomas en tierras mexicanas en la cual se proponía probar que ella sobrevivía en la memoria mexicana traspuesta en la leyenda de Quetzalcóatl.[4]

Fray Servando estaba entonces ampliamente justificado cuando alegaba que las que en su sermón eran denunciadas como novedades nunca antes oídas —y capaces por lo tanto de provocar una seria conmoción en la sociedad novohispana— estaban lejos de serlo. Pero le faltaba aún encontrar un argumento central que le permitiera enlazar todos esos motivos madurados a lo largo de casi dos siglos en un argumento lo bastante novedoso para hacer especialmente memorable su contribución a la gloria de la Guadalupana.

Lo iba a encontrar cuando el dominico padre Mateos lo llevó a oír las «cosas tan curiosas» que sobre el tema decía el doctor José Ignacio Borunda, abogado ante la Audiencia capitalina. Luego de descifrar a su satisfacción las verdades básicas de la fe católica en los

[3] Brading, *op. cit.*, p. 360.

[4] Brading, *op. cit.*, p. 115.

enigmáticos jeroglíficos inscriptos en la recién descubierta Piedra del Sol, Borunda estaba sometiendo a análogo desciframiento a ese otro «jeroglífico mexicano» que estaba convencido de haber descubierto en el milagroso lienzo del Tepeyac, en que esas mismas verdades, volcadas en «los frasismos más finos del idioma náhuatl», adornaban la imagen de sí mismo que estaba no menos firmemente convencido de que María había estampado milagrosamente en el manto del apóstol quince siglos antes de la fecha atribuida a ese milagro por la versión tradicional, reivindicando así para la reliquia allí venerada una antigüedad que se remontaba a la edad apostólica, con argumentos más sólidos que los esgrimidos por quienes la reivindicaban para la de la Virgen del Pilar, que una poco creíble tradición zaragozana declaraba obra de San Lucas Evangelista.[5]

Tras de lamentar que sus limitados recursos le impidieran imprimir de su propio peculio esos «monumentos preciosísimos» de la antigua cristiandad mexicana, Borunda sugirió que si Mier utilizaba el sermón que estaba preparando para dar al público noticia de sus descubrimientos, y de ese modo «excitar su curiosidad, acaso se lograría lo necesario para la impresión».[6] Mier encontró inmediatamente convincentes los descubrimientos de Borunda, y los invocó en apoyo de su argumento en el borrador del texto del futuro sermón que leyó a «varios doctores amigos», entre quienes «nadie lo creyó teológicamente reprensible; nadie creyó que negaba la tradición de Guadalupe; todos lo juzgaron ingenioso, y participaron de *su* entusiasmo, hasta ofrecer*le* sus plumas para presentarse a *su* favor en la lid literaria a la que provocaba».[7]

El encuentro con Borunda hizo algo más que fortificar la decisión de Mier de utilizar ese sermón para desafiar la versión tradicional del origen del culto de la Guadalupana: le ofreció un preciso relato alternativo al de ésta que, reemplazando la humilde figura del indio Juan Diego, elegido en ella por María como receptor de su mensaje,

[5] Fray Servando Teresa de Mier, *Memorias,* México, Porrúa, 1946, vol. I, p. 6.

[6] Mier, *Memorias*, cit., I, p. 6.

[7] Mier, *Memorias*, cit., I, p. 9.

por la imponente del apóstol que sobrevivía en la memoria mexicana bajo la figura de Quetzalcóatl, hacía de la continuidad entre el culto de la madre de los dioses del panteón mexica y el de la Madre de Dios que atraía a crecientes multitudes de devotos de la nueva fe a la colina del Tepeyac un argumento que ofrecía un aun más abrumador título de gloria a la que allí se veneraba bajo la advocación de Guadalupe.

A la vez, el reemplazo de Juan Diego por Santo Tomás Apóstol daba pie también para un deslizamiento en la definición del grupo humano en cuyo nombre va a plantear Mier sus reivindicaciones. Mientras, como señala David Brading, lo que distinguió el relato tradicional acerca del origen del culto mariano en el Tepeyac del referido a otras imágenes que no lograron dejar una huella comparable en la vida de los mexicanos es el papel que en ella desempeña Juan Diego, elegido por la Madre de Dios como su mensajero, y como tal ungido con una autoridad ante la cual debe terminar inclinándose el primer obispo de México; es ese «pobre indio» quien, sólo diez años después de la conquista española, recibe su promesa de velar sobre México y sus nativos como una madre sobre sus hijos.[8] Mientras en esa versión originaria el grupo favorecido por la reina de los cielos era el de unos nativos que necesitaban de su consuelo y aliento para encontrar menos inhóspito el mundo desconocido al que la conquista había venido a arrojarlos, en la que Mier ofrece como alternativa que esos nativos han sido reemplazados por la entera nación mexicana, encuadrada en un orden jerárquico forjado por esa misma conquista, que si no hubiera sido sistemáticamente falseado por quienes tenían por función tutelarlo satisfaría plenamente las aspiraciones de todos los integrados en él. En efecto, la reivindicación que implícitamente venía a plantear al promover al lienzo de Guadalupe a reliquia de la era apostólica iba más allá de reclamar para la iglesia mexicana una posición de

[8] «What more striking affirmation of native worth than that the Virgin Mary should have appeared to a poor Indian only ten years after the conquest, assuring him that she would henceforth watch over Mexico as a mother over her children?», en David Brading, *The First America. The Spanish monarchy, Creole patriots and the Liberal state,* Cambridge, Cambridge University Press, 1991, p. 354.

perfecta igualdad con la española, era la entera nación mexicana, a la que «dotaba de un apóstol, gloria que todas las naciones apetecen» y liberaba de la supuesta deuda de gratitud hacia sus conquistadores ultramarinos, que al ofrecer a los mexicanos el acceso a la salvación eterna alegaban haberles compensado con creces cualquier daño que pudieran haberles infligido en cuanto a su existencia en la tierra, la que encontraba un nuevo y decisivo argumento para su aspiración a compartir con las posesiones europeas del Rey Católico la cumbre de ese sistema imperial extendido sobre tres continentes.

Mier no podía ignorar la audacia de ese planteo, pero confiaba una vez más en que lo haría aceptable a quienes regían la Nueva España en nombre de ese soberano si lo invocaba para exhortar apasionadamente a los mexicanos a poner todo de sí mismos en el combate contra la república de impíos y regicidas a la que los acababa de convocar el monarca. Y así lo hace: ha reivindicado ya para el culto de la Virgen del Tepeyac una historia que se remontaba a los tiempos apostólicos, ha invitado a sus fieles a venerarla, tal como lo habían hecho sus antepasados en tiempos anteriores a la conquista. bajo la advocación de Tonantzin, que al darle el título de Madre de Dios le cuadraba mejor que la sarracena de Guadalupe impuesta por los conquistadores, cuando cierra su pieza oratoria con un final a toda orquesta en que impetra a la «fidelísima tonacayoua» venerada en el Tepeyac que desde el cielo conduzca a ese nuevo Israel que es México a la victoria en el combate final contra una revolución urdida y guiada por el Príncipe de este mundo, a la que Europa (y por lo tanto implícitamente también España) se está revelando incapaz de oponer barreras eficaces.

Ahora bien, si Fray Servando confía en que una propuesta que aspira a elevar a la nación mexicana a la posición más eminente entre las regidas por el Rey Católico será bien recibida por quienes en su nombre administran y gobiernan la Nueva España es porque espera también que éstos, convencidos de que en el combate que se abre está en juego la supervivencia misma de esa monarquía, estén resignados de antemano a sacrificar todo lo que se revele necesario para esquivar esa catástrofe. Y en este punto la imaginación de Mier no sólo se ubica —sin duda sin advertirlo— en el marco de la crisis final del imperio español con esa implícita propuesta de una *translatio imperii* en beneficio de la Nueva España, que prefigura la que en 1808 iba a trasladar la capital del imperio portugués a Río de Janeiro, sino que lo hace con aún más certera precisión cuando cierra su panegírico con la invocación a una Virgen que desde el cielo guíe a los combatientes, anticipando el papel que en el siguiente siglo iban a asumir las tan numerosas émulas americanas de la del Pilar, capitana en 1808 de la heroica resistencia de Zaragoza contra los ejércitos del Imperio Francés, que encabezadas por la de Guadalupe invocada por Hidalgo en el Grito de Dolores, serían convocadas al combate en los más variados rincones de Hispanoamérica tanto por los defensores de la causa del Rey cuanto por sus adversarios. Es ésta una anticipación tanto más notable en cuanto el papel asumido por esas guerreras celestiales sólo iba a adquirir sentido en el marco totalmente novedoso de la guerra en que la Francia revolucionaria, consciente de que en su desafío a las monarquías de Europa jugaba el todo por el todo, haría su carta de triunfo de su capacidad de movilizar tras de sus nuevas banderas energías nacionales antes dormidas, forzando a las monarquías a las que había desafiado a oponer a los mitos revolucionarios que estaban devolviendo a Francia el absoluto predominio militar en el continente otros muy tradicionales, que se probarían capaces de inspirar reacciones cuya intensidad iba a reflejar el peso abrumador con que desde España hasta Rusia seguían gravitando sobre la conciencia colectiva.

Pero si ya en 1794 la imaginación de Mier comenzaba a adivinar los contornos de un futuro que transcurriría fuera del marco de la monarquía hispánica, eso no le impedía avanzar en su diálogo con ella en el mismo surco en que lo habían venido sosteniendo sus súbditos americanos desde que lo habían entablado hacía ya casi tres siglos, y usar en él como siempre el lenguaje adecuado a un súbdito para quien la voluntad de su soberano seguía siendo la única ley, en el que hubiera sido inimaginable aludir siquiera a la posibilidad de una ruptura del vínculo que con él lo unía.

Dos o tres décadas más tarde, cuando quienes habían perseverado hasta casi la víspera en ese diálogo se descubrían ciudadanos y dirigentes de alguna de las repúblicas surgidas de la ruina del viejo orden monárquico, era frecuente que alegaran que habían ya advertido plenamente la existencia de esa posibilidad, y que si en él habían respetado escrupulosamente los límites que la monarquía hispánica fijaba a la imaginación política de sus súbditos había sido sólo atendiendo a obvias consideraciones de prudencia, que tomaban en cuenta que la crisis que había de cambiarlo todo, aunque inminente, estaba aún en el futuro, y en el presente no tenían alternativa alguna a seguir desempeñando en él el papel que por siglos había sido el suyo.

Pero es más probable que otras razones de más peso los hubieran llevado de todos modos a apegarse a su lenguaje de siempre. Contaba en primer lugar entre ellas que si en el origen de ese diálogo que se prolongaba ya por más de dos siglos ese lenguaje había reflejado un modo de entender el mundo (y en consecuencia de desempeñarse en él) en el que los vasallos americanos del Rey Católico habían depositado una fe tan firme como apasionada, aún en el presente continuaba proveyendo de sentido a las prácticas que bien que mal les habían permitido seguir desempeñándose desde entonces en ese mundo con razonable éxito. Desde luego no carecían de nociones teóricas acerca de la existencia de marcos institucionales alternativos al ofrecido por la monarquía de derecho divino, de los que para no ir más lejos habían encontrado no pocos ejemplos tanto en el relato bíblico como en la historiografía grecolatina, y a medida que avanzaba la ola de revoluciones atlánticas estaban aprendiendo a ver en las normas que en ellos regían las relaciones entre gobernantes y gobernados otras tantas alternativas ya no puramente abstractas a las que pautaban la que ellos mismos mantenían con su soberano en el marco de la monarquía católica.

Pero eso no impedía que esas nociones siguieran pesando demasiado poco frente a la gravitación abrumadora que conservaba sobre quienes vivían inmersos desde tiempo inmemorial en un mundo regido por la monarquía católica los principios que ésta invocaba para reclamar ser obedecida, y que ellos mismos contribuían a consolidar cada vez que, como no podían evitarlo, se atenían al papel que las prácticas fundadas en esos principios les habían asignado. Cuando se recuerda que ese mismo peso había gravitado con no menos fuerza en la etapa inicial de las revoluciones atlánticas, cuyos primeros promotores se habían fijado por meta la regeneración más bien que la destrucción del orden político vigente, se hace fácil concluir que no fueron tan sólo razones de oportunidad las que hicieron que Mier, aunque en 1794 había ya anticipado en algunos rincones de su imaginación algunos rasgos de la crisis final de la monarquía, siguiera recurriendo en su sermón del Tepeyac al lenguaje propio de un súbdito a quien sólo hubiera podido quizá reprochársele un exceso de celo en el servicio de su soberano para conminar a ese mismo soberano —con una audacia que, como iba a descubrir de inmediato, no había sabido calibrar con acierto— a introducir cambios revolucionarios en la administración de sus posesiones, en la esperanza de que la crítica situación en que se encontraba la monarquía lo encontraría más dispuesto a escuchar esa súplica que en tiempos más normales.

La consecuencia fue que quien hasta entonces parecía destinado a seguir avanzando en una brillantísima carrera que iba a acrecer aún más el influjo y el prestigio de uno de los primeros linajes de la Nueva España en el marco de la monarquía católica se vio reducido de un día para otro a una posición de paria de la que por treinta años no halló modo de evadirse ni aun en esas etapas finales, en las que de esa agónica monarquía no sobrevivían más que algunos fragmentarios vestigios; fue en efecto sólo el nacimiento en 1824 de los Estados Unidos Mexicanos, que consumó finalmente la ruina de la Nueva España, el que vino a cerrar con una victoria casi póstuma un combate en que hasta entonces Mier no había conocido sino derrotas.

Al año siguiente de aquel en que Fray Servando había impetrado la guía de la «fidelísima tonacayoua» del Tepeyac en la guerra entablada contra la Francia republicana, ésta se cerró en una derrota tan abrumadora que obligó al Rey Católico a entrar en una alianza cada vez más abruptamente desigual con quienes se la habían infligido. Sin duda ese soberano de derecho divino, que seguía exigiendo de sus súbditos una plena sumisión a su voluntad mientras se inclinaba cada vez más sumisamente ante la de quienes al enviar al cadalso a su legítimo soberano habían lanzado el más sangriento de los desafíos a un régimen que por su parte seguía proclamando refrendado por la voluntad de Dios, tenía buenos motivos para temer que esa situación paradójica debilitara su ascendiente sobre ellos, pero para los de sus posesiones americanas fue la forzada participación en una guerra en que mientras la superioridad de los ejércitos franceses en los campos de batalla europeos les permitió alcanzar victorias cada vez más abrumadoras, la de la marina de guerra británica en los mares del mundo infligía golpes que se revelarían finalmente mortales a su escasamente espontánea aliada española la que a partir de 1796, a lo largo de una crisis que iba a cubrir más de un cuarto de siglo, les permitiría tomar paulatinamente conciencia de que se acercaba el momento en que les sería necesario ir más allá de aprovechar la creciente debilidad de su soberano para rodear a la obediencia que seguían prestándole de condiciones cada vez más duras, y abordar en cambio la búsqueda de un nuevo marco institucional capaz de reemplazar al que había entrado en un ocaso ya irreversible.

Mier iba a ser uno de los muchos que tomaron ese camino, también él, como observa con toda justeza Christopher Domínguez Michael, «sin darse cuenta cabal» de ello. Si en el punto de partida aspiraba tan sólo a ser escuchado por su soberano, en uso de un derecho reconocido como tal por el antiguo régimen, avanzó luego hasta reclamar el reemplazo de éste por uno modelado sobre el británico, en el que pasaría a ejercer el gobierno en nombre de ese soberano un consejo de ministros responsables ante los representantes de sus gobernados, para concluir proponiendo la abolición de la institución monárquica misma, porque se le hizo finalmente evidente que «mientras no se organice de otra manera el gobierno, la injusticia prevalecerá, porque un hombre solo no puede hacer justicia a millones de hombres».[9]

Era ésta una línea de avance que no hubiera podido ser más convencional, estrictamente paralela a la de tantos otros que junto con Mier pasaron de favorecer una refundación de la monarquía sobre principios opuestos a los del absolutismo a otra favorable a la instauración de un régimen republicano, y de la demanda de una redefinición

[9] Christopher Domínguez Michael, *Vida de Fray Servando*, México, Ediciones Era, CONACULTA, INAH, 2004, p. 144.

efectiva y no sólo formal del vínculo entre la metrópoli europea y las posesiones ultramarinas del Rey Católico a la de la implantación de estados independientes en las distintas comarcas antes sometidas a su autoridad. Pero lo que distingue la trayectoria de Mier de la de aquellos con quienes comparte tanto su punto de partida como el de llegada no es tan sólo que mientras el contratiempo sufrido en 1794 lo ha reducido a la condición de paria, quienes avanzan junto con él hacia la misma meta lo hacen desde muy cerca de la cumbre de ese sistema imperial, y pueden mantener abiertas todas sus opciones hasta que se les haga evidente que ha llegado para ellos el momento de romper todo compromiso con su soberano. Es también distinto lo que uno y otros esperan de la fórmula política destinada a reemplazar la de la monarquía católica; mientras éstos aspiran a encontrar una más adecuada a un mundo que comienza a emerger de las ruinas dejadas por una era de revoluciones cuyas huellas no podrían ya ser canceladas del todo, Mier, que no puede olvidar el agravio que quienes la gobiernan en su nombre le han inferido, quisiera ver emerger de esas ruinas un nuevo orden político auténticamente consagrado al servicio de los objetivos que —como su amarga experiencia le ha enseñado— el antiguo había proclamado suyos sólo para mejor traicionarlos.

Pero no es seguro que la diferencia entre lo que Mier espera de esa nueva fórmula y lo que de ella demandan quienes como él buscan su rumbo en medio del derrumbe imperial se deba tan sólo al distinto lugar desde el que asisten a éste. Ya antes de que el infortunado giro que Mier se resolvió a dar a su sermón del Tepeyac sacó a su carrera de quicio, la fe que depositaba en la visión del mundo en que la monarquía católica se apoyaba para reivindicarse como legítima comprometía capas mucho más profundas de su ser que la de quienes reconocían en los valores implícitos en esa visión otras tantas premisas que debían manipular en su provecho para conquistar el lugar al que aspiraban en el rincón del mundo que les había tocado en suerte. No había en efecto medida común entre esta adhesión a la vez universal y muy poco reflexiva a un sistema de valores cuya validez era desde tiempo inmemorial dada por supuesta y la fe apasionada que Mier depositaba en sus postulados, y en primer término entre ellos el que reconocía en las diferencias jerárquicas estatuidas por esa monarquía dentro del cuerpo social un reflejo fiel de las establecidas por la voluntad divina, que le permitía valorar aún más el lugar particularmente eminente que —estaba seguro de ello— esa voluntad le había reservado en él, y aunque cuando Mier evocó en su *Apología* el catastrófico cambio de fortuna provocado por su panegírico guadalupano estaba separado de él por veinticuatro años de sufrir sus consecuencias no hay motivo para dudar de la profundidad del desconcierto, según allí afirma, le provocó una reacción que desmentía del modo más cruel las esperanzas que esa fe le había inspirado acerca de su futuro.

Ese desconcierto inicial revelaba qué extremo era el imperio que había alcanzado sobre Mier esa fe en un destino providencial en la que se expresaba su desbordante egocentrismo. Era ella la que le impedía percibir todo lo que la indignación con que fue recibido su sermón debía al temor de que al retomar el debate acerca de la legitimidad del culto de la Guadalupana, que a lo largo de dos siglos había estado confinado al estrecho círculo de las elites novohispanas, en medio de la inmensa multitud plebeya reunida en torno de su santuario para celebrar el milagro en la fecha misma en que cada año era solemnemente conmemorado viniera a socavar aún más las bases mismas en que se asentaba el poder de la monarquía hispánica, ya suficientemente amenazado —tal como iban a señalar los canónigos de la Colegiata del Tepeyac— «en un tiempo tan crítico y revuelto por el veneno con que la Francia intenta inficionar a las naciones todas, con más particularidad hacia la parte de católicos, así en su perfidia y maldad contra los soberanos, como contra la religión y sus santos dogmas».[10]

Y seguía no percibiéndolo en 1819, cuando atribuía la unanimidad con que las elites novohispanas reaccionaron con inesperado furor a su panegírico guadalupano a que «pasiones encontradas se hallaron en el mismo punto. Los criollos sabiendo que el Arzobispo no se para en barras contra el Americano que coge entre manos, hasta confundirlo con el polvo, se daban prisa a sacarle todas las medidas de ruido y

[10] Edmundo O'Gorman (ed.), *Obras completas de Servando Teresa de Mier*, México, UNAM, 1981, vol. II, pp. 17-19, cit. en Rodríguez Michael, *op. cit.*, p. 93.

terror que podía dar de sí su poder espiritual, para afianzar su tradición y cerrar la boca a los europeos, y éstos sin creer aquélla, gritaban más alto para que no se oyese la especie incómoda de la predicación anterior a la conquista».[11] Por la misma razón no percibía tampoco todo lo que en las modalidades de la reacción tanto de su orden dominicana cuanto de las autoridades civiles y eclesiásticas de la Nueva España frente al escándalo suscitado por su sermón, que atribuía a la doblez e hipocresía esperables de quienes, ocupando posiciones de las que ni su origen ni sus méritos los hacían dignos, se sabían incapaces de oponer obstáculos menos ilegítimos al triunfo de quien no podían dejar de reconocer como su superior en ambos aspectos, podía influir el deseo de evitar que las sanciones destinadas a castigar su culpable imprudencia alcanzaran una publicidad que hubiera perpetuado el escándalo provocado por su paso por el púlpito de la Colegiata, pero a la vez de dotarlas de toda la severidad necesaria para disuadir a cualquiera que en el futuro tuviese la veleidad de imitar al orador del Tepeyac. Y desde luego Mier estaba aún menos inclinado a explorar lo que en esa preocupación por extinguir todo eco del escándalo que había suscitado su oración guadalupana antes de que su recuerdo convulsionara a sectores sociales aún más amplios reflejaba la conciencia —vivísima en la mente de quienes gobernaban la Nueva España— de que en una sociedad en que debían convivir los herederos de los conquistadores y los de los conquistados era preciso por sobre todo evitar que afloraran a la superficie las tensiones mal escondidas muy cerca de ella.

Si Fray Servando no lo tomaba en cuenta era porque concentraba por entero su atención la dimensión personal del drama que estaba viviendo, como víctima de una injusticia que venía a probar más allá de toda duda que quienes gobernaban la Nueva España en nombre del Rey traicionaban sistemáticamente los mismos principios que invocaban para requerir la obediencia de sus súbditos. Y cuando la existencia

[11] Pasaje del texto en que reconstruye en 1819 la supuesta carta que afirma haber enviado a J. B. Muñoz en 1797, en J. E. Hernández y Dávalos, *Colección de documentos para la historia de la Independencia de México de 1808 a 1821*, México, 1877-1882, vol. III, p. 154, y que reproduce casi textualmente en la *Apología* en ese mismo año.

aventurera a la que esa injusticia lo había arrojado se había prolongado por casi un cuarto de siglo, estaba ya dispuesto a poner esa intuición en la base de una suerte de teología de la historia en la que quienes ocupaban la cumbre en la jerarquía del poder, tras de arrebatarlo a los que estaban destinados a ocuparla según el orden natural establecido por voluntad divina, servían desde ella los designios del Príncipe de este mundo.

Así lo proclamaba en 1819 desde las primeras líneas de su *Apología del doctor Mier*, en las que —tras de recordar que «poderosos y pecadores son sinónimos en el lenguaje de las Escrituras, porque el poder los llena de orgullo y envidia, les facilita los medios de oprimir, y les asegura la impunidad»[12] denunciaba a las pasiones de esos poderosos como las causantes de la persecución de la que era víctima. Anticipaba así el tema central de un alegato destinado a reseñar las sucesivas etapas en ese avance triunfal de la iniquidad, desde un primer capítulo en que «las pasiones se conjuran para procesar a la inocencia», para en el segundo «bajo el disfraz de censores, calumniar la inocencia», mientras avanzando un paso más en el tercero «infaman la inocencia con un libelo llamado Edicto episcopal» hasta coronar finalmente su obra en el cuarto incriminando «la inocencia con un pedimento fiscal, que él mismo no era sino un crimen horrendo. Y la condenan con una sentencia digna de semejante tribunal; pero en que se tuvo la cruel irrisión de llamar piedad y clemencia a la pena más absurda y atroz».[13]

De este modo el momentáneo desconcierto que en palabras del clérigo José Miguel Guridi y Alcocer produjo a Mier descubrir que «aquel exótico y escandaloso sermón [del Tepeyac] le labró su ruina cuando creía erigirse un nombre inmortal»[14] dejó paso al cada vez más intenso que le causaba la indiferencia con que año tras año y década tras década la Providencia permitía que quien quería apasionadamente

[12] Mier, *Memorias*, cit., I, 1.

[13] Mier, *Memorias*, cit., I, 280-81.

[14] José Miguel Guridi y Alcocer, *Apuntes. Discurso sobre los daños del juego,* México, INBA, 1984, p. 78, cit. en Domínguez Michael, *op. cit.*, p. 91.

servir a sus designios fuera perseguido y humillado por quienes usan el poder que ocupan desafiando su voluntad para infligirle los más injustos castigos.

Ese incomprensible escándalo, con el que se negaba obstinadamente a reconciliarse, iba a despertar en él una furia creciente, que se volcaría en reacciones lo bastante extravagantes para que sus enemigos (y quizás algunos que no lo eran) vieran en ellas las de un espíritu excéntrico a quien sus desgracias habían terminado por privar totalmente del uso de su razón. Retrospectivamente es fácil descubrir la fuente de ese escándalo: ese sincero creyente en la validez de los principios en que proclamaba apoyarse el régimen político que le había reservado un lugar de privilegio en su jerarquía de poder y prestigio, y que ya en los momentos iniciales de su incesante calvario, ante la resolución que le imponía diez años de destierro a la Península como recluso en la recoleta dominicana de las Caldas, en la Montaña de Santander, declaraba que no le había hecho impresión alguna porque «estaba ya insensible; como hombre de honor y de nacimiento, había recibido con el edicto [en que el Arzobispo había condenado públicamente a su sermón guadalupano como "lleno de errores, blasfemias e impiedades"] el puñal de la muerte»[15] había comenzado a sufrir en carne propia las consecuencias de la insoluble paradoja que anida en la noción de honor que había hecho suya, y que no es sino la que Montesquieu había perfilado clásicamente al definir al honor como «el prejuicio de cada persona y de cada condición» y reconocer en él el principio en que se apoya el orden monárquico. Es verdad —admitía enseguida Montesquieu— que ese honor en cuyo obsequio se han introducido las preferencias y distinciones que caracterizan a toda sociedad regida monárquicamente, ese honor que en ella conduce todas las partes del Estado es, hablando filosóficamente, «un falso honor... pero ese honor falso es tan útil al público como el verdadero lo sería a los particulares que pudieren poseerlo».[16]

[15] Mier, *Memorias*, cit., I, p. 113.

[16] Montesquieu, *Esprit des lois,* III, caps. V-VII, en *Oeuvres complètes,* París, La Pléiade, 1958, vol. II, pp. 256-57 (trad. THD).

Si Montesquieu, anticipándose a Max Weber, puede admirar sin reservas un sistema capaz de hacer servir el interés individual a fines más que individuales, es porque por su parte se ha desinteresado de la conquista de ese honor que proclama falso, en busca de ganar otro más auténtico en la empresa de instruir a los hombres y librarlos de sus prejuicios; en suma porque se ha evadido del mundo de ideas organizado en torno a la noción de honor que subtiende el orden monárquico.

Porque el horizonte de Mier sigue siendo en cambio el de ese orden, le toca ahora vivir con intensidad insoportable un corolario de la paradoja celebrada por Montesquieu que éste no había creído necesario explorar: a saber, para que el «falso honor» pueda constituirse eficazmente en el resorte fundamental para ese orden, es necesario que su falsedad sea sólo visible para el filósofo; tanto el público que lo reconoce en algunos como los beneficiarios de ese reconocimiento deben ver en él un tributo a la intrínseca superioridad de los así agraciados.

Aunque es poco probable que ya antes de 1794 Mier no hubiera tropezado con ejemplos capaces de hacerlo dudar de que el honor fuese siempre el reconocimiento de un mérito innato luego de haber mantenido por años estrechos contactos con las elites administrativas, judiciales y eclesiásticas de la Nueva España, sólo a partir de su caída en desgracia iba a descubrir qué hondo era el abismo que en abierto desafío al orden natural querido por Dios separaba el honor reverenciado por el mundo del verdadero mérito, y había concluido de ello que quienes habían sido agraciados con un honor auténtico sólo podían reaccionar ante tanto escándalo rehusándose, aun a riesgo de ser aniquilados, a inclinarse ante las falsas superioridades exaltadas por ese sistema perverso, pero no deja de ser sugestivo que al rehusarse él mismo a hacerlo Mier no considerara siquiera la alternativa ofrecida por la renuncia a disputar irrisorios triunfos mundanos, no ya a favor del retiro creador del filósofo que había atraído a Montesquieu, sino de ese otro retiro más tradicional apoyado en una fe que invitaba a tener en poco todo lo que se dejaba atrás al acogerse a él.

No es sólo ese rasgo el que sugiere que la feroz negativa de Mier a adecuarse a las pautas de conducta que la monarquía católica requería de sus súbditos no reflejaba necesariamente el ascendiente que sobre él conservaba una visión del mundo cada vez menos capaz de gravitar con el mismo peso que en el pasado sobre quienes regían los destinos de esa monarquía. Era ésa sin embargo la clave implícitamente propuesta por quienes (y era muchos) reducían su obstinada lucha por obtener reparación para las injusticias de las que era víctima a una empresa quijotesca, en cuanto con ello venían a sugerir, acaso sin advertirlo, que lo que, según estaban cada vez más convencidos, estaba empujando a Fray Servando a la demencia que había afligido al héroe cervantino era la nostalgia de un pasado tan muerto como lo había estado al abrirse el siglo XVII el de la caballería medieval. Pero apenas se comienza a examinar de cerca la trayectoria que sigue Fray Servando a partir de 1794 se advierte hasta qué punto esa clave es incapaz de explicar aspectos fundamentales de ésta, y resulta tanto más necesario subrayarlo aquí explícitamente porque es precisamente ésa la que propone en su admirable reconstrucción de esa trayectoria Edmundo O'Gorman, el gran historiador mexicano que —como sostiene de nuevo con toda justicia Domínguez Michael— «al hacer historiografía con Mier salvó al fraile del reducto picaresco y legendario al que los editores, comentaristas y lectores de sus *Memorias* lo sometieron hasta que el propio don Edmundo inició en 1945 sus estudios servandianos»,[17] cuando lo presenta avanzando insensiblemente a lo largo de esas tres décadas «de su condición de criollo novohispano a la de un pensador liberal e ilustrado... canjeando la tibia penumbra de la protección y consuelo de una tierna madre por la descarnada luz de una verdad destituida de misterio».

Es de temer aquí que O'Gorman haya prestado a su personaje algo de su propia actitud de católico que no renunciaba al derecho a esa fe (o quizá tan sólo a la nostalgia que le quedaba de ella) en un país ensangrentado sólo unas décadas antes por una guerra civil que por cierto había estado lejos de resolver el contencioso en torno al tema, y es quizá la gravitación que conservaba en las décadas centrales del siglo XX ese contencioso ya planteado desde dos siglos antes la que

[17] Domínguez Michael, *op. cit.*, p. 105.

hizo que no prestara atención a todo lo que diferenciaba a la actitud con que Fray Servando se había aproximado a la problemática guadalupana de la que aquí iba a atribuirle. Porque donde esa diferencia puede percibirse con la máxima claridad es precisamente en la relación que Fray Servando establece con la Virgen del Tepeyac, que no tiene nada de la de un hijo con su «tierna madre» y recuerda más bien la de un abogado con uno de sus clientes, que por otra parte va a ocupar un lugar cada vez más secundario en sus alegatos a medida que descubra por una parte que la atribución de un origen remontado a los tiempos apostólicos para la reliquia venerada en la Villa de Guadalupe se ha revelado ya insostenible, y por otra que no necesita apoyarse en ella para defender con éxito la perfecta igualdad entre las comarcas europeas y americanas integradas en la monarquía católica, que es lo que para él está sobre todo en juego en ese pleito.

Lo que falta, y no puede no faltar en esa relación, es la mirada nostálgica con que O'Gorman se vuelve a la «tibia penumbra» de un pasado radicalmente diferente del presente, sin por ello negar validez a la «verdad despojada de misterio» cuya luz encuentra quizá demasiado cruda. Y no puede no faltar porque esa manera de volverse al pasado tiene su origen cuando Mier ha ingresado ya en las últimas etapas de su trayectoria, demasiado tarde para modificar la visión del mundo que había sido desde el comienzo la suya y que seguiría hasta el fin dotando de sentido a su irrenunciable reivindicación del lugar eminente al que en ese mundo había sido destinado y del que había sido despojado del modo más inicuo.

Ese nuevo modo de volverse al pasado sólo va a aflorar en efecto cuando quienes acaban de emerger victoriosos del gigantesco conflicto entre la Europa monárquica y el heredero imperial de la Revolución Francesa adviertan que ni aun esa abrumadora victoria ha logrado colmar el abismo cavado en los veinticinco años convulsos que los separan de un Antiguo Régimen que sólo ahora se revela radicalmente irrecuperable. Es ese descubrimiento el que inspira un inesperado giro en la apologética católica que, sin renunciar por cierto a los argumentos tradicionalmente esgrimidos para reivindicar la validez en todos tiempos y lugares de los dogmas y las doctrinas de la Iglesia, encuentra más convincente el que invoca en su favor la luminosa memoria de un pasado en que bajo su inspiración una Europa caída en la más extrema barbarie había logrado dejarla atrás y elevarse a un nivel de civilización del que sobrevive la huella en monumentos arquitectónicos demasiado tiempo despreciados por una posteridad incapaz de apreciar su grandeza.

Desde luego ni en el punto de partida ni en el de arribo de su trayectoria la visión del mundo que sostenía a Mier en su combate sin cuartel contra los ruines servidores del poder dejaba espacio alguno abierto para esa nostalgia por los tiempos en que las catedrales góticas no habían sido cubiertas por una pátina de siglos y conservaban su originaria blancura. Basta recordar la cita bíblica con que se abre la *Apología del doctor Mier* para advertir hasta qué punto su visión es la barroca de un mundo en el que Dios ha estado siempre a la vez presente y ausente, y que, cuando recurriendo al lenguaje de las Escrituras proclama que poderosos y pecadores son sinónimos, no imagina siquiera la posibilidad de un pasado en que no lo hubieran sido. Pero cada vez que una nueva experiencia venía a confirmar la validez de esa desoladora verdad su reacción, que no tenía nada en común con la sobrecogida por el misterio de ese *Deus absconditus* que aterraba a Pascal cuando creía descubrir la huella de su ausencia en la vacía inmensidad del cielo nocturno, confirmaba nuevamente que Mier se interesaba menos en el misterio de iniquidad reflejado en los monótonos triunfos que sobre él alcanzaban las espurias jerarquías del poder que en esos triunfos mismos, que sólo venían a intensificar la cólera que desde 1794 nunca lo había abandonado del todo.

Parece a primera vista absurdo reconocer en esa reacción unánimemente tenida por extravagante por sus contemporáneos un rasgo de época, y sin embargo ella reflejaba a su manera un cambio en el clima de sentimientos que hacía que la noción de una divinidad que había dado por satisfecho su compromiso con su creación al fijar las leyes que habrían de gobernar sus complejos mecanismos no suscitara ya la angustia que había sido capaz de inspirar en el pasado. Pero la disolución del temple de ánimo colectivo que por más de un siglo había alimentado esa angustia no se debía a que alguna clave propuesta para el enigma planteado por la irreductible presencia del mal en un mundo creado por un Dios infinitamente bueno hubiera venido a eliminarlo; por el contrario ese enigma continuaba sin respuesta, y quien encarnó quizá mejor que nadie el espíritu del nuevo siglo fue también quien en *Candide* usó con máxima eficacia el arma del ridículo contra la pretensión de quienes sostenían haberla hallado. Se diría más bien que lo que desvanece esa obsesión es un redireccionamiento de la atención colectiva que relega a un cada vez más remoto segundo plano la búsqueda de una respuesta para ese enigma que permitiera seguir respaldando en una autoridad más que humana a las normativas que se proclaman válidas en lo que se refiere tanto a la conducta del hombre en sociedad cuanto a la organización de las sociedades humanas.

Que precisamente de eso se trata lo revela que el desinterés por esa problemática se acompañe del surgimiento de consensos cada vez más amplios y más capaces de impulsar cambios muy ambiciosos en ambos aspectos, que a la vez favorecen y son favorecidos por la paulatina trasformación de las pautas de sociabilidad vigentes entre las elites en Europa y España, haciendo posible que sumen fuerzas en torno a ese consenso quienes ocupan en la sociedad posiciones que en el pasado les hubieran hecho difícil contar con un terreno común en el cual podrían converger para alcanzar tales coincidencias. Parece ser ésta una manera innecesariamente cautelosa de aludir a la metamorfosis sufrida por una sociedad jerárquica y estamentaria que comienza a ser trasformada por los avances del individualismo moderno; pero si aquí se recurre a ella es para subrayar mejor que quienes reorientan su atención no sólo hacia la esfera mundana sino dentro de ella hacia lo que dentro de ella toca más inmediatamente sus experiencias de vida no necesitaron para ello adquirir plena conciencia ni de los supuestos implícitos en esa reorientación misma, ni de las consecuencias que ella está destinada a traer consigo; y en consecuencia no sienten estar viviendo una transición entre dos modelos de sociedad, orientada hacia una meta razonablemente precisa que coinciden en considerar deseable, sino más bien una etapa que trascurre en una suerte de tierra de nadie en que la visión del mundo que sustentó la normativa que sigue siendo aceptada en los hechos como válida es ya incapaz de suscitar cualquier adhesión fervorosa, y de la que se prepara a reemplazarla sólo se columbran unos vagos anticipos.

Serán primero la guerra librada por la Francia revolucionaria a todas las monarquías europeas y luego la victoria de éstas las que hagan finalmente claro lo que cuando Mier lanzó su desafío del Tepeyac sólo podía adivinarse confusamente. Así, dos décadas más tarde, cuando en un momento crítico de la lucha por la independencia del Río de la Plata los revolucionarios se preguntan si también para ellos ha llegado la hora de poner al frente de su hueste a una Virgen que la guíe desde el cielo, y el muy ortodoxamente católico general Manuel Belgrano, comandante del Ejército del Norte, exhorta a su colega el general José de San Martín, que lo es del Ejército de los Andes, a imitar su ejemplo en ese sentido, sabe muy bien que de nada le serviría sugerir que esa iniciativa podría ganar el hasta entonces esquivo favor de la Providencia a un convencido deísta (y hasta tal punto lo es San Martín que en su testamento reemplazará las invocaciones de santos favoritos todavía de rigor por una sobria profesión de fe en el Supremo Creador del Universo) y prefiere por lo tanto invocar la necesidad de acallar las acusaciones de impiedad que prodiga el bando opuesto, y que no dejan de impresionar a las ignorantes muchedumbres cuya lealtad los revolucionarios necesitan retener a cualquier precio. Pero sabe también que aunque la fe que comparte con esas muchedumbres cuya ignorancia deplora lo separa de la más esclarecida de su camarada de combate eso no impide que ambos compartan sin reserva alguna la decisión de poner todo de sí mismos para que la revolución rioplatense halle modo de sobrevivir a la reciente clausura en derrota del entero ciclo de revoluciones atlánticas

Pero todo lo que estaba claro cuando Manuel Belgrano hacía esa propuesta a su camarada no lo estaba veinte años antes, y en 1794 Fray Servando era tan sólo uno más entre los que comenzaban a descubrirse arrojados a un territorio desconocido en el que les tocaba avanzar a tientas. Si era ésa una situación compartida por todas las naciones y comarcas que a ambas orillas del Atlántico estaban siendo afectadas por el gigantesco desafío que la Francia revolucionaria había lanzado contra la Europa monárquica, aun antes de que se desencadenara ese conflicto quienes habían aspirado a instaurar esas nuevas pautas de sociabilidad en el mundo hispánico habían debido dar a sus esfuerzos un sesgo que les hacía ya entonces difícil definir sin ambigüedades la meta hacia la que aspiraban a orientarlos.

Se debía ello a que quienes tanto en España como en sus Indias alimentaban tales aspiraciones estaban del todo conscientes de que, en sociedades indiferentes cuando no hostiles a sus proyectos, el futuro de éstos dependía del favor que les dispensase el soberano, en la medida en que reconociera en ellos a auxiliares válidos en su esfuerzo por dotar a las anquilosadas estructuras de la monarquía católica del vigor necesario para afrontar los desafíos de un contexto externo cada vez más hostil, y entendían aún mejor que lo que confería al soberano el influjo que podía hacer de su favor una decisiva carta de triunfo era su condición de monarca por gracia de Dios que lo había puesto a la cabeza de ese orden institucional cuyo anquilosamiento él mismo deploraba intensamente. Tal la razón por la cual quienes aspiraban a poner a las posesiones del Rey Católico a la altura de los tiempos no podían sino apoyarse en nociones acerca de lo que torna legitimo el poder aún más alejadas que las de los fautores del eterno ayer de la nueva gramática de ideas en avance en el Siglo de las Luces.

Es esa situación paradójica la que hace que, como anota Jacques Lafaye, en una Hispanoamérica que ya antes de culminar su revolución política se ha abierto a las ideas de Rousseau y Bentham se siga discurriendo de las tribus perdidas de Israel, y la persistencia de esa «imbricación entre la revelación, la Escritura y la política imperial» da la medida de lo que en este aspecto sigue separando a España del resto de Europa, aún luego de que pasara por su trono Carlos III.[18] Pero no es sólo la presencia de la doctrina de la monarquía de derecho divino como un elemento tan incongruente como indispensable en el arsenal ideológico de quienes aspiran a abrir el mundo hispánico a las luces del siglo la que los prepara para vivir el convulso cuarto de siglo marcado por el ciclo de guerras abierto por la Revolución Francesa desde esa ya

[18] Jacques Lafaye, *Quetzalcóatl and Guadalupe. The Formation of Mexican National Consciousness, 1531-1813,* Chicago, University of Chicago Press, 1976, p. 197.

evocada tierra de nadie. Por añadidura tanto el soberano como quienes han sido encargados por éste de llevar adelante las reformas que uno y otros juzgan urgentes tienen muy clara noción acerca de los límites de la eficacia que puede esperarse de la invocación de sus poderes de monarca absoluto en un ataque frontal a las fortalezas institucionales de los enemigos de cualquier cambio, y prefieren por lo tanto introducir tácticas oblicuas, creando otras nuevas que asumen total o parcialmente las mismas funciones que aquéllas tienen a su cargo.

Con ello vienen a agregar un nuevo nivel de complejidad al laberinto burocrático que ya en el pasado había colocado a la administración regia cerca de una total parálisis, pero que ahora hace de ella el teatro de una permanente guerrilla entre los paladines del espíritu nuevo y los que se aferran al modo heredado de hacer las cosas. Ésta adquiere un ritmo cada vez más febril a medida que avanza la trasformación de la monarquía católica en estado vasallo del que está siendo vuelto a forjar en el crisol de la Revolución Francesa, en medio de espasmódicos cambios de rumbo que afectan muy de cerca a quienes se aventuran en esas disputas (Jovellanos no fue el único que en esos años convulsos debió alternar entre destierros, prisiones y cargos ministeriales), y mientras las líneas de clivaje entre quienes se aferran a la herencia del pasado y quienes luchan por abrir el camino a un futuro que la deje finalmente atrás, antes tan claras, se tornan más imprecisas en la medida misma en que se hace evidente que, cualquiera sea el desenlace del inmenso conflicto que ha incendiado a Europa, ese futuro no podrá ya tener mucho en común con el imaginado por los corifeos de las reformas carloterceristas; no puede sorprender entonces que las convulsiones del presente pesen más en la mente de quienes las sufren que las perspectivas de un futuro que cada día se les aparece más imprevisible. Eso no los lleva sin embargo a renunciar a todo objetivo de futuro, y para contribuir a alcanzarlo se apoyarán, ya sea en solidaridades forjadas en tiempos menos revueltos si es que juzgan que siguen siendo asequibles los que entonces habían sostenido en común, ya en otras nuevas.

No fue por cierto ése el caso de Mier, enfrascado en una cruzada estrictamente individual orientada a reconquistar para sí el honor del que lo había despojado el edicto arzobispal. En ella iba a sufrir revés tras revés a manos de sus tenaces perseguidores que, aunque ubicados en posiciones bastante ínfimas dentro de la falsa jerarquía del poder, podían frustrar todos sus esfuerzos con sólo desviar sus peticiones de justicia hacia quienes su admirable conocimiento del laberinto burocrático les aseguraba que estaban dispuestos a ignorarlas, y esos reveses, que iba a evocar abundantemente en sus escritos apologéticos de 1819 y 1822, y tendría también demasiadas oportunidades de mencionar en el relato de sus experiencias vividas en Europa entre julio de 1795 y octubre de 1805, iban a contribuir más de lo que él mismo advertía a dar precisión a la imagen de la *ecclesia malignantium* que anidaba en los vericuetos administrativos de la monarquía católica y desde ellos se había confabulado para servir a Satán. Le iba a merecer en cambio menos atención la única oportunidad en que contó con un valedor cuya pericia para orientarse en esos mismos vericuetos le abrió acceso a jueces más benévolos, y si aquí se le concede una mayor de la que el propio Mier estaba dispuesto a reconocerle es porque el episodio muestra más allá de cualquier duda que si el que en 1794 pronunció el escandaloso sermón del Tepeyac se parecía muy poco al criollo novohispano apegado al regazo de su tierna madre celestial que gustó de imaginar Edmundo O'Gorman, quien en 1819 evocaba ese episodio tras de casi un cuarto de siglo de sufrir sus consecuencias estaba muy lejos de ser el pensador liberal e ilustrado que también imaginaba O'Gorman.

En 1797 Fray Servando había sufrido ya prisiones en ambas orillas del Atlántico, interrumpidas por breves intervalos de libertad, no siempre como consecuencia de fugas momentáneamente exitosas, cuando el Consejo de Indias decidió hacer lugar a su apelación, y revisar para ello la calificación del sermón del Tepeyac invocada en las sanciones que le habían sido impuestas tanto por su orden dominicana como por el arzobispo Núñez de Haro. Fueron necesarios dos años adicionales luego de haberlo decidido así a propuesta de su miembro el cosmógrafo real Juan Bautista Muñoz, autor de una *Memoria sobre las apariciones y el culto de Nuestra Señora de Guadalupe* en la que negaba la historicidad de la conmemorada en el Tepeyac, para que

—de nuevo a propuesta del mismo Muñoz— el Consejo resolviera solicitar dictamen de la Real Academia de Historia acerca de la culpabilidad o inocencia de Mier en cuanto a los cargos que habían dado lugar a sus condenas; de este modo el oportuno desvío de un trámite burocrático iba por una vez a trabajar a favor y no en contra de Fray Servando, quien podía esperar encontrar jueces más comprensivos entre los académicos que ante un tribunal eclesiástico. Aunque entre ellos no figuraría ya Muñoz, fallecido en ese mismo año de 1799, iba a encontrar en efecto en el doctor Joaquín Traggia un juez decidido a la benevolencia, que invocaría en defensa del «autor del discurso [que] no está satisfecho de sus argumentos y los propone modestamente para excitar las plumas de los sabios a apoyar por aquel camino o por otro la sustancia de la tradición guadalupana» para concluir que «en esto no fue culpable ni contra los principios teológicos ni contra las reglas de la prudencia». Sin duda —reconoce Traggia— «en el sermón hay argumentos débiles como sucede a cuantos, faltando testimonios irrefragables, quieren defender opiniones populares a fuerza de ingenio, o conjeturas. Mas no se halla proposición alguna que merezca censura de escandalosa o temeraria [...] los censores, buscados y escogidos contra el padre Mier, no citan una proposición siquiera del sermón predicado para hacer ver que faltó e incurrió en alguna censura teológica». Esos argumentos le permiten concluir que en justicia «al padre Mier se le deben resarcir a costa del muy reverendo arzobispo todos los daños y perjuicios, indemnizándole las pérdidas completamente [...] recogiendo el edicto del reverendo arzobispo y obligándole a que, con la misma solemnidad, se le devuelvan las licencias de confesar y predicar y enseñar, y el honor que se le ha quitado [...] y que para resarcirlo vuelva a su patria con el título de predicador del rey.»

Aunque al exigir que el retorno en gloria y majestad de Fray Servando a su patria mexicana incluya la humillación pública de la cabeza de la Iglesia de la Nueva España, Traggia se deja llevar más de lo que se revelaría prudente por la violenta indignación que ha despertado en él la sórdida intriga clerical de la que aquél es víctima, no se sigue de ello que haya reconocido en esa víctima a un camarada en el combate al servicio del ideal ilustrado. Por el contrario, cuando invoca en defensa de Mier que su propósito ha sido «defender opiniones populares a fuerza de ingenio, o conjeturas» lo muestra incurriendo en esa manipulación demagógica de la credulidad de la plebe que los campeones de las luces gustan de achacar a sus adversarios.

Nada sugiere que Fray Servando haya reparado en que al ser «exculpado por ignorancia» en el dictamen del doctor Traggia acababa de sufrir —tal como señala Edmundo O'Gorman— una nueva y quizá peor humillación, esta vez en nombre de las Luces. Ese dictamen fue para él más bien un primer indicio de que en los nuevos contextos en que debía proseguir su lucha por devolver a su carrera al rumbo ascendente perdido en 1794 se estaba haciendo cada vez más oportuno poner sordina a su vindicación del origen sobrenatural de la imagen de María venerada en el Tepeyac. A él iba a seguir otro aún más inequívoco cuando, llegado el dictamen de Traggia al Consejo de Indias, en la discusión que terminó resolviendo que la rehabilitación que éste recomendaba sólo podría tener lugar una vez que Fray Servando completara los diez años de penitencia con los que había sido castigado, uno de sus más firmes defensores decidió abandonarlo a su destino al enterarse de que su defendido «no había negado la tradición de Guadalupe, lo que, a su juicio, sólo era de un mentecato»,[19] y en efecto, tras de tomar distancia de ella ya en la *Disertación sobre la predicación del Evangelio en América muchos años antes de la Conquista,* que en 1813 publicó en apéndice a su *Historia de la revolución de Nueva España,* en que, apoyándose en la autoridad de eruditos tan penetrados del espíritu de la Ilustración como lo estuvo Gibbon, la posterga hasta el siglo VI, en su *Apología* de 1819 la deja desdeñosamente de lado cuando proclama no tener ya dudas de que tanto la imagen venerada en el Tepeyac como la de la Virgen de los Remedios «salieron del taller de pintura que puso para los indios a espaldas de San Francisco Fr. Pedro de Gante, pues allí se hicieron —dice Torquemada— cuantas imágenes había hasta su tiempo en los retablos de la Nueva España, y así como la de Guadalupe tiene los defectos anexos al pincel de los

[19] Mier, *Memorias* cit., I, 276.

indios, la de los Remedios es tan parecida a las de mala talla que ellos tienen en sus santocallis, que se conoce ser de la misma mano».[20]

No era ésta la primera oportunidad en que Mier se mostraría capaz de moverse en los cada vez más exóticos contextos a los que lo empujaba su duro destino con una agilidad inesperada en quien había vivido sus años formativos, si no en el regazo de una tierna madre celestial, sí en el acogedor abrigo de una de las primeras familias de un rincón provinciano que había sido en sus más tempranos años su único mundo, y luego en el menos acogedor pero aun más confinado de un convento capitalino. Pero esa versátil agilidad la iba a poner Fray Servando al servicio del mismo proyecto de vida que lo había primero orientado a acrecentar con la fama y prestigio que esperaba conquistar desde el claustro el acervo ideal de su ilustre linaje, y que luego de que su paso por el púlpito de la Colegiata vino a comprometer todo lo logrado hasta entonces en ese sentido, lo incitaría aún en los momentos más desesperados a no cejar en sus esfuerzos por borrar las consecuencias de ese fatal episodio.

Ni aun en esos momentos lo abandonaba la seguridad de que con ello no hacía sino servir al decreto de la Providencia que le había reservado un lugar eminente en la cima de la sociedad de su nativa Nueva España, que no se apoyaba ya tan sólo en que al hacerlo nacer en uno de los primeros linajes del Nuevo Reino de León ella lo había ya encaminado a ese alto destino, sino quizá más aún en que tanto su precoz consagración como brillante orador sagrado cuanto el ascendiente que había ya ganado sobre los más jóvenes integrantes de la comunidad dominicana lo estaban revelando admirablemente dotado de las cualidades requeridas para desempeñar el papel de pastor de hombres al que se le hacía cada vez más claro que ella lo había destinado. Ese ascendiente había podido medirlo en un episodio ocurrido en enero de 1794, en el cual, según su propio testimonio, aconsejó a los obreros de la fábrica de cigarros descontentos con los administradores de ésta debido a «las continuas vejaciones y multiplicadas órdenes que a cada instante les intimaban», entre los cuales contaba

[20] Mier, Memorias cit., I, 164.

a «algunos ahijados», que recurriesen a una protesta pública que adquirió caracteres de tumulto urbano.[21]

En ese episodio se había puesto ya de manifiesto una peligrosa distancia entre su visión de sí mismo como consagrado a desempeñar el papel que le había asignado una Providencia que por algo lo había ubicado desde su nacimiento en la cumbre de la sociedad novohispana y lo había dotado de los talentos necesarios para guiar y orientar a sus inferiores, y la que ese desempeño inspiraba a los afectados por las consecuencias de sus iniciativas, de la que ofrecía un significativo testimonio Fray Domingo de Gandarias, provincial de la orden dominicana, en el informe reservado sobre la participación de Fray Servando en los disturbios que habían afectado a la fábrica de cigarros que elevó al virrey Revillagigedo a solicitud de éste, en que trazaba el retrato de un «mozo de talento, estudioso y expedito, pero [...] locuaz, intrépido, presumido de su saber y elocuencia, sedicioso, y armador de chismes, popular y acompañado de la gente de la menor clase y edad en la religión [se refiere con ese término a la orden a la que ambos pertenecen], con quienes tiene su partido y es escuchado como oráculo [...] ha tenido varias reconvenciones y aún agrias reprehensiones de sus prelados, y aun de los señores Mier, de quienes se llama pariente; por su desahogado y despreciador modo con que trata principalmente a los religiosos, aun condecorados, está mal mirado en la Provincia [dominicana], y aun entre los doctores de la Universidad [...] además que con sus malos modales tiene granjeados muchos enemigos», lo que llevaba a Fray Domingo a concluir que «su audacia, intrepidez, facilidad de producirse, verbosidad y descaro [...] le ponen en sospecha de haberse maculado en tan horrendo crimen».[22]

Mientras Gandarias reconoce en Mier a un ejemplar de un tipo humano que suele ganar protagonismo en tiempos revueltos, y que aquellos que tienen a su cargo defender en esas ocasiones el orden establecido han aprendido a temer por su capacidad de ofrecer guía e inspiración a los que no han advertido aún del todo hasta qué punto

[21] O'Gorman, *Obras* cit. I, 199-201. cit. en Domínguez Michael, *op. cit.*, 81

[22] O'Gorman. *Obras* cit. I, p. 203, cit. en Domínguez Michael, loc. cit. nota anterior.

éste los desfavorece, sobre cuya extrema peligrosidad Francia estaba ofreciendo en ese mismo momento más de un ejemplo, en 1819, cuando quien nos fue aquí presentado como una suerte de Catilina en hábito dominicano ofrece a un cuarto de siglo de distancia su propia versión del episodio, lo ha estilizado ya para siempre sobre una pauta casi opuesta, que para ofrecer la clave de la persecución de la que es víctima se desliza del terreno de la teología hacia el de una sociología que todavía ignora su nombre, para atribuirla al totalmente esperable resentimiento de clase de quienes son sus inferiores sociales, que ve reflejarse en el calumnioso retrato que de él traza su superior dentro de la orden dominicana: «los frailes de tan baja extracción como era Gandarias, nacido de una familia infeliz de Yuste, llaman soberbia al pundonor de una alma bien nacida, que no son capaces de sentir ni conocer. Levantados desde el último fango del pueblo a las prelacías monacales, se hinchan como ranas con estas piltrafas, y no pueden tolerar que algún religioso de nacimiento distinguido, que por yerro de cuentas cae en la pocilga, deje de arrastrarse a sus pies con mil adulaciones y bajezas, como otras sabandijas de su clase, y tienen el mayor empeño y deleite en avergonzarlo, humillarlo y afrentarlo».[23]

A la rastrera conducta de los surgidos del último fango del pueblo se contrapone desde luego la de quienes deben a su nacimiento distinguido la posesión de un «alma bien nacida»; y al estallar el escándalo causado por su oración del Tepeyac, Fray Servando busca entre ellos su primer refugio, visitando cuatro o cinco casas «todas de gente distinguida, donde por mi respeto y la finura de su educación casi no se habló ni una palabra del asunto».[24] Podemos medir aquí, aun mejor que en el retrato colectivo que Fray Servando trazó de sus perseguidores, los efectos de los veinticuatro años en que no había cesado de revolver en su memoria el episodio que en 1794 había torcido para siempre su destino. Porque sabemos que, lejos de mantener una aristocrática reticencia al aludir a su última hazaña oratoria, Fray Servando no había cesado de jactarse de ella, y lo sabemos porque alguno de

[23] Mier, *Memorias* cit., I, 211-12.
[24] Mier, *Memorias* cit., I, 99.

esos huéspedes de alma bien nacida se apresuró a comunicar que así había ocurrido a las autoridades competentes.

No tiene nada de sorprendente que los veinticuatro años gastados por Fray Servando en el vano esfuerzo por borrar las consecuencias del episodio del Tepeyac, a lo largo de los cuales no había cesado de hurgar en sus recuerdos en busca de darse una razón para el catastrófico cambio de fortuna con el que se negaba obstinadamente a reconciliarse se reflejase en un relato retrospectivo escasamente fidedigno.

Y la confiabilidad del relato servandiano es el primer problema que plantean a sus lectores unos textos que tuvieron como primer objetivo el de servir de alegatos de bien probado en el eterno pleito que Fray Servando mantenía con esa muchedumbre de enemigos que proclamaba confabulada en su contra. ¿Qué concluir, por ejemplo, acerca de la secularización que según afirma le concedió el Papa Pío VII, acompañándola no sólo de «un rescripto de indulgencias para *él* y *sus* parientes hasta el segundo y tercer grado», al que sólo quienes no conocen los vericuetos de la administración vaticana conceden algún significado, porque ignoran que «no cuesta más que pedirlo en un memorialito de fórmula», ya que «con el rocío del cielo Roma es tan liberal como mezquina con las grosuras de la tierra», sino del título de protonotario apostólico?[25] En su monumental biografía de Fray Servando, Christopher Domínguez Michael, convencido de que la precisión con que su biografiado aludía a breves pontificios que de existir no podían no haber dejado huellas en los archivos vaticanos ofrecía por fin la oportunidad de medir cuánta parte tenía la fabulación en el relato que tejió de sus desdichas, «*fue* a Roma para concederle el privilegio de la duda a la silueta —que no hombre— que *lo* había acompañado durante quince años», mientras pudo comprobar más allá de toda duda que «Servando no fue protonotario apostólico», ya que su nombre no figura en la lista cronológica de los agraciados con ese título entre 1799 y 1807, conservada entre los papeles del Colegio que los agrupaba; no pudo en cambio concluir nada preciso de su imposibilidad de localizar el breve de secularización que afirmaba haber

[25] Mier, *Memorias* cit., II, 83-4.

obtenido del Pontífice porque en su experiencia de estudioso en esos archivos había tenido sobradas ocasiones de comprobar que, contra lo que hasta entonces había supuesto, no era un percance inhabitual que en esos inmensos repositorios un breve pontificio hubiera desaparecido sin dejar rastros. Pero Domínguez Michael no cree haber perdido el tiempo que invirtió en la exploración de ese laberinto; ya que en esos archivos que nunca revelan por entero sus secretos pudo entender por fin «la dimensión política de la biografía de Mier... toda la naturaleza burocrática del universo hispano y romano-católico... [que] cabe en la dialéctica de la súplica y la dilación, del breve expedido y de la minuta extraviada».[26]

Si es lícito deducir de esa experiencia una conclusión que está implícita en la que ofrece Domínguez Michael de lo que le enseñó su paso por el archivo vaticano, es ésta que el interés que a partir de la lectura de los alegatos de Fray Servando lo llevó a vivir quince años en su compañía pudo sobrevivir sin daño al descubrimiento de que algunas de las afirmaciones de hecho en que éstos se apoyan son probadamente falsas y casi todas de validez muy difícil de corroborar. Y esa conclusión no hace sino confirmar lo que sugiere ya la atracción que esos alegatos siguen ejerciendo dos siglos más tarde sobre lectores que están lejos de prestar una fe ciega a la versión que Fray Servando ofrece de su desempeño en los muy variados papeles que le tocó encarnar a partir de la catástrofe de 1794, pero no por ello dejan de prestarla a su verdad esencial. Porque no es otra la actitud de Domínguez Michael frente al relato servandiano, que fue en busca de confirmarla al archivo vaticano, y lo logró al descubrir en sus documentos las huellas omnipresentes de esa «legalidad eclesiástica, dueña de una combinación infalible entre la minucia criminal y la amorosa discrecionalidad del perdón y el olvido»[27] que le había permitido denegar por tres décadas la restitución de su honra perdida que desde el fondo de su desgracia le reclamaba Fray Servando. Y que Domínguez Michael tras de someterlo a esa prueba de fuego se

[26] Domínguez Michael, *op. cit.*, 249-52.

[27] Loc. cit., nota anterior.

haya dado por satisfecho constituye un nuevo triunfo de la fuerza de convicción que la narrativa de Fray Servando logra hacer sentir a sus lectores la intensidad, la hondura de la tormenta interior con que vivió esa experiencia devastadora.

Pero no es esa eficacia la única razón que hace que ese relato conserve intacto su interés para que quienes se aproximan a él a más de un siglo de distancia. Está también presente en él la huella de una curiosidad constantemente alerta frente a la abigarrada variedad de configuraciones sociales y culturales que Fray Servando descubría al avanzar en el itinerario que sus desgracias lo forzaron a recorrer a ambas orillas del Atlántico. Es necesario subrayar este último punto, porque es de temer que lo que la actual imagen del predicador del Tepeyac debe a la que de él propuso Reinaldo Arenas en *El mundo alucinante* incite a una lectura demasiado sesgada de sus escritos autobiográficos, que da por supuesto que su concentración en esas desgracias lo llevó a trazar la imagen de un mundo que sólo existía en su mente alucinada, cuando una lectura menos decidida a interpretarlo en esa clave percibiría mejor que sus obsesiones no le impidieron ofrecernos en ellos la narrativa de un inesperadamente exitoso aprendizaje de ese otro mundo demasiado real que parecía ensancharse ante sus pies mientras su incierto destino lo empujaba de Andalucía y las dos Castillas hasta Portugal, Francia, Italia, las tierras del reino de Aragón, Inglaterra y los nacientes Estados Unidos, hasta devolverlo en 1817 a su tierra nativa. Por el contrario, esas obsesiones, que le daban siempre nueva fuerza para buscar y hallar modo de sobrevivir en esas tierras cada vez más exóticas sin cejar en el combate por la reconquista de su honra perdida, al incitarlo a utilizar todas las oportunidades que éstos pudieran brindarle para ello, le hacían aún más urgente darse razón de las normas de convivencia social que en ellas descubría vigentes, y que —como sin duda advertía demasiado bien— necesitaba dominar rápidamente para evitar ser aplastado por las adversidades que se acumulaban en su camino.

Pero la curiosidad que nunca abandona a Fray Servando a lo largo de sus años errabundos, avanzando siempre más allá de lo que hubiera requerido esa finalidad estrictamente utilitaria, no alcanza a disputar el primer plano de su narrativa a las vicisitudes de ese incesante combate por reivindicarse que ofrece el argumento central de sus alegatos. Puede dar una idea menos limitada de lo que esa curiosidad inteligente podía dar de sí el testimonio que nos ha dejado Fray Servando de una etapa de su paso por el Viejo Mundo en que, de modo del todo excepcional, ese eterno combate conoció una tregua. Ello ocurrió entre fines de 1808 y comienzos de 1811, cuando —con sus papeles por primera vez en orden— sirvió como capellán de un regimiento valenciano combatiente en la guerra de Independencia, y aun los inveterados enemigos que volvieron a juzgar su conducta una vez devuelto al cautiverio debieron convenir en que en esta oportunidad su irreprochable desempeño le había ganado la cálida aprobación de sus superiores.

Quien dirige su mirada a Cataluña es entonces un Fray Servando liberado por un momento de las obsesiones en torno a las cuales giran habitualmente sus pensamientos, y puede por lo tanto concederle una atención menos dividida que cuando la reclaman con fuerza obsesiva las vicisitudes de su eterno pleito, y esta circunstancia hace más fácil percibir su peculiar modo de aproximación a las exóticas realidades que esas sucesivas comarcas despliegan ante sus ojos que cuando las contempla con la mente puesta en el combate que está consumiendo su vida. Sin duda aun entonces mantiene una insaciable curiosidad por el espectáculo que ante sus ojos se despliega, que le permite ofrecer de él imágenes ricas hasta el abigarramiento, pero cuando intenta inducir a partir de él la configuración de la exótica sociedad con que acaba de entrar en contacto, tal como se ha indicado más arriba, el rumbo que toma su indagación está orientado por la búsqueda de un modo de sobrevivir y continuar la batalla por su plena reivindicación en una comarca hasta la víspera desconocida. No es ése el caso a su paso por Cataluña, y en consecuencia el descubrimiento de que los catalanes «no se parecen a los españoles en ser holgazanes y perezosos. Son agricultores, comerciantes, fabricantes, carruajeros, navegantes y no se dan un instante de reposo» lo lleva a formular una pregunta que por una vez refleja una curiosidad del todo desinteresada: «¿De qué provendrá esa enorme diferencia?» Y la respuesta viene enseguida:

«Así como la Europa es la más activa de todas las partes del mundo y no deja en quietud y paz a las otras, porque es la menos rica en producciones, la más pobre y menesterosa, así la actividad de Cataluña proviene de habitar el país más miserable, estéril y montuoso de Europa». En verdad, en esta somera caracterización del genio catalán Fray Servando no pasa de hacerse eco de un venerable lugar común (ya Dante había oído hablar de *l'avara povertà di Catalogna),* y tampoco es demasiado original al atribuir a avaricia la costumbre de beber vino de un porrón «con un caño o pico que levantan al aire, y de allí les está cayendo el chorro regularmente sobre la vuelta del labio superior». El secreto de ese curioso ritual —confía Fray Servando a sus lectores— es que se trata de «un ramo de su economía para no gastar vino, puesto que aunque se esté bebiendo un cuarto de hora, como el chorro es tan delgado, muy poco vienen a beber». Y sigue apoyándose —en este caso explícitamente— en la sabiduría de las naciones cuando concluye sentenciosamente que porque «ni el catalán da paso, ni saca ochavo, si no es con la esperanza de ganar... se dice que los mandamientos de los catalanes son tres: libras, *sous* y *dinés».*[28]

Pero apenas se vuelve a sus experiencias acumuladas en su paso por Cataluña logra hacer claro al lector (aunque no necesariamente a sí mismo) que la codicia y la avaricia no ofrecen las claves más adecuadas para darse razón de esos usos que los forasteros de otras comarcas españolas encuentran tan chocantes. He aquí una anécdota particularmente reveladora:

> Estando las tropas en Manresa, el marqués de Albaida, grande de España, coronel de Almansa, alojado en una casa de mucha distinción, como debíamos dar una batalla, determinó hacerse un cinturón de lienzo con onzas de oro cosidas, para llevarlo interiormente, como practican los militares porque les quede algo, si caen prisioneros, con que ayudarse. Mandando su asistente a comprar el género, la señora dijo que se comprase en tal parte, y la niña, su hija, haría el cinturón. Lo hizo muy bien, y el marqués

[28] Mier, *Memorias* cit., II, 143-4.

> estaba imaginando el regalo que había de hacer a la señorita de un abanico precioso, cuando la señora le dijo: «Págale a la niña su trabajo». «¿Cuánto es?» —le preguntó el marqués turbado—. «Dos quincetas», medio real nuestro.[29]

Nótese que el regalo de un precioso —y costoso— abanico hubiera satisfecho mejor cualquier codicia que el pago de medio real por un trabajo de costurera. Lo que la anécdota sugiere es que el constante cálculo de ganancias y pérdidas por el que se achaca a los catalanes guiar su conducta refleja más bien que en Cataluña los usos consuetudinarios que reglan el intercambio de bienes y servicios sobre pautas cuyo estudio forma parte del dominio de los etnólogos, que conservan plena vigencia en el resto de la Península, han abierto ya paso a otros en que hace sus veces el *cash nexus,* cuyos efectos corrosivos sobre la cohesión de las sociedades sólo en 1839 denunciaría Carlyle. Y aquí encontramos de nuevo un rasgo peculiar de la *forma mentis* de Fray Servando, a saber, su capacidad de alcanzar una comprensión más rica y más justa de la realidad que a sus ojos se despliega de lo que él mismo advierte, que le había permitido prever certeramente, en 1794, aspectos de ésta que sólo saldrían plenamente a luz en etapas mucho más avanzadas de la crisis de la monarquía católica.

Así lo refleja que haya advertido que esa anécdota merece atraer su atención más que otras que sin duda hubieran reflejado en toda su pureza la codicia y avaricia que, guiándose por la sabiduría de las naciones, atribuye a los catalanes, y más aún que a partir de ella pase a evocar más concisamente otras en que ve ya reflejadas las consecuencias disolventes de los avances del *cash nexus* que deplorará Carlyle. Tal como anticipa la anécdota arriba citada, esos avances corroen los principios básicos del orden jerárquico que proclama servir la monarquía católica, en el que es la existencia de distintas pautas de conducta para quienes ocupan en él distintos niveles la que asegura el funcionamiento armónico de su vasto mecanismo. Hasta qué punto Cataluña se ha apartado de esos principios lo refleja en este caso en

[29] Mier, *Memorias* cit., II, 144-5.

que no se reconozca diferencia alguna entre la obligación de retribuir con un don el servicio brindado por la niña de una casa «de mucha distinción» a un caballero de la más alta nobleza huésped de ella y la obligación de pagar el mismo servicio cuando lo brinda una plebeya costurera a uno de sus clientes (un modo de ver las cosas que ese caballero encuentra tan aberrante que según confiesa «le vinieron ímpetus de tirarle con la silla en la cabeza» a la aristocrática anfitriona que le exigió pago inmediato según la tarifa habitual por el humilde trabajo que su hija acaba de completar).

Es que en Cataluña ha venido a reemplazar a esa supuestamente armónica distribución de roles que fijan distintos derechos y obligaciones a quienes ocupan distintas posiciones en la sociedad un sistema de normas válido por igual para cuantos la integran, sin «distinción de ricos y pobres, señores y gente ordinaria», lo que no significa que acorte las distancias entre unos y otros. Pero lo más notable de ese orden catalán es que no ha necesitado reemplazar por otros los lazos sociales en que proclamaba apoyarse la monarquía católica aseguraban la cohesión de la sociedad para asegurar en la comarca catalana una estabilidad que nada ni nadie parecía amenazar.

No podrían amenazarla por cierto quienes ocupan en ella el lugar más bajo, esos campesinos que debido a que «de lo que produce su sudor pagan dos partes al dueño del campo, y de la tercera viven» deben comenzar su jornada «a las tres las mujeres para cocer las coles con agua y sal» con que a las tres y media almorzarán sus hombres, para ponerse de inmediato a trabajar hasta la noche sin recibir otro sustento, ya que una experiencia más que secular les ha enseñado que no les queda sino resignarse a soportar su duro destino. Pero tampoco la amenazan quienes, ocupando niveles menos ínfimos en las jerarquías de la sociedad catalana, tienen más posibilidades de defender activamente sus intereses, guiados por esa norma tenida por válida por todos los catalanes, que les ordena «no dar paso, ni sacar ochavo, sino es con la esperanza de ganar», que hace por ejemplo que en Cataluña aun «para hacer limosna a los presos de la cárcel, etc., *sea* necesario rifa», porque ese credo cerradamente individualista, que, si reclama la defensa más intransigente de los intereses de cada estamento y cada linaje dentro de la sociedad, la requiere aún más feroz de parte de los individuos que deben defender los propios en el marco de cada uno de esos estamentos y linajes, al trasladar lo más vivo de los conflictos al interior de unos y otros, hace más difícil que éstos alcancen a afectar la estabilidad de la sociedad catalana en su conjunto.

Todo esto no lo dice Fray Servando, pero no ha necesitado decirlo para sacar a luz los rasgos esenciales de ese orden, recurriendo, de acuerdo con su habitual *modus operandi,* a la evocación de experiencias que le han permitido medir hasta dónde pueden llegar las consecuencias de ese imperativo de defensa militante del interés individual, que hace de cualquier mínimo gesto de generosidad una suerte de traición en el frente de batalla. Si es ya notable que «los sacerdotes, para decir misa en una iglesia, *tengan* que llevar su vino y su cera» lo es aún más que «los parientes, cuando van a visitar, *tengan* que llevar la comida por todo el tiempo que estén, mas que sea un solo día», pero él mismo pudo comprobar hasta qué punto esa norma era tenida por sagrada cuando fue testigo del «gran ruido» con que su posadera de Tarragona, y mujer de un comerciante, a quien sin duda no hubiera exigido ningún sacrificio alimentar a su padre durante su visita, protestaba contra la poca vergüenza de éste, «que se ha venido a meter a casa sin traer qué comer».

La primacía que tiene en Cataluña el imperativo de defender el interés individual, aún pasando por encima de cualquier residual solidaridad creada por la presencia de lazos familiares, encuentra aún más amplio espacio para hacer sentir sus efectos gracias a las normas que en Cataluña rigen el derecho de sucesión, a menudo celebradas no sólo porque ofrecen una más sólida protección que las castellanas al patrimonio de los linajes integrantes de las clases propietarias, sino más aún porque han evitado a la región la deriva hacia el minifundio que agobia a Galicia y otras regiones del reino de Castilla. El precio que la sociedad catalana debía pagar por ello pudo medirlo mejor Fray Servando a su paso por «Olot, villa grande y rica» en que «conversando con el dueño de *su* alojamiento, y pidiendo un pobre limosna a la puerta, dijo: "Denle limosna a mi padre, y que se vaya"». Ante la sorpresa de su huésped al descubrir que en Cataluña era considerado normal que el padre de un sólido vecino estuviera reducido a la mendicidad «Sí —*le* respondió— es sobrevenido».

> Para entender esta respuesta —agrega de inmediato Fray Servando— es necesario saber que... en Cataluña sólo él [*sc.* el primogénito] hereda a sus padres. Los demás hermanos son sus criados. Y todo el mundo saca el sombrero al nombre del *hereu* [a quien] se trata con la distinción de amo desde que nace. Desde chiquito le hacen un asiento pegado a la mesa para que coma sentado [mientras] las hermanas, mas que sean grandes, le están sirviendo de pie y de brazos cruzados, como criadas». Y cuando debido a la falta de descendencia masculina ocupa el lugar del *hereu* una *pubila* «es necesario que venga marido de fuera, pero es sólo para engendrar un *hereu*, como cuentan que en cierto tiempo admitían a los hombres las amazonas. En cuanto crece el *hereu* toma la administración de los bienes, y echa a su padre, porque es sobrevenido.[30] Pero las mismas normas que tan bien protegen el patrimonio de los linajes catalanes tienen por inevitable consecuencia que «en Cataluña se *vean* continuamente pleitos en los tribunales, de padres contra hijos, y de hijos contra padres».[31]

Y con esta imagen de una vida de familia que hace de las masías en que viven las de las clases acomodadas catalanas otras tantas sucursales del infierno completa Fray Servando en menos de cuatro páginas de sus *Memorias* el trazado de una imagen del orden vigente en Cataluña estilizada sobre las líneas de una utopía negativa, en que una sociedad sumida en un incesante *bellum omnium contra omnes,* logra fundar en la universal discordia que en ella reina un orden más sólido que el basado en un ideal de armonía que él mismo ha venido defendiendo apasionadamente contra los poderosos que desde la cumbre de la monarquía católica proclamaban profesarlo para mejor traicionarlo.

[30] Mier, *Memorias* cit., II, 145-6.

[31] Mier, *Memorias* cit., II, 146.

Pero es comprensible que los lectores de Fray Servando, forzados a seguirlo en una marcha narrativa que a fuerza de torcer a cada paso su rumbo los invitaría a dudar de su capacidad de mantener una línea de pensamiento coherente, cuando avanzando por uno de sus infinitos meandros tropiezan una y otra vez con pasajes que reflejan una tan certera agudeza para descifrar las peculiaridades de las configuraciones socioculturales con que se ha cruzado en su camino como el aquí comentado no estén seguros de que su presencia venga a disipar cualquier duda en ese sentido, y no deba más bien atribuirse a que el delirio sistemático de que es víctima Fray Servando tolera algunos intervalos lúcidos. Creo que la dificultad de descubrir una precisa línea de avance para la narrativa servandiana, que inspira esas dudas, se entiende mejor a partir de las concretas circunstancias en que puso por escrito su testimonio, tanto en su *Apología* y su *Relación,* escritas ambas en 1819, como en su *Manifiesto apologético,* de 1821, cuando se hallaba de nuevo cautivo en los dominios del Rey Católico, como consecuencia de otro súbito cambio de fortuna, que en 1817 había reiterado en más de un aspecto aquel del que había sido víctima en 1794. En los dieciséis años trascurridos desde su fuga de los dominios del Rey Católico, así fuera en medio de constantes adversidades y atravesando a ratos situaciones de extrema penuria, Fray Servando había logrado retomar su avance hacia las posiciones cada vez más conspicuas a las que estaba seguro de que la Providencia lo había destinado, hasta tal punto que su figura ocupaba un lugar cada vez menos marginal en el horizonte de las elites hispanoamericanas, en una etapa en que éstas comenzaban a escrutarlo con un interés aguzado por la sospecha de que se acercaba el momento en que el desenlace de la crisis final de la monarquía católica obligaría aún a los más renitentes a afrontar los dilemas que plantearía su irrevocable derrumbe.

Del mismo modo que en 1794 su certero instinto había permitido a Fray Servando percibir la gravedad de la crisis que se avecinaba, en 1817 le permitió adivinar que ésta se aproximaba a su desenlace, pero —de nuevo del mismo modo que en 1794— esa intuición clarividente lo llevó a arriesgarlo todo en una apuesta que se iba a revelar prematura. Lo sedujo esta vez la perspectiva de cerrar la etapa errabunda de su carrera con un retorno triunfal a su nativo Nuevo Reino de León como capellán de la expedición con que Francisco Javier Mina, el legendario jefe guerrillero liberal de la guerra de Independencia española, intentó reanudar en el Nuevo Mundo la lucha contra el absolutismo triunfante en el viejo. La tentativa tuvo un fin tan rápido como catastrófico, que abrió para Fray Servando un segundo cautiverio en que debió afrontar un aislamiento harto más estricto que el que había conocido como consecuencia de su paso por la Colegiata, que nunca le había impedido reclutar apoyos externos para sus tentativas de fuga, pero —como lo confirma el testimonio de sus captores— esta segunda catástrofe no inspiró en Fray Servando el desconcierto con que había reaccionado ante la que lo había golpeado en 1794, y por el contrario se lo vio afrontar con ejemplar serenidad los maltratos y castigos que le habían sido ahorrados en su anterior experiencia carcelaria.

El hilo narrativo quebrado a cada paso que caracteriza a los escritos por él producidos en esas circunstancias no puede atribuirse entonces a la extrema exaltación que había suscitado en él el revés sufrido al cerrarse el siglo anterior. Creo más bien que el incierto rumbo de su marcha narrativa se entiende mejor cuando se recuerda que por años durante su segundo cautiverio iba a tener como únicos interlocutores a sus poco locuaces carceleros. No es extraño que esa prueba, particularmente dura para un hombre que si había logrado hacer de su conversación seductora un arma tan temible para sus enemigos era porque ponía en ella todo de sí mismo, se reflejara en unos escritos frente a los cuales se hace también difícil imaginar a qué interlocutor preciso buscaba interpelar en ellos. Desde luego no los destinaba a aquellos de los que había venido demandando justicia desde 1794, cuando estaba ya tan seguro de que seguirían negándosela que los denunciaba en términos que sólo podían enconar aún más la hostilidad que le profesaban, pero tampoco podemos reconocer en esos textos tan sólo unos alegatos en los que recurriera al tribunal de la opinión en busca de reparación para los agravios de que era víctima. Me parece que la imposibilidad de dar una respuesta unívoca a esa obvia pregunta se debe más bien a que los textos que Fray Servando produjo durante su segundo cautiverio registran los fragmentos de un incesante soliloquio en que interpelaba a un cambiante interlocutor imaginario que era a ratos el árbitro imparcial que había renunciado ya a encontrar entre las jerarquías de la monarquía católica, pero a ratos también un viajero bisoño a quien aleccionara acerca de las acechanzas que lo esperaban en su camino, en otras ocasiones un interlocutor capaz de compartir su inteligente curiosidad frente a los usos y costumbres de las comarcas por él recorridas, y todavía en algunas un pícaro en diálogo con el cual Fray Servando, obligado ya más de una vez por su adverso destino a sobrevivir también él como tal, podía acompañar el relato de sus aventuras con un guiño cómplice.

En ese espíritu se ha leído aquí el testimonio recogido en sus *Memorias,* buscando en él lo que pueda revelarnos acerca lo que le significó vivir peripecias que prefiguraron aquéllas a través de las cuales a lo largo del siglo XIX la figura del letrado colonial abrió paso a la del intelectual moderno. Como no ha de sorprender, la lúcida curiosidad por el mundo en torno que vimos desplegada en su evocación de su paso por la capellanía del regimiento de Valencia, puede aflorar sólo más fugazmente en los intersticios de un relato cuyo argumento central, salvo durante esa inesperada tregua en su lucha contra sus tenaces perseguidores, lo ofrecen, como en la picaresca, las aventuras y desventuras de un héroe cuya mente versátil debe encontrar a cada paso nuevos recursos para escapar a las más peligrosas encrucijadas. Bajo esa figura se presenta a sí mismo Fray Servando desde el momento mismo en que abre la narrativa de sus peregrinaciones por tierras extrañas, al día siguiente de haber consumado con éxito su fuga de los dominios del Rey Católico, cuando caminando las calles de Bayona, la primera ciudad francesa más allá de la frontera, le ocurrió entrar por una puerta que encontró abierta, y que resultó ser la de una sinagoga en que se estaba celebrando —en castellano— «la Pascua de los ázimos y el cordero», en la que «como se hace siempre en esa Pascua», el rabino predicó que «el Mesías aún no había venido, porque lo detienen los pecados de Israel». A la salida, nos relata Fray Servando, todos los feligreses rodearon a quien habían reconocido por su vestimenta como a un clérigo español para saber qué le había parecido el sermón, lo que le permitió deshacer «en un momento todos los argumentos del rabino predicador». Fue invitado entonces a repetir esa hazaña en una disputa pública, y lo hizo con tanto brillo que le fue ofrecida en matrimonio una muchacha bella y rica, y aún costearle el viaje a Holanda para casarse allí, si no quería hacerlo en Francia. Aunque Fray Servando no aceptó esa propuesta, que llevaba implícita una invitación a la apostasía, su rechazo no cortó el vínculo que instantáneamente había establecido con la comunidad judía de Bayona: por el contrario, mientras permaneció en la ciudad siguió siendo el primer convidado en todas sus funciones, los rabinos consultaban con él sus sermones, para que les corrigiese el castellano, y en vísperas del sábado era invitado a acompañar al oficiante cuando éste se preparaba para leer en el servicio del día siguiente los rollos de «la ley de Moisés», en que el texto sagrado estaba inscripto con sólo las letras consonantes, controlando su desempeño con el auxilio de una Biblia que incluía los puntos diacríticos indicativos de las vocales ausentes, para tomar finalmente a su cargo apagar «las velas de las lámparas, porque ellos no pueden hacerlo, ni encender fuego para hacer de comer o calentarse los sábados».[32]

Ese breve relato anticipa ya en lo esencial la actitud que asumirá Fray Servando en sus peregrinaciones fuera de los dominios del Rey Católico. Todo en él refleja la firmeza con que, en el momento mismo de abandonarlos, quien hasta entonces no había puesto jamás en tela de juicio la validez del principio de unidad de la fe vigente en ellos desde tiempo inmemorial venía de antemano dispuesto a ajustar su conducta a las normas tan distintas que, como no podía ignorar, imponía el orden de cosas que encontraría vigente en su tierra de refugio, a la vez que a poner todo su esfuerzo en descubrir el modo de sacar ventaja de esas mismas normas para hacerse de un lugar en esa tierra extranjera a la que llegaba como un fugitivo desconocido y sin recursos, y la rapidez con que, acicateado por ese estímulo, se revelaría capaz de orientarse en ese mundo hasta la víspera radicalmente ajeno puede medirse a través del aplomo (y la naturalidad) con que, apoyado

[32] Mier, *Memorias* cit., II, 18-20.

tan sólo en algunos sumarios conocimientos teóricos acerca de «la ley de Moisés» (a ellos alude cuando asegura que si se lució tanto en la disputa fue porque «tenía en las uñas la demostración evangélica» desarrollada por el obispo Huet con vistas a persuadir a los judíos de que Jesús había sido en efecto el Mesías anunciado por los profetas) y lo no mucho que había logrado observar en sus visitas a la sinagoga bayonesa, a los pocos días de haber dejado atrás los dominios del Rey Católico pudo asumir en ella las funciones propias de un *shabbas goy*.

La disponibilidad para adecuarse a normas opuestas a las vigentes en los dominios del Rey Católico que Fray Servando despliega desde el momento mismo en que logra evadirse ellos sugiere que, si le llevaría años aprender a emplear fluidamente los argumentos basados en «la crítica de moda» que se le revelarán cada vez más eficaces, ya en el momento de comenzar sus peregrinaciones por ajenas tierras no se sentía en absoluto incómodo en esa tierra de nadie política e ideológica que separaba un antiguo orden en cada vez más acelerada disolución y uno nuevo cuyos perfiles tardaban en definirse. No se descubre en las reflexiones de quien no se fatigaba de proclamar que si había debido buscar refugio en ellas era porque su apasionada identificación con los principios a los que esa monarquía seguía contra toda evidencia proclamándose leal le había ganando la implacable hostilidad de los poderosos que sistemáticamente los traicionaban huella alguna de que hubiera encontrado particularmente penoso vivir bajo un orden basado en principios opuestos a los que tan intransigentemente defendía, lo que sugiere que la perspectiva escatológica que lo llevaba a ver en su conflicto con esos poderosos una escaramuza en la guerra que desde el origen de los tiempos libran la Providencia y el Príncipe de este Mundo, no gravitaba ya (si es que había gravitado alguna vez) sobre su ánimo con el peso abrumador que seguía atribuyéndole en sus alegatos. Lo mismo parece sugerir que cuando abre en ellos un paréntesis para dar rienda suelta a su curiosidad por el espectáculo siempre cambiante que le ofrecen las tierras a las que lo empuja su destino; se buscaría aquí en vano tras las conjeturas con que busca darse razón de las variaciones extremas entre las pautas de sociabilidad que descubre al pasar de una a otra eco alguno de la desazón que éstas inspiraban de nuevo a Pascal, cuando reconocía otro signo de esa presencia ausente de Dios en su creación en que en ésta lo que era verdad en una vertiente de los Pirineos no lo fuese en la otra.

Pero si a medida que avanzaban sus peregrinaciones se hacía cada vez más difícil medir cuánto sobrevivía en el ánimo de Fray Servando de la lealtad que hasta el fin proclamaría tributar a los principios que proclamaba suyos la monarquía católica, aún si ésta se hubiera desvanecido del todo continuaría haciendo sus veces la que mantenía por el objetivo de reconquistar su honra en el mismo marco en que había sido despojado de ella, que ya al comenzar sus años errabundos hubiera hecho para él impensable emprender el viaje a Holanda que prometía, a más de rescatarlo de la penuria en que se encontraba hundido, elevarlo a una posición eminente que no hubiera podido interesarle en cuanto no era aquella que la Providencia lo había destinado a ocupar en su tierra nativa.

Una consecuencia inesperada de esa concentración obsesiva de Fray Servando en su desesperada lucha por obtener en su nativa Nueva España la reparación de la atroz injusticia cuyas consecuencias venía sufriendo desde 1794, es que mientras todo sugiere que la grandiosa visión de un orden jerárquico que abarca a la vez la tierra y los cielos ocupa en su imaginación un lugar cada vez más modesto es que su tierra nativa conserve un nunca amenazado lugar central en su imagen de ese mundo que no cesa de ensancharse bajo sus pies. Es esa imagen la que subtiende una reacción frente las tierras de las que su destino lo haría involuntario explorador que iba a tener muy poco en común con la de tantos hispanoamericanos que a partir de Bolívar contemplarían, como él, el espectáculo ofrecido por el Viejo Mundo con una curiosidad guiada por el deseo de encontrar en él respuesta para las incógnitas que planteaba en el nuevo el derrumbe de la monarquía hispánica experiencias acumuladas en su comarca de origen. Bajo el influjo de su inveterada obsesión, a sus ojos la Nueva España, que debía ser teatro de la triunfal rehabilitación a la que se negaba tercamente a renunciar, conservaría siempre para él un lugar tan eminente en la jerarquía de las naciones como el que para sí reivindicaba dentro de ella.

No ha de sorprender entonces que su visión del Viejo Continente sea casi la opuesta a la de esos futuros exploradores, que por su parte no iban a olvidar ni por un instante su condición de peregrinos llegados al centro del mundo desde su más extrema periferia. Oigamos lo que Fray Servando tiene que decirnos acerca de las ciudades que atraviesa en sus peregrinaciones europeas: «Del plano de las ciudades nada hay en Europa que se pueda comparar a las ciudades de nuestra América o de los Estados Unidos... Todas son calles y callejuelas tuertas, enredijos sin orden y sin apariencia... En España sólo se ha introducido alguna regularidad y hermosura en los puertos que comercian con América, por su ejemplo, como Cádiz, Puerto de Santa María, Bilbao, Barceloneta», donde «unos comerciantes determinaron fabricar a ejemplo de América, un lugar a cordel».[33] Pronto se resigna a no encontrar en Europa las magnificencias arquitectónicas que tan bien conoce de su tierra nativa, y su condescendencia llega hasta admitir que Siena «es bonita para Europa» y que los mejores edificios de Florencia pueden compararse sin desmedro con los «de arquitectura sencilla de México», mientras no le sorprende descubrir que la francesa sólo ha logrado alcanzar el nivel de «la de los antiguos indios», y en consecuencia en París, como en el pasado en Tenochtitlan, las viviendas se componen de «un patio que llaman *cour*, árboles y luego la casa».[34] Mientras con esa visión de una Europa que haría bien en abrirse más resueltamente a la influencia civilizadora del Nuevo Mundo, Fray Servando se limitaba a extender a su patria de origen esa segura convicción de su propia superioridad que se había reflejado ya en el modo «desahogado y despreciador» con que se había dirigido a quienes, como el provincial Gandarias, eran sus superiores jerárquicos, la que propone de España se relaciona aún más estrechamente con el argumento central de su alegato, que opone a las legítimas jerarquías establecidas por un orden de origen divino las espurias impuestas desde el poder, y cuanto más se avanza en su lectura mejor se advierte cómo la clave apocalíptica que para explicar esas desventuras

[33] Mier, *Memorias* cit., II, 56
[34] Mier, *Memorias* cit., II, 123-25.

ha invocado en la cita bíblica con que abrió su *Apologia* ha venido cediendo el primer plano a la que la descubre en un conflicto que no podría ser más mundano entre dos opuestas pautas de sociabilidad, en que ve confirmada a cada paso la superioridad de la vigente en la Nueva España sobre la que descubre en la Vieja.

Recurre para ello en primer término en algunos venerables lugares comunes que en su camino ha ido incorporando a su acervo de ideas, en este caso el que ve a España como una comarca sumida en una ignorancia y una barbarie que sorprenderían menos en África, a la que un error de la geografía ha soldado a Europa; así, luego de decirnos que, dado que las ciudades europeas presentan para el forastero un laberinto indescifrable, en las mayores «venden el plano de ellas en forma de librito... con la noticia de cuanto contienen», y atribuir algo inesperadamente la ausencia de guías como ésas en las españolas a que «sólo el cura y el sacristán saben leer en los pueblos» se desliza en uno de sus tan frecuentes saltos de tema hacia el de los peligros que amenazan al forastero en las rutas de un país sumido en esa casi universal ignorancia, acudiendo a la imagen recogida de antiguo por la sabiduría de las naciones, que evoca los terrores de quien debe internarse en ellas «como bárbaro en país de barbaros, temblando de los salteadores que salen a robar a los viajeros [mientras] sólo siguen al coche tropas de mendigos y muchachos, pidiendo a gritos limosna».[35]

No tarda en deslizarse a partir de los argumentos que le proporciona esa inveterada sabiduría hacia los que le sugiere la comparación entre la imagen de la capital de la Nueva España que tiene grabada en su memoria y la que le presenta la villa y corte desde la cual es gobernada su tierra nativa. Y hay que admitir que también en este punto los desdeñosos comentarios de quien proviene de la ciudad de los palacios que deslumbró a Humboldt se apoyan en una visión sin duda tendenciosa pero en más de un aspecto fidedigna de una ciudad cuyo «desorden, angostura, enredijo y tortuosidad de calles» está lejos de ser la más grave de sus insuficiencias urbanísticas, ya que no hay en esa capital de un imperio «edificios de provecho», ni podría haberlos

[35] Mier, *Memorias* cit., II, 57

cuando aun el palacio abandonado por el Rey en el Retiro «es muy poca cosa» y mientras del nuevo sólo se ha concluido de edificar la tercera parte, de los edificios públicos son sólo razonables los recientemente construidos para la Imprenta Real y el Correo, aunque en este último «al arquitecto se le olvidó que debía tener escalera, y han tenido que pegar a un lado una de palo», mientras los Consejos cuyas decisiones deben ser obedecidas en tres continentes siguen como siempre sesionando «amontonados en un caserón viejo». No encuentra más imponente la arquitectura eclesiástica, no sólo las iglesias «no son templos magníficos y elevados, como por acá, sino una capilla», sino más de un convento es irreconocible como tal desde la calle, hasta tal punto que al mismo Fray Servando le sucedió «estar pasando por una dos años y no saber que allí había convento de monjas». Las casas en que viven los madrileños «de palo y piedra, sin igualdad ni correspondencia, todas feas y en aspecto de ruinas», son aún más deplorables, ya que mientras las de vecindad no son «como acá una calle cerrada, sino un amontonamiento de cuartitos donde todos están oliéndose el resuello», las privadas «no son, como acá, de una familia por cada zaguán, sino que en cada uno, conforme va uno subiendo la escalera, a cada puerta que queda a un lado y otro de la escalera, vive una familia»,[36] y no merecen por lo tanto ese nombre.

Como suele, Fray Servando ha acumulado aquí tantos ejemplos y argumentos de probanza que resulta difícil advertir que con esta esa exhaustiva contraposición entre la magnificencia de la metrópoli de la Nueva España y la sordidez de la que la gobierna desde más allá del océano está apenas comenzando a abordar otra dimensión del contraste entre ambas ciudades que toca más de cerca sus obsesiones centrales, y que en los textos arriba citados aparece apenas insinuada. Porque a Fray Servando choca menos el hacinamiento en que viven los madrileños que el placer que parecen encontrar en compartir tanto sus intimidades como sus malos olores. Ya a la entrada de Madrid descubre a qué clase de ciudad ha llegado: «como en otras ciudades se divisan columnas de mármol, yo vi dos muy elevadas y pregunté

[36] Mier, *Memorias* cit., II, 179-80.

qué eran», lo que le permitió enterarse de que en las que anunciaban que el viajero había llegado a Madrid el mármol había sido sustituido por el estiércol de oveja destinado a los hornos en que se cocía el pan que luego comían los madrileños.[37] Y lo que encuentra luego confirma con creces lo que anticipa ese peculiar monumento; el estiércol va a ser una presencia constante en la ciudad en que Fray Servando permanecerá por dos largos años, y no sólo el de oveja quemado en los hornos de pan, con cuyas cenizas azufrosas deben llenar sus braseros los pobres para no morir de frío, ya que éste es en Madrid «mayor que el de todas las cortes de Europa, excepto Petersburgo»,[38] sino más aún el que producen los propios madrileños. Aunque al llegar a este punto Fray Servando sigue multiplicando las digresiones se está ya aproximando —aunque lentamente— al nudo de su argumento. Más que el contraste entre las salvajes alternativas de calor tórrido y frío ártico del clima de Madrid y la eterna primavera de la que goza la capital de la Nueva España, que va a permanecer implícito, le interesa subrayar todo lo que en el modo con que los madrileños han buscado adaptarse a ese clima inhóspito revela su tenaz inclinación por un desvergonzado estilo de convivencia muy distinto del reinante en su tierra nativa.

En sus extremos de calor y frío encuentran justificativo para ello. La crudeza de los inviernos se lo ofrece para seguir viviendo en medio del hedor de sus propias heces, cuando les permite oponer al deseo de don Carlos III de que cesen de arrojar a la calle el contenido de sus bacines la opinión experta del Protomedicato, que, teniendo en cuenta que, dado que el aire de Madrid es tan delgado que en los meses de intenso frío «suele matar en el paso de una calle con un dolor de costado», ha recomendado continuar esa práctica a fin de «impregnarlo con el vapor de la porquería».[39] Los tórridos veranos les ofrecen por su parte una oportunidad que no será desaprovechada para adoptar vestimentas contrarias no sólo al decoro, sino al más rudimentario sentido del pudor; aun en las casas más respetables «las señoritas están

[37] Mier, *Memorias* cit., II, 160.

[38] Mier, *Memorias* cit., II, 188.

[39] Mier, *Memorias* cit., II, 188 y 180.

dentro en pelota, puesto una especie de saco como enaguas sueltas desde el pescuezo, de las cuales sacan los brazos todos desnudos, y así se presentan en las visitas… que estando sentado cerca le veía los dos pechos desnudos».[40]

Sin duda el escrupuloso respeto por las normas que impone el decoro de la «infinidad de muchachas prostituidas» que «muy bien puestas con sus basquiñas y mantillas blancas… no hacen sino pasar y repasar muy aprisa» por la Puerta del Sol y sus inmediaciones desde la hora de la oración hasta las diez de la noche ofrecería un reconfortante contraste con el *sans gêne* con que sus superiores sociales exhiben lo que debiera permanecer cubierto, si no fuera que una vez «hecho el ajuste se despacha en los zaguanes y escaleras», de lo que puede dar fe Fray Servando, que durante su residencia en Madrid al entrar por la noche en su casa, tras atravesar un zaguán que, como es habitual en esa ciudad, sirve de «secreta y meadero público, y es necesario entrar por un caminito que queda en medio, recogiendo la ropa para no ensuciarse… no hallaba donde pasar, por los diptongos que había en los descansos».[41] Una vez más, lo que chocaba a Fray Servando no era tanto lo que esa conducta tenía de moralmente censurable como su desafiante exhibición, tras de la cual percibía, sin equivocarse, una implícita intención agresiva. No podía resultarle difícil percibirla cuando veía desplegarse esa misma intención del modo más clamoroso en el desgarro de gesto y palabra en que se complacía la plebe madrileña, desde ese lechero a quien oyó pregonar su mercancía voceando «¿Quién me compra esta leche o esta mierda?» hasta ese paseante que cuando Fray Servando le preguntó qué procesión era la que en ese momento avanzaba por la calle de Atocha le repuso que era la de «la Virgen p…», aludiendo en un giro que sin duda consideraba ingenioso a que a la supuesta procesión la formaban los curiosos atraídos al lugar porque «como la imagen es hermosa, la asomaba por entre rejas una alcahueta para atraer parroquianos».

Y quienes así exhiben su desvergüenza, esos manolos «hijos de Madrid, gente sin educación, insolente, jaquetona, y en una palabra

[40] Mier, *Memorias* cit., II, 189.
[41] Mier, *Memorias* cit., II, 163.

españoles al natural» se conducen así porque nada les impide hacerlo, hasta tal punto que «la gente fina de todas las partes de la monarquía» que reside en el centro de esa capital imperial «no puede salir a los barrios, porque insultan a la gente decente», y ni aun la reina de España está a salvo de sus injurias, de las que fue blanco un día en que paseaba en coche «por junto al río Manzanares, donde lava el mujerío manolo, [y] la trataron de pu... porque estaba el pan caro. La reina echó a correr, y prendieron unas treinta, que luego soltaron, porque la cosa no era sino demasiado pública».[42]

Se ha sugerido ya que el horror que trasunta esa imagen esperpéntica de un orden político y social profundamente desquiciado, en el que quienes ocupan su cumbre deben resignarse a sufrir en silencio los agravios de una plebe que exhibe sin recato el desprecio que por ellos siente debe mucho al estilizado recuerdo del orden que en su Nueva España aspira a ser fiel reflejo del inscripto en la naturaleza por voluntad divina, y que no han logrado borrar de las conciencias los que lo vienen subvirtiendo desde la cumbre del poder. Desde luego Fray Servando nunca dejará de proclamar en sus defensas que el pueblo mexicano, «de por sí dulcísimo», nunca se hubiera vuelto contra él si el arzobispo Haro no lo hubiera hecho blanco de las calumnias con que dio rienda suelta a su prepotencia y su espíritu de venganza.[43] Pero ese argumento que encontraba útil alegar daba voz a una convicción que no podía ser más sincera, en cuyo favor hubiera podido invocar por otra parte experiencias acumuladas en tres siglos de historia novohispana que sugerían que sólo cuando era incitada a hacerlo desde alguna de las cumbres del orden rígidamente jerárquico al que vivía sometida, esa plebe cuya fisonomía los viajeros de ultramar solían encontrar decididamente más aterradora que la de los majos madrileños se atrevía a exceder los límites que su posición subordinada dentro de éste le imponía. Estaba sin duda menos justificado cuando lo atribuía a que esa misma plebe aceptara sin reservas como legítimo un orden que tan duramente la relegaba; faltaba aún un siglo para que otra

[42] Las citas anteriores de Mier, *Memorias* cit., II, 160-61.

[43] Así en *Memorias* cit., I, 99.

revolución mexicana revelara a otro hijo de Monterrey y del privilegio qué se escondía en cambio tras de esa dulzura de temperamento que Fray Servando contrastaba con la desbordada insolencia de la madrileña. Fruto de esa revelación iba a ser la bellísima *Tonada de la sierva enemiga,* en que Alfonso Reyes ofrecía una clave más justa de lo que diferenciaba a ambas plebes, al evocar esa *cancioncita sorda, triste... canción de los desahogos/ ahogados en temor,* tan distinta de las ricas en obscenidades en que en Madrid se complacía la desvergüenza de las «fruteras y revendonas» del mujerío manolo. y tras de ella a quien la cantaba, esa *esclava niña que siente/ que el recuerdo le es traidor... y es tanta la tiranía / de esa disimulación/ que aunque de raros anhelos/ se le hincha el corazón, tiene miradas de reto/ y voz de resignación»,*

A medida que se acumulan los años que para Fray Servando trascurren fuera de su perdida Nueva España, la imagen cada vez más despojada y abstracta que retiene de ella en su memoria ofrece un contraste cada vez más extremo con la de las comarcas que atraviesa durante una etapa de su vida en que su horizonte de ideas no cesa de ampliarse junto con sus horizontes geográficos, en las que se refleja en cambio el deleite con que explora la inagotable riqueza del mundo que se ensancha a su paso, de la que pareciera aspirar a registrar hasta el último detalle. Sin duda su omnívora curiosidad no logra nunca desplazar del todo del primer plano de su atención el móvil reivindicatorio que lo ha movido a redactar tanto sus apologías de 1819 y 1820 cuanto la *Relación* de sus aventuras europeas, pero sólo en las secciones de esta última dedicadas a narrar sus experiencias en España logra Fray Servando construir a partir de ese vertiginoso registro de lo que ha visto desplegarse ante sus ojos una coherente imagen de la antigua metrópoli como una suerte de antítesis de esa cada vez más estilizada Nueva España que sólo existe en su recuerdo.

En esa imagen la desvergüenza de la plebe madrileña está lejos de ser el signo más grave de la perversión de las normas de moralidad y sociabilidad queridas por Dios, cuyos avances descubre a cada paso en las posesiones europeas de la monarquía católica. Hasta tal punto no lo es que Fray Servando termina por convenir en que no deja de ser afortunado que «los majos, las valentones y chulitos de a pie de las mujeres como ellos» se hayan arrogado en Madrid las funciones propias de una policía de costumbres, porque con sus insultos y pedradas impiden que los signos de la corrupción aún más grave y profunda que aqueja a sus superiores sociales se exhiban con total impudor.

Son en efecto las esposas e hijas de los Grandes de España las que han hecho del Jueves y el Viernes Santo, en que no andan los coches y por lo tanto aun ellas se ven forzadas «a echar pie a tierra... el verdadero carnaval de Madrid»; en esas ocasiones si no las contuviera el temor a las violentas reacciones de los manolos «el desenfreno no tendría límite, y las mujeres se presentarían desnudas».[44] Es sólo al llegar a este punto cuando en una más de sus vertiginosas transiciones se interna por fin en el tema que más directamente le interesa; tras de señalar que si por obra de las mujeres de los Grandes «en mi tiempo *reginae ad exemplum* toda la corte y el Sitio eran un lupanar» es porque «suelen ser en su género tan corrompidas como sus maridos»,[45] descubre que sobre estos últimos tiene mucho más que decir que acerca de su parentela femenina, convencido como está por las experiencias acumuladas en sus años madrileños de que la eficacia con que los integrantes de la jerarquía del poder han logrado hacerlo víctima de una sistemática denegación de justicia por más de una década debe mucho más de lo que había sospechado a distancia a la influencia corruptora que los Grandes de España ejercen sobre las instituciones de la monarquía católica.

Comienza aquí por trazar un retrato colectivo de esos Grandes cuyas culpas van mucho más allá de la ruina en que han sumido a «los pueblos de que son señores, porque los han recargado y chupado para mantener su lujo en la corte». Esos hombres, «en verdad los más pequeños... de la nación por su ignorancia y vicios», no sólo contribuyen más que los apuestos guardias de corps de Palacio a privar «de su flor a las jovencitas que vienen a Madrid buscando servicio», sino no vacilan en poner su condición de «patronos de una infinidad

[44] Mier, *Memorias* cit., II, 162.

[45] Mier, *Memorias* cit., II, 166.

de iglesias en sus señoríos» al servicio de los proyectos que les inspira su lujuriosa imaginación, como pudo descubrir el mismo Fray Servando cuando a él le ofreció «uno de ellos un buen beneficio que tenía en su señorío porque le proporcionase arbitrio de engañar una señorita con un matrimonio fingido... propuesta que *lo* horrorizó». Pero el predicamento del que los Grandes gozan en la Corte tiene consecuencias aún más graves; a él se debe también que casi todos los empleados de las oficinas sean sus criados y lacayos o parientes de sus concubinas[46] (lo que sin duda contribuye a explicar el bajo nivel de moralidad administrativa de los covachuelos de los que es víctima Fray Servando).

Una asociación de ideas menos inesperada de lo que es habitual en los relatos de Fray Servando lo lleva a explorar las raíces históricas de esa situación aberrante, comenzando por remontarse hasta el remoto pasado en que los alborotos que la prepotencia de esos magnates «causaba en el reino a cada elección de rey» llevaron a hacer «hereditario el reino de España, menos por ley que por conveniencia del pueblo», y tras evocar su nefasto papel «en las guerras de los comuneros para sostener la Constitución de España», en que apoyaron contra el pueblo en armas «el despotismo de Carlos V y sus sucesores», vuelva atrás la mirada para recordar cómo para entonces habían ya obtenido «del miedo que les tenían los reyes mil posesiones, incluidas las exorbitantes llamadas mercedes enriqueñas, y se apoderaron de casi toda España», para concluir anotando cómo en tiempos más recientes, «asentado en el trono el despotismo, los reyes los llamaron a la corte, para que se arruinasen queriendo igualar el fasto real, y lo han logrado»;[47] pero sólo luego de seis páginas en que toca temas tan variados como pueden serlo los uniformes de los ayudas de cámara del Palacio real, la afición a la caza de Carlos III y su hijo y sucesor y las muchas reliquias que atesora el monasterio del Escorial, y ocho adicionales en que continúa su argumento con un extenso e inesperadamente coherente examen de la estructura institucional de la monarquía católica

[46] Mier, *Memorias* cit., II, 166-7.

[47] Mier, *Memorias* cit., II, 165.

en vísperas de su derrumbe,[48] lo cierra ofreciendo una clave para el proceso que obliteró las constituciones de los reinos españoles en la que se refleja una lectura atenta de los escritos de Martínez Marina: en tiempos medievales —leemos en ella— sólo la nación representada en sus Cortes «podía imponerse pechos a sí misma», pero desde que Carlos V «llenó todo de flamencos» y con la ayuda de «los malditos Grandes» derrotó a las comunidades, «con los esclavos armados y pagados ya hicieron los reyes lo que quisieron» y «la nación vencida quedó para siempre encadenada», y lo está nuevamente desde que Fernando «prendió las Cortes, y con sus diputados y la flor de la nación llenó nueve cárceles de Madrid, y luego los conventos de España y los presidios de África, aunque lograron emigrar muchísimos».[49]

En este extenso pasaje se reflejan con particular claridad las modalidades de la relación que Fray Servando mantiene con el campo de las ideas y la ideologías, frente al cual despliega una curiosidad no menos intensa que frente a las comarcas que ofrecen el marco para sus peregrinaciones. Y que —como frente a éstas— está lejos de limitarse a los temas vinculados con su esfuerzo por reconquistar la honra perdida; en 1819 su interés por la historia de las instituciones políticas españolas no estaba estimulado por ninguna ambición de encontrar en ellas un lugar expectable que viniera a ofrecerle la vindicación que no se resignaba a reconocer imposible (ya lo revelaba así la sombría mirada al presente con que cerraba su examen del tema, a la que no ilumina ningún presagio del fin de la calamidad que aflige a España); a dónde se seguía orientando en cambio esa ambición lo había reflejado todavía dos años antes su incorporación a la expedición de Mina envuelto en usurpadas vestimentas episcopales. Lo que en el pasaje se refleja es en suma su capacidad de desplegar una curiosidad desinteresada e inteligente, que le permite captar y presentar los puntos esenciales de la tesis que somete a examen, y si pocos de sus lectores se han detenido en los pasajes —que es preciso admitir que no son demasiado frecuentes— que revelan que la mirada de Fray Servando

[48] Mier, *Memorias* cit., II, 171-8.

[49] Mier, *Memorias* cit., II, 177-8.

podía ser tan lúcida en ese campo como cuando la dirigía al espectáculo ofrecido por las exóticas comarcas a las que sus desgracias lo habían arrojado es quizá porque esa lucidez tenía muy poco en común con la del pensador liberal e ilustrado imaginado por O'Gorman.

Hasta el fin de su vida Fray Servando siguió siendo el mismo que en vísperas de su fatídico sermón guadalupano se había asegurado el apoyo de esos «varios doctores amigos» que hallando su argumento ingenioso se declararon dispuestos a intervenir a su favor «en la lid literaria a la que provocaba»; ya entonces, si en el púlpito su elocuencia había sido la de un abogado que defiende una causa, en el diálogo erudito anticipaba la del controversista que iba a llegar a ser profesionalmente en el marco de ese otro diálogo entablado entre las fes rivales que estaban aprendiendo dificultosamente a convivir en paz más allá de los Pirineos. En consecuencia, hasta el fin de su vida su relación con el mundo de las ideas se seguiría diferenciando de la de ese pensador liberal e ilustrado en un punto esencial: no se internaba en él en busca de la verdad sino de nuevos argumentos igualmente ingeniosos que le asegurasen la victoria en esas otras lides literarias, judiciales o políticas que le tocaría afrontar en un mundo en vertiginosa trasformación.

Si Fray Servando logró cerrar su carrera en triunfo fue porque sin cambiar ni en ese ni en otros aspectos nada esencial a su modo de ver el mundo y su lugar en él supo adaptar las pautas de conducta que ambos le seguían sugiriendo a un escenario que no era ya el de su nativa Nueva España, sino el de los recién nacidos Estados Unidos Mexicanos, en cuyo Congreso iba a reanudar (pero sólo al borde de la muerte) la carrera triunfal cruelmente interrumpida treinta años antes por su sermón del Tepeyac. Pero para llegar a ese punto había debido sobrevivir por años en tierras extrañas, y las estrategias que a pesar de todas las adversidades le permitieron lograrlo revelaban que no sólo en su relación con el mundo de las ideas se mantenía fiel a las pautas aprendidas primero en su privilegiada infancia regiomontana y luego en una adolescencia y una juventud, trascurridas ambas en el convento dominicano de la capital de la Nueva España.

La fortuna le ofreció pronto una alternativa que, mientras le permitiría conquistar para sí un lugar en su tierra de refugio, no sólo no le cerraba el camino de retorno al escenario en el que no renunciaba a verse desquitado de la afrenta de la que había sido víctima, sino quizá contribuyera a acercarlo a ese desenlace favorable al concedérselo en el marco institucional de esa misma Iglesia católica de la que esperaba aún arrancar en el futuro el reconocimiento de la injusticia que con él se había cometido. Debía esa oportunidad a la perturbación profunda introducida por la ola revolucionaria que avanzaba en Europa, que ya cuando Fray Servando alternaba en el norte de España etapas de cautiverio con otras de precaria libertad le había dado como compañeros de su duro destino a otros eclesiásticos que en las primeras etapas de la revolución de Francia debieron buscar más allá de los Pirineos refugio de la persecución que sobre ellos se había desencadenado en su tierra de origen, y aún seguían acogidos a él luego de que el soberano que se los había ofrecido había estrechado un lazo de alianza con sus perseguidores. Pero si esta nueva circunstancia ponía una alarmante nota de precariedad en el refugio que España seguía ofreciendo a esos fugitivos del terror, la frialdad con que ésta los había recibido desde el primer momento, que la llevaba a hacer muy poco por aliviar la extrema dureza de su experiencia de exiliados, debía mucho más a la desconfianza que inspiraba en ella todo lo que proviniese de una nación en la que no reconocía a la primogénita de la Iglesia sino a la fuente de todas las modernas herejías.

Durante su residencia en Burgos, Fray Servando encontró compensación para la poco grata compañía de conventuales que «como ellos mismos dicen van a hacer harina a los conventos, aprenden a ponerse y sacarse el trapo puerco de la capilla, a dar gritos en solfa y algunos párrafos arabescos de Aristóteles» en la de «los eclesiásticos franceses emigrados, de que estaba llena la ciudad, que *le* dieron mucho crédito de literatura» y contribuyeron con ello a rodearlo de «tanta fama que se *lo* consultaba en todo asunto literario».[50] Pero si había podido reconocer en esos compañeros de desgracia a otros tantos hombres de alma bien nacida, expuestos tanto como él mismo a sufrir por las caprichosas decisiones de los poderosos, el perfil del

[50] Mier, *Memorias* cit., I, 233-4.

clérigo francés que vino a facilitarle su evasión de los dominios del Rey Católico reflejaba mejor otros aspectos de la experiencia que obligó a los desterrados a encarar una adaptación necesariamente penosa a un mundo que de pronto había dejado de tener lugar para ellos, en cuanto lo había llevado a avanzar aún más que Fray Servando en el terreno explorado por la literatura picaresca, hasta el punto de armar desde Ágreda, en tierras de Soria, una red de contrabando con la vecina Francia.

No había pasado Fray Servando mucho tiempo en la tierra en que había logrado refugiarse gracias al auxilio del clérigo contrabandista cuando tuvo oportunidad de descubrir que en ella podía quizás alcanzar a asegurarse medios de sobrevivir menos problemáticos que el que le ofrecía la comunidad judía de Bayona. Le ofreció esa oportunidad el momento muy peculiar que atravesaba la nación en que acababa de encontrar refugio; se había abierto ya en ella la transición de la República al Imperio, en que la revolución, que a lo largo de diez años había venido acumulando victoria tras victoria sobre sus enemigos, pero no había logrado dotar al nuevo orden de un perfil preciso ni tampoco rodearlo de un consenso suficientemente amplio para asegurar su futura estabilidad, se preparaba a intentar a la vez lo uno y lo otro apoyándose para ello tanto en los elementos del antiguo que se habían revelado capaces de sobrevivir al vendaval revolucionario como en los aportados por éste que daban pruebas de haber ganado ya firme arraigo, y no había quizá otro campo en que esa tarea apareciera tan urgente como el de la religión y su lugar en la nación que se esperaba ver resurgir trasformada, pero también consolidada, del crisol revolucionario.

La urgencia provenía en parte de que habían sido ya demasiados los fracasos sufridos por el poder revolucionario en sus esfuerzos por introducir cambios cada vez más radicales en la vida religiosa de los franceses, en un avance vertiginoso que sólo necesitó tres años tras de implantar una constitución civil del clero que extremaba y sistematizaba posiciones que —aunque audazmente innovadoras— habían contado ya con tenaces partidarios entre las jerarquías tanto temporales como espirituales del Antiguo Régimen para que la institución de un culto oficial tributado al Ser Supremo pudiese ser vista menos como el momento culminante de una tentativa de desarraigar por entero de Francia su herencia cristiana que como un esfuerzo desesperado por detener en su loca carrera a una nación cercana ya a precipitarse en el ateísmo.

Cuando Fray Servando dejó atrás su primer refugio en Bayona para tomar el camino de París descubrió en todas partes los signos de que, mientras de esos proyectos no quedaban más que algunas vagas ruinas, la omnipresente estructura eclesiástica con la que Francia había contado hasta 1789 comenzaba a reparar los daños muy graves sufridos en los diez años de revolución, hasta tal punto que «en varios pueblos *le* habían ofrecido sus parroquias, porque había escasez de sacerdotes». No quiso entonces desviarse de su camino para incorporarse a un cuerpo eclesiástico «en cisma, dividido en sacerdotes jurados y no jurados, republicanos y realistas, jansenistas y jesuitas o constitucionales y refractarios, como aquéllos llamaban a éstos, o como éstos se llamaban a sí mismos católico-apostólico-romanos».[51] Sí lo iba a hacer una vez llegado a París, pero ahora como un medio de agregar algunos ingresos más sustanciales a los muy magros obtenidos de su actividad en el campo literario. La versión que nos ofrece de su incorporación al personal eclesiástico parisino es escasamente convincente: asegura en ella que la disertación que escribió para demostrar «la existencia de Jesucristo», puesta en duda en «los delirios de los incrédulos como Volney» atrajo sobre él la atención del gran vicario [apostólico] de París, quien decidió encomendarle «la parroquia de Santo Tomás... que hoy ya no existe, y era la iglesia de las monjas dominicas de ese nombre en el centro de París»,[52] pero la disertación no ha llegado hasta nosotros ni impresa ni en manuscrito, y no es improbable que la mención en este contexto de uno de los más sonados triunfos que afirmaba haber obtenido en su papel de controversista (y que no es seguro que no haya sido puramente imaginario) cumpla aquí la función de quitar relieve a lo que podía tener de incongruente

[51] Mier, *Memorias* cit., II, 30-31.

[52] Mier, *Memorias* cit., II, 30.

para este perseguido por la conjura de los poderosos incorporarse a esa iglesia en cisma gracias a una iniciativa de quien dirigía en nombre del Pontífice el bando de los llamados refractarios porque en obediencia a esos mismos poderosos se habían rehusado a acatar las normas de la constitución civil del clero.

Lo sugiere así que de inmediato Fray Servando encare de frente ese tema delicado, asegurando a sus eventuales lectores que «pertenecía a éstos [*sc.* los refractarios], pero no pensaba enteramente como ellos», y en consecuencia «admitía en *su* iglesia a los fieles constitucionales, pues... no creía excomulgados a sus ministros», ni que «la constitución civil del clero *contuviese* herejía ninguna (antes había sido un esfuerzo por volver a la primitiva disciplina)». Pero el cuadro que traza de esa organización eclesiástica parisina que comienza apenas a resurgir de sus ruinas, en que las cuarenta y cuatro parroquias de 1789 se han reducido a doce que no tenían ya «límites señalados», lo que permitía a los fieles concurrir indiferentemente a la que querían, sugiere que la hospitalidad que también indiferentemente brindaba como capellán de las monjas dominicas a quien quisiera acogerse a ella era más bien fruto de esa circunstancia que de su posición doctrinaria en los pleitos que dividían al clero francés.

No es esto lo único que sugiere que en la narrativa que ofrece de su etapa parisina Fray Servando tiende a proyectar lo vivido en ella sobre una clave más adecuada para etapas posteriores de su trayectoria. Es éste un rasgo común a los textos que produce en la abierta en 1817 por su recaída en cautiverio, que lo llevó a antedatar hasta 1797 las cartas a Muñoz, escritas probablemente en 1819, veinte años después del fallecimiento de su supuesto destinatario, y la dirigida a Grégoire acerca de Las Casas, a la que —como señala Domínguez Michael— retrotrajo hasta 1806 sin reparar que se refería en ella a su *Historia de la revolución de Nueva España*, sólo publicada en 1813.[53] Si en 1801 aceptó ocupar en esa iglesia en cisma una posición cuya ambigüedad sólo logra subrayar quizá más de lo que hubiera deseado a través de sus esfuerzos por justificarla fue sin duda porque todavía entonces —como

[53] Domínguez Michael, *op. cit.*, 205.

por otra parte su relato no deja duda— la búsqueda de un modo de sobrevivir en un mundo desconocido conservaba para él una absoluta prioridad. Y se entiende que así fuese cuando sólo encontró medios de llegar a París gracias a que en un encuentro casual en el consulado español en Burdeos con un opulento quiteño lo «alborotó para dar un paseo a París antes de entrar en España», lo que dio pie a la invitación de éste a que lo acompañara a la capital francesa para servirle allí de intérprete. Pero el rico indiano, que «tiraba el dinero como si estuviese en América», se enfadó ante la insistencia con que Fray Servando le vaticinaba que «se había de ver en gran miseria en Europa, donde todos se conjuran para despojar al americano recién venido»,[54] y se separó de él apenas llegado a París. El primer auxilio que recibió cuando se encontró solo en esa ciudad desconocida provino del botánico neogranadino Francisco Zea, quien, deportado a España por su participación en la publicación en Bogotá de la Declaración de los Derechos del Hombre, gracias a que en Madrid «cayó el asunto entre manos liberales... pasó, pensionado por nuestro gobierno, a París, donde publicó las famosas descubiertas de Mutis sobre las quinas de Santa Fe».[55] (Antes ya había agregado Zea su recomendación a la que José Nicolás de Azara, el eminente servidor de la monarquía ilustrada que por tres décadas la había representado ante la corte pontificia y era en ese momento embajador de España en París, había enviado a favor de Fray Servando al cónsul español en Burdeos.)

Una vez agotado ese auxilio y también el «socorrito» que le envió desde España José Yéregui, ilustrado clérigo peninsular con quien se había vinculado en Sevilla, abrió junto con el caraqueño Simón Rodríguez, a quien había encontrado ya en Bayona, donde bajo el nombre de Samuel Robinson se sustentaba ofreciendo clases privadas de inglés, francés y español, una escuela de lengua española[56] que funcionaba en el domicilio que compartía con éste; allí, «por las noches —recuerda Fray Servando en 1819— a una hora dada enseñaba

[54] Mier, *op. cit.*, II, 23.
[55] Mier, *op. cit.*, II, 25-26.
[56] Mier, *op. cit.*, II, 26-28.

yo, y Robinson daba lecciones a todas horas fuera, porque yo tenía que atender a mi parroquia».[57]

Pero si en 1801 resolver el problema de cómo asegurarse el pan de cada día pudo haber ocupado una posición de prioridad absoluta entre los que preocupaban a Fray Servando, cuando evoca su experiencia parisina en 1819 la ha cedido al que le plantea su obsesión por reconquistar su honor perdido mientras el mundo en torno atravesaba una vertiginosa trasformación que no podía dejar de afectar los criterios con que ese honor era otorgado y reconocido. Así, tras mencionar el auxilio recibido de Zea, invita a ver reflejado en él, como rasgo positivo de su dura experiencia de exiliado y perseguido, que «en medio de todos mis trabajos y miserias nunca me faltó la atención y correspondencia de los sabios de la Europa».[58] Con ello Fray Servando anticipaba un futuro en que una autoridad distinta de la del soberano que en el marco de la monarquía católica había sido la fuente de todos los honores lo restituiría al lugar que de derecho era suyo en su tierra nativa, pero en 1819 ese futuro no había llegado aún, y aunque la restaurada monarquía no era ya más que una sombra de sí misma, la Iglesia, que —como iba pronto a hacerse evidente— se preparaba a resurgir trasformada pero no necesariamente debilitada por el vendaval revolucionario, iba a seguir ofreciéndole el terreno en el cual iba a proseguir aún por cinco años el combate por el honor que esa misma iglesia, en la persona del arzobispo Núñez de Haro, le había inicuamente arrebatado.

Ésa es la perspectiva reflejada en sus textos de 1819; en ellos el relato de los años de «trabajos y miserias» que se habían extendido ya por un cuarto de siglo se centra en un combate que Fray Servando sigue librando en busca de una reivindicación que —tal como lo había propuesto Traggia en 1801— debe elevarlo a una posición más eminente que la que había ocupado antes de su desgracia en la jerarquía de honor y prestigio de la iglesia de su nativa Nueva España. Hasta tal punto concentra Fray Servando su atención en un esfuerzo

[57] Mier, *op. cit.*, II, 30.
[58] Mier, *op. cit.*, II, 22.

reivindicatorio así entendido, que no advierte lo que aparece evidente a cualquier lector de sus alegatos; a saber, que esa calidad de sabio en una comunidad de sabios que iba a reivindicar para sí en 1824 estaba ya prefigurada en sus experiencias londinenses de la década anterior; es como si su autoría del único libro que iba a publicar en vida y sus intervenciones en periódicos de ideas las ubicara, del mismo modo que su participación en la escuela de lengua española fundada en París por Simón Rodríguez, entre las actividades que abordaba con la finalidad principal de ganarse el sustento mientras proseguía su interminable combate por su honra.

En los textos que Fray Servando compone en 1819, cuando hace ya dos años que —de nuevo cautivo en los dominios de la monarquía católica— concentra más obsesivamente que nunca su atención en ese combate que debe proseguir en un terreno aún más desfavorable que el del exilio, se refleja en cambio plenamente el descubrimiento de que los argumentos de una de las facciones en pugna no sólo en esa Iglesia en cisma que era la francesa, sino en todo el mundo católico, entre las cuales en 1801 había cuidadosamente eludido tomar partido, le ofrecían una clave más pertinente para darse razón de la denegación de justicia de la que era víctima que la ofrecida por la quizá demasiado genérica identificación de poderosos y pecadores que había hallado en las Sagradas Escrituras o la sin duda excesivamente anecdótica que la atribuía al rencor y la envidia de unos prelados de bajo origen que «no pueden tolerar que algún religioso de nacimiento distinguido deje de arrastrarse a sus pies... y tienen el mayor empeño y deleite en avergonzarlo, humillarlo y afrentarlo».[59] Al volcarse en la corriente jansenista, que —está ahora convencido de ello— en la entera Europa católica reúne a «todos los hombres sólidamente instruidos en la religión y amigos de la antigua y legítima tradición de la Iglesia»,[60] Fray Servando puede reconocer retrospectivamente en su historia personal un episodio de la dolorosa pero exaltante experiencia colectiva estilizada sobre las líneas con las que a lo largo de dos siglos habían

[59] Mier, *op. cit.*, I, 212.
[60] Mier, *op. cit.*, II, 17.

contribuido a grabarla en la memoria jansenista algunos de los mejores espíritus de Francia, en la que, como en la suya propia, el candor se había opuesto a la doblez y la auténtica virtud a la hipocresía más refinada,

Y con ello avanza más de lo que él mismo advierte en esa metamorfosis que sólo alcanzará a consumarse cuando la de su nativa Nueva España en los Estados Unidos Mexicanos haya puesto fin victorioso a su pleito con esa monarquía católica que había sido su regazo antes de ser su prisión. Y ello no sólo porque su identificación con el jansenismo ha venido a cerrar su etapa de combatiente solitario, para incorporarlo a una comunidad que si no es aún la de los sabios anticipa ya algunos de los rasgos que Fray Servando iba a celebrar en ésta, sino más aún porque a partir de ella comienza a debilitarse el imperio —que sólo iba a disiparse del todo en el marco del México republicano— que sobre él habían retenido los criterios de autoridad en los que tanto en el terreno intelectual como en el político se apoyaba la monarquía católica.

Le hace más fácil no advertir cuál es la meta final hacia la que se encamina en ese avance que emprende bajo la bandera del jansenismo el imaginarla bajo la figura del retorno a un pasado en que conservaba su pleno vigor la «antigua y legítima tradición de la Iglesia». Es ésa por otra parte la imagen vigente en esa etapa tardía del movimiento jansenista, en que éste ha desplazado el nudo de un combate entablado en el siglo XVII en torno a los misterios abordados en el Apocalipsis hacia el terreno excesivamente mundano ofrecido por algunos inveterados conflictos jurisdiccionales en el seno de la organización eclesiástica y entre esta y quienes ejercían el poder temporal. Ese deslizamiento, aunque coincidía en sus efectos con el que en el Siglo de las Luces reorientaba la atención colectiva hacia esa misma esfera mundana, respondía a una inspiración que tenía muy poco en común con la del Iluminismo. Había sido más bien la entera trayectoria previa del jansenismo la que lo había forzado a deslizar su atención hacia esa temática, sometido como se encontró desde muy pronto a una persecución cada vez más cruel tanto por parte de la corte vaticana cuanto por su soberano temporal, y decidido a no flaquear en el cumplimiento de su deber de obediencia a la autoridad apostólica que tan injustamente lo había condenado, la necesidad de defender su total inocencia frente a los ataques de los que era víctima lo llevaba a trasladar el núcleo del debate del terreno teológico al jurídico, y a recurrir a menudo en él a argumentos tan casuísticos como los que reprochaba a sus rivales jesuíticos. Pero rescataba el recurso a esos argumentos que fueran los únicos accesibles a unos defensores de las mejores tradiciones de la Iglesia decididos a sufrir década tras década con ejemplar mansedumbre el castigo que les infligían quienes por un incomprensible decreto de la Providencia habían sido elevados a posiciones de autoridad dentro de las jerarquías eclesiásticas que eran totalmente indignos de ocupar. No podía sorprender entonces que el espectáculo conmovedor de la virtud y la inocencia perseguidas suscitara un eco admirativo en el seno de la magistratura y el clero secular del Antiguo Régimen, dos grupos sociales de los que provenían por otra parte tanto la mayor parte de las grandes figuras como de los seguidores de la corriente jansenista, reforzando en ambos las tendencias favorables a los avances del regalismo, que iban a culminar durante la primera etapa de la Revolución Francesa, en la que ésta avanzaba aún en el marco de la monarquía, en la instauración de la constitución civil del clero.

Era ése el momento dentro de la trayectoria del jansenismo en que Fray Servando vino a trasponer los términos de su propia lucha sobre la clave ofrecida por la de éste. Pero la exaltante revelación de que su duro destino había hecho de él un integrante de esa secreta comunidad de los justos que a lo largo de los siglos había salvado el honor de la Iglesia, comprometido a cada paso por quienes indignamente ocupaban su cumbre, se había acompañado del de una personalidad ejemplar que encarnaba mejor que nadie la figura del justo, sobre la cual aspiraba a modelar la propia. Ése es el papel que Henri Grégoire vino a desempeñar, si no necesariamente en sus experiencias parisinas de los primeros años del siglo XIX, sí en cambio en el relato que de ellas ofrece a sus lectores en 1819, en que lo presenta como «el célebre Grégoire, obispo de Blois, ...alma de este concilio y el sustentáculo de la religión en Francia» que al frente de «aquellos verdaderos obispos, pobrísimos, que habían venido hasta a pie de 60 leguas, ricos de virtudes y de sabiduría», encabezaba ese clero constitucional que desafiando una feroz persecución que había reducido a prisión a muchísimos sacerdotes y castigado a algunos con la temible deportación a la Guayana había salvado el futuro del catolicismo en Francia, y contaba en sus filas con casi todo lo que había de sabio en el clero francés, ya que lo mejor de él había permanecido en Francia cuando la abandonaron huyendo del peligro los sectarios de ese detestable «molinismo, que con los embrollos y pretextos de Jansenio y de Quesnel había acabado con toda la literatura eclesiástica de Francia», ya que no hay «una secta más perseguidora y destructiva de los estudios sólidos» que la que desde su fortaleza en la Compañía de Jesús se había consagrado por dos siglos a propagar las peligrosas doctrinas de Luis de Molina.[61]

¿Qué llevaba a Fray Servando a identificarse hasta tal punto con la figura de Grégoire? Hay que hacer notar en primer lugar en cuanto a esto que esa identificación se apoya en un vínculo más sólidamente basado en la realidad que otros que a veces invoca con figuras ilustres bajo cuyo prestigio aspira a cobijarse. Si no es seguro que en 1801 hubiera alcanzado a tener algún contacto personal con él, sí lo estableció en 1815 cuando lo visitó en París en compañía de Lucas Alamán, el futuro jefe del conservadurismo mexicano; de ello no dejan dudas las dos cartas con que en 1824 y 1825 Grégoire repuso a otras suyas que no nos han llegado, que permiten además adivinar algunas de las razones que llevaban a Fray Servando a valorar tanto ese vínculo.

En la primera esa figura que es de veras célebre celebra en los términos más entusiastas que tanto la carta que ha recibido de Fray Servando como los dos volúmenes que la acompañan estén marcados con «el sello de su alma siempre religiosa y virtuosa, de su carácter que a través de las persecuciones no se ha desmentido jamás», lo que le ha dado ocasión de admirar una vez más una firmeza de carácter que en los tiempos que corren se ha hecho «muy rara en Europa y sobre todo en Francia». Por fortuna en el Nuevo Mundo el horizonte se presenta menos sombrío, y la recepción que las Cortes mexicanas han

[61] Mier, *op. cit.*, II, 42-43.

ofrecido al libro que Grégoire acaba de publicar sobre las libertades de las iglesias católicas le devuelve la esperanza de que «se establezca finalmente la feliz unión entre la iglesia católica y la libertad política, y que una *Santa Alianza* de los pueblos haga olvidar para siempre las confederaciones de déspotas para saciar su codicia y amordazar a las naciones, pues ése es en definitiva al fin hacia el que gravita sin cesar el despotismo que pesa sobre la vieja Europa».[62] Aunque debe sufrir ese despotismo en carne propia, debido a la persecución que se ha desencadenado en Francia sobre ese clero constitucional que lo tuvo a su cabeza y que «en medio de los furores de la persecución anti-cristiana conservó la religión y reorganizó el culto», ese espectáculo desgarrador no le impide seguir adorando «los profundos designios de la Providencia, que del mal sabrá extraer el bien», y —animado en esa seguridad— perseverar en su combate de siempre. «En cuanto a mí —concluye— y una parte de ese clero perseguido, invariables en nuestros principios, continuaremos defendiendo con la ayuda de Dios los sagrados derechos de la verdad católica y de la libertad política. Sabemos además que aquí abajo es lugar de prueba, y que es preciso dirigir la mirada hacia la eternidad.»[63]

Pero Grégoire ofrece a Fray Servando algo más que un modelo y un aval prestigioso para su campaña reivindicatoria. Aunque lamenta que la estrecha esfera de acción a la que lo han reducido las nuevas circunstancias que vive «esa Europa decrépita donde [una vez] *soñamos* la libertad» reste eficacia a sus esfuerzos por ver resurgir a esa libertad asociada con el catolicismo, sus cartas lo muestran incansablemente consagrado a esa tarea; una prueba de ello es su obra más reciente *L'histoire des confesseurs antiques*, de la que acababa de ser publicada también una traducción alemana, en la que gustaba de creer que Fray Servando encontraría «hechos extraños y verdades severas sembrados a manos llenas».

Para lograr que esas severas verdades no sean del todo ignoradas por un mundo que se muestra reacio a escucharlas se apoya Grégoire en

[62] Mier 1944, 507.
[63] Mier 1944, 509.

una red de alianzas y contactos a cuyo fluido funcionamiento consagra sus mejores esfuerzos; en México cuenta para ello no sólo con Fray Servando, sino con «nuestro sabio y amable amigo el señor Alamán», del que le ha encantado enterarse que ocupa la posición de ministro de Relaciones Exteriores, ya que su rectitud y sus talentos constituyen una garantía para las libertades públicas, y todavía el señor Fagoaga y el marqués del Apartado, y quizá ha logrado incorporar a ella «al señor Arispe, quien *le* ha sido mencionado como un eclesiástico instruido», a quien encargó de una comisión ante el obispo de la Habana, sobre cuyo éxito debe admitir que no ha recibido información ni del uno ni del otro. Y quisiera contar para esa empresa con una colaboración más activa de Fray Servando; acaba de enterarse de que el obispo de Michoacán, Abad y Queipo, ha muerto bajo el peso de la persecución, y sería hacer justicia a ese mártir de la verdad escribir y publicar su biografía. «¿Es acaso demasiado —le pregunta incitadoramente— derramar algunas lágrimas sobre la tumba de un Obispo digno de ese título y consignar a la infamia a sus perseguidores?» Y aunque si Grégoire tuviera oportunidad de republicar antes de morir su obra sobre las libertades de las distintas iglesias católicas tiene ya materiales suficientes para insertar un capítulo de su pluma sobre las libertades de las Iglesias Católicas del Nuevo Mundo, «hay ahí, mi querido amigo, un asunto digno de usted, y le ruego que lo haga tema de un escrito que usted publicaría y que obraría un gran bien por la manera erudita, razonada y juiciosa con que sería tratado por su pluma», que en una postdata se declara dispuesto a publicar en versión francesa.[64]

Pero su sincera admiración por Grégoire no impedía a Fray Servando seguir siendo él mismo; ignorando serenamente su invitación a concentrarse en la exploración de esas severas verdades y volcándose en cambio con la incansable curiosidad que es habitual en él en la de las huellas que está dejando la reorientación de la Iglesia católica que emerge de la persecución revolucionaria en los usos vestimentarios del clero romano, francés y español, en un *excursus* cuyo rumbo errático está gobernado más despóticamente que nunca por la asociación libre.

[64] Mier, 1944, 508-9.

Es que lo que le hace atractivo el jansenismo no es a la postre mucho más que la posibilidad que le ofrece de cobijar sus inmutables alegatos *pro domo sua* bajo la sombra protectora de esos santos y mártires de Port-Royal en los que han renacido las virtudes de la Iglesia de los tiempos apostólicos, aún no contaminada por los triunfos mundanos que iba a conocer gracias a la conversión de Constantino, y esto hace que el ejemplo ofrecido por la tenacidad con que su admirado Grégoire se obstina en adorar los misteriosos designios de una Providencia que permanece sorda a sus súplicas influya menos de lo que el tono conmovido y admirativo con que lo evoca hubiera permitido esperar en su visión de un mundo que cree no sin razón haber aprendido a entender mejor desde que su desgracia le permitió conocer de él algo más que el cerrado orbe hispánico. Fue más allá de los Pirineos donde pudo comprobar a cada paso que las perspectivas apocalípticas que subtienden tanto la admirable lucha de Grégoire a favor de la antigua y legítima disciplina de la Iglesia cuanto la que él mismo libra para verse restablecido en el lugar eminente que se juzga con derecho a ocupar en la de la Nueva España son sólo capaces de inspirar conductas que un consenso que comparte plenamente encuentra cada vez más extravagantes.

Así lo reflejan un par de *excursus* referidos a la boga de las especulaciones milenaristas y el surgimiento de figuras a las que un público crédulo reconoce dotadas del don de profecía, que florecieron por igual en esa etapa de resaca postrevolucionaria. De nuevo su instrumento para avanzar en el tema es la asociación libre; se interna en él a partir de una mención al pasar de la obra de «nuestro americano el ex jesuita Lacunza» como la que hacía más ruido entre las que estaban en boga en Roma a su paso por esa ciudad, y luego de una breve digresión destinada a informar a eventuales lectores que Lacunza «desgraciadamente amaneció muerto en un charco, porque le acometió uno de los vahídos que solía padecer, y no tuvo quien lo auxiliara», agrega que quien había cerrado su vida de modo tan triste había actualizado en su obra la antigua profecía según la cual debía preceder al juicio universal una etapa de mil años de duración en la que Cristo reinaría sobre la tierra, y que ésta, relativamente olvidada tras encontrar «en otros tiempos grandes defensores y también impugnadores», volvía a atraerlos en el presente, ya que no sólo, como ha podido comprobar, «en las iglesias protestantes el milenio es como un dogma, y llevarían gran chasco si no se verifica», hasta tal punto que «en el año de 1813 ya se convidaba en las gacetas de Londres a una taberna particular, para disputar del milenio, cuyo cumplimiento se acercaba», si no encontraba también en el mundo católico quienes le prestaran fe. Ya en el siglo XVIII «lo defendió el célebre jesuita Vieyra, aunque le costó estar en la inquisición de Lisboa... y como es máxima entre los jesuitas sostener y favorecer todo lo que uno de ellos avanza, esta opinión, desde entonces, ha tenido gran favor entre ellos, y a la obra de Lacunza le han dado una boga inmensa, que, en mi concepto, no merece, aunque está escrita con la claridad, orden y elocuencia más seductores», puesto que no es sino un plagio de «la obra de un protestante francés titulada *La clave o cumplimiento de todas las profecías»,* a la que menciona junto con otras semejantes «el célebre padre Ricardo Simón en sus cartas escogidas, y dice que estas obras caen por sí mismas», mientras el también «célebre obispo Grégoire» emite sobre ese punto un juicio más reticente pero que tampoco puede ser interpretado como favorable cuando menciona «en su obra de las sectas religiosas, que con motivo de esta obra consultó sobre el milenio al famoso Tamburini, y éste le contestó que aún no tenía sobre esto opinión fija».[65] Cuando, setenta páginas más adelante, Fray Servando vuelve a rozar el tema es para evocar una anécdota en la que se refleja tanto la fe que los ex jesuitas depositaban en esas dudosas especulaciones proféticas cuanto el influjo que ejercían sobre el ánimo de esos compañeros de destierro las calamidades que venían sufriendo desde la disolución de la Compañía: «No quiero, me decía un ex jesuita en Roma, ir a la plaza Colonna, lugar de concurrencia de los ex jesuitas, porque no hablan sino de las visiones de monjas y beatas. Y, en efecto —prosigue Fray Servando— cuantos de ellos me hablaban siempre me contaban revelaciones de semejantes gentes. Y yo me admiraba cómo gentes por otra parte tan ilustradas eran tan

[65] Mier, *op. cit.,* II, 119-20.

crédulas en una materia tan resbaladiza y que ha creado a la Iglesia infinitos escándalos y fracasos».[66]

Este par de *excursus* ofrecen una imagen bastante fidedigna del punto que en 1819 Fray Servando había alcanzado en esa metamorfosis que iba a consumarse cinco años más tarde. Lo que se destaca en ellos en primer término es el tono despegado con que trata un tema en que en los siglos anteriores la Cristiandad había puesto tanta pasión; si ya en su manipulación de ese mismo tema en un alegato leguleyo a favor de la eminente posición de la Nueva España en el marco de la monarquía católica mostraba que de esa pasión ardiente no quedaban en él sino cenizas, ahora ha tomado plena conciencia de que en el mundo en que le ha tocado vivir esos dilemas que por siglos habían atormentado a los mejores espíritus de Europa no merecen atraer la atención de las personas serias sino a título de curiosidades eruditas.

Y esa toma de distancia se acompaña también de la que se insinúa en cuanto a la visión del conflicto en el que no se resigna a confesarse derrotado como un capítulo en la eterna lucha entre los servidores de la Providencia y los del Príncipe de este mundo. Si en cuanto a la que él libra en busca de recuperar el honor que le ha sido arrebatado, el debilitamiento de esa visión apocalíptica se reflejaba —se ha señalado ya— en el deslizamiento del terreno de la teología al de la sociología, que le permite encontrar en el aberrante estilo de convivencia vigente en la villa y corte desde la que el monarca católico gobernaba a sus súbditos ultramarinos un comienzo de explicación para las injusticias que contra él se venían cometiendo desde ella; en cuanto al conflicto que desde hacía dos siglos desgarraba a la cristiandad católica, en el que había descubierto que su lugar estaba en las filas del jansenismo, esa misma toma de distancia introduce más de una inesperada nota discordante en el pasaje arriba evocado, en que la estilización de ese conflicto como un capítulo del que se había abierto con la rebelión de Lucifer está hasta tal punto ausente que en él Henri Grégoire, esa figura ejemplar que sobreponiéndose a las más duras adversidades no ceja en la defensa de las legítimas tradiciones de la Iglesia, comparte

[66] Mier, *op. cit.*, II, 1, 93-94.

la celebridad con Richard Simon, el eclesiástico católico cuyos textos precursores de la crítica bíblica sólo habían podido ver la luz en los Países Bajos calvinistas, que en una de sus más feroces polémicas se había enfrentado con Arnauld, el más eminente de los *messieurs de Port Royal* venerados por la tradición jansenista (y más incongruentemente aún la comparte también con «el famoso Tamburini», el jesuita que había llevado al extremo el laxismo moral que el jansenismo nunca dejó de reprochar a la Compañía).

Sin duda, Fray Servando está demasiado poco inclinado a indagar desinteresadamente en torno a temas que no lo afectan personalmente para deducir conclusiones más generales a partir de la constatación de que en su experiencia esa obsesión por milagros y profecías «ha causado en la Iglesia infinitos escándalos y fracasos»; no ha de sorprender entonces que al evocar su paso por Nápoles anote sin comentario alguno cómo en el convento dominicano de esa ciudad, tras venerar la reliquia del brazo derecho de Santo Tomás allí conservada, en el oratorio del santo pudo ver «el Santo Cristo que le habló y aprobó su doctrina».[67] De nuevo su actitud en este punto es la de las gentes sensatas que en cuanto a ese espinoso tema creen que saben ya todo lo necesario porque la experiencia les ha enseñado que, en los tiempos en que les ha tocado vivir, quienes escrutan los designios de la Providencia en la esperanza de recibir sus favores corren el peligro cierto de llevarse ese «gran chasco» que él mismo ha anticipado para los participantes en las disputas que en un *pub* londinense suscitaba en 1813 la instauración del reino milenario de Cristo, que todos coincidían en tener por inminente.

¿Puede leerse algo más que eso en la inesperada ecuanimidad de juicio que Fray Servando, que en las querellas católicas ha tomado apasionadamente partido por la facción jansenista, mantiene frente a la jesuítica demonizada por aquélla? Creo que sí, y que esa inesperada toma de distancia es ya un signo de que ha comenzado a columbrar la posibilidad de reconquistar su honra por una ruta distinta y en un teatro también diferente de la corte madrileña en que tan tenazmente

[67] Mier, *op. cit.*, II, 77.

la había buscado, y también, si así lo aconsejaban las circunstancias, bajo una figura igualmente distinta de la episcopal que tan audazmente había asumido al incorporarse a la expedición de Mina.

Se ha indicado ya que cuando, tras desembarcar envuelto en esas vestimentas episcopales en las costas de su nativo Nuevo Reino de León, volvió casi de inmediato a recaer en el cautiverio del que se había evadido en 1801, reaccionó ante esa segunda catástrofe con una serenidad del todo opuesta al desconcierto con que había afrontado la sufrida en 1793. Como relata Joaquín de Arredondo, su captor en Soto la Marina, en el mensaje en que informa al Virrey de la Nueva España acerca del envío de su prisionero a la capital, Fray Servando, lejos de protestar su inocencia cuando el capítulo de la catedral de Monterrey le intimó su cesación *a divinis,* mirándolo «todo con desprecio, les entregó los dos adjuntos tomos de la *Historia de la Revolución de América*, escrita por él [y] hoy mismo —agrega— ha procurado seducir al centinela, diciéndole que no fueran tontos, que al fin esto poco habrá de subsistir... y que al fin los habitantes del Reino se habían de salir con la suya». Y esas reacciones desafiantes reflejan algo más que los desvaríos de un hombre que hubiera decidido buscar en el delirio sistemático un ilusorio refugio frente a las calamidades que han atraído sobre él sus anteriores imprudencias. Porque por primera vez Fray Servando tiene mucho en qué apoyarse, y lo sabe: «Este perverso —advierte Arredondo al Virrey— es de una dilatada familia y está enlazado con las más de las principales de estas Provincias, y muchos oficiales y soldados de caballería, por lo cual, y por el excesivo respeto y consideración que estas incultas gentes tienen a los sacerdotes, y con particular a éste que por un efecto contrario de lo que debería suceder según su conducta tiene en su favor la pública opinión de aquí de sabio y grande».

Como se ve, si los siete años de luchas abiertos por el Grito de Dolores no habían logrado liberar a México del dominio de la monarquía católica, habían por lo menos alcanzado a introducir un cambio radical en la relación de fuerzas entre los pecaminosos servidores de las falsas jerarquías del poder y los hombres de alma bien nacida a quienes un designio de la Providencia había colocado en la cima de las del orden natural, que en la Nueva España de 1793 vivían aún oprimidos por un despotismo que no reconocía límites ni barreras. Si cuando Fray Servando había sido despojado de su honra y enviado cautivo a la metrópoli su «dilatada familia», que se sabía impotente frente a los todopoderosos servidores del Mal, no había querido reconocerlo como uno de los suyos, en 1817 esa misma familia no temía acogerlo en una red de solidaridades que esos mismos poderosos preferían no desafiar frontalmente, más aún porque esa red se extendía también a quienes ocupaban los niveles más bajos en ese orden jerárquico instituido por la Providencia, que «por un efecto contrario a lo que debería suceder» conservaban un irrazonado apego hacia ese mismo orden, atribuible según Arredondo al deplorable retraso cultural que afectaba a la entera sociedad del Nuevo Reino.

La explicación para esa metamorfosis que está acercando al sistema de poder vigente en esa Nueva España ya en su ocaso al que en el imaginario de Fray Servando la Providencia querría ver reinar en ella, la anticipa la mención de los «muchos oficiales y soldados de caballería» que forman también parte de esa red de solidaridades con la que, como ha descubierto Arredondo, éste puede contar en su tierra nativa. Porque lo que ha asegurado un extendido plazo de vida a la autoridad de la monarquía católica en sus dominios mexicanos ha sido el vuelco a favor de su causa con que mayoritariamente las elites criollas de provincias reaccionaron frente al desafío plebeyo y mestizo que significó el pronunciamiento de Hidalgo; fueron ellas las que proporcionaron los cuadros para los ejércitos improvisados por el futuro virrey Calleja, que tras disipar rápidamente la amenaza de la inmensa movilización popular que acudiendo al llamado del cura de Dolores avanzó hasta las orillas mismas de la capital virreinal, en los cinco años siguientes redujo lo que aún sobrevivía de la suscitada por Morelos a unos mínimos focos que, aunque irreductibles, habían perdido toda fuerza expansiva; y el predominio de esa elite sobre la fuerza organizada por Calleja alcanzaba su extremo en la de caballería. Se entiende entonces que quienes gobernaban la Nueva España apoyándose en esa fuerza no pudiesen ignorar los humores del sector de la sociedad cuyo apoyo les había hecho posible contar con ella, pero había también otra consideración que condicionaba su reacción frente al desafiante prisionero que tenían en sus manos, y era ésta que aunque la supremacía que habían conquistado en la Nueva España no parecía inmediatamente amenazada, la marea contrarrevolucionaria que en 1815 había parecido cercana a restaurar la autoridad de la corona sobre sus enteros dominios ultramarinos había dado paso al año siguiente a un reflujo que ya no iba a detenerse, e infundía dudas sobre la solidez del dominio que la corona española había logrado retener hasta entonces en la Nueva España.

Tales fueron las consideraciones que llevaron a Arredondo, juzgando demasiado peligrosa la permanencia de Fray Servando en su tierra nativa, a disponer «que el Capitán de la compañía de Milicias de Reserva D. Félix Cevallos, que es sujeto que merece toda mi confianza con veinte hombres conduzca al citado Mier, y lleva orden de que si en el camino le sale por casualidad alguna gavilla de rebeldes le quite la vida inmediatamente, y en la marcha no le permita la más mínima comunicación».[68] Todo en esta misiva refleja el clima de incertidumbre en que vive sus últimas etapas la autoridad de la monarquía católica en el Nuevo Reino de León, comenzando con esa mención del capitán Cevallos como sujeto de toda confianza, que no sólo sugiere que ésta no puede darse por descontada en un oficial al servicio del Rey, sino que es susceptible de otras interpretaciones en relación con la mención de un eventual encuentro con rebeldes, que ofrece al fidelísimo capitán una justificación anticipada si es que en el camino decide poner fin a la vida de su prisionero, una eventualidad a la que el brigadier Arredondo parece resignado de antemano, y quizá lo refleje también que el capitán Cevallos se haya abstenido de hacer uso de esa justificación, que difícilmente la influyente familia de su víctima hubiera encontrado totalmente convincente. Pero mientras en esta ocasión la inseguridad acerca del futuro que dominaba a quienes administraban la Nueva España en nombre de Fernando VII estuvo lejos de hacer menos duro el cautiverio de Fray Servando (si puede haber disuadido al capitán Cevallos de asesinarlo, no le impidió

[68] Hernández y Dávalos, *op. cit.*, nota 11, VI, 888.

aplicar con la máxima brutalidad la norma que le imponía reducirlo a un total aislamiento), ella iba luego a alcanzar un impacto menos desfavorable. Ocurrió así apenas el Virrey Apodaca decidió transferirlo a la jurisdicción inquisitorial «para desembarazarse del engorro de *su* persona». Confinado por esa decisión virreinal en «la caverna de los cíclopes de paños azules» para su sorpresa fue alojado por sus carceleros en una celda «espaciosa y bien pintada que se pusieron vidrieras apenas yo lo insinué, se me dio mesa, vino y postres en cuanto los pedí, aunque no se daban a los otros presos, y... los inquisidores mismos me incitaban a pedir algunos antojos... Como no tenía delito alguno, los inquisidores no sólo me trababan con atención, sino con cariño y amistad. Me divertía en leer, aunque escaseaban los libros entre gentes que no cultivaban sino enredos, y en cultivar un jardín acomodado de propósito para mí. En él, bajo una yerbabuena, llegué a establecer, dentro de un tacón, una estafeta de correspondencia con otros presos, a quienes suministraba tinta en nueces». Aunque no lo advierte así, Fray Servando está comenzando a cosechar los frutos de la celebridad que ha conquistado en sus años de exilio. El cariño y amistad que le prodigaban los mismos inquisidores que respondían con cruel indiferencia a sus insistentes ruegos de que se abriesen por fin a juicio los cargos que lo tenían prisionero no se debió, como él supone, a que «los inquisidores eran buenos, y el Oficio era el malo, aunque se llamase Santo Oficio»,[69] sino a que esa celebridad, que había decidido al virrey Apodaca a encerrarlo indefinidamente en sus secretas para impedirle usar subversivamente de ella, le había a la vez conferido el estatuto propio de un prisionero político distinguido, merecedor de atenciones especiales mientras durase su cautiverio.

Sólo luego de la restauración constitucional en la metrópoli, anota Fray Servando, lo llamaron «los señores de los puños azules al cabo de tres años de tener*lo* en absoluto olvido». Para entonces, «sabiendo ya su inexistencia en España... a toda priesa se llamaban a audiencia, uno tras otro, los presos... el defensor... se tomaba el trabajo de concluir [su alegato] en una noche; y a solo pedimento fiscal, sin admitir

[69] Mier, 1944, 84-8.

otra réplica, se terminaban las causas. Todo esto para enviar luego los presos a sus condenas, y publicar después... que ningún preso se había hallado en las cárceles».[70] Con Fray Servando no lograron —o no quisieron— cerrar su proceso con una sentencia condenatoria; estaban redondeando una acusación que le imputaba apostasía de la orden dominicana, difusión de impresos sediciosos, autoría de obras subversivas y usurpación de la dignidad episcopal cuando la notificación oficial del cese del tribunal originó su traslado al de jurisdicción mixta que, bajo la dependencia directa del Virrey, juzgaba a los reos de complicidad con la rebelión. Fray Servando apeló de inmediato esa decisión ante la Audiencia, alegando que el tribunal mixto—que había decidido remitirlo a la metrópoli— a más de ser inconstitucional, no tenía jurisdicción sobre casos como el suyo; con ello introdujo una nueva demora en el trámite, y a la espera del dictamen de la Audiencia y la decisión final del Virrey fue remitido como prisionero a la fortaleza de San Juan de Ulúa, que protegía al puerto de Veracruz. Llegado a ese destino a comienzos de agosto de 1820, el 11 de setiembre, juzgando que había esperado ya lo suficiente, comunica su decisión de partir a España al gobernador de la plaza, en un mensaje que no está lejos de sugerir que si acepta ese injusto castigo es porque le ofrecerá la oportunidad de tomar cumplida venganza de quienes se lo infligieron. Leemos en él: «Iré a España, señor, pues que así lo quieren las bayonetas. Mis persecuciones continuas después de 25 años me han puesto en estado de no ser extranjero en país alguno. Tengo en México casa y casas, porque estoy emparentado con su principal nobleza. Tengo casa en el Nuevo Reino de León, donde desciendo de sus primeros conquistados [sic] y mi padre fue gobernador y comandante general. Pero también lo tengo en España, y es la misma de los duques de Altamira y de Granada... El rey me conoce, ha leído y apreciado mis obras, sus edecanes son mis amigos y camaradas. Conozco a sus ministros, y el de Estado puedo decir que es mi padre. La parte más lucida de las Cortes españolas y americanas son mis parientes o mis amigos. En buen tiempo a fe

[70] Mier, 1944, 90.

mía se me envía a España llevando conmigo despedazado el código sagrado de la constitución».[71]

Sin duda, tal como señala Domínguez Michael, en este pasaje Fray Servando cede plenamente a su habitual megalomanía, pero al dedicar menos espacio a exhibir sus blasones que a ofrecer un censo de amistades influyentes revela también haber advertido plenamente las posibilidades que se le abren debido a que si él no es, como allí sugiere, el secreto orientador de la experiencia liberal que acaba de abrirse en España, en el nuevo marco creado por el triunfo del pronunciamiento de Riego es indiscutiblemente una figura pública que en su pasada trayectoria ha establecido vínculos con más de una de las que ocupan posiciones de influencia en la nueva situación, y que por lo tanto sus demandas no podrán seguir siendo ignoradas como lo han sido hasta entonces, más aún porque aunque la libertad de prensa no ha sido restaurada en el virreinato mexicano con la extensión que alcanzó en la metrópoli, las restricciones antes vigentes habían perdido mucho de su antigua eficacia (lo que entre otras cosas hizo posible la publicación de una defensa de Fray Servando debida a la pluma de Fernández de Lizardi en un fugaz periódico cuyo título —*El conductor eléctrico*— era por sí solo una profesión de fe progresista).

La reacción del destinatario de ese mensaje muestra hasta qué punto Fray Servando había logrado dar en el blanco. Dos días después de recibirlo, Dávila urge al Virrey que «se sirva ordenar lo más conveniente, en el concepto de que por mi parte no debo contraer ninguna responsabilidad si fuese cierto cuanto expone en su representación»,[72] en un tono que sin duda en tiempos más normales no hubiera usado para dirigirse a quien encarnaba en la Nueva España la autoridad del soberano, y que refleja muy bien la angustia que le inspiraban los dilemas planteados por un mundo en que las reglas que lo habían guiado hasta entonces habían súbitamente caducado.

La restauración constitucional (que todavía en 1819 no había figurado siquiera en su cálculo de posibilidades), al revelar a Fray

[71] Hernández y Dávalos, *op. cit.*, nota 11, VI, 950.

[72] José Dávilla a Virrey Apodaca, 13/IX/1820, loc. cit. nota anterior.

Servando que por primera vez desde su caída en desgracia se le está abriendo una perspectiva de volver a pisar terreno firme, no sólo lo incita a extremar la arrogancia que nunca lo había abandonado del todo al enfrentar a sus perseguidores, sino lo lleva a devolver a sus experiencias acumuladas primero en el Cádiz de las Cortes y luego en el exilio británico el lugar que ellas merecen entre las de su etapa errabunda. Y ello no sólo porque a ellas debe los vínculos que le permiten abrigar esperanzas mejor fundadas en cuanto a su futuro, sino porque esa experiencia lo había introducido, así fuera como un espectador sólo parcialmente participante, en nuevos campos de actividad que en ese renovado contexto constitucional prometen abrírsele más plenamente, y que quizás le resulten ya más atractivos que el que pudiera poner a su alcance una rehabilitación eclesiástica, así fuese ésta tan plena como la que Traggia había reclamado para él en 1801.

En cuanto a lo primero, fue en el Cádiz de las Cortes donde Fray Servando dejó definitivamente atrás los tiempos en que su pundonor de hombre de alma bien nacida, que le vedaba caer en una abierta mendicidad, lo había puesto una y otra vez al borde de una muerte por hambre. Desde que su lucha por su reivindicación personal había venido a confluir con la de una de las facciones cuyas rivalidades estaban comenzando a configurar el terreno en que habían de librarse las batallas de la política moderna, lo protegía de ese peligro la solidaridad de otros participantes en esos combates, que apreciaban en lo que valía su contribución al esfuerzo común. Cuando la permanencia en Cádiz se le hizo demasiado peligrosa, lo vino a rescatar la de la Sociedad de Caballeros Racionales, una logia consagrada a la causa de la libertad de la América española a la que Fray Servando se había incorporado, en la que algunos opulentos hijos de la Nueva España, como ese marqués del Apartado, ennoblecido integrante de la plutocracia surgida del auge de la minería en el México borbónico que en la década siguiente integraría la red de corresponsales americanos de Grégoire, fraternizaban con oficiales oriundos de ultramar que desde el reducto gaditano continuaban la resistencia contra la invasión napoleónica. En Cádiz, Fray Servando había encontrado también por primera vez quien buscara hacer uso de su pluma, hasta entonces consagrada exclusivamente a defender su propia causa, para defender otras afines a ésta: allí comenzó a redactar lo que terminaría por ser la *Historia de la Revolución de la Nueva España* por encargo de José de Iturrigaray, el virrey de la Nueva España derrocado en 1808 por un motín que había contado con el aval de la Audiencia, que esperaba de la publicación del relato del episodio del que había sido víctima que encargaba a Fray Servando que contribuyera a modificar el clima de opinión creado en Cádiz por las insistentes acusaciones de sus enemigos, y no deja de ser notable que quien había ocupado una posición tan eminente en las jerarquías de la monarquía católica coincidiera con los integrantes de una sociedad que aspiraba a eliminar la autoridad de esa misma monarquía de sus dominios americanos en buscar el apoyo de Fray Servando, que no sé si autoriza a concluir, con Domínguez Michael, que al jurar en Cádiz como caballero racional, éste «comenzaba a recuperar esa honra perdida en la Colegiata de Guadalupe el 12 de diciembre de 1794»,[73] o si más bien que estaba dando los primeros pasos hacia la conquista de un lugar eminente en el marco de un orden del todo distinto del de la monarquía católica que se la había arrebatado.

Cuando Fray Servando retomaba el avance hacia una meta que no es seguro que advirtiera ya que no iba a ser la misma que había buscado alcanzar desde 1794 no era ya el desconocido que en 1801 había llegado cautivo a la metrópoli. De Cádiz partió hacia Londres en compañía del teniente Carlos María de Alvear, oriundo de Buenos Aires, fundador a los veintidós años de la logia que había acogido a Fray Servando, y tres años más tarde Director Supremo de las Provincias Unidas del Río de la Plata, y de Wenceslao Villaurrutia, otro de los integrantes de la plutocracia del México borbónico que ofrecían el indispensable apoyo financiero a esa logia, y luego de su arribo a Falmouth también en la de José de San Martín, el futuro libertador de Chile y Protector del Perú, oriundo como Alvear de tierras rioplatenses. Quien ya antes de llegar a Londres había sido aceptado como interlocutor de pleno derecho por algunos de los protagonistas de las

[73] Domínguez Michael, *op. cit.*, 385.

luchas de independencia hispanoamericana, apenas arribado entró en contacto personal con José Blanco-White, el clérigo nacido en Sevilla en una familia de cercano origen irlandés, que publicaba allí *El Español,* y bien pronto ese periódico —entonces el más importante vocero de la emigración liberal— le abrió sus columnas para una polémica en la que defendió la tesis independentista opuesta a la favorable al mantenimiento de la unidad política del mundo hispánico en el nuevo marco institucional introducido por la constitución de Cádiz que desde ellas venía sosteniendo Blanco-White. Esas discrepancias no impidieron que al salir a luz la *Historia de la Revolución de la Nueva España,* en que Fray Servando celebraba el rumbo explícitamente independentista que la insurrección había tomado bajo la égida de Morelos, *El Español* le consagrara un muy elogioso comentario.

Pronto Fray Servando iba a sumar al vínculo que lo unía a Blanco White uno aún más estrecho con el caraqueño Andrés Bello, agente en Londres de la primera república de Venezuela, que había encontrado apoyos entre algunas figuras que desde las filas del partido *whig* favorecían la emancipación de las posesiones españolas en el Nuevo Mundo tanto por razones ideológicas como en consideración a las ventajas que ésta podría poner al alcance de los intereses británicos, y sin duda el influjo de esas mismas figuras contribuyó a que fuera agraciado con una de esas modestas pensiones que la corona británica destinaba a exiliados cuyos proyectos políticos preveía que podrían eventualmente resultarle útiles en algún momento futuro.

No iba a ser ése el único auxilio que hizo que en esta etapa del largo exilio de Fray Servando el problema de cómo sobrevivir se le planteara en términos menos angustiosos que en las anteriores. Así, cuando el ex virrey Iturrigaray se negó a seguir financiando un proyecto literario cada vez menos orientado a reivindicarlo, no encontró difícil reemplazar su mecenazgo con el de los Caballeros Racionales, que para ello contarían una vez más con la fortuna del marqués del Apartado, y la *Historia de la Revolución de Nueva España, antiguamente Anáhuac* pudo así ver la luz en 1813.

Su publicación marca un jalón decisivo en la metamorfosis de Fray Servando, en cuanto hace de él un integrante de pleno derecho de una comunidad letrada que no es ya aquella en la que había esperado sobresalir con el auxilio de varios doctores amigos gracias a los vastos ecos que según preveía había de suscitar la lid literaria que había buscado provocar con su sermón guadalupano.[74] Cuando la impaciencia por reencontrar a su perdida Ítaca inspiró a este más verdadero Ulises criollo la decisión de unirse a la expedición de Mina hacía ya cuatro años que venía moviéndose con su desenvoltura habitual en una comunidad letrada que, a diferencia de la sostenida en contactos casi diarios de la que había sido parte en la ciudad de México, se apoyaba en lazos que cruzaban naciones y continentes. No era ése, sin embargo, el más importante de los cambios que habían hecho del Fray Servando de 1817 un hombre muy distinto del que en 1801 había comenzado su etapa de vida errabunda; más profundamente lo había trasformado el exitoso aprendizaje del vasto y diverso mundo que se extendía más allá de los confines de la monarquía católica, que acababa de completarse con la incorporación de los Estados Unidos a su horizonte de experiencias.

Ya la breve estadía de Fray Servando primero en Baltimore y luego en la Nueva Orleáns que había precedido a su retorno al rincón nativo había dejado huellas que en 1819 se reflejaban en su *Relación* sobre sus primeros diez años de exilio, en la que anticipaba a los mexicanos que «los angloamericanos [que] se han apoderado ya de la Florida... y han puesto su fuerte Clayborne a sesenta leguas de nuestras poblaciones de Texas no tardarán mucho en hacerse dueños de las provincias interiores del Oriente y llegar hasta México». Puesto que lo que los hacía tan peligrosos para sus vecinos meridionales era que «con el comercio, la industria y la libertad, el acogimiento de todos los extranjeros y las tierras que reparten a todas las familias que emigren de Europa... han adoptado todos los medios de multiplicarse, y en cuarenta años han llegado a nueve millones de dos y medio que eran cuando la insurrección» mientras las Américas españolas habían «adoptado todos los medios de impedir y disminuir la población», en primer lugar entre ellos «la ilibertad del comercio, industria y agri-

[74] Mier, loc. cit. nota 7.

cultura, y la excomunión en que vivimos del género humano», se hacía aún más urgente para los mexicanos romper el vínculo con una metrópoli destinada de todos modos a dejar de serlo «si no muda su sistema maquiavélico»[75] antes de que los efectos destructivos de su sistema de gobierno entreguen a su destino a un México demasiado desvitalizado para poder responder adecuadamente a la amenaza que le viene del Norte.

Pero en esos meses de 1816 y 1817 que pasó en los Estados Unidos Fray Servando había estado demasiado absorbido por la accidentada preparación de la expedición de Mina para alcanzar mucho más que una somera imagen de bulto de la sociedad que allí estaba madurando. Esa imagen —aunque excesivamente esquemática, notablemente certera— iba a ganar en complejidad y riqueza en la segunda estadía de Fray Servando en el país del Norte, que aunque más breve que la anterior le permitió seguir de cerca, y aun participar en alguna medida en la vida de los mayores centros urbanos de la costa atlántica. Debió esa segunda oportunidad de conocer los Estados Unidos desde dentro a la exitosa fuga que le permitió eludir el retorno a la metrópoli que le había impuesto el virrey Apodaca, cuyas modalidades reflejaban, aún más inequívocamente que las de la deportación a la Península que Fray Servando había logrado esquivar gracias a ella, el desconcierto reinante entre quienes administraban lo que aún sobrevivía de la América Española luego de la restauración del régimen constitucional. En efecto, al arribar a La Habana la nave que lo conducía a ese destino le bastó declararse demasiado enfermo para proseguir su viaje para que se le permitiera permanecer en Cuba, en cautiverio esta vez en la fortaleza del Morro, pero por muy pocos días, porque de nuevo le bastó con proclamar que dada la gravedad del mal que lo aquejaba necesitaba atención hospitalaria para verse trasladado al hospital de San Ambrosio, de donde tampoco encontró difícil fugarse y permanecer en la ciudad como clandestino por unas semanas, suficientes para organizar la impresión de su *Carta de despedida a los mexicanos,* difundida luego del mismo modo clandestino en su tierra nativa, hasta

[75] Mier *Memorias cit.,* II, 27-28.

que su embarque no menos clandestino en una fragata de bandera de los Estados Unidos pone fin al episodio, en que resulta difícil creer que Fray Servando haya tenido que burlar una vigilancia tan celosa como la que entre 1795 y 1801 había logrado devolverlo al cautiverio luego de cada una de sus tentativas de fuga.

Era ésta una experiencia que reflejaba cuánto había avanzado ya la agonía de la monarquía católica, y la del medio año que Fray Servando iba a pasar en los Estados Unidos luego de su fuga de La Habana lo confirmaría aún más en su convicción de que ésta estaba ya muy cercana a su inevitable desenlace. Lo que Fray Servando aprendió en ese nuevo contacto con los Estados Unidos, tanto más instructivo que el anterior —fueron seis meses los que pasó primero en Filadelfia, acogido a la hospitalidad del neogranadino Manuel Torres, establecido allí como agente de la Gran Colombia bolivariana, y luego en Nueva York— no se refleja tan sólo en la que Domínguez Michael describe como su «mutación política definitiva, el republicanismo», que no es seguro que merezca del todo esa caracterización, ya que el feroz egocentrismo de Fray Servando se reflejaba en un sistemático oportunismo que hacía que sus mutaciones políticas no fuesen nunca definitivas (y casi nunca completas; todavía en relación con el alegato independentista y republicano que redactó con Torres durante su paso por Filadelfia, éste encontró difícil «convencer a Servando de la inutilidad de los diputados novohispanos» que integraban las Cortes de la monarquía española, en desafío tanto a la causa de la independencia como a la de la república). La huella de lo que aprendió en los Estados Unidos se refleja en cambio más inequívocamente en la que luego sería recordada como profecía del padre Mier, que con fecha del 13 de diciembre de 1823 Fray Servando articuló como diputado al Segundo Congreso Mexicano, en la que el mismo Domínguez Michael reconoce, creo que más justificadamente, «la versión más acabada de sus ideas políticas».[76]

Durante los casi dos años que separan su memorable profecía de su arribo a Veracruz ocurrido el 24 de febrero de 1822, cuando era

[76] Domínguez Michael, *op. cit.*, 599, 602 y 742

ya diputado electo por el Nuevo Reino de León al Primer Congreso Mexicano que había celebrado en la víspera su primera sesión, se hizo evidente que quien retornaba a su tierra nativa tenía ya reservado para sí un lugar central en la arena política que estaba emergiendo en ella. Su nuevo cautiverio, debido esta vez a una decisión del mismo José Dávila que había sido cinco años antes su carcelero en la fortaleza de San Juan de Ulúa, y al frente de ella se mantenía leal a la autoridad metropolitana aún después de que el general O'Donojú, enviado por ésta para gobernar la Nueva España, acordara con Agustín de Iturbide el reconocimiento de la independencia de México en los términos establecidos en el Plan de Iguala, provocó apasionadas protestas en el Congreso y encontró rápido término por otra decisión de Dávila, que le permitió retornar a la ciudad de México donde Iturbide acababa de ser proclamado emperador, y donde su llegada provocó de inmediato la viva alarma de los partidarios del nuevo soberano (uno de ellos anotó en su diario con fecha 11 de junio que «el doctor Mier llegó a esta corte y parece que su casa está siempre llena de gentes. Es muy temible este Apóstol de la República»).[77] El 14 mantuvo en Tlalpan una entrevista de varias horas con Agustín I, en la que —si no es seguro que, tal como nos trasmite en su *Historia de México* Lucas Alamán, se abstuviera de interpelar a su interlocutor en los términos que dada su reciente investidura imperial exigía el protocolo— no hay motivo para dudar de que, tal como iba a proclamar al incorporarse al día siguiente al Congreso, en una conversación prolongada por dos horas y media, en que no quiso «ocultar *sus* sentimientos patentes en *sus* escritos, y de que el gobierno que nos convenía era el republicano... también le *dijo* que no podía ni quería oponer*se* a lo que ya estaba hecho, siempre que se nos conservase el gobierno representativo y se nos rigiese con moderación y equidad» para concluir advirtiéndole que «de otra suerte él se perdería, y yo sería su enemigo irreconciliable».[78]

[77] Miguel de Beruete, *Elevación y caída del emperador Iturbide,* Litoarte, México, 1974, p. 40, cit. en Domínguez Michael, *op. cit.,*621

[78] Edmundo O'Gorman, *Fray Servando Teresa de Mier,* México, UNAM, 1945, 50-51, cit. en Domínguez Michael, *op. cit.,* 626.

Desde luego Fray Servando no es el único convencido de que ni la moderación ni la equidad son las virtudes que mejor caracterizan al régimen imperial, y desde el día siguiente de ése su ruidoso ingreso en la escena política, su casa se trasforma en el cuartel general de la oposición al novel emperador, quien en agosto incluye su nombre entre los de los quince diputados a quienes dispone detener junto con otros muy numerosos opositores, y un mes más tarde la posición de Fray Servando como principal antagonista del régimen imperial se verá confirmada desde el título mismo —*Defensa de los diputados presos y de los demás presos que no son diputados, en especial del padre Mier*— que Fernández de Lizardi elige para el panfleto que escribe en protesta.

En octubre el emperador disuelve el congreso; en diciembre, mientras libera a muchos de los opositores detenidos, se prepara a juzgar criminalmente a los más comprometidos, entre los cuales Fray Servando ocupa desde luego el primer lugar; será ésta la última, y también la más breve, de sus experiencias carcelarias, a la que pondrán fin las tropas rebeldes que el 23 de febrero de 1823, ya muy avanzado el derrumbe del régimen imperial, le abrirán las puertas del Palacio de la Inquisición, y cinco semanas después le tocaría vivir la que Domínguez Michael describe como su segunda apoteosis republicana, en la sesión del Congreso que el cada vez más acorralado Iturbide se había resignado a restaurar tres semanas antes, y ante el cual renunciaba ahora a la dignidad imperial, en una jornada en que de nuevo fue Fray Servando quien recogió los más vivos aplausos de la muchedumbre que celebraba el fin del reinado de Agustín I.

En cuanto al protagonismo que Fray Servando alcanzó a conquistar en la escena pública en la etapa culminante de la metamorfosis del virreinato de la Nueva España en los Estados Unidos Mexicanos no hay discrepancias entre el juicio de un enemigo político como Lorenzo de Zavala, que tras de integrar la Junta Instituyente del Imperio designada por Iturbide en un vano intento por llenar el vacío institucional que había creado al disolver el Congreso, iba a militar durante la etapa republicana en el partido opuesto al de Fray Servando, quien debe admitir, así sea a regañadientes, que la celebridad que éste debía «a sus padecimientos, y a algunos escritos indigestos que había publicado en Londres» fue eficazmente utilizada por ese hombre cuya febril «actividad era igual a su facundia y osadía» para agravar las discordias entre mexicanos que llevaron a la ruina al proyecto imperial, y el reticente retrato retrospectivo que de él traza su antiguo aliado político Lucas Alamán, quien tras de describirlo como «la mezcla más extraña de las más opuestas cualidades», reflejada por ejemplo en la ufanía con que este «censor austero de los abusos de la corte de Roma» invoca a cada paso su condición de «prelado doméstico del Papa, por cuyo empleo y por habérsele hecho creer que había sido nombrado obispo de Baltimore usaba un traje particular por el que llamaba la atención», concluye que, contra lo que podría esperarse, los mismos rasgos que durante su lucha de treinta años por obtener en el marco de la monarquía católica reparación de la injusticia que contra él se había cometido habían hecho dudar a muchos de que estuviera aún en su sano juicio son precisamente los que hicieron de él el más eficaz de los combatientes con que contó la causa republicana victoriosa en 1823 (para decirlo con sus palabras fue «este mismo carácter ligero y aún extravagante [el que] lo hacía bien recibido en todas partes, y habiéndose declarado contra el imperio de Iturbide, el nuevo monarca no tuvo enemigo más acérrimo ni que mayores daños le causase»).[79]

Una vez aceptada la abdicación de Iturbide, Fray Servando, elegido nuevamente diputado, esta vez al segundo Congreso mexicano, convocado con carácter constituyente, iba a conocer su tercera apoteosis en el ya mencionado Discurso de las Profecías, que allí pronunció el 13 de diciembre de 1823, así conocido porque por largas décadas los mexicanos creerían ver retratado su presente en el futuro que en él anunciaba para la república que acababa de nacer. Pero ese discurso profético incluía también una muy precisa reivindicación del lugar que para sí reclamaba Fray Servando en esa república, y los argumentos a los que recurre en su profecía política y en su reivindicación personal mantienen una estrecha armonía que revela que el egocentrismo de Fray Servando, si en la hora del triunfo ha encontrado modos menos

[79] Ambos juicios citados en Domínguez Michael, *op. cit.*, 627 y 629.

extravagantes de manifestarse que durante las tres décadas consumidas por su querella con la monarquía católica, no ha perdido con ello nada de su originaria intensidad.

Los argumentos que desenvuelve en la Profecía se hacen eco en los términos más convencionales de los esgrimidos por quienes en una Europa que busca borrar hasta la memoria de las innovaciones introducidas a partir de 1789 desearían ver restablecidas las instituciones representativas que Francia había intentado implementar entonces, en un esfuerzo que se había visto frustrado por la deriva jacobina que iba pronto a tomar su revolución. Igualmente convencional es su ingreso en el tema con la confesión de que «yo también fui jacobino», que es casi una suerte de pie forzado en la polémica antijacobina, como lo iba a ser en la anticomunista del siglo siguiente. Fue atraído por el jacobinismo —asegura Fray Servando— no sólo «porque en España no sabíamos más que lo que habíamos aprendido en los libros revolucionarios de la Francia», sino porque, como todavía ahora está dispuesto a admitir, puesto que sus principios son «metafísicamente verdaderos» es muy difícil no ser seducido por ellos, y hasta tal punto lo había sido él mismo que, pese a que vio a Francia «28 años en una convulsión perpetua... como *le* parecían la evidencia misma, trabajaba en buscar otras causas a quienes atribuir tanta desunión, tanta inquietud y tantos males». Fue su estancia en Inglaterra, que «permanecía tranquila en medio de la Europa alborotada como un navío encantado en medio de una borrasca general» la que logró despertarlo de su sueño dogmático. «Procuré averiguar —agrega— la causa de este fenómeno; estudié en aquella vieja escuela de política práctica. Leí sus Burgis, sus Paleys, sus Bentham y muchos otros autores, oí a sus sabios y quedé desengañado de que el daño provenía de los principios jacobinos.» Hasta aquí hay muy poco de original en los planteos de Fray Servando, que entre otros Bolívar había contribuido a introducir en Hispanoamérica desde hacía largos años, y seguirá desarrollando los mismos tópicos convencionales con la amplitud que la oratoria parlamentaria requiere tanto como la practicada desde el púlpito, hasta concluir, como era esperable desde el comienzo, evocando la silueta aterradora de la guillotina como una advertencia a quienes se dejen tentar por la doctrina que declara única fuente legitima de la autoridad política a la «voluntad general numérica de los pueblos». A ellos recuerda que el jacobinismo, que gracias a la coherencia teórica de sus principios logró ganar la adhesión de tantas mentes esclarecidas, debe su temible capacidad movilizadora de multitudes a lo que en esos principios lisonjea «el orgullo y la vanidad» de esos mismos pueblos. «Desde que uno lee los primeros capítulos del *Pacto social* de Rousseau, se irrita contra todo gobierno como contra una usurpación de sus derechos; rompe todas las barreras, todas las leyes, todas las instituciones sociales establecidas para contener las pasiones, como otras tantas trabas indignas de su soberanía.» Las consecuencias las tuvieron que sufrir los «demagogos de buena fe que... se imaginan que dado el primer impulso al pueblo, serán libres de contenerlo». Y es ahora cuando la evocación de los tan numerosos «grandes sabios y excelentes hombres que expiraron bajo la cuchilla de la guillotina levantada por el pueblo francés después de haber sido sus jefes y sus ídolos» pone su esperado cierre a ese rutinario ejercicio retórico.

Pero Fray Servando no sería Fray Servando si ese esfuerzo oratorio no se orientara hacia otro objetivo que lo afecta más personalmente que el de alertar a sus compatriotas sobre el peligro de que, arrebatados por un súbito frenesí jacobino, reproduzcan en la ciudad de México los horrores que París había vivido en 1793. Como advierte muy bien, son otras las consecuencias de cualquier concesión a la doctrina jacobina según la cual la única válida fuente de legitimidad de la autoridad política es la «voluntad general numérica» de sus gobernados, y sobre ellas Fray Servando quiere alertar, antes que a los mexicanos, a quienes son como él sus representantes en el Congreso. Sin duda esas consecuencias no tienen medida común con las aterradoras que conoció Francia en la etapa de terror revolucionario, pero ello no impide que amenacen el lugar eminente que en derecho corresponde a los integrantes de ese cuerpo representativo, a quienes recuerda que fue esa misma voluntad general «la que alegaba en su favor Iturbide, y podía fundarla en todos los medios comunes de establecerla». La amenaza que las ambiciones de ese guerrero afortunado encerraban para la autoridad eminente del Congreso por suerte se ha disipado ya, pero éste afronta ahora otra que, aunque menos dramática, no es por eso menos peligrosa.

Si Fray Servando es particularmente sensible a la que ahora pesa sobre el lugar eminente del Congreso entre las magistraturas de la nueva república es porque ésta pesa también sobre el que desde luego no podría ser más eminente que reivindica para sí.

Pero si esa reivindicación sigue siendo el objetivo que antes que cualquier otro tiene en su mira, demasiadas cosas han cambiado en la transición que acaba de consumarse para que pueda articular su alegato en los mismos términos en que lo había venido haciendo en el marco de la monarquía católica. El más obvio y también el más dramático de esos cambios tiene que ver con la posición desde la cual lo formula un Fray Servando que acaba de ser rescatado de la condición de paria en la que se había visto hundido en 1794, y restituido a su legítimo lugar entre los hombres que deben a su nacimiento distinguido la posesión de un alma bien nacida. Una consecuencia igualmente obvia es que la que en el pasado había sido reivindicación de sus propios derechos conculcados la interponga ahora en nombre de la comunidad a la que se ha reintegrado, a la que exhorta a defender su legítimo lugar en la cima en las jerarquías del México republicano con la misma desesperada energía que él había puesto en la defensa del que le había sido arrebatado en las de la monarquía católica.

Y al hacerlo despliega una arrogancia en la que vuelve a reflejarse el mismo temple «desahogado y despreciador» que el provincial Gandarias le reprochaba ya en el lejano1794. Tras una entrada en tema en que recuerda a sus pares del congreso que «al pueblo se le ha de conducir, no obedecer» que lo muestra poco dispuesto a mantener frente a su nuevo soberano la misma actitud rendida que le habían impuesto frente al antiguo los usos de la monarquía católica, pasa a referirse con aún más marcada altanería al contencioso que comienza a surgir entre sus pares y quienes los han elegido, en el que los exhorta a tener presente que «no somos mandaderos, que hemos venido aquí a tanta costa y de tan largas distancias para presentar el billete de nuestros amos» ya que «para tan bajo encargo sobran los lacayos en las provincias o corredores en México». «Esa degradación de los representantes hasta mandaderos» —les confía— no es sino una más de las «zarandajas con que nos están machacando las cabezas los pobres políticos de provincias», que insisten en que puesto que son ellos los que los han elegido, deben atenerse a las instrucciones que les impartan. Para replicar a esa absurda pretensión, Fray Servando invoca, adaptándolo al nuevo marco republicano, el argumento que usó frente al soberano de derecho divino en el de la monarquía católica. Al declarar quiénes han de ocupar en la nueva república las cimas de sus jerarquías, los agentes del nuevo soberano, del mismo modo que los del antiguo, se limitan a certificar la presencia de un derecho a ocupar esa posición eminente que preexiste entre los así agraciados, que si en el marco de la monarquía católica se reconocía en esa posesión de un alma bien nacida que aseguraba que su promoción a ese lugar contaba con el beneplácito de la Providencia, en el de la república que ha venido a heredarla se apoya más prosaicamente en la corrección con que en la elección que los había ungido representantes del pueblo se habían aplicado las normas fijadas por el nuevo orden político. Sería bueno recordarlo así a esos «pobres políticos de provincias» que creen que porque han extendido el diploma que certifica que los diputados al Segundo Congreso Mexicano han sido legítimamente elegidos para ejercer los cargos que ocupan tienen derecho a decidir las posiciones que éstos deberán asumir en sus debates, negándose así a reconocer que «el papel que abusivamente se llama poder… no es más que un testimonio de su aptitud [*sc.* la de los diputados al Congreso] para ejercer la facultad que tienen por su carácter».[80]

En el texto del Discurso de las Profecías, que Fray Servando pronuncia cuando ha cerrado ya victoriosamente su pleito con la monarquía católica, campea plenamente su disposición a explorar con mente abierta el abigarrado horizonte de ideas propio de una era de revoluciones en busca de las que en cada oportunidad podían servirle más efectivamente, a la que había venido recurriendo desde que había entablado ese desigual combate, y a la que una vez alcanzado el

[80] Los pasajes citados del Discurso de las Profecías, en Edmundo O'Gorman, *op. cit.*, nota 74, pp. 128-31

triunfo seguía recurriendo cuando, para fundar su derecho a ocupar la posición eminente que finalmente le ha sido reconocida, reemplaza la invocación de los misteriosos designios de la Providencia a la que había recurrido en el pasado por la de las no siempre menos misteriosas decisiones del pueblo soberano. Pero esa adaptación de su combate de siempre a las nuevas circunstancias no afecta tan sólo a los tópicos que Fray Servando convoca a su servicio en su práctica de la controversia. Con la misma claridad con que advierte que algunos de los argumentos que se habían probado eficaces en el pasado han perdido ya toda eficacia, advierte también que si el nuevo orden de cosas puede ofrecerle una posición no menos eminente que la que el antiguo le había prometido engañosamente, esa posición difícilmente podría ser la misma de entonces, y en consecuencia pronuncia el Discurso de las Profecías cuando ha renunciado ya a su arzobispado de Baltimore, invocando su edad avanzada y salud desfalleciente, que le hubieran hecho difícil soportar el clima inclemente de su arquidiócesis.

La renuncia a una alta dignidad eclesiástica que nunca había alcanzado, que Fray Servando hace pública cuando ha conquistado ya la plena rehabilitación que por largos años había parecido inalcanzable, hace aún más agudo el problema planteado por su relación con la realidad del mundo que lo rodeaba; puesto que la explicación que para ella había ofrecido más de un testigo de su desesperada lucha por alcanzarla, que atribuía lo que ésta tenía en efecto de problemático a una alteración mental causada por las demasiadas adversidades que habían venido cayendo sobre él desde 1794, se revelaba ya insostenible. Creo que la clave ha de buscarse más bien en la actitud con que Fray Servando se acerca a esos temas, que sigue siendo la de un controversista cuyo objetivo no es encarar ninguna exploración desinteresada de la realidad, sino asegurar el triunfo de la imagen que de ella propone sobre las que defienden sus adversarios. Es esa actitud la que hace ocioso preguntarse hasta qué punto creía en la existencia objetiva de la dignidad arzobispal a la que renunciaba, y atenerse más bien en este punto lo que es en cambio indudable: a saber, que su rehabilitación le permitía imponer su propia versión acerca del tema, y no puede negarse que esta conclusión iba hasta cierto punto a ser confirmada por los hechos, ya que luego de ella ni aun quienes no lo querían bien se atrevían ya a calificar su uso del título de arzobispo de Baltimore en los términos en que lo habían hecho unos años antes quienes entonces podían hacerlo al incluir entre los crímenes de los que lo acusaban el de usurpación episcopal. Pero sólo hasta cierto punto, porque si no recogían esa acusación no era porque aceptaran que Fray Servando era legítimamente arzobispo de Baltimore, sino porque sabían demasiado bien que la opinión ahora dominante hubiera considerado tan cruel como injusto someter a un brutal choque con la realidad a la consoladora ilusión con que un noble patriota había buscado aliviar el peso abrumador de las desgracias que su tenacidad en un combate por demasiado tiempo solitario había acumulado sobre él a lo largo de décadas. Había así una cierta distancia entre la lectura que Fray Servando hacía de su apoteosis y la de quienes al tributársela lo consagraban como el precursor que todo nuevo régimen necesita, puesto que por definición un precursor ha agotado ya su papel una vez que ese nuevo régimen ha entrado en escena.

Pero no sé si entre esas dos lecturas no había sido la de Fray Servando la más acertada. La imagen de Fray Servando como el precursor de la república mexicana, y de su discurso de diciembre de 1823 como el de un canto del cisne en que ese precursor trueca su papel por el de profeta, y pasa así de ocupar un lugar en el pasado a otro en el futuro de México, sin ocupar ninguno en su presente, aparece sólo en testimonios posteriores a su muerte, que reflejan una compartida perplejidad entre esas figuras centrales de la primera etapa de la vida republicana de México que no habían vacilado ni por un instante en aceptar como uno de sus pares al más excéntrico de los padres de la patria, y preferían pasar por alto que Fray Servando, desde su reingreso en la escena mexicana hasta que en 1825, ya debilitado por la enfermedad que lo llevaría a la tumba, acogiéndose a la invitación del general Guadalupe Victoria, primer presidente de los recién nacidos Estados Unidos Mexicanos, se recogió a esperar la muerte en la antigua residencia de los virreyes y siempre sede del poder supremo, había participado desde las primeras filas en la turbulenta vida política de la república naciente, y precisamente en el mismo discurso de diciembre de 1823 es posible leer tanto el lugar que en ella había elegido para sí cuanto la figura bajo la cual se proponía —y logró— ocuparlo.

El lugar en primer término, y para descubrir cuál es precisamente éste es necesario dejar atrás la red de argumentos doctrinarios que Fray Servando esgrime en el Discurso de las Profecías para recoger en cambio las alusiones al que efectivamente está ocupando ya y quiere conservar para sí. Es tanto más necesario hacerlo porque cualquier intento de penetrar en esa red lleva el peligro de terminar encerrado en un laberinto sin salida, ya que al esgrimir esos argumentos Fray Servando no busca armar con ellos un alegato coherente, sino invocarlos en enorme abundancia, vengan o no al caso, para llevar el desconcierto a sus rivales en el arte de la controversia (sobre esto baste señalar que, contra lo que hubiera podido concluir quien aceptara al pie de la letra la versión que ofrece en su discurso acerca de las fuentes doctrinarias del terror jacobino, la «dictadura de la palabra» que por unos pocos pero inolvidables meses ejerció la facción jacobina en las asambleas revolucionarias francesas no invocaba ni en la teoría ni en los hechos para legitimar su autoridad a ninguna «voluntad general numérica», y que esa facción, lejos de mostrarse respetuosa de las autoridades instaladas en las provincias francesas por el veredicto de esas mayorías numéricas, acudió para aplastar su disidencia a un despliegue particularmente feroz del terror revolucionario). Apenas se examina desde ese otro punto de vista lo que en ese discurso Fray Servando dice sin proponérselo acerca del lugar que junto con sus pares aspira a retener en el esquema de poder de la república mexicana se advierte que tampoco el que busca su clave en la disyuntiva entre federalismo y centralismo, que toma en préstamo de los Estados Unidos, le ofrece un paradigma alternativo al que antes había encontrado en la Francia revolucionaria, que sea más capaz que éste de definir con total fidelidad los términos del dilema frente al cual invitaba a esos pares a tomar partido.

En efecto, cuando se dejan de lado esos argumentos para ver a quiénes identifica con las alternativas frente a las cuales conmina a optar a esos pares, se advierte que en ellas se oponen, más bien que los investidos con el poder central y los que lo ejercen en el marco los nacientes estados federales, dos estratos dentro de las elites políticas de esos estados; por un lado está aquel en que se ubican él y sus colegas del Congreso, poseedores todos ellos de títulos y méritos que los han hecho dignos de integrar en nombre de su rincón nativo una asamblea a su vez digna de representar la voluntad general de la entera nación mexicana, por el otro algunos de los ubicados en niveles más modestos dentro de esa elite; son éstos los «pobres políticos de las provincias» cuyos limitados horizontes los mantienen apegados a «principios ya rancios, jacobinos y detestados» por todos los que poseen el saber y la experiencia necesarios para opinar con autoridad en la materia. Algunos, no todos, ya que Fray Servando cree saber que cuenta en las segundas filas de esas elites políticas provincianas, no sólo en su nativo Nuevo León (que en el nuevo marco republicano ha decidido eliminar de su nombre la memoria de que había sido alguna vez un reino) sino en todo el oriente de las provincias interiores, con apoyos suficientes para organizar una facción que lo reconozca como su jefe. Encontramos aquí un rasgo de su *forma mentis* que, ya fácilmente reconocible en los testimonios que nos ha dejado de su etapa errabunda, está igualmente presente durante el ocaso triunfal de su carrera; es éste, una vez más, la percepción tan aguda como precisa del modo concreto en que funcionan los mecanismos sociales, culturales o político-administrativos de las sociedades con que entra en contacto.

Cuando se leen rápidamente las indicaciones acerca del lugar que ambiciona ocupar en el esquema de poder del México republicano que fugazmente logran aflorar en su discurso la primera impresión es que Fray Servando aspira a ganar en éste el influjo que sobre la administración central del Virreinato habían ejercido los integrantes de algún eminente linaje provinciano que habían logrado conquistar un lugar prominente en algunas de las instituciones administrativas, judiciales o eclesiásticas de la capital de la Nueva España; en suma que a sus ojos en el tránsito entre ésta y los Estados Unidos Mexicanos, para decirlo con la fórmula que, en *Il gattopardo*, Giuseppe Tomasi di Lampedusa iba a hacer célebre para su nativa Sicilia, todo había tenido que cambiar para que todo pudiese seguir igual. Pero apenas se lee más atentamente su testimonio, se advierte que la actuación de Fray Servando refleja una noción mucho más precisa del lugar que aspira a ocupar, y que, si continúa en algunos aspectos el que por ejemplo había sido en la capital de la Nueva España el de su tio inquisidor, en otros quizá más importantes se aparta del todo de él. Para ese lugar Fray Servando no tenía un nombre, y esta vez no sólo porque su percepción tan aguda y tan justa de la realidad en torno reflejaba un saber por así decirlo táctil que no necesitaba inventar un nombre preciso para aquello de que estaba hablando para saber con entera precisión a qué se refería. Ocurre además que el lugar que se había reservado en la vida pública de México iba a tener que esperar más de un siglo para que los antropólogos políticos inventasen para él el de *power broker.*

En efecto, lo que Fray Servando pretende hacer desde su sitial en el Congreso Mexicano es usar su porción del poder central de la naciente república para consolidar su influjo en el marco de la elite política de su región nativa, canalizando hacia los seguidores con los que cuenta en sus filas los favores de ese mismo poder central, mientras utiliza el que su gravitación política sobre su base regional le asegura sobre las administraciones capitalinas para aumentar la cuantía de los recursos a los que puede recurrir para ampliar y consolidar cada vez más esa base. Sin duda los criterios que lo guían al aplicar esa estrategia tienen más de un punto en común con los vigentes bajo el Antiguo Régimen, entre ellos el que reconoce en su familia carnal al núcleo duro de su familia política, y el que no desdeña usar en su provecho personal el ascendiente que ha ganado sobre el centro del poder nacional (como cuando hace votar una pensión vitalicia a favor de José Guerra, autor de la *Historia de la Revolución de la Nueva España,* que es desde luego él mismo),[81] pero hay con todo una diferencia esencial: quienes administraban la Nueva España en el marco del Antiguo Régimen contaban, así fuera en menor medida que en el pasado, con los recursos de una potencia imperial que, aunque debilitada, les aseguraba una posición todavía dominante frente a las elites locales, con la que estaba lejos de contar el poder central en el nuevo

[81] Domínguez Michael, *op. cit.,* 742

marco republicano. Pero había otra consecuencia del cambio en el marco institucional que afectaba aún más directamente la relación del letrado con la red de alianzas que en su comarca de origen tenía por núcleo a su grupo familiar; en este punto, mientras quien bajo el Antiguo Régimen había logrado hacer carrera en el aparato administrativo central, gracias a su destreza para orientarse en el laberinto burocrático tanto como al influjo a distancia que en la capital podía ejercer ese grupo, sólo contaba con una influencia cuyos alcances no habrían de exceder en mucho los límites del sector de esa administración en que desempeñaba sus funciones, muy distinta era a los ojos de Fray Servando la situación de quien, como él, compartía con sus colegas que representaban en el Congreso a las restantes regiones mexicanas, el poder del Estado que con la reciente deposición de Iturbide, acababa de conquistar la posición dominante dentro del marco institucional de la república naciente.

Mientras se puede admirar aquí una vez más la fértil imaginación política de Fray Servando, que le permite esbozar el esquema de una distribución de poderes e influencias entre las instituciones de la república en el que hubiera estado abierto para él un lugar análogo al que un siglo más tarde iba a ocupar en los Estados Unidos del Brasil el senador Pinheiro Machado, representante de Rio Grande do Sul, que en esa asamblea que reunía a los de veintidós oligarquías regionales iba a ser el organizador y jefe de las cambiantes coaliciones que desde ella dominaron la política nacional,[82] como había ocurrido ya en 1794, esa misma imaginación que le permitía adivinar certeramente rasgos que sólo iban a aflorar en un futuro aún distante se acompañaba de la peligrosa ilusión de que ese futuro estaba ya al alcance de su mano, que si entonces lo había movido a arriesgarlo y perderlo todo en una ruinosa apuesta, ahora inspiraba el tono «desahogado y despreciador» que domina el discurso de las profecías, propio de quien porque está seguro de haber escalado la más alta cumbre del poder no teme exhibirlo del modo más arrogante. Demasiado seguro; iba

[82] Admirablemente evocado por Joseph L. Love en *Rio Grande do Sul and Brazilian Regionalism, 1882-1930*, Stanford, Stanford University Press, 1971.

en efecto a necesitarse más de un siglo para que madurase en México un equilibrio entre poder central y fuerzas regionales remotamente comparable al imaginado por Fray Servando; que tras de aflorar de modo demasiado fugaz durante el tramo más exitoso del porfiriato, sólo logró consolidarse durablemente bajo la égida del Partido Revolucionario Institucional.

Si le fue ahorrado a Fray Servando el descubrimiento de que ni el derrocamiento de Iturbide había elevado al Congreso a la cumbre de la jerarquía de poder en el México republicano ni había hecho de quien entre los congresales había sido —en el juicio retrospectivo de Lucas Alamán— el más eficaz de los opositores al régimen imperial un *primus inter pares* en esa soberana asamblea, fue porque de nuevo su imagen del lugar que en ella ocupaba estaba tan distante de la que el resto de la naciente clase política se hacía de ella que ésta la aceptaba con sonriente tolerancia como una más de las ahora inocuas excentricidades en las que sus pasados servicios a la causa de la independencia de México le daban derecho a seguir incurriendo en el glorioso ocaso de su carrera.

Puesto que los colegas de Fray Servando no necesitaban retacearle un poder que sólo ejercía en su imaginación, no encontraban inconveniente alguno en aceptar como válidos los títulos que invocaba para ejercerlo, y que reflejaban tanto esa capacidad tan suya de percibir las posibilidades que se le abrían en los cambiantes escenarios que había atravesado a lo largo de su carrera, como la tendencia, también tan suya, a tomar cada una de esas posibilidades como una realidad, si no presente, sí por lo menos inminente. Porque cuando espera legitimar la posición de influjo político que no es del todo claro si cree estar ya ocupando o reclama para sí asumiendo para ello la figura del sabio es porque ha sabido vislumbrar una vez más una posibilidad que estaba en efecto presente como tal en la etapa de transición abierta por el derrumbe del Antiguo Régimen en el mundo hispánico, pero no iba a encontrar modo de realizarse en el marco de los estados sucesores surgidos de ese derrumbe en el Nuevo Mundo.

En esa imagen, por otra parte, su habitual egocentrismo se refleja de nuevo en que influyen ante todo sobre ella aportes que provienen de su más directa experiencia, que introducen algunas incongruencias en el retrato que esboza de la figura ideal que ambiciona encarnar, cuando se presenta como un «hombre de estudio e integridad» convocado por «los pueblos» junto con otros como él para integrar un congreso en que «acopiando luces en la reunión de tantos sabios *decidan* lo que mejor les conviene». Tras esa imagen colectiva del Congreso mexicano como un areópago de sabios gravita el recuerdo de otra imagen colectiva madurada en la memoria jansenista a lo largo de una interminable historia de persecuciones afrontadas con sobrio y mudo heroísmo, que Fray Servando ha aprendido a venerar encarada en la figura de Grégoire: al invitar a sus colegas a reconocerse también ellos como hombres de estudio e integridad reclama en nombre de éstos tanto como en el suyo propio la herencia ideal de una genealogía que une a los *messieurs de Port Royal* con los «obispos dignos de ese nombre» que encontró en los concilios de la Iglesia constitucional francesa, y a unos y otros con los paladines y mártires de la fe de la edad apostólica. Pero ese motivo ha sufrido una doble torsión; no sólo, como se ha indicado más arriba, sus experiencias en relación con la Real Academia de la Historia le han enseñado ya que la noción de saber que en el presente se tiene por válida no es la que tiene en mente Grégoire cuando deplora la escasez creciente de sacerdotes instruidos que aflige a Francia, que había lamentado el olvido en que habían caído en el seno del clero las severas doctrinas de los sabios de Port Royal, por añadidura Fray Servando mantiene con ese saber la misma relación que en el pasado había establecido con el reflejado en los ingeniosos argumentos que le había sugerido Borunda; ahora como entonces es la propia de quien espera sobre todo que le proporcione instrumentos eficaces para usar en su campo, que es el de la controversia, y ello hace que el atractivo que encuentra en la imagen del sabio refleje menos una vocación profunda por consagrar su vida a la búsqueda desinteresada de la verdad que la esperanza de que encarnarla facilite su conquista del lugar eminente que aspira a ocupar en el orden político mexicano. En la invitación a no dejarse guiar «servilmente por los cortos alcances de los provincianos circunscritos en su territorio» que dirige a los congresales puede medirse todo lo que esa doble torsión lo ha alejado de la noción de saber que subtendía las lamentaciones de su admirado Grégoire; ya que el que invoca para sí y sus colegas es el que él mismo ha adquirido en un cotidiano aprendizaje del mundo desde que sus desgracias lo obligaron a evadirse de ese territorio de experiencias que proclama excesivamente circunscrito, pero no lo era más que el que los *messieurs de Port Royal* habían encontrado por el contrario demasiado holgado.

Desde luego Fray Servando nunca iba a ocupar en la vida pública de la naciente república mexicana la posición que reclama para sí en el Discurso de las Profecías; mientras en la arena estrictamente política ofrecerá un sólido apoyo al partido escocés, que tiene su núcleo en la masonería de ese rito, el tono con que en la correspondencia que con él mantiene Grégoire uno y otro aluden a la figura de Lucas Alamán confirma que es para ambos valor entendido que ese apoyo lo brinda Fray Servando desde las segundas filas, hay otros campos en que su figura se perfila con mayor vigor, en los cuales el modelo que ha encontrado en Grégoire le ofrece una guía más pertinente que frente a las divisiones surgidas en la arena política mexicana.

Son éstos en que puede volver a esgrimir como arma de triunfo el mismo dominio de las ciencias teológicas que lo había sido ya en sus hazañas como controversista al servicio de la fe verdadera. (Así, cuando una encíclica del papa León XII exhortó a la América española a retornar a la obediencia de su legítimo soberano, tocó a Fray Servando dar voz a la desafiante respuesta de la nueva república, proclamando con toda la autoridad que le daba su versación en la materia que, tal como lo había proclamado ya Bossuet junto con «muchos otros autores católicos» la doctrina que reconoce al Papa una «potestad temporal en el mundo» en que se apoyaba León XII en su encíclica no era sino «una doctrina nueva, y todo lo que es nuevo en materia de religión es falso, o por lo menos sospechoso».)[83] Es precisamente al intervenir en ese campo cuando Fray Servando busca perfilarse bajo la figura del sabio, cuya autoridad, distinta de la del Estado como la de la Iglesia, tiene en su naturaleza algo en común con la de ambas instituciones,

[83] Cita en Domínguez Michael, *op. cit.*, 665.

en la que —una vez más sin advertirlo— ha descubierto otra de las posibilidades abiertas al letrado en el nuevo marco político, y aunque en la convulsionada Hispanoamérica que se prepara a emerger de las ruinas de la monarquía católica esa posibilidad va a verse casi siempre frustrada, la figura solitaria de Andrés Bello ofrece un mínimo pero suficiente testimonio de que aún en este caso extremo ella no existió tan sólo en la imaginación de Fray Servando.

Pero no sólo Fray Servando no iba a ajustarse rigurosamente al cartabón que le hubiera impuesto esa figura bajo cuyo prestigio se habían instintivamente cobijado (así, lo veremos describir la encíclica a la que da réplica como «una gatada italiana de aquellas con que la corte de Roma se suele descartar de los apuros y compromisos en que lo ponen las testas coronadas» recurriendo a un lenguaje que no es el del sabio sino el un poco cínico y no poco desengañado de un hombre que porque ha corrido mucho mundo lo entiende mejor que quien lo ha estudiado en los libros, por añadidura su victoria le había llegado demasiado tarde para darle la oportunidad de reanudar en un nuevo marco, bajo la figura del sabio o cualquier otra igualmente adecuada a éste, la carrera ascendente brutalmente interrumpida en 1794, y en consecuencia los homenajes que iba a cosechar en el México republicano, que tendrían desde el comienzo algo de póstumo, estaban destinados a culminar en un funeral que iba a ser su apoteosis, y que él mismo iba a organizar con atención minuciosa.

Lo pudo hacer así porque por lo menos en este aspecto la muerte le iba a llegar en el momento justo. Las dos potencias que lo habían perseguido por tres décadas habían abandonado la escena mexicana; mientras la monarquía católica había perdido irrevocablemente su imperio sobre México, la encíclica a la que había respondido Fray Servando había certificado la decisión de quien ocupaba la cumbre de la espiritual de no legitimar con su presencia en ella el nuevo régimen político que había venido a reemplazarla. Si a su muerte Fray Servando pudo recibir el homenaje de la más alta autoridad temporal y espiritual de los Estados Unidos Mexicanos fue porque aquélla la encarnaba ahora Miguel Fernández, que bajo el *nom de guerre* de Guadalupe Victoria ocupaba la presidencia de la nueva república y lo había invitado a terminar su vida a su lado como huésped del Palacio Nacional, mientras subrogaba la autoridad que el Pontífice se rehusaba a ejercer en México el canónigo José Miguel Ramos Arizpe, un nativo de Saltillo, la ciudad vecina y rival de Monterrey, ministro de Justicia y Negocios Eclesiásticos en el gabinete federal, con quien Fray Servando había a veces acordado y más a menudo chocado en la arena política, y a quien interpelaba habitualmente como primo pero por lo menos en una oportunidad como «mi querido saltillero embrollón».[84] Gracias a que así estaban las cosas en el México de 1827 pudo Fray Servando cerrar su vida con un triunfo que hubiera sido impensable unos años antes y volvería a ser imposible unos años después.

El 16 de noviembre abrió su etapa de agonía una pública ceremonia en que las pompas que bajo el Antiguo Régimen solían acompañar la agonía de un soberano se mezclaban sin fundirse con los usos del naciente nuevo orden. A sugerencia de Fray Servando, el presidente Guadalupe Victoria dispuso que abriera la ceremonia el traslado del viático desde la parroquia de la Santa Veracruz hasta las puertas del Palacio Nacional por el canónigo Ramos Arispe, cabeza de una procesión integrada por una compañía de infantería y acompañada por los cuerpos musicales de la guarnición capitalina. En la puerta de honor del palacio lo esperaban, postrados de hinojos, el presidente Guadalupe Victoria, su vicepresidente y todos sus ministros, pero lo esperaba también Fray Servando, que había decidido recibir los santos óleos de cara al público reunido en la Plaza Mayor, en el cual formaban sus amigos a los cuales había enviado el día anterior formales tarjetas de invitación. Una vez recibido el viático, dirigió a los presentes la última de sus arengas, que según el periódico de sus adversarios de la facción yorkina, consistió «en una larga exhortación no a que el auditorio hiciera penitencia, sino a que se sublevara en una guerra civil» en que las alusiones que nos han llegado acerca de su contenido sugieren que retomaba en una vena más desesperanzada motivos ya presentes en el Discurso de las Profecías.

[84] Domínguez Michael, *op. cit.*, 657.

¿Por qué el lector de estas crónicas de la apoteosis de Fray Servando se queda con la impresión de haber asistido al desenlace de una comedia? En parte porque lo es, en el más antiguo sentido del término: es un desenlace feliz que logra cortar a la vez los muchos nudos hasta entonces rebeldes a todas las tentativas de desatarlos. Pero también porque fue imaginada y dirigida por el mismo Fray Servando como un espectáculo destinado a inculcar en los que lo presenciaban la noción de que los honores que sobre él se volcaban desde la cumbre de un orden que seguía siendo rigurosamente jerárquico, pero que sólo en el marco de la naciente república había logrado hacer verdadera una promesa que bajo la monarquía católica se había revelado irredimiblemente mentirosa, eran de veras lo que siempre hubieran debido ser: el reconocimiento público del lugar eminente que su linaje, su virtud y su ingenio habían dado a quien los recibía el derecho a ocupar en un orden social y político cuyas jerarquías reflejaban por fin las introducidas por la Providencia en el de la naturaleza. Y si en esa arenga, tal como sugiere Domínguez Michael, había acudido por última vez a sus dotes de controversista en un supremo esfuerzo por persuadir a su auditorio que hiciera de la Plaza Mayor «el atrio de la república cristiana»,[85] con ello celebraba a la vez en el nacimiento de esa república el cierre victorioso del tercio de siglo por él gastado en un combate cada vez más desesperado.

El 3 de diciembre le llegó finalmente la muerte, y al día siguiente su apoteosis, en que una muchedumbre pocas veces vista en la ciudad de México en ocasiones fúnebres acompañó sus restos en su avance desde el Palacio Nacional hasta el Convento de Santo Domingo, destinado a ser su última morada. «El duelo —escribió el doctor José María Luis Mora en una gacetilla publicada anónimamente en el periódico de la facción escocesa en que militaba junto con Fray Servando— presidido por el benemérito general Bravo, vicepresidente de la República, se componía de las personas principales de esta ciudad, y el pueblo se agolpó de tal manera en las calles por donde debía pasar el cadáver, que impedía el paso a los transeúntes.»[86]

[85] Domínguez Michael, *op. cit.,* 676.

[86] Domínguez Michael, *op. cit.,* 676-7.

Cuando murió Fray Servando, la laboriosa metamorfosis del letrado colonial en intelectual moderno, de la que fue hasta el fin el precursor, había comenzado ya, si no en su nativo México, sí en otras comarcas hispanoamericanas. Mientras no sólo para Fray Servando sino también para su tierra nativa los que fueron años centrales de su vida trascurrieron en una suerte de limbo entre un antiguo orden que se resistía a morir y uno nuevo que no se decidía a nacer, que tanto para él como para su comarca de origen sólo se cerró en 1824, cuando la Nueva España dejó paso a los Estados Unidos Mexicanos, en el extremo meridional de Hispanoamérica ya en 1810 el Deán Gregorio Funes, abandonando su nativa Córdoba del Tucumán, se lanzó con enérgica decisión al torbellino revolucionario que desde Buenos Aires capturó ese año a la comarca rioplatense junto con otras de la América del Sur, y desde entonces —contando con un caudal de saberes que sumaba a los que habían hecho de él una figura eminente en el mundo letrado y otros aprendidos en la escuela de la vida— buscó abrirse camino en un marco muy distinto del que había imaginado cuando había presentido que su destino iba a ser vivir la aurora de un mundo nuevo, y de ello dejó testimonio en un texto cuya extrema concisión ofrece total contraste con los torrenciales de Fray Servando. Y quien hoy lee este testimonio del esfuerzo tenaz y vano del Deán de Córdoba por encontrar un lugar en ese mundo desconocido estará tentado de concluir que pese a las atroces peripecias que Fray Servando debió atravesar hasta que, en el ocaso de su vida, pudo reanudar su carrera triunfal en el punto mismo en que había venido a quebrarla su oración del Tepeyac, acaso esa experiencia le había dejado algo que agradecer a un destino que con él había sido tan duro.

II

LETRADOS EN REVOLUCIÓN

En 1814, a los cuarenta y cuatro años de su edad y con seis aún por vivir hasta su temprana muerte, el general argentino Manuel Belgrano escribió una brevísima autobiografía; diez o más años más tarde su compatriota el Deán Gregorio Funes redactó, pasados ya los setenta, una apenas más extensa. Ambas se organizan en torno al hecho que más que cualquier otro iba a marcar el rumbo de sus vidas: la revolución que en Buenos Aires cerró para siempre, en mayo de 1810, la etapa colonial, y los dos modos de aproximarse a ella que en sus relatos se reflejan se acercan, tanto como lo puede hacer el de una experiencia personalísima y por lo tanto intransferible, a los que correspondería ubicar en los dos polos opuestos entre los disponibles para quienes se arrojaban a ese torbellino en el curso de una ya comenzada carrera de «literato» —tal el término que utiliza Funes— u «hombre de letras», que es el preferido por Belgrano. Mientras lo que aquél esperaba del nuevo orden surgido de una revolución cuyos principios —según aseguraba— él mismo había hecho suyos desde que en su adolescencia había abordado esa carrera, no era tan sólo que revalidara los títulos por él ganados al servicio del antiguo, sino que abriera nuevos y más anchos campos de acción para su experiencia y sus talentos, lo que atraía a éste en esa misma revolución tenía menos que ver con su destino personal; de ella esperaba ante todo que erigiera un orden nuevo desde sus cimientos en que una humanidad dispuesta a olvidar lo aprendido en la historia de opresión e injusticia que había sido la suya desde el comienzo de los tiempos encontraría en sus propios instintos la guía que necesitaba para instaurar en la tierra el reino de la virtud. Y lo que ambos narran en sus autobiografías es cómo esa revolución, que por largos años Funes había esperado con ánimo abierto, y Belgrano con cada vez más urgente impaciencia, iba a decepcionar imparcialmente las esperanzas que uno y otro habían depositado en ella.

El Deán Gregorio Funes

No era sólo la brevedad lo que hacía de los *Apuntamientos* de Funes casi lo opuesto de los alegatos que jalonaron la carrera de Fray Servando; mientras en medio de tantas adversidades éste reclamaba —hasta finalmente lograrla— una clamorosa reparación de las injusticias de las que era víctima, que para ser completa debía incluir la humillación de los poderosos que por décadas se habían confabulado en su daño, aún en la antesala de la muerte el tanto menos ambicioso Deán de Córdoba se obstinaba en la búsqueda del modo de funcionar con éxito en ese mundo desconocido en que lo había introducido la Revolución que lo había contado entre sus autores, y —demasiado consciente de no haberlo descubierto en vida— se ilusionaba con la esperanza de lograrlo póstumamente.

Hasta tal punto esa mirada a la vez distante y póstuma domina en ese texto redactado en tercera persona y totalmente centrado en la vida pública del Deán que, encontrado entre sus papeles a su muerte, ocurrida en 1829, en 1856, cuando lo publicó un anónimo «Amigo de los servidores de la Patria» que, sin mencionar el carácter autobiográfico del texto que salía a la luz, lo prolongó hasta la muerte del patriota cordobés, que nada en él hubiera debido haber hecho sospechar a sus lectores la presencia de un epílogo escrito por mano ajena y no declarado como tal, si no fuese que ese texto que ofrece lo que suele hallarse en uno de esos prólogos escritos por una tercera mano que abren una edición póstuma de obras completas ofreciendo una explicación de las circunstancias que dieron origen a los escritos en ella reunidos, desplegada sistemáticamente aquí bajo la forma de una suerte de *cathalogue raisonné* de los producidos a lo largo de su trayectoria por la figura bajo la cual Funes aspiraba a ser recordado por las generaciones futuras, era inmediatamente reconocible por el reducido público letrado que en el momento de su publicación tenía a su alcance como debido a la pluma cautelosa del Deán.

Lo que esa pluma había narrado en él era la carrera de un letrado que tenía desde su nacimiento un lugar designado en la cumbre de la sociedad tardío-colonial, y que luego de desempeñar durante décadas las funciones de tal en el marco de la monarquía católica continuaría desempeñándolas en el ocaso de su vida en el del régimen revolucionario que había venido a reemplazarla, y el itinerario que había seguido para ello anticipa el que habremos de seguir en este intento de darnos razón del modo específico con que Funes vivió y sufrió las consecuencias que para él tuvo el derrumbe de la monarquía católica.

Gregorio Funes, nacido en Córdoba en 1749, había pasado ya los sesenta años cuando la ola revolucionaria abierta en 1789 alcanzó a la comarca del Río de la Plata; de ellos habían trascurrido ya cuarenta y seis desde que había comenzado en la Universidad de su ciudad nativa los estudios que debían prepararlo para emprender una carrera eclesiástica, y treinta y siete desde que su ordenación como presbítero marcó su ingreso en ella, pero hacía sólo seis que, al ser promovido a la posición de Deán, la más elevada de las dignidades que integraban el capítulo catedralicio de su ciudad nativa, había alcanzado la cumbre de ésta, para asumir casi de inmediato, con el título de provisor del obispado, las más de las funciones del titular fallecido en ese mismo año de 1804.

Este demasiado breve resumen es el de una carrera sin duda exitosa pero no excepcionalmente brillante, que es fácil imaginar avanzando con ritmo algo rutinario sobre un cauce cavado por las huellas de muchas otras no más exaltantes, pero que el Deán recuerda como una agotadora carrera de obstáculos en que sólo había logrado superar los erigidos por los rivales que constantemente se cruzaban en su camino porque en más de un momento decisivo, y cuando nada permitía esperarlo, un feliz golpe de fortuna le deparó los triunfos que sus incontestables méritos no habían bastado para otorgarle, hasta que en 1810, luego de prepararse durante largos años para emplear los talentos que había puesto al servicio de la monarquía católica en el de una revolución por él largamente prevista, se lanzó impetuosamente a continuarla en un nuevo contexto en que la fortuna se iba a revelar más reacia a correr en su auxilio.

Sus contemporáneos no dejaron de advertir todo lo que en el militante de esa nueva causa sobrevivía del notable del Antiguo Régimen, y por todos ellos hablaba Sarmiento cuando lo presentó en *Recuerdos de provincia* como el arquetipo de «todos los hombres notables de aquella época [...] como el dios Término de los antiguos, con dos caras, una hacia el porvenir, otra hacia lo pasado»,[1] pero no era así como Funes, que en sus *Apuntamientos* se presentaba con la pupila constantemente fija en el porvenir, hubiera querido verse retratado para su posteridad. Y no le faltaban justificaciones para ello; aunque —como se verá extensamente más adelante— la imagen de sí mismo que allí esbozaba estilizaba en exceso una relación con ese anticipado futuro revolucionario que es difícil creer que hubiera estado sostenida por una fe tan clarividente como la que iba a reivindicar para sí luego de que ese futuro se había hecho presente, es un hecho indiscutible que apenas estallada la revolución asumió sin vacilar un compromiso con ella que lo exponía a riesgos infinitamente más graves que los que había debido afrontar al avanzar en su carrera en el marco de la monarquía católica.

Quienes en su trato con Funes advirtieron demasiado bien la presencia de esas dos personalidades casi opuestas, que en él convivían sin fundirse, no se interesaron demasiado en buscar una clave adecuada para lo que reconocían, más bien que como un enigma digno de excitar su curiosidad, como un rasgo que les era preciso tener constantemente presente en sus contactos con un hombre público que había rápidamente ganado fama de escurridizo, para el que encontraban explicación suficiente en el dato irrecusable de que el Deán era cordobés. No les faltaba razón para ello, ya que —del mismo modo que el optimismo a la vez ciego y clarividente de Fray Servando se

[1] Domingo F. Sarmiento, *Recuerdos de provincia,* Buenos Aires, Sopena, 1950 (en adelante Sarmiento, RP), p. 71.

entiende mejor sobre el trasfondo ofrecido por el frágil esplendor del México borbónico— la paciente cautela sólo fugazmente interrumpida por inesperados golpes de audacia que dejó su marca en la carrera pública de Funes se entiende también ella mejor sobre el más opaco de su patria chica cordobesa.

Su ciudad nativa, fundada en 1573 por la corriente colonizadora proveniente del macizo andino, cuya conquista para la corona de Castilla habían emprendido hacía sólo cuatro décadas Francisco Pizarro y Diego de Almagro, en el paraje en que el laberinto de sierras, valles y desiertos conocido como el Tucumán se abre a las llanuras pampeanas y litorales de la cuenca del Río de la Plata, era en su origen poco más que un abstracto proyecto urbano que sólo iba a adquirir mayor consistencia cuando el surgimiento, en un inhóspito rincón del altiplano altoperuano, del centro minero del que la corona castellana iba a recibir por más de un siglo la mayor parte del tesoro metálico en que se había de apoyar para defender el lugar que había conquistado entre las potencias europeas en el alba de la modernidad, hizo de Potosí, la población improvisada al pie del cerro de la Plata, una de las mayores urbes de la Cristiandad, cuya insaciable demanda de alimentos, tejidos y ganados iba a crear el estímulo en torno al cual iba a estructurarse la entera economía colonial desde el reino de Quito hasta el extremo meridional de los dominios castellanos en el continente sudamericano.

Desde su origen, entonces, Córdoba estaba destinada a compartir el destino de esa vasta región, cuya economía avanzó al ritmo de una explotación minera primero en vertiginoso y luego cada vez más mesurado avance, hasta que en el segundo cuarto del siglo XVII éste dio lugar a un declive cada vez más rápido, destinado a prolongarse hasta que a mediados del siguiente abrió a su vez paso a una paulatina recuperación, que estuvo lejos sin embargo de devolver a la minería altoperuana a los niveles alcanzados en su primera etapa de auge.

La ciudad contaba con pocas ventajas que le permitieran sobresalir entre las escalonadas sobre la ruta que vinculaba al centro minero altoperuano con el frente atlántico de la América del Sur española, al que tenía acceso a través de Buenos Aires, en la orilla occidental del Río de la Plata. No las encontraba en la comarca esteparia que la rodeaba, cruzada por algunos ríos cuyos irrigados márgenes iban a destinarse a una agricultura de cereales y hortalizas, y apenas adecuada en tierras de secano para la cría de ovejas y cabras y aún de algún ganado vacuno y mular, pero las oportunidades de sobresalir que la naturaleza no le había brindado se las iba a ofrecer la decisión de la Compañía de Jesús de trasladar a ella su principal centro en la región tucumana, que en la tercera década del siglo XVII, cuando el esplendor de Potosí estaba comenzando a opacarse, no sólo la hizo sede de un obispado y una universidad sino que la trasformó en uno de los nudos centrales de la red de fundaciones piadosas que, sostenidas por los recursos derivados de la participación de la Compañía en la vida económica de la región rioplatense, estaban conquistando un lugar cada vez más influyente en ella.

En Córdoba los establecimientos jesuíticos abarcaban desde explotaciones agrícolas en tierras irrigadas cercanas a la ciudad, trabajadas a mediados del siglo XVIII por más de mil esclavos, hasta estancias en tierra de secano dedicadas a la cría de las mulas requeridas cada año por decenas de miles en las minas y las peligrosas sendas altoperuanas. Pero desde luego el influjo de la Compañía se hacía sentir también más allá de la esfera económica; sus vínculos cada vez más estrechos con el diminuto círculo formado por los siempre mal avenidos notables de la ciudad, en que las motivaciones piadosas se integraban sin esfuerzo con otras decididamente más mundanas, le aseguraban también un influjo creciente sobre las decisiones de quienes gobernaban el Tucumán en nombre del monarca católico, y conocían muy bien los obstáculos que deberían afrontar si osaban cruzarse en su camino.

En 1749, cuando Gregorio Funes hizo su ingreso en el mundo, su ciudad nativa, cuya población no llegaba a los ocho mil habitantes, era casi una *company town,* y su familia, ilustre entre todas las que habían compartido su vida desde su fundación, había unido estrechamente su destino al de la Compañía que cada día pesaba más en ella, pero muy pronto la favorable constelación que había presidido su nacimiento comenzaría a disgregarse. No era sólo que la monarquía católica, tras haber apoyado por más de un siglo los avances de la orden en que había encontrado un más eficaz *instrumentum regni* que en las mendicantes que habían desempeñado un papel central en la anterior etapa de conquista espiritual, convencida de que aquélla había venido acumulando poderes e influencias que amenazaban convertirla en una rival temible, la eliminó de la escena en una reacción tan fulmínea como brutal. Tanto o más que ese súbito cambio de fortuna iba a pesar sobre la trayectoria de Funes la reestructuración del imperio español en Indias que vino a responder a la amenaza creciente proveniente de rivales cada vez más dispuestos a disputar sus posiciones en el nuevo mundo; diez años después de la expulsión de los jesuitas ésta llevó a la creación del Virreinato del Río de la Plata, que hizo de Buenos Aires, su capital, la sede del vasto aparato militar, administrativo, judicial y financiero que debía tomar a su cargo defender el acceso al Atlántico Sur, cada vez más amenazado por el vigor creciente de la América portuguesa, cuya población, más que duplicada en el siglo XVIII, tras extenderse sobre las tierras del sur brasileño lindantes con los dominios del monarca católico, parecía cada vez menos inclinada a detener allí sus avances.

Desde entonces Córdoba no dejó ya de perder terreno frente a su advenediza rival de las tierras bajas,[2] y la lenta pero inexorable decadencia de su rincón nativo contribuyó sin duda tanto como las celadas que Funes debió enfrentar una vez triunfante la revolución a que en el balance de su carrera al que invita la lectura de sus *Apuntamientos* las derrotas pesen decididamente más que los triunfos. Sin duda no lo ve así quien ofreció en ellos el relato de sus desdichas, y lo centró en la infinita capacidad de decepcionar sus esperanzas que iba a revelar esa revolución por él largamente soñada, que tras hacerlo blanco de las más injustas persecuciones lo dejó entregado a los azares de una existencia marcada por la creciente penuria que agobiaba a su comarca nativa.

Funes hace su primera aparición en ese relato como un «literato» que «aún no había salido de las aulas [...] cuando por un sentimiento

[2] Sobre el tema, v. ahora Jorge Gelman y Daniel Santilli, «Crecimiento económico, divergencia regional y distribución de la riqueza: Córdoba y Buenos Aires después de la independencia» en *Latin American Research Review,* v. 45, I, 2010, pp. 121-43.

de un alma inclinada a lo sólido y a lo verdadero, llegó a penetrarse de lo mucho que tenía que retroceder del camino andado para tomar otra senda nueva, y formarse una educación literaria que sólo se la debiese a sí mismo»,[3] y que iba a avanzar desde entonces sobre dos trayectorias paralelas, la secreta que allí menciona y otra que no podía ser más pública, en la que sólo podía alcanzar resultados exitosos si aceptaba adecuarse a los criterios ni sólidos ni verdaderos con que el antiguo régimen distribuía sus premios entre aquellos a quienes tomaba a su servicio. Pero desde el comienzo mismo de la evocación que Funes ofrece de su trayectoria se multiplican los indicios de que esa rígida dicotomía entre una carrera pública destinada a satisfacer las ambiciones de un letrado del antiguo régimen y la secreta de un desinteresado buscador de la verdad es fruto de una enérgica estilización retrospectiva, destinada a presentarlo bajo la figura del sabio que busca su camino guiado exclusivamente por esa inclinación en él innata, en una suerte de diálogo consigo mismo al que no podrían afectar los cambios en el contexto en que éste se desarrolla. Ya al abrir su relato viene en efecto a desmentirla cuando señala que al comenzar su aprendizaje en la Universidad no la encontró del todo sorda a sus inquietudes intelectuales, y lo hace en términos que sugieren que éstas estaban entonces menos definidas de lo que esa visión dicotómica sugiere.

Ya en ese momento —asegura Funes a sus lectores— en la de Córdoba «habían empezado a desaparecer las tinieblas del peripato, y el mal gusto en los estudios», como no podría sorprender —agrega de inmediato— en un «cuerpo jesuítico [que] era entonces el más célebre que había en la América Meridional, célebre por sus riquezas, por la austeridad de su vida, por su crecido número, los más de ellos venidos de Europa, y por la vasta extensión de su mando sobre las célebres misiones de Mojos, Chiquitos, Paraguay y las demás casas de las provincias circunvecinas», y esa brevísima alusión a la etapa inicial de su carrera muestra hasta qué punto ese letrado que se ha

[3] «Autobiografía del doctor Gregorio Funes» (en adelante AbF) en *Archivo del doctor Gregorio Funes*, Buenos Aires, Biblioteca Nacional, 1944 (en adelante AF), I, 8.

volcado con riesgo de su vida a la causa de la revolución sigue haciendo plenamente suya la imagen que la Compañía tenía de su lugar y su papel en el mundo, en la que se apoya al evocar el grandioso marco en que trascurrió la primera etapa de su trayectoria de futuro letrado «para que se sepa el teatro en que el joven Funes hizo una de las carreras literarias».[4]

Si en el ocaso de su vida Funes sigue viendo en la vocación innovadora de sus primeros maestros jesuitas casi una consecuencia necesaria de las cualidades que habían asegurado a la Compañía el lugar privilegiado por ella conquistado en el marco de la monarquía católica, y puede por ello envolver tanto a aquélla como a éstas en un solo halo de afectuosa nostalgia, es porque no ha tomado ninguna distancia crítica frente al sesgo que esos maestros, deseosos de retener para su orden el lugar que había conquistado en la república de las letras, hasta la víspera casi tan conspicuo como el que su riqueza y poderío le habían asegurado en las sociedades en que actuaba, habían impreso a sus esfuerzos renovadores, orientados a impedir que la influencia de sus instituciones educativas sobre la formación de las nuevas generaciones de las elites de tierras católicas sufriera como consecuencia de las trasformaciones cada vez más radicales en el clima de ideas experimentadas por la Europa central y occidental desde el tardío siglo XVII. Cerrado en 1648 el ciclo de guerras de religión por un desenlace que consagraba como definitiva la quiebra de la unidad de la fe provocada por la Reforma, una república de las letras que expandía constantemente sus horizontes en un proceso del que iba a nacer la ciencia moderna recobraba por el contrario su unidad, y mientras aún en el terreno religioso la lucha armada estaba dejando paso a la que se volcaba en controversias sin duda apenas menos enconadas, como las que Bossuet, obispo de Meaux y el más elocuente de los oradores sagrados del siglo de Luis XIV, mantuvo con rabinos y ministros calvinistas, pero también en proyectos de reconciliación a los que Leibniz, filósofo pero también alto funcionario en el reino de Hannover, consagró tenaces esfuerzos, y en el campo filosófico el

[4] AbF, AF, I,2.

oratoriano Malebranche avanzaba en sus exploraciones de inspiración cartesiana en un diálogo implícito con el mismo Leibniz pero también con Spinoza, las instituciones docentes de la orden jesuítica corrían riesgo de perder una parte creciente del ascendiente que habían adquirido si permanecían al margen de lo que comenzaba a veces a llamarse el movimiento de las ideas.

Entendiéndolo así, la Compañía ingresó en ese campo de pacífico combate con una ambiciosa empresa editorial, el *Journal de Trévoux,* que reflejaba fielmente los objetivos que la llevaban a entablarlo. Esas *Memorias para la historia de las ciencias y de las bellas artes*, publicadas con periodicidad mensual por tres cuartos de siglo a partir de 1701, fueron pronto apreciadas —y no sólo en el mundo católico— por la información excepcionalmente abundante que ofrecían acerca de las novedades bibliográficas producidas en la entera Europa en el campo de la teología, la política, el derecho y las bellas artes, pero también en el de las ciencias matemáticas, físicas y naturales, en términos que —según prometía— serían suficientemente objetivos para hacer plena justicia aún a los aportes de autores heréticos, salvo en temas que tocaban a la religión, las buenas costumbres y el Estado, «en que no está nunca permitido permanecer neutral». De este modo la Compañía comenzaba ya en 1701 la adaptación a un mundo en que la unidad de la fe se había desvanecido para siempre, que Fray Servando iba a consumar con rapidez fulmínea al cruzar los Pirineos casi un siglo más tarde, pero —puesto que en los dominios de la monarquía católica todavía en 1794 esa unidad seguía siendo celosamente preservada— ese aspecto de la renovación de métodos y contenidos favorecida por la orden jesuítica quedaría relegado en ellos a un segundo plano: los objetivos harto más limitados de la que iba a conocer España iban a reflejarse con total justeza en una obra que le sirvió de manifiesto programático y como tal iba a conquistar de inmediato un eco duradero. No otra cosa era el *Fray Gerundio de Campazas, alias zotes,* del ignaciano José Francisco de Isla, una sátira que tomaba por blanco los fáciles éxitos de quienes desde el púlpito seguían aplicando con poca ciencia y menos arte los recursos que en el siglo anterior habían desplegado con mano maestra los grandes predicadores de la edad barroca. Publicada en Madrid en 1758, la celeridad con que la Inquisición intervino apenas su primera edición agotó en tres días sus mil quinientos ejemplares para impedir que a ella siguiera una segunda vino a reflejar del modo más elocuente todo lo que aún bajo la monarquía ilustrada seguía separando a España del mundo de más allá de los Pirineos.

Y cuando Funes, evocando en su vejez de veterano combatiente revolucionario sus años de aprendizaje en la universidad jesuítica, ubica en el mismo plano la disipación de «las tinieblas del peripato» (que para ser de veras tal hubiera requerido una revolución filosófica) y la del «mal gusto en los estudios», que celebraba una renovación pedagógica no menos limitada en sus objetivos que la que el padre Isla había demandado para la oratoria sagrada, revelaba hasta qué punto seguía gravitando sobre él la respuesta que sus primeros maestros habían ofrecido al desafío de la modernidad. Pero aquí interesa menos lo que ello nos dice acerca del Funes que en el umbral de la muerte escribió los *Apuntamientos* que sobre el que apenas adolescente se había revelado como el más brillante discípulo de la universidad regida por la Compañía, y nada de lo que leemos en ese texto crepuscular sugiere que, insatisfecho con el proyecto tan mesuradamente innovador de sus maestros jesuitas, se hubiera decidido ya entonces a tomar «otra senda nueva, y formarse una educación literaria que sólo se la debiese a sí mismo».

Pero hay buenos motivos para dudar también de que hubiera alcanzado a tomar esa decisión en cualquiera de las etapas más tardías de su trayectoria. A lo largo de toda ella Gregorio Funes, del mismo modo que Fray Servando, se había fijado como su objetivo primordial el de enriquecer con el aporte de sus destrezas y talentos el patrimonio de recursos, poder y prestigio que había deparado a su familia la posición eminente de la que gozaba en su ciudad nativa, y aunque esa ambición iba a sufrir como consecuencia de la creciente marginalización de su patria chica cordobesa en el ámbito rioplatense, en otros aspectos su posición dentro de esa familia, de la que desde su infancia había sido el jefe bajo la regencia de una madre viuda, «mujer fuerte» y decidida a poner todos los recursos familiares al servicio de su carrera, le hacía menos urgente buscar «otra senda nueva» para abrirse camino en el mundo que a Servando de Mier, octavo hijo de uno de los matrimonios de un padre excesivamente prolífico, que al asegurar su ingreso en un convento capitalino había juzgado sin duda haber cumplido plenamente sus deberes de tal, lo que hace más comprensible su infortunada decisión de acelerar mediante un resonante *succès de scandale* sus progresos en una carrera que sabía demasiado bien que sólo podía contar con sus talentos y habilidades para hacer exitosa.

Pero más aún influyó en la distinta trayectoria de ambos personajes la radical diferencia entre las reacciones de suscitaban en Fray Servando los dilemas encontrados en su camino, marcadas, como se complacía en admitir, por el aturdimiento propio de un alma bien nacida, y la legendaria cautela con que Gregorio Funes iba a afrontar los no menos graves que se interpondrían en el suyo. Es sobre todo ésta la que hace verosímil que la ampliación de horizontes intelectuales por él evocada fuera menos el fruto de un heroico esfuerzo individual que el del giro tomado por su carrera, que lo llevó del remoto rincón provinciano del inmenso imperio español que era su nativa Córdoba a su centro mismo, donde su instintiva disposición a adaptarse a cada nuevo contexto que su destino le imponía pudo contribuir a los avances de su educación literaria por lo menos tanto como una curiosidad intelectual que nada en sus escritos sugiere que estuviera en él excepcionalmente aguzada.

El contraste de fortuna que decidió a Funes a continuar sus estudios en Alcalá de Henares y Madrid fue una retardada consecuencia del golpe infligido al influjo y prestigio de su familia cuando había trascurrido sólo poco más de un año desde que, a los quince de su edad, había iniciado sus estudios en la universidad cordobesa. Fue entonces cuando el extrañamiento de la Compañía de Jesús de los dominios del monarca católico vino a destruir en un instante la estructura de poder e influencia que concedía a su linaje un lugar privilegiado en su nativa Córdoba, infligiéndole un revés que desde entonces se esforzaría por revertir, sin nunca lograrlo del todo.

Quienes habían decidido el extrañamiento de los jesuitas (y unos años después obtendrían del Pontífice la disolución de la Compañía) lo habían hecho persuadidos de que ésta había echado demasiado fuertes raíces en las sociedades indianas para que su expulsión alcanzara a disipar totalmente el peligro que su excesivo poder había significado para la autoridad del monarca; en consecuencia buscaron evitar que el destierro impuesto a los jesuitas cortara totalmente sus lazos con la monarquía católica, que a la vez que los expulsaba de sus territorios los pensionaba en aquellos que les habían ofrecido asilo, en un gesto humanitario que, dada la penuria a la que esa misma expulsión los había arrojado, ponía en sus manos un instrumento de control que esperaban suficientemente eficaz para restar peligro a los contactos —por otra parte celosamente vigilados por los servidores del monarca— que iban a mantener con quienes desde el Nuevo Mundo los recordaban con nostalgia. En Córdoba el más asiduo de sus corresponsales iba a ser Ambrosio Funes, hermano menor del futuro deán, cuyo matrimonio en 1772 con María Ignacia de Allende, de una acaudalada e influyente familia que compartía plenamente esa nostalgia, era recordado todavía en 1778 desde Roma por el P. Ramón Rospigliosi, a quien Funes iba a dedicar por su parte un conmovido recuerdo en sus *Apuntamientos*,[5] en carta en que celebraba que su madre pudiera ver «en su viudez tan bien colocados a sus bien amados hijos, el Eclesiástico en una Silla tan respetable [*sc.* la de canónigo de gracia en la catedral cordobesa], y el Secular en una familia tan conspicua».[6] Y que en 1797 esa misma afortunada madre fuese recordada en el elogio fúnebre a ella dedicado y publicado en Roma por el P. Gaspar Juárez, otro desterrado de oriundez americana, bajo un título que subrayaba esa oriundez por él compartida con la destinataria de su elogio,[7] permite entender aún mejor que en esa etapa en

[5] Lo evoca en ellos como «un ingenio de primer orden, capaz sin duda de grandes progresos en las ciencias si hubiese tenido la suerte de nacer en época menos desgraciada», AbF, AF, I, 2.

[6] Carta de Ramón Rospigliosi a María Josefa Bustos, fechada en Roma, 3/XII/1778, cit. en Miranda Lida, *Dos ciudades y un Deán,* Buenos Aires, Eudeba, 2006 (en adelante ML), p. 35.

[7] *Elogio de la señora María Josefa Bustos, Americana, por D. Gaspar Xuarez, americano,* Roma, 1797.

que la monarquía católica avanzaba hacia su ocaso el paso del tiempo no atenuara la alarma de quienes la servían ante el peligro que para ella significaba la presencia en posiciones influyentes de ultramar de demasiados descendientes de conquistadores y primeros pobladores para los cuales el extrañamiento de la Compañía había venido sólo a enriquecer la lista de agravios rutinariamente sufridos a lo largo de los siglos por los integrantes de su linaje a manos de oleada tras oleada de advenedizos enviados de la metrópoli.

En lo inmediato, Funes —cuyos talentos habían sido ya reconocidos al producirse la expulsión, hasta tal punto que en el curso de filosofía abierto por Rospigliosi «en prueba de su aprovechamiento, mereció que [...] se le asignase para que en compañía de otro condiscípulo suyo, D. Pedro Vicente Cañete, paraguayo, tuviese un acto público de esa facultad»—[8] logró superar brillantemente el obstáculo que se interpuso en su carrera al ser expulsados sus primeros maestros, gracias a que los franciscanos, que los reemplazaron al frente de la Universidad, se apresuraron a exhibir de nuevo sus talentos, esta vez en un acto público «de toda la filosofía y otro de teología», a fin de «hacer ver los progresos que se hacían [...] bajo su régimen», y su aún más brillante desempeño lo consagró de inmediato como el mejor estudiante de su promoción. Pero no había pasado aún un año desde su egreso de la Universidad cuando pudo percibir plenamente qué grave era el obstáculo que para cualquier futuro progreso en esa carrera erigían los nada secretos vínculos de solidaridad que su familia mantenía con los expulsos.

Se lo vino a revelar en 1775 el inesperado desenlace que tuvo para él el conflicto que opuso al rector franciscano de la Universidad y al obispo Moscoso y Peralta, titular desde 1772 de la sede cordobesa, en el que él mismo, apenas ordenado presbítero e incorporado al claustro de doctores de su *alma mater,* tuvo participación muy activa. El obispo, integrante de una eminente familia del patriciado criollo de su nativa Arequipa, sensible a las críticas de los ilustrados que reprochaban a la Iglesia española haber descuidado sistemáticamente

[8] AbF, AF, I, 2.

la labor pastoral a cargo del clero parroquial mientras concentraba esfuerzos y recursos en beneficio de los canónigos y dignidades que servían en las sedes episcopales, decidió separar rigurosamente la esfera de acción que en la formación de los futuros miembros del clero correspondía a la Universidad de la propia del Seminario Conciliar de su dependencia, que estaba decidido a que concentrara sus esfuerzos en la preparación de los futuros clérigos para abordar con celo y eficacia esas tareas pastorales largamente descuidadas. En ese conflicto Funes tuvo un papel central en las deliberaciones del claustro universitario al que acababa de incorporarse, que junto con el cabildo eclesiástico defendía el derecho de los estudiantes del seminario a completar los cursos seguidos en éste con otros de la Universidad, que los habilitarían para postularse a las sinecuras catedralicias abiertas a quienes obtuvieran las borlas doctorales, y tanto más generosamente dotadas que las parroquias a las que buscaba destinarlos Moscoso, pero sus protestas nada lograron frente a la determinación de éste, que —fuerte en su autoridad episcopal y ya en guerra abierta con su cabildo-catedral— resolvió además prescindir en el futuro de los servicios de los canónigos y dignidades que habían venido dictando cursos en el seminario.

El alineamiento de Funes con los así excluidos no impidió a Moscoso designarlo como nuevo rector del seminario, pero esa designación fue revocada pocos días después por su destitución, acompañada de su nombramiento como coadjutor del cura de la parroquia rural de Punilla, y fue ese desconcertante anticlímax el que vino a revelarle con brutal claridad que bajo la égida de quienes habían pasado a dominar en la iglesia cordobesa luego de la expulsión de la Compañía sólo podía esperar ser relegado a una perpetua oscuridad como integrante de la familia que más que ninguna otra se seguía identificando con los expulsos. A más de lo que esta peripecia anticipaba en cuanto a su destino personal, la publicidad de la que la destitución del cargo rectoral que lo había precedido rodeó a su relegamiento a una posición ínfima en el clero rural infirió un deliberado agravio a esa eminente familia, cuya extrema gravedad Ambrosio Funes advirtió de inmediato: como premio a la activa solidaridad con la Universidad cordobesa desplegada en la ocasión —escribía a su hermano— «recibiste desaires y vejaciones, y yo por tu poder referidas injusticias». La respuesta de la familia así agraviada iba a ser el alejamiento temporario de Gregorio Funes del escenario de esa humillante derrota; en la esperanza de hacer de él el punto de partida para un futuro desquite —le aseguraba Ambrosio— «me sacrificaré con actividad a fin de que no carezcas de todos los socorros necesarios».[9]

Así lo iba a hacer, y contando con esos socorros en 1778 Gregorio iba a completar en Alcalá los cursos necesarios para obtener el grado de Bachiller en Derecho Civil (el estudio del canónico lo había completado ya en Córdoba) y pasar de inmediato a Madrid, donde en 1780, tras dos años de práctica forense, obtuvo el de Doctor en ambos derechos. Como nota Miranda Lida, el testimonio de los *Apuntamientos* no establece «un claro contraste entre su formación inicial en Córdoba y su contacto posterior con la universidad reformada por Carlos III» en la que al cabo sólo había tomado unos «pocos cursos complementarios». Pero si no agregó quizá mucho a su formación estrictamente profesional, su estadía en Alcalá y Madrid «lo puso en contacto con una cultura ilustrada que... desconocía en su terruño natal,[10] y que le permitió al volver a éste ofrecer «a sus interlocutores la irreprochable imagen de un hombre ilustrado», para lo cual —observa de nuevo Lida— dadas las pautas de una sociabilidad forjada no en el marco de las instituciones académicas, sino en el de tertulias, cafés y salones patricios no era necesario «tener un conocimiento aceitado de cada texto y de cada autor»; bastaba en efecto «conocerlos de oídas» para que «en caso de que se los oyera mentar... estar en condiciones de poder emitir algún comentario al respecto; de allí la importancia de mantener correspondencia creciente con hombres de mundo, con los que pudiera discutir sobre las más diversas materias: historia, filosofía, política e incluso ciencias naturales»,[11] pero en la correspondencia que mantuvo luego de su retorno con corresponsales con quienes se

[9] ML, p. 41.
[10] ML, pp. 44-45.
[11] ML, p. 87.

había vinculado durante su estada en la Península, recopilada en los *Archivos del doctor Gregorio Funes* y orientada casi exclusivamente a promover sus avances en la carrera eclesiástica, no queda huella alguna de su incorporación en esa etapa de su trayectoria a ninguno de los circuitos en que florecía esa sociabilidad ilustrada.

Me parece que esa ausencia de toda huella nos permite entender mejor a qué se refería Funes cuando rememoraba sus esfuerzos por «formarse una educación literaria que sólo se la debiese a sí mismo», en cuanto sugiere que esas lecturas extracurriculares, si no habían tenido necesariamente el carácter clandestino que les atribuye cuando menciona que para realizarlas había debido sortear la vigilancia de sus jefes, habían sido una actividad marginal y por lo tanto casi solitaria en una etapa de su trayectoria en que había concentrado más que nunca sus esfuerzos en alcanzar éxitos académicos que comenzaran a borrar las consecuencias del revés sufrido al comenzarla en su nativa Córdoba.

Pero cabe preguntarse por añadidura hasta qué punto aquellos con quienes entró en contacto en la metrópoli y se habían incorporado con entusiasmo al circuito de la nueva sociabilidad ilustrada estaban impregnados por el nuevo espíritu que comenzaba a penetrar en la Península. Sobre este punto tenemos en el *Archivo* un solo testimonio, pero éste es también el del único interlocutor con quien Funes había estrechado amistad durante sus años españoles y que ha dejado su huella en él. Es este Joaquín Juan de Flores, con quien reanudó sus contactos en 1802 con una misiva cuyo borrador no ha quedado en el *Archivo,* pero que por el tenor de la respuesta estaba llena de encendidos elogios a unos sonetos de la autoría de su destinatario que, según éste aseguraba en su réplica, habían sido inmerecidamente incluidos sin su autorización en la *Biblioteca española del reinado de Carlos III,* frente a los cuales sólo la bondad del corazón y la fineza de la sincera amistad de su recuperado amigo podían explicar elogios tan excesivos, ya que, como es sabido, «el afecto es una lente prodigiosa, que abulta extraordinariamente los objetos, contribuyendo a aumentar sus grados la distancia por un orden inverso al que se observa en las cosas físicas». Como se ve, en ese intercambio de cortesías el recurso a las ciencias físicas y naturales se limitó a enriquecer aún más la cornucopia de la imaginería barroca, como lo había hecho ya un siglo y medio antes en los diálogos de Trissotin y Vadius incluidos por Molière en *Les femmes savantes.*

La respuesta de Flores se demoró por más de un año, y partió junto con otra que la daba a la de noviembre de 1802 en que Funes le solicitaba que reemplazase a quien había sido su apoderado en la Corte para las gestiones destinadas a confirmarlo en la dignidad de Deán de la catedral cordobesa, que ocupaba interinamente cuando su anterior titular había pasado a ocupar la silla episcopal de Asunción del Paraguay. En ella Flores se manifestaba dispuesto a hacerlo, con «la misma disposición a emplearme en su obsequio que cuando divertíamos nuestros ocios nocturnos con el inocente pasatiempo de la casa del provisor Palomares», y la relación de sus «progresos civiles y literarios» que agregaba para edificación de su antiguo condiscípulo en los claustros de Alcalá no dejaba duda de que la expectable posición que ocupaba le permitiría desempeñarse con suma eficacia, ya que siguiendo «en *su* carrera las huellas de *su* difunto tío» era desde hacía nueve años «auditor de guerra del ejército y provincia de Castilla la Nueva con los honores de Oidor de la Real Audiencia de Sevilla», y podía además poner al servicio de las ambiciones de su amigo americano el aval de los títulos científicos que había ya conquistado, y «que como usted observa juiciosamente sólo adornan al hombre dotado de un verdadero mérito», entre los cuales se sumaban al de Académico de Número de la Real Academia Española y al de la Historia el de Secretario perpetuo de esta última, «que también obtuvo mi tío por más de veinte años hasta que falleció de Alcaide de Casa y Corte» y a más el de individuo de la Real Academia de Buenas Letras de Sevilla y de la Sociedad Económica de Madrid, los de «tres Academias de Derecho público y español, que aunque de un orden inferior no dejan de ser recomendables», en las que también había «trabajado memorias y discursos». Aunque no podía ya servir a su remoto amigo en las gestiones para obtener su confirmación en la dignidad de Deán, porque en el ínterin éste ya la había recibido, esperaba contribuir con sus esfuerzos a que éste tuviera pronto oportunidad de celebrar que «con una mitra acabe de completar su satisfacción en justo honor de su distinguido mérito».[12]

Es precisamente ése el objetivo que Funes se ha fijado para la nueva etapa de su carrera, y desde este momento serán los servicios de Flores como su apoderado en la villa y corte los que ofrezcan tema casi exclusivo para la nutrida correspondencia que van a mantener por casi una década. De su tan influyente y prestigioso «amigo y compañero» esperaba Funes algo más que los servicios de un mero apoderado que lo tuviese al corriente de las vacantes producidas en el Cuerpo Episcopal de Indias, tomase a su cargo las gestiones necesarias para la postulación a ellas y distribuyese los fondos destinados a llevarlas a buen puerto, y un año después de ese primer contacto lo hacía explícito en una misiva en que tras señalar que «sería más que una desdicha mía que no consiguiese alguna de las Prelaturas del Reino, después de una carrera tan larga y de hallarme con todos los medios y proporciones para facilitar este empeño», concluía invocando su protección, en la que sobre todo confiaba, «porque me parece imposible que mediando sus respetos acerca de una cosa tan en su lugar no se consiga».[13]

De este modo el vínculo de negocios que Funes ha establecido ya con sus anteriores apoderados se dobla en el que establece con Flores de otro que no es excesivo caracterizar como clientelar, reflejado en su decisión de abrirlo con el envío de un presente propiciatorio a quien puede favorecer sus ambiciones porque ocupa una posición más elevada que la suya propia en las jerarquías de poder e influencia de la monarquía católica. Es éste un tejo de oro de dieciséis onzas, «cuyo destino es que usted lo disfrute en mi nombre mandándose hacer un puño de espadín»,[14] y que sólo alcanzará a su destinatario tras infinitas vicisitudes causadas por la guerra en curso en el Atlántico. Todo esto sugiere que la prosa epistolar de Flores, en que los avances de la

[12] Joaquín Juan de Flores a Gregorio Funes, Madrid, 3 de abril de 1803, AF, I, 125-28, *passim.*

[13] Funes a Flores, Córdoba, 15 de abril de 1804, AF, I, 212-15, la cita de p. 214.

[14] Funes a Flores, Córdoba, 15 de agosto de 1803, AF, I, 163-69, la cita de p. 168.

ilustración han introducido innovaciones apenas marginales en un *art de faire* —para decirlo con el vocabulario de Michel de Certeau— que sigue siendo el de la España barroca, refleja un rasgo más general de esa etapa de la vida española, tan presente en el obsequio de Funes a Flores, que conserva intacto el valor simbólico que había sido ya el suyo en siglos anteriores, como en la ufanía con que éste hace inventario de las academias y sociedades que le han abierto sus puertas, que sugiere que no lo ha atraído a ellas la oportunidad de incorporarse a otros tantos innovadores *cercles de pensée* sino la misma ambición que en el pasado se hubiera satisfecho con su incorporación a una orden militar.

Del vínculo con Flores espera Funes que le permita avanzar en una carrera demasiado tiempo estancada. En 1802 habían trascurrido ya veintisiete años desde que los esfuerzos de Ambrosio lo habían salvado de un destino oscuro en el clero parroquial y veintidós desde que su retorno a Córdoba para ocupar la canonjía de gracia para la cual Carlos III lo había propuesto en 1778, lo había incorporado al capítulo catedralicio, como había sido siempre su ambición, y todavía permanecía en esa posición (que, como nos recuerda Miranda Lida, era en ese capítulo «la última en orden de importancia») a la espera de la siempre demorada confirmación de su promoción a la más elevada de todas; se entiende entonces que pusiera en las influencias que podía mover su antiguo camarada de estudios las fervorosas esperanzas de quien había encontrado cada vez más difícil mantenerlas tras de tantos años sólo ricos en decepciones.

Todas ellas eran consecuencia del recelo que despertaban entre sus superiores los contactos que su familia mantenía con los expulsados jesuitas. Sin duda él mismo se había mantenido del todo al margen de éstos, y durante su permanencia en la metrópoli ese vínculo no había sido obstáculo para su designación en un cargo en el clero catedralicio por parte del monarca responsable del extrañamiento de la Compañía, pero para quienes gobernaban la iglesia cordobesa, y eran sensibles al peligro que significaba para las posiciones que ocupaban en ella la presencia de quienes desde la menuda elite de la ciudad se esforzaban por mantener viva la memoria —y la nostalgia— de los ausentes, esa marginalidad tan cuidadosamente mantenida no lo hacía menos sospechoso. Y no les faltaba razón; si en la correspondencia entre los Funes y el padre Juárez,[15] que desde Roma centralizaba los contactos de los desterrados con quienes desde el Nuevo Mundo les enviaban socorros destinados a hacer menos dura la penuria a la que los condenaban los muy exiguos provenientes tanto de su soberano terrenal como del espiritual, no hay ninguna pieza debida a la pluma de Gregorio Funes, las condiciones en que debía entablarse esa correspondencia, cuando quienes participaban en ella estaban penosamente conscientes de la posibilidad de que —pese a todas las precauciones— lo que en ella se escribiese concluyera en manos de los agentes de uno u otro aconsejaba restringirla a tan pocos interlocutores ultramarinos como fuese posible, lo que hace comprensible que, mientras el nombre de Gregorio Funes sólo aparecía mencionado entre los de aquellos a quienes el P. Juárez enviaba un afectuoso saludo al cerrar sus misivas a su hermano Ambrosio, sus antiguos maestros de la Universidad regida por la Compañía estuviesen seguros de estar en lo justo cuando celebraban como propios los triunfos que jalonaban su carrera.

El recelo que Funes despertaba en sus superiores en las jerarquías eclesiásticas y temporales de su nativa Córdoba no podía por otra parte ser aliviado por las profesiones de rendida lealtad que prodigaban los desterrados al referirse a quienes los habían reducido a una condición de parias en tierra ajena, y no tanto porque no las juzgasen sinceras, sino más bien porque esa heroica lealtad tan abundantemente proclamada se alimentaba de la esperanza de que los mismos que les habían impuesto ese injusto destino, advirtiendo el error en que habían incurrido, repararan mediante su plena rehabilitación el daño que les habían infligido, y a medida que avanzaba el vendaval revolucionario desatado en Francia en 1789, con resultados devastadores tanto para la autoridad de los monarcas de la entera Europa como para la del pontificado, esa posibilidad se estaba haciendo cada vez menos remota.

[15] Publicada en Pedro Grenon, *Los Funes y el Padre Juárez,* Córdoba, Biblioteca Funes, 1920.

La correspondencia recopilada por el P. Grenon refleja la creciente confianza de los desterrados en un cada vez más inminente fin de su calvario, y aunque quienes en nombre del monarca católico ejercían sobre las Indias una autoridad que —precisamente porque se sabía amenazada— necesitaba más que nunca ser tenida por irremovible evitaban cuidadosamente considerar explícitamente la posibilidad de que esa confianza estuviese justificada, eso no les impedía poner más celo que nunca en asegurarse de que quienes —como Funes— eran sospechados de guardar lealtad a la memoria de los desterrados permaneciesen excluidos de posiciones desde las cuales podrían hacer aún más duras las consecuencias que para ellos amenazaba alcanzar ese cada vez menos impensable cambio de fortuna.

Y por otra parte apenas de regreso a Córdoba el mismo Funes hizo lo necesario para justificar esos recelos de sus superiores. Retornó a su ciudad nativa en 1780, en el séquito del nuevo obispo destinado a reemplazar a Moscoso luego de dos años en que la sede cordobesa había permanecido vacante. Era éste el peninsular José Antonio de San Alberto, un fraile carmelita de mente clara y fuerte temperamento, dispuesto a gobernar con mano férrea la diócesis puesta a su cargo, que —guiado aún más firmemente que su predecesor por los criterios de las nuevas corrientes ilustradas— asumió como el principal objetivo de su gestión al frente de la diócesis cordobesa la formación de un nuevo clero parroquial capaz de encarar con éxito una acción apostólica que, a más de depurar las prácticas devotas de su grey de contaminaciones supersticiosas demasiado tiempo toleradas, le enseñaría a usar en su propio beneficio los avances de las nuevas ciencias de la naturaleza y de la sociedad. No ha de sorprender que San Alberto apoyase los principios regalistas que defendían el pleno mantenimiento de la autoridad que sobre esa iglesia ejercía desde su fundación el monarca católico con el mismo intransigente fervor que ponía en promover esa segunda conquista espiritual de las plebes indianas, y no sólo porque gracias al favor de quien ocupaba entonces el trono la corriente favorable a innovaciones como la que se preparaba a promover estaba conquistando una influencia dominante en sus estructuras de autoridad, sino porque había mucho en su carácter que lo preparaba para identificarse apasionadamente con las nociones en que se apoyaba la monarquía absoluta de derecho divino.

Se entiende que Funes recordara luego con orgullo cómo no había vacilado en enfrentar no sólo a un obispo al que sabía inclinado a reaccionar con el máximo vigor ante cualquier obstáculo que se interpusiera en su camino, sino también a magistrados temporales que tampoco veían con favor sus iniciativas. De ese orgullo está lleno el relato que hace de éstas en sus *Apuntamientos,* en él recordaba cómo «desde la expulsión del cuerpo jesuítico, había ordenado el rey de España, por varias cédulas, que el Clero Secular los reemplazase en las Cátedras de la Universidad de Córdoba, a pesar de lo terminante de estas disposiciones ellas habían sido echadas al olvido, ya por la intriga, ya por el favor que gozaban los regulares de San Francisco, en el ánimo de los Virreyes, del Obispo San Alberto, y del Gobernador de Córdoba, Marqués de Sobre-Monte [mientras] el Clero se producía en amargas quejas por esta postergación, pero sin aliento para reclamar sus derechos, la sufría pacientemente», y cómo fue su intervención en esa causa la que vino a rescatarlo de esa intimidada pasividad. Fue en efecto Funes quien «desde su regreso de España, sin que lo amedrentase el poder y los respetos más altos, promovió la causa del clero del modo más enérgico»; a su pluma se debió «el célebre memorial que, con poderes del mismo clero, dirigió al Virrey Marqués de Avilés, pidiendo el cumplimiento de las Reales Cédulas» y cuando sus adversarios recurriendo a «todos los resortes de la intriga» lograron que ese Virrey, sin disputar la validez de sus argumentos, resolviese que «no era aún el momento oportuno para que se le confiase al Clero la enseñanza» no vaciló en proseguir el pleito ante el Consejo de Indias, hasta que «al cabo de un prolongado litigio de muchos años que por su apoderado sostuvo a sus expensas en la Corte, triunfó en fin aún más de lo que pensaba, mandando el Rey en cédula de 1800 que tuvieran cumplimiento sus anteriores resoluciones». Sin duda esa victoria se reveló de inmediato vacía, ya que «a pesar de ese completo triunfo, él tuvo que sufrir todas las injurias de los déspotas subalternos de la América, a la que estaban expuestas las providencias de la Corte» hasta tal punto que todavía corrieron siete años «sin que las instancias del señor Funes mereciesen otra respuesta que un insultante silencio».[16] Iban a ser sólo las inesperadas consecuencias de las no menos inesperadas invasiones inglesas que en 1806-7 llevaron la guerra a la región del Plata las que, al disminuir el influjo de los enemigos cordobeses de Funes sobre la administración virreinal, las que por fin lograrían que se diese cumplimiento a lo dispuesto por el soberano cuatro décadas antes.

A lo largo de casi dos de ellas Funes no sólo había desplegado en su lucha contra adversarios tan temibles como él mismo los presenta la constancia y la firmeza de las que estaba justamente orgulloso, sino que se había revelado como un maestro en la práctica del combate entre *cliques* y facciones que mantenía en perpetua agitación a las elites del Antiguo Régimen. Su designación para la posición más baja en el clero de una catedral dominada por sus enemigos no sólo le quitaba toda esperanza de rápidos progresos en su carrera, sino parecía condenarlo a sufrir por tiempo indefinido una marginación difícilmente soportable en la que ya ocupaba, pero supo escapar de ella haciendo de la que en sus *Apuntamientos* presentaría como empresa casi quijotesca (y lo era sin duda en cuanto a su objetivo ostensible) el instrumento que le permitió reclutar un séquito cada vez más numeroso en las filas del clero secular, hasta entonces dividido sobre líneas facciosas, porque logró persuadir a sus integrantes de que el objetivo de arrebatar el control de la universidad a los frailes franciscanos, que habían juzgado hasta entonces tan inalcanzable como deseable, estaba en cambio a su alcance con sólo que dejando de lado sus pasadas querellas pusieran en conquistarlo el esfuerzo tenaz que la magnitud del premio ofrecido por la victoria justificaba plenamente. Tal como señala Miranda Lida, en la batalla por la Universidad «la figura de Funes adquiría cada vez mayor peso en la iglesia de su ciudad nativa» porque supo reclutar apoyos suficientes «para la conformación de la identidad colectiva que congregaría al clero secular cordobés».[17] Con esos apoyos el cabildo eclesiástico se constituyó en vocero y representante de todo ese

[16] AbF, AF, I, 6-7.

[17] ML, 47 y ss., la cita de p. 53.

sector del clero, y Gregorio Funes, que a más de acaudillarlo volcó en la lucha no sólo sus recursos de experto en derecho canónico sino los cada vez más cuantiosos que Ambrosio seguía allegando a la empresa, surgió como figura de primera fila en las disputas de la elite, protegido como tal de cualquier intriga de sus siempre poderosos enemigos, sin duda tan deseosos como antes de librarse de su incómoda presencia, pero temerosos ahora de que cualquier intento en ese sentido provocara un escándalo de consecuencias imprevisibles, y ello le iba a permitir desde entonces esperar en posición menos incómoda que un eventual cambio de fortuna le brindara la oportunidad para un cumplido desquite.

Mientras ni aún la trasferencia en 1807 del gobierno de la Universidad al clero secular se lo iba a ofrecer tan completo como lo hubiera deseado, ya mucho antes el alejamiento del obispo San Alberto, promovido en 1785 al arzobispado de Charcas, y su reemplazo por el obispo Ángel Mariano Moscoso, sobre quien alcanzó a ganar un influjo que en sus *Apuntamientos* describió como «sumamente provechoso [...] para el acierto de su ministerio, pues lo sacó en hombros en las graves competencias de jurisdicción que tuvo con el Gobernador Marqués de Sobre-Monte»,[18] le había permitido retomar, cubierto ahora con la autoridad de quien había sucedido en la silla cordobesa a su enemigo San Alberto, su disputa contra ese otro enemigo que representaba en Córdoba la autoridad del soberano temporal.

El rencor con que la facción adicta a ambos asistía al ascenso de la estrella de Funes no iba ya a borrarse; Enrique Martínez Paz no iba a ser el único que vería reflejada la enconada ojeriza «de partido contra el obispo Moscoso y, en particular, contra el canónigo Funes y los de su bando»[19] en la *Relación Histórica de la ciudad de Córdoba,* publicada anónimamente en 1802 en el *Telégrafo Mercantil,* primer periódico que vio la luz en Buenos Aires, en que el Deán del cabildo

[18] AbF, AF, I,5.

[19] En su «Introducción» a Guillermo Furlong Cardiff S.J., *Bio-bibliografía del Deán Funes,* Córdoba, Universidad, 1939, p. V, cit. en Raúl Quintana, «Noticia preliminar», AF, I, IX.

eclesiástico Nicolás Videla del Pino ofrecía una crónica entusiasta de los progresos de la ciudad en los felices tiempos en que San Alberto había gobernado la diócesis, mientras ignoraba sistemáticamente los alcanzados gracias a las iniciativas de su sucesor, a la que Funes juzgó necesario responder polémicamente por la misma vía,

Pero era ésta por el momento una rabia impotente; la oposición de Videla del Pino poco podía pesar en una catedral en la que Funes, elevado en 1793 con el voto de sus pares a la dignidad de arcediano, sólo inferior en el cabildo eclesiástico a la de deán, había asumido en ese mismo año, a propuesta de Moscoso, el cargo de provisor de la diócesis, que en ausencia del titular lo autorizaba a tomar decisiones en asuntos que así lo requiriesen.

La posición de liderazgo que Funes había sabido conquistar en el clero cordobés no sólo premiaba la destreza que había revelado para orientarse en el traicionero terreno en que libraban sus batallas las facciones en que se dividían las litigiosas elites cordobesas, sino también el prestigio que le confería haber revalidado en la metrópoli sus credenciales como letrado, que hizo inevitable que a él le fuese encomendado en 1790 ofrecer la *Oración fúnebre* destinada a acompañar las ceremonias de exequias de Carlos III, muerto el año anterior. Funes, que —como se lamentaba en carta a Flores— en su «vida tan laboriosa, y siempre bajo el yugo de la pluma» había debido emplearla en la composición de innumerables «sermones, papeles en derecho, representaciones, oficios, cartas, consultas» que, aunque inspirados por su «incesante anhelo por la utilidad pública»,[20] carecían de todo mérito literario, decidió hacer memorable la ocasión que así se le ofrecía para redondear su figura de literato y no tan sólo de funcionario de la administración imperial; con esa intención hizo imprimir a su costo el texto de la *Oración* en las prensas de Buenos Aires para distribuirlo entre sus conocidos de ambas orillas del Atlántico.

El fruto de sus esfuerzos, que cubre 53 páginas en el tomo I del *Archivo* de Funes, combina ese propósito con el de trazar una imagen de Carlos III que lo presentase como el digno sucesor de los «vale-

[20] Funes a Flores, Córdoba, 15/VIII/1803, AF, I, 163-69, la cita de p. 167.

rosos Ataúlfos, Leovigildos, Recaredos, Pelayos, Ramiros, Alfonsos, Íñigos, Carlos, Fernandos y principalmente de los Felipes»,[21] que en la huella de esos insignes guerreros acaudilló en la jornada de Velletri a sus mesnadas «como otro Josué en defensa de Gabaón»,[22] pero a la vez como un monarca muy de su tiempo, que —del todo consciente de que «las luces del siglo presente... nos hacen detestable esa manía militar, y nos avergüenzan refiriéndonos las épocas en que el arte de fabricar armas nos hiciese olvidar las demás»—[23] una vez que gracias a sus hazañas en el campo de batalla y a la reorganización por él impulsada en ejército y marina la monarquía católica fue de nuevo respetada y temida por sus rivales de siempre, volcó todas sus energías en un pacífico combate contra «otros enemigos domésticos... La pobreza y la ignorancia, ésos eran los grandes tiranos, que habían eclipsado el esplendor de sus bellos días, y abatido el orgullo natural de la nación. La señora de las gentes no hacía más que mendigar, y la Atenas del siglo XVI se contentaba con pedir prestadas las luces que en otro tiempo pródigamente repartió». Y el efecto fue inmediato: «Apenas toma Carlos las riendas del Imperio, y recibe España una impulsión tan viva, que al volver los ojos apenas se conocía a sí misma. La obra lenta y perezosa de sacudir su cerviz del yugo de la indigencia y la ignorancia, fue más rápida y más universal que la expulsión de los judíos y moriscos».[24]

Es éste el punto de partida para un minucioso inventario de las mejoras introducidas durante el reinado de Carlos III en los más variados aspectos de la vida española, comenzando por la construcción de esa «moderna vía Apia [que] atraviesa el continente de España, donde Carlos copia perfectamente la invención de Claudio, la pericia de Graco, la delicadeza de César, la suntuosidad de Trajano [en la que] un pavimento enjuto y bien nivelado nos hace olvidar aun la memoria de las lagunas cenagosas de los valles: una dirección dies-

[21] AF, I, 299.
[22] AF, I, 299.
[23] AF, I, 305.
[24] AF, I, 307.

tra y uniforme se burla del aspecto formidable con que los montes nos prohibían la entrada [...] y reunidas todas estas ventajas, hacen la vida del caminante apacible, suave, amena y deliciosa». Y no es esto todo, también «las posadas se dan por intimadas de las sabias ordenanzas del Gobierno, y éstas tienen por objeto dar al pasajero un albergue y diversorio que lo persuada haber traído consigo su propia habitación». Y en una iniciativa aún más atrevida, Carlos incorpora al mundo civilizado a esa Sierra Morena, en «cuyos antros y grutas deponían los hombres su lenidad natural y se revestían de la ferocidad sanguinaria de los osos». A la pregunta de si «habrá fuerzas en la Monarquía para esta empresa digna de inmortalizar a los romanos» Funes la rechaza por injuriosa «¿No es Carlos quien manda? ¿Aquel monarca más ambicioso por agrandar la esfera de la felicidad pública que Alejandro por aumentar nuevos mundos a su dominación? [...] Medita, calcula, ejecuta: casi agotando su erario hace levantar pueblos famosos para una colonia de alemanes a quienes da leyes, idiomas, patria y sustento; y correspondiendo la ejecución a sus designios se complace su magnífico corazón viendo reinar el orden, la decencia y el recreo en aquel caos de lutos y de horrores».[25]

Y así sucesivamente; a partir de ahora la descripción de todo lo logrado bajo la égida de Carlos III, en que la mención de las innovaciones más modestas se mezcla con la de las reformas más ambiciosas, celebradas todas ellas con el mismo infatigable entusiasmo, va a ocupar casi todo el resto de la oración. Se necesita una lectura atenta para descubrir tras esas incesante efusiones la presencia de una visión bastante precisa del perfil del buen monarca de la Era de las Luces que según Funes ha encarnado Carlos, y ésta es solidaria en lo esencial con las nociones que subtendían la versión jesuítica de la modernidad cristiana. Mientras ofrece una imagen idílica de esa nueva civilización que cada día agranda la esfera de la felicidad pública, en que la vida se hace «apacible, suave, amena y deliciosa», y aun en Sierra Morena la acción del soberano acorde con los nuevos tiempos, dejando atrás lutos y horrores, no sólo ha abierto paso al orden y la

[25] AF, I, 312-13.

decencia, sino también al recreo, que muestra que Funes no ha sido insensible al influjo del clima colectivo del setecientos tardío en que floreció la literatura de Bernardin de Saint-Pierre, para él, como para sus antiguos maestros de la Compañía, esa nueva civilización sigue apoyándose en los cimientos de siempre, que quiere como ellos que permanezcan inconmovibles, y no ha de sorprender entonces que los términos de referencia a los que recurre para justipreciar las hazañas que Carlos III abordó en la huella de Carlos II de Habsburgo y el Gran Duque de Toscana los siga buscando como esos maestros en la narrativa bíblica y el legado grecorromano.

Ese rasgo se mantiene cuando Funes pasa de evocar al héroe cuyo elogio teje a celebrar los progresos que a él debe España; gracias a la acción de Carlos hay ya en ella nuevos «Sócrates, Platones, Aristóteles, Demóstenes, Salustios, Cicerones, Homeros, Horacios y Virgilios», por él congregados en las Academias creadas por su iniciativa.[26] En esas evocaciones Funes quiere que la mirada que dirige a ese pasado prestigioso aparezca demasiado deslumbrada por su magnificencia para ofrecer de él más que una vaga imagen de bulto; así, mientras las cualidades que proclama copiadas por el soberano de algunos grandes romanos no son siempre las que se esperaría ver unidas a sus nombres (no es frecuente, en efecto, que se reconozca en la delicadeza el rasgo distintivo de Julio César), la lista de filósofos, oradores y poetas cuyos émulos llenan las Academias fundadas por Carlos III parece elegida un poco al azar, y como extremo recurso en su esfuerzo por suscitar en su audiencia el mismo deslumbramiento termina reclamando ser creído bajo palabra cuando se confiesa embargado por una admiración demasiado desbordante para encontrar expresión adecuada: «¡Ah! —exclama— ¡que no me sea posible daros una idea de ese vuelo rápido con que en estos tiempos ha recorrido el espíritu humano toda la esfera de los conocimientos! ¡Qué hombres! ¡Qué obras! ¡Qué crítica! ¡Qué profundidad! ¡Qué delicadeza! ¡Qué abundancia! ¡Qué exactitud! ¡Qué enmienda y corrección!»[27]

[26] AF, I, 320.
[27] Loc. cit. n. anterior.

Lo que tiene aún para él de insatisfactorio su desempeño en la tarea que se ha fijado proviene quizá de que en el Siglo de las Luces una oración fúnebre en las exequias de un monarca católico debía ser, a la vez que una meditación sobre la muerte de quien está en ese mismo momento dando cuenta a su Creador de cómo ha desempeñado el mandato de gobernar a los hombres de Él recibido, la recapitulación de la foja de servicios del más alto magistrado de una burocracia imperial. Aunque todo sugiere que Funes estaba más interesado en el segundo que en el primero de esos objetivos, al tomar por modelo para el exordio de su oración fúnebre el de la pronunciada por Bossuet en ocasión de la muerte de Enriqueta de Inglaterra, esposa del duque de Orleans y hermano del Rey Sol, en la cual la temática que más le interesaba no podía tener lugar alguno, sólo logró hacer más patente la ausencia en la suya del necesario equilibrio entre ambos. El hasta hoy más célebre de los sermones del predicador de corte de Luis XIV se abría con una magistral evocación que en muy pocas líneas trazaba con fuerza incomparable la imagen de esa corte sumida súbitamente en el luto por la muerte de la hija del rey-mártir Carlos I de Inglaterra, cuya joven presencia había puesto una nota de ligera alegría en medio de los severos usos vigentes en ella. En un día que había comenzado como todos los otros, tras unas horas de penosísima agonía, esa muerte vino a arrebatarla a los brazos de su desesperado esposo, y la eficacia con que el orador supo evocar el eco que esa escena desgarradora suscitó en una corte dividida por odios tenaces, en que los encantos y la bondad sin dobleces de Enriqueta le habían ganado el cariño de todos, ha hecho hasta hoy inolvidables las muy sencillas palabras con que, según refería, la triste nueva se había difundido en ella. Ese *madame se meurt, madame est morte* ejerció sobre Funes una atracción al parecer irresistible, que lo llevó a abrir su propia oración haciendo de la frase de Bossuet, una vez adaptada a la circunstancia cordobesa, la desencadenante de los trasportes de dolor colectivo con que la ciudad había recibido la noticia de la muerte de Carlos III. Tras confesarse incapaz de «ponderar la grandeza de vuestro sentimiento» al recibir la triste nueva, ya que «no es la lengua el instrumento más expresivo, cuando pueden hablar las acciones y los ojos», pasaba en efecto a evocar esas mismas «acciones que reflejaron vuestra interior aflicción al oír decir EL REY ES MUERTO, EL REY ES MUERTO ¡Oh día! ¡Oh momento! Al primer ruido de una nueva todavía incierta ¿quién de nosotros no vio venir sobre su cabeza un rayo? El susto se apodera de todos; los unos se buscan a los otros, y antes de saludarse se preguntan ¿Señores, qué hay de nuevo?». Luego de tres días que Córdoba vivió suspendida entre el temor y la esperanza «llega el correo fatal, el cañón truena, suena la campana, y se nos asegura que EL REY ES MUERTO. A esta voz hace una pausa la naturaleza: enmudecida la República pierde toda su actividad [...] el magistrado deja caer la vara de la mano, el orden caballero se estremece, el soldado destempla sus cajas, el escolástico cierra sus aulas, las mujeres deponen sus adornos, y hasta el hijo no echa menos el pecho de la madre».[28]

Ese exordio en que a la frase que en el texto de Bossuet cumplía el milagro de hacer sentir con fuerza estremecedora el mensaje del Eclesiastés que proclamaba la vanidad de todas las cosas humanas la seguía en brusco anticlímax ese excesivamente coloquial y casero «¿Señores, qué hay de nuevo?» muestra, me parece, que al afrontar el desafío de evocar desde el púlpito la figura de Carlos III de cara a la entera elite cordobesa, Funes no había buscado una oportunidad de agregar riqueza y complejidad a su perfil de letrado exhibiendo un maduro dominio de un género —la oratoria sagrada— en que los objetivos del orador difieren radicalmente de los de quienes despliegan su elocuencia en el seno de la universidad, las cortes de justicia o los consejos que asesoran al soberano, cuando no es ni siquiera claro que hubiera adquirido plena conciencia de lo que los diferenciaba.[29] Es seguro en cambio que celebró plenamente en esa ocasión la oportu-

[28] AF, I, 295-96.

[29] Invita a dudarlo que en carta que Miranda Lida fecha *circa* 1789, Funes proclame que no se entrega «más a ese gustoso y útil ejercicio [*sc.*la predicación desde el púlpito] porque sin un estudio muy profundo temería ser como un vaso de vidrio que suena más cuanto más está vacío» (ML, 41), confirmando que ve en ella una actividad orientada hacia objetivos sustancialmente afines a los de la enseñanza desde la cátedra o los del ejercicio de la abogacía.

nidad de erigirse desde lo alto del púlpito catedralicio en portavoz de esa misma elite, incluidos en ella los enemigos que habían buscado en vano marginarlo y debían participar en su triunfo en religioso silencio. Y que su decisión de dar a las prensas el texto de su sermón y panegírico se debió menos a cualquier ambición de presentarse al mundo bajo la figura de un émulo de Bossuet que al deseo de tener algo más que ofrecer en el ritualizado intercambio de obsequios simbólicos, noticias y favores con quienes integraban junto con él una comunidad letrada dispersa sobre dos continentes.

Así lo entendieron los dos únicos destinatarios de *Oración fúnebre* cuya reacción ha quedado registrada en el archivo de su autor, que se abstuvieron por igual de considerar sus valores como pieza literaria. Mientras Flores, escribiendo en 1804, tras proclamarse un mero aficionado «a la literatura y la buena filosofía», y confesarse deslumbrado por el testimonio que los tres papeles que había recibido de su remoto amigo ofrecían «de sus rápidos progresos en la difícil carrera de los conocimientos humanos», excluía explícitamente de ese juicio admirativo «el panegírico del difunto rey, en que era necesario sacrificar en cierto modo la verdad a la razón de Estado, disfrazándola con el arte ingenioso de la elocuencia»,[30] dos años antes el porteño Manuel de Lavardén se acercaba a elogiar a Funes por aquello mismo que aquél habría de censurar: «La Oración fúnebre de Carlos III llenó todas las ideas de mi gusto [...] el orador de Córdoba probó todo lo que propuso, y esto de un modo tan maravilloso, como que su proposición pareció a primera vista de muy difícil prueba, por estar el auditorio prevenido contra la felicidad guerrera de Carlos III. Todos objetaban la pérdida de La Habana en su interior; pero ¡cuál fue su admiración al ver refutada y desvanecida esta objeción! Nadie pudo resistirse a esta demostración del Gran Genio que había ordenado tan admirable pieza»,[31] pero Lavardén no la encontraba admirable por sus quilates literarios sino porque en ella brillaban las mismas destrezas que, por ejemplo, aseguraban el éxito de un alegato ante el Consejo de Indias,

[30] Flores a Funes, Madrid, 1804, AF, I, 190-4, la cita de p. 191.

[31] Lavardén a Funes, Buenos Aires, 26/VI/1802, AF, I, 90-2; la cita de pp. 90-91.

y en este punto coincidía con Flores, que no la censuraba por ninguna insuficiencia en ese terreno, sino deploraba que en ella Funes hubiese recurrido a esas destrezas para disfrazar la verdad.

La decisión de publicar desde las prensas de Buenos Aires la *Oración fúnebre* reflejaba en suma una vez más la disposición de Funes a adaptarse instintiva y se diría que automáticamente a los cambios que se sucedían en su contexto externo, sin por ello modificar los objetivos de su accionar, sino por lo contrario para mejor poner a esos cambios al servicio de los que mantenía inmodificados. Al recurrir en 1790 a la imprenta Funes había buscado facilitar su inserción en nuevas redes de sociabilidad que tanto para él como para Flores no se presentaban como alternativas sino como complementarias de las basadas en contactos cara y cara en el marco de su vida profesional, en la esperanza de apoyarse por igual en ambas para apresurar sus progresos en una carrera hasta entonces menos brillante de lo que había esperado, y esa decisión no lo había forzado aún a avanzar más allá de la relación ambigua que sus primeros maestros habían establecido con las corrientes ilustradas en avance. Pero a partir de ahora los cambios en ese contexto externo, que se iban a suceder cada vez con mayor rapidez a medida que avanzaba la crisis final de la monarquía católica, ya indisimulable desde que, en 1796, se había visto forzada a concertar alianza con los regicidas que en Francia habían enviado al cadalso al jefe de la casa de Borbón, le iban a hacer cada vez más difícil mantener el equilibrio que ya en el panegírico de Carlos III lo había obligado a someter a una fuerte estilización su imagen de la relación que mantuvo con la Iglesia «un REY que —según aseguraba— supo mantener perfectamente la Magestad del Imperio con la sumisión al Sacerdocio»,[32] acudiendo para ello menos al «arte ingenioso de la elocuencia» que al recurso más expeditivo de pasar por alto todo lo que en esa relación no lo había mostrado del todo sumiso a la autoridad sacerdotal.

Así, al evocar las complicadas relaciones que Carlos III mantuvo con la Inquisición no vaciló en presentarlo exclusivamente como el soberano que debió correr en auxilio de un Santo Oficio incapaz de

[32] AF, I, 397.

atender con su antigua eficacia a su misión de preservar a España «del veneno de la novedad y de la astucia de que se vale el común enemigo para sorprender al diligente labrador», dejando el campo abierto a «una secta de incrédulos [que] trabajaba en persuadir a los hombres absurdos de los que no podía persuadirse ella misma: negar a Dios su existencia, o admitir una divinidad que nada tuviese que ver con los mortales [...] Éstos son los errores de nuestros días [...que] en algún modo difaman a los mismos que los detestan sólo con ser sus coetáneos [...] La incredulidad se esconde entre las flores de una política refinada, se adorna de todos los encantos de la ciencia del siglo, y fiada de que el hombre corrompido a favor de quien habla es quien la ha de escuchar, concibe el temerario designio de arrebatarnos los títulos domésticos de nuestra fe [...] a pesar de la vigilancia de un severo tribunal encomendado del campo de nuestra fe asoma la cizaña entre el buen grano, y se descubre la obra de las tinieblas. ¡Qué escándalo! La Inquisición truena, llama en su auxilio al Soberano y acude Carlos a salvar a su pueblo con toda la firmeza que inspira la religión [...] El error es proscripto, y obligado a pasar los Pirineos: los culpables castigados y preservado de este escándalo un reino que en todos los tiempos ha sido la mejor herencia del Señor».[33]

Había un tema frente al cual el recurso al silencio parecía especialmente indicado: era éste desde luego el de la expulsión de la Compañía de Jesús de los dominios del Rey Católico, que no hubiera podido tratarse desde el púlpito de la catedral cordobesa sin reavivar tensiones que los años no habían logrado apaciguar. Al recurrir a él Funes pudo haber decepcionado a sus maestros, que habían esperado que diera respuesta en su oración a la pronunciada por San Alberto desde su nueva sede altoperuana, en la que éste había incluido un encendido panegírico de Juan de Palafox, el ilustre obispo de Puebla, que en el siglo anterior había combatido fieramente los avances de la Compañía en la Nueva España, pero no es imposible que a más de las razones de prudencia antes mencionadas lo hubiera decidido a optar por el que estaba decidido a mantener frente a uno de los hechos más

[33] AF, I, 333-34.

importantes del reinado de Carlos III que fuese ese silencio el único recurso del que disponía en la ocasión para tomar distancia frente a una iniciativa del soberano a quien rendía homenaje que la solidaridad que lo unía con sus víctimas le vedaba aprobar.

Si Funes se iba a mantener siempre decidido a perseverar en ese equilibrio cada vez más difícil entre la apertura a las novedades del siglo y el apego a la sabiduría de los siglos no era tan sólo porque había sido ése el criterio de los maestros que lo habían guiado en la primera de sus carreras literarias: más aún pesaba sobre él que en sus esfuerzos por definir el lugar que aspiraba a ocupar en el mundo como hombre de Iglesia se siguiera apoyando en el supuesto de que la conciliación entre ambos era posible, y cuanto más difícil se hacía mantenerse en esa línea más lo decidían a perseverar en ella los riesgos que afrontaban quienes optaban por una adhesión más militante al credo ilustrado. Así lo reveló en 1794 su renuncia a la dignidad de maestre-escuela de la catedral de Buenos Aires, para la cual lo había designado Carlos IV; sin duda influyó en su decisión de resignarla la posición que de hecho había venido a ocupar en la de Córdoba, como el más influyente colaborador del obispo Moscoso, pero es difícil imaginar que no hubiera pesado también el recuerdo de la gestión de su predecesor en el cargo para el cual había sido designado. Desde su posición de maestreescuela, Juan Baltasar Maciel había introducido innovadoras reformas en la enseñanza impartida en el colegio porteño en que el clero secular había reemplazado a los jesuitas, y había debido afrontar por ello agrios combates y en algún momento la amenaza de un proceso inquisitorial, lo que hacía demasiado claro que quien lo sucediera se vería forzado a optar entre seguir avanzando por ese peligroso camino o abandonarlo, decepcionando a los amantes de las luces, cuya opinión pesaba más en Buenos Aires que en Córdoba.

La solución preferida por Funes le permitió evitar los peligros implícitos en la primera alternativa sin enajenarse la buena voluntad del sector ilustrado; todavía al recordar en 1802 el episodio, Lavardén la encontraba del todo justificada: «Fue grande mi alegría —escribía a Funes— cuando supe que V.S. debía ocupar el vacío, que dejó a nuestra literatura, y aun a nuestra moral la desgraciada muerte del

Dr. Maciel; pero V.S. tuvo razones para abandonarnos en nuestra orfandad: así suelen los pueblos satisfacer las culpas de sus cabezas»,[34] en frase que sugiere que advertía muy bien que sobre la decisión de Funes había influido el recuerdo de las persecuciones sufridas por Maciel a manos de algunos poderosos de Buenos Aires, y no encontraba censurable que hubiese decidido no exponerse a sufrirlas él mismo.

Aunque no hubiera podido ser más cautelosa, esa decisión ponía a Funes en el camino de otras en las que se lo vería adecuarse una vez más a los cambios en la relación de fuerzas que se sucedían tanto en su contorno más inmediato como en otros más remotos. En 1802, mientras en el marco local su posición se había consolidado hasta el punto de hacer de él quien en los hechos gobernaba la iglesia cordobesa, en Buenos Aires habían comenzado a arraigar cada vez con más fuerza las nuevas pautas de sociabilidad letrada, que abrían nuevas vías para el avance de las luces del siglo. Si el *Telégrafo Mercantil,* primero de los periódicos publicados en Buenos Aires, había podido servir de vehículo de difusión tanto para el apologista de San Alberto cuanto para su contrincante (y lo que separaba a ambos no era que ocupasen posiciones opuestas en el conflicto entre lo antiguo y lo nuevo; como se recordará, el que dividía al clero cordobés había tenido su origen en la tentativa de San Alberto de volcar lo mejor de los recursos de su sede hacia la formación del parroquial, una aspiración ilustrada a la que Funes no hubiera tenido nada que objetar si no hubiera puesto en peligro las prebendas del catedralicio), el segundo de esos periódicos, el *Semanario de Agricultura,* publicado por Hipólito Vieytes, es declaradamente un instrumento de combate a favor de una agenda ilustrada que —articulada primero en el marco de la monarquía católica como una propuesta dirigida a la vez al soberano que la gobierna y a la Iglesia, cuya autoridad sobre las conciencias de sus súbditos podría persuadirlos a aceptar dócilmente la introducción de normas demasiado innovadoras para no suscitar peligrosas resistencias— no ha perdido nada de su urgencia pese a que el avasallador avance de la ola revolucionaria asegura para esa propuesta una recepción cada

[34] Lavardén a Funes, loc. cit. n. 31, p. 90.

vez más hostil de parte de quienes ocupan la cumbre de las jerarquías del que en la porción de Europa que esa ola ha alcanzado a cubrir es ya conocido como el Antiguo Régimen, a quienes está ofreciendo una severa lección sobre los peligros encerrados en una demasiado confiada apertura a las ideas del siglo.

Sin duda la monarquía hispánica, que se ha visto forzada a entrar en alianza con la Francia revolucionaria, mantiene una actitud suficientemente ambigua frente al legado de la agenda que había hecho suya hasta casi la víspera para tolerar que todavía en 1802 Vieytes ponga al servicio de esa misma agenda el instrumento exquisitamente ilustrado que es la prensa periódica, pero una corriente cada vez más fuerte entre quienes administran los dominios españoles sostiene que precisamente la existencia de esa alianza hace imprescindible poner en el combate contra los errores que la invaden de más allá del Pirineo la misma energía que en 1790 Funes había celebrado en Carlos III, no sólo proscribiendo el error, sino redoblando la severidad en el castigo de los culpables de difundirlo, como único medio de salvar «un reino que —como recordaba entonces Funes— en todos tiempos ha sido la mejor herencia del Señor».

Entre las elites de esa monarquía que se sabe encerrada en una encrucijada mortal, y titubea entre alternativas todas ellas problemáticas, comienzan a aflorar los lineamientos de una nueva división facciosa, que excede la esfera local que dominaba sus preocupaciones en tiempos más normales, y algo de eso se refleja en la relación que Funes establece con los ilustrados de Buenos Aires, que en esa querella han adoptado una posición de la que están ausentes las ambigüedades que él mismo cultiva. Éstos buscan acuciosamente recibir el aval de quien —tal como subraya Hipólito Vieytes al solicitarle colaboración para su *Semanario de Agricultura,* para el cual esperaba contar «con el inmediato auxilio de los Americanos ilustrados, y con el amparo y protección de los que se distinguen con el ilustre nombre de sabios»— ocupaba «un eminente lugar entre los individuos que componen esta clase».[35] Se advierte aquí algo de lo que ese vínculo con quienes tie-

[35] Juan Hipólito Vieytes a Funes, Buenos Aires, 26/VII/1802, AF, I, 103.

nen con él tan poco en común ofrece a Funes: gracias a él son quienes en las tierras del Plata se han constituido en paladines del pensamiento ilustrado quienes legitiman su ambición de ser reconocido como uno de los distinguidos con ese nombre. Por su parte quienes así lo hacen esperan de ese vínculo algo más que la oportunidad de cobijarse bajo la autoridad que ellos mismos le han conferido; quienes en Buenos Aires afrontan las resistencias de las fuerzas del eterno ayer aprecian en lo que vale la amistad de quien hace la ley en esa iglesia cordobesa aún más apegada que la porteña a la herencia del pasado que aspiran a abolir. Y no es abusivo achacar al interés por consolidar un vínculo mutuamente provechoso algo de la admiración desplegada por Lavardén en los comentarios que le inspiró la lectura de la *Carta Crítica*, cuando tomó a su cargo preparar su texto para su publicación en el *Telégrafo Mercantil.* Según asegura a Funes, fue esa admiración tan intensa la que lo decidió a «recogerse profundamente a estudiar el arte de su organización» ya que, aunque estaba demasiado consciente de que de poco le servía «conocer esos primores si no *había* de poder imitarlos [...] siempre *le era* lisonjero el poder distinguir lo que muchos no advierten»; sólo tras llenar una página con elogios apenas menos desmesurados advierte la conveniencia de poner fin a esas efusiones «por no parecer lisonjero», ya que deploraría que su destinatario reconociera en él a alguien capaz de incurrir en adulaciones («Dios me libre de semejante lepra»).[36]

Lo que hace difícil no sospechar que por una vez ha cedido a esa tentación es que el Manuel de Lavardén que en esta ocasión cultiva con ahínco el mismo barroco estilo epistolar practicado por Funes y Flores en sus misivas más cuidadosamente orquestadas (en que Funes ruega que su amigo peninsular le permita deleitarse con las poesías de su autoría mencionadas pero no incluidas en una anterior, que de antemano juzga dignas del estro de Píndaro, y éste por su parte contrasta sus torpes ensayos con las magistrales producciones de su amigo americano) es un militante de la causa ilustrada cuyos escritos acerca de las realidades económicas y sociales de la comarca rioplatense re-

[36] Loc. cit. n. 13.

velan una mirada curiosa y penetrante, y basta una breve mirada a la *Carta Crítica* para descubrir todo lo que diferencia a su texto de los de quien proclama haber descubierto en él una inimitable obra maestra.

Lo diferencia sobre todo de éstos que es, como casi todo lo que brotó de la pluma de Funes, una obra de circunstancias, orientada a alcanzar ciertos efectos prácticos antes que a dilucidar un problema teórico; en este aspecto está más cercana a esos innumerables «sermones, papeles en derecho, representaciones, cartas, consultas» que, según lamenta, es su destino escribir a lo largo de una vida toda ella vivida «bajo el yugo de la pluma» que al *Nuevo aspecto del comercio en el Río de la Plata,* debido a la de Lavardén.[37] Ese escrito, del mismo modo que el de Funes, es un alegato a favor de un objetivo preciso, en este caso una apertura de la comarca rioplatense al comercio externo más plena que la introducida en 1782, de la que espera que acelere el ritmo de la ya comenzada expansión de su economía pastoril, pero es a la vez algo más que eso, a saber, un intento serio de dilucidar un problema concreto apoyándose en supuestos teóricos en cuya validez confía, ambición esta última de la que no se descubre huella alguna en las cuarenta y dos páginas que cubre la *Carta Crítica* en el tomo I del *Archivo del doctor Gregorio Funes.*

En los *Apuntamientos* Funes declara que la circunstancia que lo llevó a escribirlas fue la publicación en el periódico porteño de una pieza que ofendía la reputación del segundo obispo Moscoso, que lo decidió a salir en su defensa con otra que «corre impresa y da mucha luz sobre las producciones naturales de Córdoba»,[38] pero a defender esa reputación consagró sólo las once finales, en que denunciaba las «falsedades de artificio y omisiones afectadas; sin duda tan dignas de reparo como lo peor que afirma» a las que el autor de la pieza incriminada recurría para negar a Moscoso papel alguno en los progresos que en las últimas décadas había conocido su diócesis, a las que precedían otras treinta en que presentaba a esa supuesta relación histórica como

[37] Manuel José de Lavardén, *Nuevo aspecto del comercio en el Río de la Plata, Estudio preliminar y notas de Enrique Wedovoy,* Buenos Aires, Raigal, 1955.

[38] AbF, AF, I, 5.

«un entretejido de equivocaciones crasas [e] inadvertencias pueriles», que sólo hacía imposible ignorar la decisión del «respetable cuerpo [el cabildo municipal de la ciudad de Córdoba] no sólo lo dirigió a sus manos [*sc.* las del redactor del *Telégrafo*] sino que también se dio por autor de él».[39] Con ello Funes vino a proclamar *urbi et orbi* su total solidaridad con la facción que en una querella contenida hasta entonces dentro de los muros de la Catedral se oponía a la acaudillada por el más enconado de los enemigos que debía enfrentar en el cuerpo capitular, el Deán Nicolás Videla del Pino, a cuya pluma —como sin duda nadie ignoraba dentro de la elite cordobesa— se debía el texto por él exhaustivamente demolido en la *Carta Crítica.*

Buena parte de la acrimonia que reina en esas treinta páginas se debe sin duda a que en ellas Funes está seguro de estar respondiendo a una deliberada agresión que, contando con la complicidad del cuerpo municipal, el jefe del bando rival dentro del capítulo catedralicio ha pretendido infligir al que él mismo acaudilla. Las abre denunciando que en su deseo de dar su aval a su aborrecido adversario el cabildo secular incurrió en el imperdonable «atentado político» de otorgarlo también a la aseveración de Videla del Pino según la cual «Córdoba es una de las más modernas poblaciones de la gobernación del Tucumán», cuando es bien sabido que «la mayor antigüedad es uno de los blasones que más ha alimentado la vanidad de los Pueblos», y aún la deplorable frecuencia con que éstos acuden a la libre invención para «poder sostener su adorada primacía [...] es una prueba real de lo que vale una antigüedad bien averiguada y de la injuria que les hace el que los despoja de este título, sin otro apoyo que el de su palabra».[40] Eso es lo que ha hecho Videla del Pino, y Funes dedica las ocho páginas siguientes a probar que en su intento de privar a Córdoba de ese título tan codiciado sólo ha logrado revelar hasta dónde llega su ignorancia de los temas en que temerariamente se aventura. Se apoya para ello en abundantes citas que le permiten finalmente concluir que, aunque entre los autores que en siglos pasados se han ocupado del tema no

[39] AF, I, 351.
[40] AF, I, 351-2.

se observa «una perfecta consonancia de dictámenes en orden a la sucesión cronológica de estas ciudades», lo que no debe sorprender a nadie ya que «el camino que conduce a los sucesos más remotos, siempre se halla casi cegado por la injuria de los tiempos»,[41] aun prestando fe entre todas las opiniones autorizadas a la más desfavorable a la antigüedad de Córdoba «vendría a tener Córdoba tres Ciudades anteriores y otras tantas posteriores». «¿Qué nos resta —concluye triunfalmente— para suplicar al Muy Ilustre autor recoja su absoluta, y tenga la humildad de confesar lo clásico de su error?»[42]

Funes empleará las siguientes veinte páginas en probar la falsedad de todo cuanto ese autor afirma acerca de Córdoba, comenzando por la de atribuirle una traza casi cuadrada cuando su plano, «aceptado por este Muy Ilustre Ayuntamiento» le asigna diez cuadras de largo y siete de ancho. «A vista de esto —se pregunta Funes— ¿podrá afirmarse, con verdad, que es de traza casi cuadrada?», cuando de siete a diez «hay más de una cuarta de exceso».[43] No es ése el único error contenido en las informaciones que ofrece ese autor sobre la topografía de la ciudad, a la que atribuye calles «espaciosas», cuando «lo que para unos es espacioso, puede ser muy limitado para otros», y por algo la preferida de los cordobeses es la de Santo Domingo, que «teniendo cerca de un duplo de las otras proporciona un tráfico libre, desahogo al ánimo, y auxilios importantes a la salud».[44] Y todavía le falta denunciar los errores en que incurre la *Relación histórica* al referirse al Estanque Artificial, lo que le llevará dos páginas adicionales, para finalmente pasar a discutir lo que ella dice acerca del clima de la ciudad, a la que presenta «combatida con frecuencia por furiosos vientos». Al llegar aquí no puede sino protestar con la máxima energía: aunque declare innecesario recordar al editor del *Telégrafo,* que es como él mismo un literato, el vínculo entre el adjetivo escogido por el autor de la *Relación* para caracterizar a los vientos que padece

[41] AF, I, 353-4.
[42] AF, I, 355.
[43] AF, I, 361.
[44] AF, I, 363.

Córdoba y esas «deidades subalternas a quienes la mitología pagana dio el nombre de furias, porque siempre armadas de la venganza, causaban la desolación de los culpados», no deja por eso de hacerlo, ni de proclamarse convencido de que quien por ignorancia ha perpetrado esa frase desdichada «se horrorizaría de su proposición, siempre que mejor informado en la significación de los términos, llegase a persuadirse que con ella hace concebir de los frecuentes vientos de Córdoba toda esa funesta terribilidad».[45]

Estos argumentos que de nuevo nos remiten a las disputas de Trissotin y Vadius no impiden que en el arsenal de ideas y nociones al que acude Funes para aplastar al adversario que se esconde tras la autoridad del cabildo municipal ocupen a ratos el lugar de honor las difundidas por los amigos de las luces. Así, no sólo es totalmente exacto cuando afirma en sus *Apuntamientos* que su respuesta al cabildo «da mucha luz sobre las producciones de Córdoba» sino al tratar de la economía de la ciudad y su comarca se maneja con sorprendente solvencia en el terreno que ha comenzado a explorar esa nueva disciplina que es la economía política; sabe tan bien como Belgrano que la baratura de precios no es signo de prosperidad sino un obstáculo para alcanzarla, y su examen de las relaciones entre los mercaderes de efectos de Castilla que recorren la campaña cordobesa y las tejedoras a quienes compran sus telas rústicas, en que se apoya en esas nuevas doctrinas, no desmerece al lado de los que sobre temas análogos emprenden aquél, Vieytes o Lavardén.[46]

Eso no impide que el uso que hace de esos nuevos saberes sea del todo distinto del de esos paladines de la Ilustración, porque Funes sigue siendo ante todo un paladín de sí mismo y de su bando, y en el combate que en la *Carta Crítica* libró contra su rival en el capítulo diocesano se ha limitado a agregar a los argumentos que se habían venido esgrimiendo en esos debates a lo largo de los siglos otros nuevos, que ha aprendido a manejar con destreza suficiente para hacer aún más abrumadora la carga de ridículo con que presenta a su adversario.

[45] AF, I, 365.
[46] AF, I, 378-82.

Para su desgracia, Funes no tardaría en descubrir que se había lanzado al combate con ese aborrecido enemigo desde posiciones menos sólidas de lo que había supuesto. Habían pasado más de dos décadas desde que su condición de vocero del clero secular en el conflicto por el control de la Universidad le había asegurado un papel protagónico en los que agitaban a la elite de su ciudad nativa, y bastante más de una desde que el favor del obispo Moscoso le había asegurado una influencia dominante en el gobierno de la Iglesia cordobesa, y todo sugiere que quienes a lo largo de ellos tuvieron más de una ocasión de descubrir que su vocero se estaba mutando en un caudillo que esperaba ser obedecido no vieron con favor esa metamorfosis. Es de temer que a ello haya contribuido también la impaciencia del mismo Funes por ejercer una autoridad más sólidamente fundada (que en abril de 1804 lo llevaba a confiar a su apoderado Flores su vivo deseo de «salir de este estado de subordinación, porque no hay paciencia para sufrir a tanto majadero como por lo común se nos pone encima»[47] y en junio a reiterarla en términos aún más patéticos),[48] al inspirarle actitudes capaces de revelar tanto a su obispo y protector como a quienes lo acompañaban en el cabildo eclesiástico que hacía tiempo que había dejado de considerarlos sus iguales.

Ya para entonces tenía motivos adicionales para desear alejarse de la escena cordobesa. Sin duda su archirrival se preparaba a abandonar el campo, pero que lo hiciera para ocupar la silla episcopal de Asunción del Paraguay probaba que contaba entre quienes en los hechos gobernaban la Iglesia de Indias con apoyos que hacían de él un enemigo más temible de lo que Funes había sospechado, más aún

[47] Loc. cit. nota 13.

[48] «¿Cómo podré evitar los caprichos y sinrazones de los que por lo común se nos ponen sobre nuestras cabezas? Confieso a Ud. ingenuamente, amigo mío, que no hay suplicio más duro para mí como el de sufrir a un necio afortunado. Ya estoy cansado de esto, y todos los trabajos juntos, me serían más soportables, que esta bajeza. A todos he servido con mis cortas luces, y la recompensa ha sido granjearme con ellos mismos los peores émulos de mi mérito», Funes a Flores, Córdoba, 15/VI/1804, AF, I, 219-23, la cita de p. 220.

porque, vacante la silla de Arequipa, Moscoso aspiraba a ocuparla, y no era secreto que en caso de quedar vacante la sede cordobesa Videla del Pino aspiraba por su parte a trocar por ella la paraguaya. Ese peligro hacía aún más urgente para Funes conquistar una mitra; tal como explicaba a Flores «como un preciso medio de prevenir las vejaciones de que me veo amenazado, y que experimentaría sin duda siempre que fuese trasladado a esta Iglesia mi implacable enemigo el actual obispo del Paraguay».[49] Pero Funes comenzaba a descubrir que aún en ausencia de ese enemigo implacable no le faltaban en Córdoba otros cada vez menos encubiertos, entre los cuales estaba ya cerca de incluir a Moscoso. Le dio motivos para sospecharlo que la Comisaría de Cruzada, una sinecura que había quedado vacante y que Funes había aspirado a ocupar, se otorgase «al Arcediano de esta Iglesia Mtro. D. Miguel del Moral [...] sin esperar la propuesta que por ley debía hacer el Intendente de esta Provincia, como en efecto la hizo llevando yo el primer lugar [...] Todo ha sido obra del Carmelita, el Arzobispo de Charcas [San Alberto] y no falta quien asegure con fundamento que también lo es de éste mi prelado. Éstos son los dos sujetos a quienes más he servido: mire usted cómo pagan los hombres».[50]

Aunque es la conciencia cada vez más viva de la fragilidad de la posición influyente que ha adquirido en Córdoba la que termina por hacer casi obsesiva la concentración de Funes en la conquista de una mitra episcopal, lo mantiene también en ella un optimismo al que no le faltan buenos argumentos; tal como afirma, se trata de una ambición que a esa altura de su carrera está lejos de ser exorbitante, no le faltan medios para costear las gestiones que pueden llevar la búsqueda a buen puerto, y aunque desde luego preferiría quedar en Córdoba, «porque aunque ni sus rentas ni las cualidades del país son muy apetecibles; pero tiene la recomendación del patrio suelo, y la dulce recompensa de derramar los beneficios en el seno de sus compatriotas»[51] está ya

[49] Funes a Flores, loc.cit. nota anterior.

[50] Loc. cit. nota anterior. La cita de p. 222.

[51] Loc. cit. nota 48, la cita de p. 220.

dispuesto a aceptar cualquier alternativa razonable, así se le ofrezca ésta en las remotas Islas Filipinas.[52]

La falta de resultados de sus esfuerzos comienza a introducir tensiones en su relación con Flores, que el 6 de agosto de 1806, en respuesta a dos cartas de Funes que no han dejado borradores en el archivo de éste le reprocha que pretenda «que en todo se logre un triunfo completo [...] que el interés y el modo de pensar suyo sirvan de norma y regla a los que han de resolver en la materia [...] y que el dinero se emplee en el uso y tráfico infame que acostumbran hacer los agentes de profesión». Por su parte sólo puede seguir dirigiendo las gestiones emprendidas en la metrópoli a favor de su amigo «en la inteligencia de que no respondo de su buen o mal éxito [...] y que fuera de las gratificaciones que autoriza la costumbre o dicta la necesidad no trataré jamás de ejecutar gasto alguno que pueda interpretarse ni aun remotamente de venalidad o corrupción». A la vez, aconseja a Funes que no haga más difícil alcanzar la mitra a la que aspira empeñándose en alcanzar también otros objetivos que no sólo aumentarán el encono de sus enemigos sino que no serán vistos favorablemente por la opinión imparcial; así el de designar en el curato y sacristía de la catedral cordobesa a su sobrino Felipe, el hijo de Ambrosio que acababa de recibir órdenes mayores, que —frustrado debido a la oposición del capítulo y a la hostilidad del marqués de Sobremonte, recientemente promovido a Virrey del Río de la Plata— encomendaba a su agente que intentara alcanzarlo recurriendo en apelación al Consejo de Indias. En la ocasión Flores fue más allá de hacerle notar que no era «el partido más prudente chocar con una facción poderosa [...] estando a la frente el Virrey; mucho más cuando Ud. mismo confiesa que se halla sin apoyo que lo sostenga en esa ciudad», para señalar que era su propia reputación la que Funes arriesgaba al perseverar en la conquista de un objetivo que no podía sino despertar legítimas sospechas («la circunstancia de promover en una oposición con tanto ardor y entusiasmo a un sobrino carnal,

[52] Es el de Nueva Segovia, que Flores gestionó sin éxito para Funes. Flores a Funes, Madrid 6/IV/1805, AF, I, 259-61, la cita de p. 260.

por muy benemérito que sea, precisamente ha de alarmar y poner en desconfianza a los ministros»).[53]

Pero la búsqueda de la mitra que debía permitir a Funes evadirse del cerco de sus enemigos se tornará decididamente menos obsesiva desde que la de Córdoba del Tucumán recae en el peninsular Rodrigo Antonio de Orellana, un regular premostratense cuyo hermano, ministro togado en el Consejo de Guerra, tiene estrecha amistad con Flores (auditor en ese mismo Consejo), y que, si ya antes de ocupar la silla episcopal decide a favor de Funes sus querellas con el capítulo diocesano, una vez tomada posesión de ella hace de éste su principal colaborador. Pero no es sólo el cambio en su contexto más inmediato el que distrae la atención de Funes hacia otros temas: en 1806, la Primera Invasión Inglesa de Buenos Aires marca el precoz ingreso del Río de la Plata en la etapa resolutiva de la que iba a ser la crisis final de la monarquía hispánica, en un episodio en que las consecuencias del vendaval político y militar que, afectando al entero planeta, sopló con inesperada violencia sobre el Río de la Plata, encontraron manera de incidir del modo más directo en las inveteradas querellas que dividían a la diminuta elite cordobesa.

La conquista de ese centro del poder imperial que era Buenos Aires por una diminuta avanzada de las fuerzas británicas destinadas a la conquista de la posesión holandesa del Cabo de Buena Esperanza, que se desvió de ese rumbo atraída por el tesoro metálico que había venido acumulándose en la capital virreinal desde que el dominio inglés de los mares había hecho demasiado riesgosa la navegación atlántica para las naves españolas, que de un día para otro introdujo al Río de la Plata en la era de las revoluciones, y que iba a marcar un quiebre decisivo en la trayectoria de Belgrano, incidió en la de Funes a través del impacto que alcanzó en la carrera hasta entonces triunfal de su mortal enemigo el marqués de Sobremonte, cuya precipitada fuga de su capital, devuelta menos de dos meses más tarde a su legítimo soberano gracias a la iniciativa de Santiago de Liniers, un oficial de la regia marina que al frente de tropas por él reclutadas

[53] Flores a Funes, Madrid, 6/VIII/1806, AF, II, 2-6, la cita de p. 4.

en la orilla oriental del Plata y en la campaña de la occidental, logró tomar prisionera a la entera fuerza expedicionaria tras varios días de combates en las calles a los que se sumó buena parte de la población urbana, había trasformado en la figura más despreciada y aborrecida en una ciudad que en su ausencia acababa de cubrirse de gloria, y se rehusaba a someterse a la autoridad de quien había desertado del buen combate en la hora de máximo peligro.

Las primeras consecuencias se hicieron sentir casi de inmediato; tal como se ha recordado más arriba, aunque en 1800 una real cédula había ordenado dar inmediato cumplimiento a la decisión del Consejo de Indias que en 1767 había trasferido el gobierno de la Universidad cordobesa al clero secular, tal como recuerda Funes en sus *Apuntamientos,* fueron precisos otros siete años durante los cuales sus insistentes reclamaciones no obtuvieron otra respuesta que «un insultante silencio», hasta que «reiteradas éstas en 1807, tiempo en que se hallaba el mando de estas provincias en manos del Brigadier D. Santiago Liniers [...] fueron mandadas llevar a ejecución», y convocado en consecuencia el nuevo claustro universitario por el gobernador-intendente para elegir rector «por unanimidad de sufragios recayó la elección en el Sr. Funes, en 11 de enero de 1808».[54]

Un año después, cuando la monarquía católica había ya entrado en agonía, y comenzaban a librarse las primeras escaramuzas en la querella por la sucesión, las improvisadas fuerzas milicianas que en 1806 y de nuevo en 1807, afrontando esta vez a una formidable fuerza expedicionaria británica, habían infligido dos memorables derrotas a la reina de los mares, se descubrieron irrevocablemente divididas contra sí mismas, y en la jornada del primero de enero de 1809 los regimientos reclutados entre los todavía conocidos como españoles americanos, al arrebatar por su sola presencia el control de la plaza mayor a los de españoles europeos, que acababan de obtener la dimisión del virrey Liniers, conquistaron una ya inconmovible supremacía en la capital virreinal. De nuevo esta peripecia, en la que la figura de Belgrano se perfiló con aún más nítido relieve que en los episodios anteriores, vino

[54] AbF, AF, I, 7

a incidir del modo más positivo en la trayectoria de Funes, tal como éste hubo de descubrir cuando «se vio en la precisión de hacer un viaje a Buenos Aires [...] a fin de prevenir el tiro que le había preparado en la corte un rival suyo lleno de la malicia más depravada» (se trata una vez más de Nicolás Videla del Pino, entonces en trance de ser promovido de la diócesis de Asunción a la de Salta, que acababa de ser desgajada de la cordobesa). En ese viaje pudo comprobar que «se hallaba ya muy acreditada por estos tiempos la reputación del Sr. Funes para que dejase de recoger respetos y buenos miramientos de todos. En efecto, el Virrey Liniers, cuya gratitud deseaba dársela a conocer, por la oración gratulatoria que había producido en Córdoba, con ocasión del rechazo de los ingleses, de cuya acción fue aquél el héroe, como por sus importantes servicios a favor de la causa pública, le hizo la hospitalidad más comedida. Por el mismo estilo lo honraron los oidores de la Real Audiencia Pretorial, que evacuaron su asunto de un modo muy satisfactorio a su crédito y justicia».[55]

Fue durante esa estancia en Buenos Aires cuando Funes supo percibir, aunque aún era apenas un susurro, «el ruido sordo de ese volcán cuya explosión había de arruinar los tiranos del Nuevo Mundo, y establecer un orden político de nueva creación». Eran entonces «bien pocos los que por una lectura profunda y reflexiva, se hallaban prevenidos para ejecutarlo, y mucho menos para sostenerlo», y entre ellos se contaba desde luego «el Sr. Funes, que desde bien lejos había ido nutriendo su espíritu con la lectura de Platón, Aristóteles, Pufendorf, Condillac, Mably, Rousseau, Reinal y otros». Así pertrechado, no vaciló en lanzarse a la acción: «Su venida a Buenos Aires le proporcionó la ocasión de familiarizarse con Don Manuel Belgrano y el Sr. Castelli, a quienes por la primera vez abrió su pecho, y como ellos eran los corifeos en quienes con más calor se iba alimentando la revolución, fue por su conducto que el Sr. Funes supo todo su estado actual, y con los que quedó acordada, aunque sin un plan definitivamente concertado».[56]

[55] AbF, AF, I, 9.
[56] AbF, AF I, 9-10.

A partir del estallido de esa revolución que había visto venir, el Deán de Córdoba iba a tener ocasión de sorprenderse a cada paso de todo lo que acerca de ella no le había permitido anticipar ni la lectura de Platón ni la del abate Reynal. El 23 de mayo de 1810, dos días antes de la caída del último virrey de Buenos Aires, su sobrino Sixto Funes, de paso en ese momento en Lima y ocupado en la venta de mulas destinadas al centro minero de Cerro de Pasco y a la compra de artículos para llevar de retorno a Córdoba, podía ofrecer sin el auxilio de esas esclarecedoras lecturas un primer inventario de lo que la agonía de la monarquía católica estaba comenzando a traer consigo. La primera consecuencia de su derrumbe, y eso Sixto Funes lo tenía ya totalmente claro, era que los destinos de los españoles europeos y americanos acababan de separarse irrevocablemente («Las cosas de España van como deben ir. Es preciso que se arruine esa Potencia [...] Observe si tienen habilidad para otra cosa que para pedir plata [...] Observe Vd. qué bonita es la distribución que hacen aún en estas críticas circunstancias de los empleos. Señor deje Vd. que Dios acabe con estos pícaros. Espero que la misericordia del Señor nos salvará»),[57] pero sólo dos meses después esa esperanza comenzaba a dejar paso a la alarma surgida del descubrimiento de que esa separación de destinos sólo habría de consumarse como desenlace de una devastadora tormenta que nada anunciaba destinada a amainar en breve plazo.

De nuevo desde Lima, cuyas autoridades habían recibido con horror la noticia de «la erección de la Junta de Buenos Aires» y se preparaban a devolver a los porteños a la obediencia, Sixto comunicaba al Deán su temor de que «una revolución general de todo el Reino nos pierda a todos los que tenemos intereses repartidos en estas Provincias. Dios tenga piedad de nosotros y nos saque con bien de tantos males». Aunque el solo anuncio de esos males futuros estaba ya agregando nuevas dificultades para quienes traficaban sobre las redes mercantiles del macizo andino,[58] ni las calamidades presentes,

[57] Sixto Funes al Deán, Lima, 23/V/1810, AF II 93-97, la cita de p. 93.

[58] «Ahora entro en un nuevo cuidado; y es ¿Cómo remito los dineros que recoja a ésa? Libramientos a Potosí son muy raros. Los caminos se han llenado de ladrones.

ni el anuncio de otras aún más serias para el futuro, hacían vacilar a Sixto Funes en su decisión de asumir su destino sudamericano. Ante la noticia de que el intendente cordobés Gutiérrez de la Concha, en contra de la resolución favorable al reconocimiento de la Junta erigida en Buenos Aires como heredera legítima de la autoridad del derrocado Virrey, emitida por la que él mismo había convocado al enterarse de las novedades porteñas, había decidido colocarse bajo la autoridad del Virrey de Lima, y se preparaba a defender esa opción por las armas, manifestaba al Deán su satisfacción porque hubiera sido él quien hizo triunfar el dictamen que el intendente osaba ignorar, y lo exhortaba a mantenerse en esa posición hasta las últimas consecuencias.[59]

Ya entonces se declara convencido de que un gran destino espera al Deán en los nuevos tiempos que acaban de abrirse; mientras no niega que los primeros signos de la tormenta que se avecina lo tienen en «grandes cuidados», la gallarda intervención del Deán en la Junta cordobesa lo lleva a prever, «y no sin fundamento, que V. será el único consuelo que tendrá mi afligida Patria».[60] Y pocos días después, cuando declara su febril impaciencia por entrar él mismo en acción, lo que allí nos dice acerca del papel que espera ver desempeñar a su ilustre tío en el nuevo escenario abierto por la Revolución hace claro que es éste el de jefe y guía de una familia que está destinada a continuar en ese marco todavía desconocido, pero que se anuncia incomparablemente más amplio que hasta la víspera, el combate que a lo largo de dos siglos ha venido sosteniendo por la primacía entre los primeros linajes de una «afligida Patria» que hasta entonces había designado inequívocamente a la menuda ciudad orillada por el Río Primero. Y si es ése el papel del Deán, el de su sobrino es el de un combatiente en esa empresa común, en que la entera familia debe estar dispuesta a

---

Al conductor de caudales le han robado en el Cusco, y en las inmediaciones de esta Ciudad acaban de hacer otro robo de más de 12 mil pesos», Sixto Funes al Deán, Lima, 26/VII/1810, AF II, 99-102, p. 101.

[59] «Procure V., mi tío, no separarse un instante del dictamen de ese desgraciado pueblo», loc. cit. n. anterior, la cita de p. 99.

[60] Loc. cit. n. anterior, p. 99.

movilizar todos sus recursos. Del mismo modo que Ambrosio Funes había acudido sin tasa a ellos para salvar de la ruina la carrera eclesiástica del Deán, cuando la época que acaba de abrirse ofrece a éste la oportunidad de elevar a nuevas alturas el prestigio y la influencia la casa de Funes, Sixto se proclama dispuesto a jugarlo todo en una apuesta cuyo premio justifica plenamente el riesgo. Así lo declara cuando, siempre desde Lima, escribe al Deán el 7 de agosto: «Casi me vuelvo loco con las noticias que me comunica de Buenos Aires. Comunico a V. que no aguardo sino que me remitan unos pocos pesos que me entregarán pronto para embarcarme para Chile, y de allí volaré a Buenos Aires. Quiero ver si puedo hacerme útil de algún modo a mi Patria, y gastar en su objeto cuanto tengo. Yo vivo firmemente persuadido que V. irá a Buenos Aires. Allí tendré el gusto de verlo».[61]

Pero no son sólo las perspectivas grandiosas que Sixto cree ver abiertas para los Funes en la nueva era que acaba de abrirse las que lo incitan a jugar el todo por el todo: influye también que en esa nueva etapa tan rica en peligros como en promesas no necesita aceptar esa desaforada apuesta para jugarlo ya a cada instante. En las cartas que escribe al Deán resuenan como una sorda melodía de fondo sus insistentes comentarios sobre la situación en que lo coloca haber comprado en Lima una cuantiosa carga de cascarilla (corteza de quina usada para aliviar las crisis provocadas por las fiebres palúdicas) cuyo precio oscila día a día a merced de las contradictorias noticias que llegan acerca de los trastornos que la crisis política provoca en las comunicaciones tanto terrestres como marítimas, y lo que más lo apesadumbra es que una decisión errónea de su parte puede condenar a la miseria a los miembros del clan que han puesto su destino en sus manos. Pero no es sólo la maldad de los tiempos la que hace que afrontar a cada paso un seguro riesgo de ruina se torne inevitable para quien practique el comercio de larga distancia en las condiciones en que debe hacerlo la casa de Funes. Si cuando, al llegar a Lima en abril de 1810, un Sixto ya suficientemente preocupado por las oscilaciones en el precio de la cascarilla se descubre totalmente arruinado porque

[61] Sixto Funes al Deán, Lima, 7/VIII/1810, AF, II, p. 102.

«ese monstruo de ingratitud y maldad» que es su cuñado Juan Pablo Pérez de Bulnes sólo promete reponer de los dieciocho mil pesos que ha disipado actuando como su apoderado en Lima «diez mil y quinientos en una obligación que no debe satisfacerse hasta abril o mayo de 1811» lo desazona sobre todo que como consecuencia de ello «mis pobres padres y mis hermanos [...] hayan de pasar sus últimos días en la miseria, y la indigencia»[62] es porque lo que para la casa de los Funes ha trasformado al comercio de larga distancia en una cada vez más desesperada carrera de obstáculos ha sido la prodigalidad con que Ambrosio había volcado lo mejor de su fortuna en auxilios a los desterrados de la Compañía (en algún momento mencionará haber gastado en ellos cien mil pesos) y en los nada desdeñables con que promovió la carrera que había elevado a su hermano a la más alta dignidad en el capítulo de la catedral cordobesa, y si un faltante de dieciocho mil pesos podía ahora ser suficiente para hundir a su antes opulenta familia en una irreversible miseria era porque su hijo se veía obligado a cada paso a arriesgar en su nombre todo lo poco que quedaba de ella en su giro de negocios.

Sixto Funes tardaría menos de tres meses en comenzar a considerar alternativas menos grandiosas que la que por un momento pareció abrirse para su casa bajo el signo de la Revolución, ya el 29 de octubre, quien el 7 de agosto se había proclamado dispuesto a volcar su entero patrimonio al servicio de la causa de la Patria rogaba al Deán que no dispusiera de los molinos de los que era propietario «hasta que nos veamos, quién sabe si no va a ser mi carrera la de molinero».[63] Y, aunque Sixto no iba a vivir para verlo, iban a ser esos molinos los que diez años más tarde salvarían a lo que quedaba de la casa de Funes de esa tan temida indigencia, a la que la tenacidad con que durante esa década Ambrosio se había aferrado a la esperanza de rehacer la fortuna familiar poniendo lo que restaba de ella al servicio de la Revolución en armas había comenzado ya a arrojar a los más desvalidos integrantes de su linaje.

[62] Sixto Funes al Deán, 6/IV/1810, AF, II, pp. 82-86, la cita de pp. 82-83.
[63] Sixto Funes al Deán, Chile, 29/X/1810, AF, II, pp. 114-16; la cita de p. 115.

Porque iba a ser ésa una ilusión a la que Ambrosio se resistiría a renunciar hasta verse él mismo demasiado sitiado por la penuria para continuar alentándola. La oportunidad para servir de ese modo a la revolución se la ofrece la guerra en la que ésta ha venido a desembocar casi en el momento mismo de su estallido, que debe ser sostenida por un flujo constante de armas, proyectiles, pólvora, caballos, mulas, reses para consumo de las tropas y pienso para aquéllos y éstas. En casi todos esos rubros, aunque hay espacio para la contribución cordobesa, hay en Córdoba mercaderes mejor preparados que los Funes para hacer uso de la oportunidad que así se les abre, pero el lugar que el Deán está destinado a ocupar en la dirigencia revolucionaria le concede ventajas en cuanto a las iniciativas que toma directamente a su cargo el nuevo poder, que necesita urgentemente contar con fuerzas de artillería e infantería capaces de combatir en rasa campaña. En octubre de 1810, el mismo día en que, elegido para representar a Córdoba en la Junta Revolucionaria, es «recibido con agrado» en su seno, anuncia el Deán a Ambrosio que ha comenzado ya a «promover algunas cosas útiles al pueblo» que lo ha ungido su representante. Al presentar sus credenciales en el Fuerte, ha descubierto que en la Junta «se trata seriamente de la fábrica de fusiles» y vio allí el diseño del modelo para esa fábrica presentado por uno de los artífices que aspiraban a dirigirla, que juzgó admirable. Prosigue el Deán: «De allí tomé ocasión para pedir a la Junta que esa fábrica se pusiese en Córdoba [...] Se me respondió que eso mismo se pensaba [...] También propuse que se estableciera en Córdoba la elaboración de salitre y pólvora exponiendo que a más de otras mil proporciones había la de encontrarse allí un excelente fabricante que es don José Arroyo. La Junta adhirió en todo a mi propuesta, y dijo que se darían las órdenes convenientes al gobernador».[64]

Aunque pronto se descubre que la guerra crea urgencias demasiado apremiantes para permitir que se distraigan recursos en una

[64] «Cartas íntimas del Deán D. Gregorio Funes a su hermano Don Ambrosio, 1810-1823» Buenos Aires, Atlántida, 1911 (en adelante CIF), El Deán a Ambrosio, Buenos Aires, 8/X/1810, en Atlántida, tomo I, núm. 2, p. 177 (debo la trascripción y envío de esta correspondencia a la gentileza de Miranda Lida).

empresa de largo aliento como lo sería la creación de la fábrica de fusiles, su protegido Arroyo es designado proveedor de pólvora y salitres para las fuerzas revolucionarias, y está dispuesto a adquirir los materiales necesarios para su fabricación que pueda proveerle Ambrosio. Pero éste no tardará en descubrir que el camino que ha tomado para restaurar la fortuna de la casa de Funes es más escabroso de lo que la influencia ganada por el Deán en el nuevo marco político le había permitido esperar. Ya el 20 de agosto de 1811 puede escribir a Gregorio su preocupación porque «S.E. [la Junta de gobierno] con tanta ocupación no resuelve sobre el azufre». A esa altura sabe ya demasiado bien que cuando la Junta formalice la adquisición de azufre y salitre deberá cerrar el negocio a pura pérdida, ya que Arroyo «intenta pagarse el azufre que aquí tengo a 18 pesos quintal sabiendo que me tiene más de 24 de costos [...] En el salitre selecto que le estoy dando también pierdo mucho, y sólo sigo con él porque esa Superioridad lo necesita», y si ruega a su influyente hermano que inste a la Junta a cerrar de todos modos la operación es tan sólo porque aspira a que en su seno «se conozca más a un patriota que tiene el gusto de propender a favor de la causa pública sin ambición, ni recompensa».[65]

Creo interpretar esta última justificación del deseo de Ambrosio de que la Junta sea anoticiada del destrato que ha sufrido a manos de Arroyo como inspirada por la esperanza de que una conexión más directa con ella le ofrezca otras oportunidades de rehacerse de esas pérdidas que lo revelan dotado de un celo patriótico a toda prueba. Y aunque nunca la verá realizada, a partir de ese momento pueblan su mente proyectos destinados a rehacer la fortuna de los Funes, que giran en torno a rubros que se vinculan de modo directo con la demanda creada por la revolución en armas. En diciembre de 1815, desesperando de contar con un respiro de sus acreedores que le permitiera empezar a «desahogar *su* familia, y aun a recuperar *su* perdida fortuna», decide jugarlo todo «usando de unos dineros que tal vez *se* los cobren con opresión» en instalar una curtiembre en la que podría producir en un año dos mil cueros, si contara con mil quinientos pesos

[65] Ambrosio al Deán, 20/VIII/1811, AF, II, pp. 155-6, la cita de p. 156

adicionales. Desde luego sabe que no contará con ellos, pero eso no lo detiene: «ahí vamos trabajando: en la semana próxima empezará a trabajar el artífice con dos ingleses: necesito para salarios 120 pesos mensuales: y yo voy confiado más en mi audacia que en la seguridad de mis auxilios [...] en fin cuando prospere esta fábrica será la expectación de muchos, y el alivio de mi casa. El día que pague yo ya soy rico, sin contar con lo mucho que me deben».

Para entonces se insinúan ya los signos de que Ambrosio Funes ha comenzado a hundirse blandamente en algo muy parecido a la locura. Tras indicar a su hermano que «si hubiese [en Buenos Aires] alguna obra que trate de artes, y de las tenerías, me será muy útil», le hace saber que colaborando en las tareas de la curtiembre ha descubierto un procedimiento infalible para «preservar a todo cuero, y lana de la polilla a poco costo, y para siempre, [...] y temeroso de que la fatalidad de los tiempos no *le* dé lugar a la verificación de este proyecto por la falta de dinero en los pueblos para sufragar los premios correspondientes, *tiene* un pliego cerrado que todo lo explica a *sus* herederos», lo que ha comunicado ya a su hijo Mariano «por si muriese antes de que haya proporción de descubrirse». Pero Ambrosio confía lo bastante en que ya antes de su deceso ese descubrimiento habrá rehecho la fortuna de los Funes para cerrar su misiva confesando su esperanza de «morir entre libros y fábricas. A la vejez venimos a dar con el verdadero manantial de las riquezas».

Si la confianza que Ambrosio mantiene en su propia estrella frente a todos los desmentidos de la fortuna tiene ya algo de maníaca, la imagen que tiene del lugar que en el nuevo orden de cosas ocupa su hermano el Deán lo pone al borde del delirio. En esa misma carta de diciembre de 1815 cree de su deber aconsejar a éste, que —elegido para representar a Córdoba en el Congreso que ha de reunirse en Tucumán— ha renunciado a hacerlo. Le asegura que con esa renuncia ha colocado, quizá sin advertirlo, en un imponderable aprieto a los demás integrantes de la representación cordobesa, quienes se saben del todo incompetentes para desempeñarse en ese papel, y saben igualmente que «estando tú a la frente de ellos, ya no les queda más que hacer que disfrutar de su renta, que comer, que dormir, que descansar con tus fatigas, y que aprovecharse del honor, que sólo tú puedes adquirirles». Ha descubierto además que por su parte los diputados de las provincias de abajo «que van pasando [...] confiesan públicamente que tu intervención no sólo es necesaria para cubrir su miseria política, sino también para que seas el alma del Congreso [y] no saben qué hacerse» ante su renuncia a participar en él.

Eso prueba que frente a unos y otros el Deán «se halla en estado de darles la Ley», fijando las condiciones bajo las cuales se avendría a aceptar el cargo. Y no son condiciones modestas: según Ambrosio debe en primer lugar exigir ser el «único Diputado con todos los votos de los demás que se supriman, así por evitar la multitud y variedad de sufragios, expuestos a la desavenencia [...] como por lo mucho que se ahorrará este infeliz pueblo en contribuciones». Puede hacerlo porque es seguro que «puestos en este estrecho [los otros representantes cordobeses], aunque les cueste soltar la presa de la renta, el temor de no adherir a la aclamación pública que está a tu favor les haga convenir por una especie de fuerza».

Pero no es eso todo, ya que «cuantos Diputados van pasando van muy dispuestos a regresar a Córdoba, país mucho más cómodo y barato que el Tucumán; y no sería difícil conseguir aquí el Congreso, no hallándose otro medio de llevarte a él». Eso ofrecería a los hermanos otra ventaja que los tocaría más de cerca, porque viviendo ambos juntos en Córdoba, el Deán podría «ahorrar alguna renta, y tú con 4.000 pesos desocupados y yo con otros tantos repararíamos en gran parte los estragos de la casa, que penden de algunas deudas».[66]

En otra carta del mismo mes, Ambrosio debe comunicar a su hermano que «ha sabido una cosa que desbarata cuanto te he dicho de la Diputación», y es ésta que los tres diputados electos han ya recibido y comenzado a gastar los mil pesos de viáticos asignados a cada uno de ellos, y por lo tanto «no podrán dejar de ir al Congreso».[67] Ante tantos reveses, comienza a perfilarse en Ambrosio la figura de uno de esos ancianos a quienes su experiencia de vida en el seno de la

[66] Ambrosio al Deán, Córdoba, XII/1815, AF, II, pp. 214-18, *passim*.
[67] Ambrosio al Deán, Córdoba, XII/ 1815, AF II, pp. 219-21, la cita de p. 219.

elite cordobesa ha llevado a buscar refugio en una misantrópica hipocondría, que nunca iban a faltar en ella, y así lo iba a retratar su hijo Mariano cuando una crisis de salud de su padre le permitió superar el aislamiento total en que éste se había encerrado,[68] pero esa misma crisis trajo consigo su reintegración al círculo familiar, y aunque hasta su muerte las lamentaciones ante los nuevos triunfos de una iniquidad que seguían encarnando en Córdoba quienes cuatro décadas antes se habían agrupado en torno al marqués de Sobremonte no perdieron nada de su apasionamiento, las acompañaba ahora una resignación nueva, propia de quien comprende, quizá con algún alivio, que no puede hacer nada para contrarrestarlos, y por lo tanto tampoco necesita ya intentarlo. En 1824, cuando de nuevo es convocado un Congreso constituyente de las siempre desunidas Provincias Unidas del Río de la Plata, Ambrosio se prepara con ánimo ecuánime a asistir a su fracaso («será muy difícil restituir la paz de los pueblos después de haber perdido la armonía social»); sólo le preocupa que se conserve la religión, se guarden las leyes evangélicas, se respeten las jerarquías y leyes de la Iglesia, «y en lo demás hagan lo que quieran».[69]

Ese apego a «las jerarquías y leyes de la Iglesia» se alimenta en la nostalgia de un pasado que sabe mejor que el presente; un pasado que para él había sido brutalmente abolido no en 1810 sino en 1767. Diez años antes, cuando tuvo finalmente oportunidad de celebrar la restitución de la Compañía de Jesús por un breve de «nuestro incomparable Pío VII», había escrito a su «muy caro Señor *in corde Jesu*», el abate chileno Juan Marcelo Fernández de Valdivieso, que en Córdoba, esa ciudad marcada como ninguna otra en el Río de la Plata con el sello de la Compañia, «como somos pocos de los que vivimos que fuimos discípulos de los Jesuitas no ha hecho tanto ruido este acontecimiento; pero conociéndose el aprecio incesante que hacemos de su memoria muchos me han dado los parabienes de dicho breve» Ya entonces sabía que era ése un pasado irrecuperable; eran ya demasiado pocos los que

[68] Mariano Serapio Funes al Deán, Córdoba, 20/II/1824, AF III, pp. 194-95, la cita de p. 195.

[69] Ambrosio al Deán, Córdoba, 19/XI/1824, AF III, pp. 317-18, la cita de p. 318.

compartían su recuerdo, y de los demás no podía esperarse mucho más que ese leve gesto de cortesía. Ahora lo sabe aún mejor, pero aún «en medio de tantas tribulaciones de esta vida (nunca más borrascosa que en esta época)» uno de sus mayores consuelos seguía siendo, como diez años antes había confiado a su corresponsal chileno, «pensar, hablar y escribir de nuestra amada Compañía».[70]

Y vivir por un instante en la ilusión de haber sido restituido a ese mundo perdido para siempre es lo único que le permite también por un instante conocer una felicidad sin mezcla. Ella aún lo embarga cuando invita al Deán a compartirla:

> Ten el placer de compartir esta noticia —le escribe en marzo de 1825—. El domingo de Carnaval estrenó Mariano su oratorio colocado en los molinos [que, milagrosamente conservados en el patrimonio del Deán, bajo la gestión de su sobrino están finalmente dando modos de vivir a varios de los integrantes de la nueva generación de los Funes]. Está dedicado al Sagrado Corazón de Jesús y a San Juan Nepomuceno. Conseguimos un cuadro del Santo que se nos prestó de tres que tiene la Catedral. Yo hice llevar allá mi Dolorosa, o la tuya, y a mi S. Luis con otras piezas preciosas para adorno de las paredes, y del altar. Se formó un cortinaje bajo del cual se puso el Santo, y sobre el altar otras efigies de devoción y unas muy preciosas jarras de loza o porcelana dorada, que se reservaban para el Corpus de este año con otras cosas de gusto; tenemos un bello frontal, y unos hermosos manteles, que sirven al Corazón de Jesús. El ornamento morado, y el bello cáliz que un jesuita me regaló desde Roma. El provisor Vázquez quiso honrarnos con la primera misa a que asistió nuestra numerosa familia, la gente de Mariano y parte del vecindario. Todos los de la casa estuvieron de fiesta en que desde las 4 de la mañana se entonó el Padre Nuestro. Poco antes de la misa toqué un trío: tuvimos un clarinete, dos violines y un bajo.

[70] Ambrosio a abate Fernández de Valdivieso, Córdoba, 24/I/1815, AF II, pp. 194-98; la cita de p. 195.

Así que se alzó rompió el canto de las niñas con el Padre Nuestro, y acabaron con un Alabado de buena música: se tiraron cohetes y la Josefita hizo poner tu clave bajo la parte del corredor que está trabajada antes del oratorio, con el que se acompañó al canto: esta pequeña parte del corredor se cubrió de cortinas para evitar el sol; todo el oratorio fue apenas bastante para nosotros, y las niñas [...] El provisor estuvo muy gustoso: acabada la misa se rezó el trisagio, y a la noche el rosario, y quinquenio del Santo Patrón, cuya vida y devoción dejo en herencia a Mariano [...] El Provisor ha dado licencia, para también oiga misa la gente más vecina, que recibe ese beneficio con gran comodidad. [...] El Provisor pasó todo el día en los molinos: no cesó la música. Al comer le eché un brindis con alusión al Santo Patrón. Se brindó por ti, por María Ignacia y por mí; y después por la causa americana, y por Bolívar, refiriéndose a la última victoria de Sucre. Todo estuvo cumplido, y sólo a ti echamos menos».[71]

La morosa descripción de ese recinto cerrado, que porque lo está ofrece un ilusorio pero reconfortante refugio de las calamidades del presente, invita a reconocer en el oratorio de Mariano Funes un precursor de otros recintos igualmente privilegiados que cumplieron funciones parecidas en tiempos aún más bravíos (el gabinetito de *Amalia* en la novela de Mármol, el costurero de Agustina Rosas de Mansilla en las *Memorias* de su hijo).[72] Pero en ese domingo de Carnaval Ambrosio Funes había sucumbido a una ilusión más ambiciosa: en el estrecho escenario ofrecido por ese rincón de las afueras de Córdoba en que los Funes habían vuelto a ocupar el lugar

[71] Ambrosio al Deán, III/182, AF III, pp. 387-89, la cita de pp. 388-89.

[72] Admirablemente evocado el primero por David Viñas en «Mármol: los dos ojos del romanticismo» (en David Viñas, *Literatura argentina y realidad política,* Buenos Aires, Jorge Álvarez, 1964, pp. 125-140) y el segundo por Sylvia Molloy en «Santuarios y laberintos» (en Sylvia Molloy, *Acto de presencia. La escritura autobiográfica en Hispanoamérica,* México, El Colegio de México-Fondo de Cultura Económica, 1996, pp. 212-246, la sección dedicada a Mansilla en pp. 230-246).

que hasta 1767 había sido el suyo en la ciudad crecida a la sombra de la Compañía, había podido sentirse nuevamente inmerso en esa «armonía social» que hasta la víspera había creído irrecuperable. Su familia ocupaba allí de nuevo el centro, e integraban su séquito tanto «la gente de Mariano» —los trabajadores del molino— como «la gente más vecina», que se preparaba a cumplir su deber semanal en el oratorio trasformado en centro del culto de esa diminuta comunidad por decisión de la más alta autoridad eclesiástica, el provisor de ese obispado caído una vez más en sede vacante, cuya presencia había puesto la necesaria nota brillante en la ceremonia que marcó el retorno de los Funes a la posición eminente que por demasiado tiempo les había sido arrebatada.

Mariano Funes tenía una visión más sobria de los límites de lo logrado por él en su gestión al frente de los molinos del Deán, reflejada en la misiva que dirigió a éste en enero de 1825: «Veo que V. ha tenido mucho regocijo al ver que el instrumento más débil haya venido a ser el punto de apoyo de toda la familia, así parece, mi amado tío, pero la verdad es que V. por su generosidad ha venido a ser el padre de toda ella. ¿Qué hubiera sido de todos nosotros si V. no nos favorece con tanta largueza? Seguramente que todos sin exceptuar ninguno hubiéramos sido unos vergonzantes cuando menos. Todos hemos comido por su mano. Mis hermanas casadas con las que más han logrado como más necesitadas». Pero no parece que los frutos del molino permitan asegurarles más que un decoroso nivel de subsistencia: «A mi Madre le paso seis pesos semanales en plata, y todo el pan que consume la familia. La Rosita hija de Sixto también disfruta de los frutos de los molinos, y será preciso mantenerla siempre porque su Madre no le hace caso ni la quiere». Hace aquí excepción tan sólo su hermana Ignacia, única que buscó manera de participar más activamente de la bonanza molinera, y fue habilitada por Mariano «con unos pocos pesos para que comprase trigos, los moliese en los molinos, y se mantuviese con las ganancias. En efecto, probó muy bien este negocio, con el que se ha mantenido cuatro años, y a más ha juntado un principalito de seiscientos, o setecientos pesos con el que ha podido poner una panadería en que le va muy bien. Dentro de pocos años espero que levantará cabeza». Por su parte él mismo está rehabilitando para su uso y el de su parentela la casa contigua al molino, no le falta ya más que agregarle una pieza «que cae al lado del poniente, y lleva ventana a la huerta como las otras que teníamos de antemano [...] Concluida la casa como yo pienso será la más hermosa de este pueblo. Tiene una vista sin igual, queda con toda comodidad».[73]

Se trata, como se ve, de muy modestas magnificencias, pero ellas son suficientes para asegurar a los Funes una posición de la que no necesitan avergonzarse en una elite cordobesa ella misma muy disminuida (y que todavía seis décadas más tarde haría posible a dos niñas de la casa de Funes —Clara Funes de Roca y su hermana Elisa Funes de Juárez — ocupar la una tras la otra la más elevada posición que la nación argentina podía reservar a una mujer en las jerarquías de su era constitucional). Aunque aún no lo saben, lo que los Funes celebran en las ceremonias de ese domingo de Carnaval es haber sobrevivido, aunque no sin daño, a esa penosa metamorfosis que ha hecho de su nativo rincón de la monarquía católica uno de los centros rivales en el marco de una nación que no sabe aún encontrar su forma. Sin duda, mientras en la ocasión Mariano puede celebrar sin reserva alguna que, gracias a sus esfuerzos, su familia haya atravesado esa época de desatada borrasca esquivando el naufragio en el vago océano de la plebe al que en más de un momento había parecido condenada, Ambrosio sólo puede celebrar en ella el anuncio de que, tal como lo ha decidido Simón Bolívar, el paladín que está conquistando la victoria para la causa americana, esa victoria traerá consigo el retorno pleno a ese respeto por las jerarquías y leyes de la Iglesia al que él mismo aspira por encima de todo, y que, ya peligrosamente retaceado por la monarquía ilustrada, había afrontado desafíos aún más ominosos en medio de las turbulencias revolucionarias.

La muerte, ocurrida en junio del año siguiente, ahorró a Ambrosio el descubrimiento de que las esperanzas que había depositado en Bolívar no se verían nunca satisfechas. Ello no impide que con esa celebración más condicionada y reticente que la de su hijo, Ambrosio

[73] Mariano Funes al Deán, Córdoba I/1825, AF III, pp. 153-56. La cita de pp. 154-55.

hubiera acompañado tan plenamente como éste la metamorfosis que no lo había privado de su lugar en su ciudad nativa, anticipando frente a la Córdoba de 1825 la relación que mantienen con la actual urbe millonaria quienes dentro de sus elites mantienen viva la nostalgia por ese mismo pasado que él nunca dejó de añorar, y conservan la mente siempre abierta a la posibilidad de que —en la huella de Bolívar— la acción de una personalidad poderosa logre el milagro de su resurrección, pero si están dispuestos a depositar una y otra vez esa esperanza en paladines cada vez más irrisorios es porque verla frustrada no los sorprende nunca lo suficiente para que el recuerdo de un fracaso demasiado quemante alcance a disuadirlos de ello. He aquí cómo, lo mismo que su familia, Ambrosio ha encontrado en el mundo vuelto a forjar por la revolución un lugar en que sin demasiada amargura se ha resignado a vivir.

Quien en cambio no lo iba a encontrar nunca iba a ser su hermano el Deán. Sin duda, ya lo hacía más difícil que cuando el progresivo eclipse de la fortuna de Ambrosio hizo de él, más plenamente que cuando había dependido de la munificencia de su hermano, el jefe y guía de la casa de Funes en la lucha por poder e influencia que seguía enfrentándola con sus rivales de siempre, la crisis de la monarquía trasformó a esa lucha en un combate sin reglas y sin cuartel. Pero la figura bajo la cual el Deán esperaba proyectarse en la nueva esfera pública creada por la Revolución contribuyó a hacer aún más difícil su adaptación a ese nuevo escenario.

Esa figura, que había perfeccionado en los últimos años trascurridos bajo el Antiguo Régimen, era la del sabio; como tal había recibido el homenaje de Lavardén y Vieytes, al que en 1807 se había agregado el del doctor Mariano Moreno, futuro jefe del sector avanzado de la Junta Revolucionaria, que declaraba haberse decidido a asumir la representación del obispado cordobés ante la Audiencia en «una causa que habiendo sido defendida por V.S. me dejaba bastante honrado con desempeñar solamente las funciones de su agente» movido por el «deseo de ocasión oportuna para saludarlo, y ofrecerle mi persona», ya que, habiendo tenido «la fortuna de proporcionarme muchos escritos de V.S. que me proponía por modelos, hacía mucho tiempo que profesaba a V.S. el amor y la veneración que se tributa a los grandes hombres».[74]

La respuesta del Deán sigue tan fielmente como la misiva del doctor de Chuquisaca las normas del intercambio entre letrados del Antiguo Régimen. La carta que ha recibido de su «amigo y favorecedor» —le asegura— lo «humilla por el grado indebido a que eleva mi corto mérito», ya que «son muy imperfectas mis obras para que puedan servir de modelo a un literato como Vd. [...] Examíneme Vd. por el lado del reconocimiento y me hallará más cumplido. El que le profeso por la gallarda defensa que ha hecho de mi causa no tiene límites. Yo la he leído con todo el placer que deja un escrito en que el buen gusto va siempre sostenido del juicio, y en que el convencimiento no deja respirar la sinrazón»,[75] y que hable de placer y no de admiración no deja duda de que, pese a que los usos vigentes lo obligan a declarar exagerados los elogios que recibe, ello no le impide juzgar la labor de su émulo desde la posición eminente que éste efusivamente le reconoce.

Esa eminencia la debe desde luego Funes a su condición de sabio, pero a ella iba pronto a sumar la de dirigente revolucionario, que ha asumido en 1809, cuando en su viaje a Buenos Aires «abrió su pecho» a Belgrano y Castelli, y con esos dos «corifeos en quienes con más calor se iba alimentando la revolución» ésta «quedó acordada, aunque sin un plan definitivamente concertado». Sin duda, ese nuevo papel no era necesariamente incompatible con el que había venido ya encarnando, pero el modo en que Funes iba a vivir la irrupción del vendaval revolucionario en la comarca rioplatense aseguró que uno y otro iban a coexistir desde entonces en un estado de tensión nunca resuelto. Se ha anticipado ya que las lecturas con que había venido preparándose para desempeñarse de modo eficaz en el nuevo escenario creado por la Revolución no le habían ahorrado sorpresas tanto más dolorosas porque ya en el momento de ingresar en éste le revelaron los abismos

[74] Mariano Moreno al Deán, Buenos Aires, 26/IV/1807, AF, II, pp. 19-20, la cita de p. 19.

[75] El Deán a Moreno, Córdoba, 16/V/1807, AF, II, pp. 20-21, la cita de p. 20.

que le acechaban en la ruta que acababa de tomar cuando asumió su compromiso revolucionario con una firmeza desdeñosa de cualquier peligro. Pero si al volverse luego sobre ese episodio inicial de su nueva carrera el orgullo con que recordaba el temple heroico que para sorpresa de muchos (y acaso de él mismo) había desplegado en ese momento decisivo se mezclaba con una suerte de horror retrospectivo frente al riesgo mortal al que entonces se había visto expuesto, ni aun en las horas más oscuras de las casi dos décadas que le tocó vivir desde entonces llegó a lamentar que ese momentáneo abandono de su habitual cautela le cerrara cualquier posibilidad decorosa de apartarse del azaroso camino que entonces había emprendido.

Ese horror impregna el relato que los *Apuntamientos* ofrecen del momento en que «empieza la vida pública del Sr. Funes, porque él supo unirla de tal modo con la revolución, que su historia hace una parte de este suceso memorable». Habían pasado pocos meses desde su viaje triunfal a Buenos Aires cuando recibió la visita del «joven Labin», su antiguo alumno en el colegio de Montserrat, a quien el depuesto virrey había enviado como emisario ante Liniers y el intendente Gutiérrez de la Concha, para hacerles saber «la resolución en que se hallaba de trasladarse a Córdoba si le fuere posible, y recuperar allí el mando perdido». Labin, movido por «los sentimientos respetuosos y tiernos que en almas sensibles engendra la educación», apenas llegado a destino dedicó su primera visita «a pesar de toda otra consideración, a la morada de su antiguo Rector», quien de inmediato lo presentó «al general Liniers y al gobernador Concha, para que se informasen del acontecimiento». Como era esperable, «el deseo de vengarlo [*sc.* al depuesto Virrey] y la sorpresa se disputaron *el* corazón» de ambos y sus allegados, que decidieron posponer cualquier pronunciamiento hasta recibir notificación oficial de lo sucedido. Llegada ésta, el 4 de junio el intendente convocó a una junta de notables, en la que «expuso lo sucedido, y pidió dictamen, añadiendo que el suyo era: —se resistiese a la Capital. Liniers tomó tras de él la palabra; y empleó toda la fecundidad de su genio en apoyo de ese parecer. Ninguno de los concurrentes se atrevió a rebatirlo, a excepción del señor Funes. Sin detenerlo el peso de estas autoridades, el odio que iba a concitarse, y los peligros a los que exponía su vida, fue de dictamen que debían seguirse las huellas de la capital. Es preciso convenir que este hecho es el más señalado de la historia. Pondérese lo que se quiera la heroicidad de los que dieron el primer grito en la capital, siempre hay mucha diferencia de un proceder al otro. Aquéllos lo dieron cuando sabían que los cuerpos militares, principalmente el de Patricios, salían garantes de su existencia. Éste dio el suyo sin otro apoyo que la bondad de su causa, y a ciencia cierta que de pronto iba a luchar por sí solo contra las olas de esta tempestad».[76]

Pero no es seguro que Funes haya advertido ya entonces que con ese gesto gallardo estaba poniendo en peligro su vida; estaba todavía demasiado sumergido en la atmósfera del Antiguo Régimen para que en su imaginación las consecuencias de una victoria de su inveterado enemigo el Intendente fueran mucho más allá de la misma marginación brutal de los círculos de la elite cordobesa que lo había amenazado cuando se había cruzado en el camino del obispo Moscoso y Peralta, tal como lo anunciaba por otra parte la decisión del obispo Orellana, que «aprovechó el primer momento para hacerle el agravio al señor Funes, de despojarlo del provisorato».[77] Pero pronto la llegada de las tropas enviadas desde Buenos Aires forzó a ese nuevo enemigo del Deán a emprender junto con los demás integrantes del círculo de Liniers y Concha una fuga que no los salvó de caer prisioneros de la expedición capitalina, a la que acompañaba Hipólito Vieytes como comisionado de la Junta revolucionaria.

Fue entonces cuando Funes pudo medir por primera vez plenamente las dimensiones de la aventura con la que acababa de asumir un compromiso sin retorno. Persuadido de que «los prisioneros debían conducirse a la capital» y temeroso de que «si a su tránsito eran introducidos en Córdoba pudiese haber alguna reacción» ya que «su mala suerte interesaba a muchos», se acercó «al comisionado Vieytes y le expuso su temor. Éste, que estaba en los secretos del Gobierno, le dijo entonces que se tranquilizase, pues la comisión tenía repetidas órdenes

[76] AbF, AF I, pp. 10-11.
[77] AbF, AF I, p. 13.

positivas para que inmediatamente después de su aprensión fuesen todos, sin exceptuar el Obispo, pasados por las armas. El señor Funes no pudo oír sin estremecerse una resolución tan cruel como impolítica», y logró no sin esfuerzo persuadir a Vieytes «que se mandasen suspender los suplicios, y se diese orden para que fuesen conducidos los reos a la capital», pero «la Junta gubernativa, [...] lejos de aprobar la suspensión [...] dictó otras medidas para que se ejecutase el fallo, sólo con la circunstancia, de que no comprendiese el Obispo, como sucedió».

Poco después se efectuó en Córdoba la elección de un diputado para el Soberano Congreso, a cargo de «una reunión popular bien numerosa de todos aquellos vecinos en quienes se reconociera un juicio propio en materia tan importante», y como por todos ellos «era bien conocida la justicia del Sr. Funes: nadie hubo que le pudiese disputar ni remotamente el puesto: uniformemente fue electo el 17 de agosto de 1810».[78] Acababa de partir a Buenos Aires cuando lo alcanzó un correo con noticias que le revelaron para su horror hasta qué extremos habían llegado «los riesgos a que el Sr. Funes aventuró su vida con motivo de la revolución». Iba incluida en él una carta en que el intendente de Potosí informaba al de Córdoba que su subordinado el doctor Cañete, «empleado en la asesoría de Potosí», con quien Funes había contraído «una de esas estrechas amistades que habitualmente engendra en los estudios el aprendizaje simultáneo de la primera edad» se había apresurado a hacerle saber del «nuevo camino de prosperidades que le abría la fortuna llamándolo el Virrey Cisneros para colocarlo en la Asesoría General del Virreinato», y que su remoto amigo, lejos de felicitarlo ante la buena nueva, «le contestó diciéndole que el gran coloso iba a caer, y que era lástima se prostituyese a los pies de algunos hombres que en breve implorarían su socorro». Hasta ese punto la correspondencia entre los dos más brillantes discípulos de la universidad jesuítica había avanzado sobre los carriles propios del Antiguo Régimen: Cañete ponía a su condiscípulo al tanto del golpe de fortuna que le permitiría usar su acrecida influencia para

[78] AbF, AF I, pp. 14-15.

apoyarlo en su carrera, y éste le respondía alertándolo acerca de un cambio que le permitiría a él mismo favorecer las ambiciones de su corresponsal mejor que aquellos que acababan de invitarlo a subirse a una nave a punto de naufragar. Y la mención de que con sólo hacer oídos sordos a esos cantos de sirenas Cañete se encontraría pronto en situación de recibir las súplicas de quienes habrían dejado de ser sus superiores muestra que en la imaginación de Funes las consecuencias de la caída del «gran coloso» no habrían de ser demasiado diferentes de las que cada cambio en el rumbo de la monarquía católica en su etapa de agonía tenía en el equilibrio de poder e influencias dentro de su laberíntico aparato de gobierno.

Ahora descubría que no iba a ser así, y que —comenzando por su condiscípulo, que «traicionó los deberes de la amistad comunicando esta carta en confidencia al intendente Sanz»— todos a su alrededor habían comenzado a ajustarse a reglas nuevas que no dejaban duda de que si esa carta «hubiera llegado a manos de Concha cuando estaba en todo su auge la autoridad de los mandatarios reales, probablemente el Sr. Funes hubiese sido víctima de todo su furor» y sólo lo salvó de serlo que «cuando llegó el correo que la conducía, ya se había desplomado el edificio, y oprimido en sus ruinas a quienes lo habitaban»,[79] pero descubrir que debía su supervivencia a la oportuna ejecución de cinco de sus enemigos le revelaba a la vez qué extremos eran los riesgos que había ya comenzado a correr, y no podía evitar seguir corriendo, en la nueva carrera que había emprendido bajo el signo de la revolución, y desde ese momento inicial iba a avanzar en ella con el recuerdo siempre presente de lo que le había revelado ese alarmante comienzo.

Eso no le iba a impedir seguir actuando en ese nuevo escenario de la única manera en que había aprendido a hacerlo, y que le sugería que si una elite en cuyo seno su intervención había contribuido más que ninguna otra a cavar un abismo de sangre había sido unánime en designarlo su representante era porque los sobrevivientes de la facción vencida habían reconocido en él a quien mejor podía protegerlos de las

[79] AbF, AF I, p. 16.

demasiado previsibles consecuencias de su reciente derrota, y estaba dispuesto a hacer todo lo que estuviese a su alcance para no decepcionarlos, ya que de ello dependía que pudiese retener en el ámbito más amplio de la entera elite urbana el mismo papel de representante de un consenso cuasi universal que treinta años antes había logrado conquistar para sí en el del clero secular de su comarca cordobesa. Pero sabía también que en sus intentos iba a encontrar obstáculos más inmediatamente temibles que el «insultante silencio» con que los «déspotas subalternos de la América» habían respondido en aquella oportunidad desde sus covachas madrileñas a sus insistentes reclamos de justicia, y la ansiedad con que se preparaba a afrontar esa prueba aparece nítidamente reflejada en la correspondencia que entabló con su hermano Ambrosio desde su llegada a la capital revolucionaria.

El 15 de octubre, a poco más de una semana de su arribo, cuando escribe a Ambrosio acerca de sus gestiones a favor de los notables cordobeses sancionados con penas de destierro, está totalmente consciente de que su influjo no se extiende más allá de la súplica y el ruego, «y ya temo hacerme fastidioso, principalmente cuando ignoro los motivos que han movido a esta junta».[80] Y once días después, cuando le informa que el presidente Saavedra y el secretario Paso no han cumplido su promesa de aliviar las penas impuestas a esos mismos notables, se apresuraba a concluir que «no es cordura reiterar mis empeños con demasiada frecuencia», ya que «es de temer que me haga fastidioso y aun que se sospeche alguna parcialidad con los que tomo bajo mi protección». Bajo las «pruebas de la más alta estimación» que le prodigaban unánimemente los integrantes de la Junta gubernativa comenzaba a advertir un «no sé qué de desvío», que estaba tentado de atribuir al «aplauso y estimación general, aun de los mismos europeos» del que se descubría rodeado, y que quizá comenzaba a despertar los celos de los nuevos poderosos. Por el momento está satisfecho de tener a su favor el concepto público «y lejos de darme por entendido, afecto que nada comprendo de sus recelos. Así conservo muy buena armonía y no me hallo a tiro de los que censuran muchas providencias». Hasta

[80] CIF, Atlántida, I, 2, p. 179.

qué punto ha logrado preservar esa armonía lo acaba de descubrir en un reciente paseo al puerto de la Ensenada, en que «toda la comitiva, que era grande, me hizo muchas honras», y al discutirse «el proyecto de hacer navegable el Río Tercero el Consulado me ha franqueado todos sus auxilios [...] Se discurre que por predilección hacia mí obra así el Consulado».[81]

En la excursión a la Ensenada el Deán se había reencontrado con el doctor Mariano Moreno, su admirador de 1807, trocado ahora en jefe de la facción extrema de la Junta revolucionaria y redactor de *La Gaceta* por él fundada como órgano del nuevo régimen, quien en una carta del 27 de ese mes se complacía en anunciarle en los términos más concisos que, aceptada la renuncia del Vicerrector del Colegio de Montserrat, se habían mandado ya «extender los despachos de Rector interino a favor del Doctor Funes, que Vd. propuso», y tras ofrecer de ese modo a la casa de Funes el primer fruto del triunfo de la causa que el Deán había defendido tan gallardamente, lo instaba en los términos más lisonjeros a que satisficiera las expectaciones de «todas las gentes» rescatando a «nuestra *Gaceta* del estado de languidez a que la redujo la desgracia de haber caído en unas manos poco expertas, y que han embarcado imprudentemente más de lo que pueden», sugiriéndole al respecto que «pues Vd. se ha manifestado lleno de placer en el paseo» a la Ensenada ofreciera en sus columnas como «tributo de aquella diversión un discurso sobre la importancia de aquel Puerto [...] que honrará la memoria de sus autores, y hará la felicidad de los que ahora contribuyan con sacrificios personales. Los reclamos de la Naturaleza a favor de aquel Puerto han sido hasta ahora sofocados, sea usted su Abogado, que la gloria de un triunfo seguro dejará bien pagado el trabajo de la defensa».[82]

En su respuesta fechada en el mismo día en que había recibido la misiva de Moreno, tras agradecerle en términos igualmente concisos «el pronto y favorable despacho que han tenido los asuntos del Colegio», Funes entraba en materia proclamando que su interlocu-

[81] CIF, Atlántida, I, 2, pp. 179-80.

[82] Mariano Moreno al Deán, 27/X/1810, AF, II, pp. 111-12.

tor se equivocaba cuando atribuía al público «el concepto de que en mis manos tendría mejor suerte la *Gaceta* del gobierno. Yo juzgo, al contrario, que el público, así como yo mismo, contamos por una de nuestras glorias la de hallarse este periódico a la sabia dirección de un genio dotado de la amenidad que las gracias inspiran, y de cuantos conocimientos hermosean la razón misma». Pero, aunque Funes sabe muy bien que «la *Gaceta* no puede desempeñarse con más decoro ni dignidad», y [que] cualquier pincelada mía no haría más que degradarla», lo que lo lleva a concluir que la tarea a la que Moreno lo ha convocado «está muy fuera del tiro de mis alcances, y me costará no pocos ratos de humillación», sabe aún mejor que es su deber obedecer a quien tiene autoridad para convocarlo en nombre de una patria que el 25 de mayo de ese año ha ganado el derecho a escribirse con mayúscula, y así lo proclama en la frase lapidaria con que cierra su respuesta al todopoderoso secretario de quien protesta ser «el más fino y fiel amigo» («cuando se trata de complacer a Vd. y servir a la Patria todo sacrificio es pequeño»).[83]

No hay en esa carta de 1810 nada de la condescendencia que marcaba su relación con Moreno en la de 1807; por lo contrario ahora su actitud ante éste recuerda la que Lavardén había desplegado ante él mismo en 1802, en que también la confesión de sus propias insuficiencias como literato ofrecía un oblicuo homenaje a la posición eminente ocupada por un interlocutor bajo cuya protección aspiraba a cobijarse. Pero la Revolución había introducido una torsión nueva en esa relación clientelar a la que Funes se había acogido al proclamarse —usando todavía el vocabulario del Antiguo Régimen— el más fiel de los amigos de Moreno. No es tan sólo que a esa fidelidad lo había condenado su impetuosa adhesión a una causa por la que, sin advertirlo entonces del todo, había decidido jugar su vida, y cuyo triunfo —como descubría con creciente alarma— no era de ningún modo seguro, aún más pesaba que ella lo ligara a una dirigencia revolucionaria ahora acosada por el bloqueo puesto a su capital por los marinos basados en la realista ciudad-fortaleza de Montevideo, que ya

[83] El Deán a Mariano Moreno, 27/X/1810, AF, II, pp. 112-13.

cuando en Córdoba había afrontado una situación menos crítica había mostrado una alarmante inclinación a imponerse mediante el uso generoso del terror, que hacía difícil confiar ciegamente en la confianza que proclamara dispensarle. A esa altura de los acontecimientos el Deán había advertido ya plenamente con qué peligros lo amenazaba su participación en un juego político del que no podía ya apartarse, y había recibido con alivio la disposición del decreto de la Junta de Buenos Aires que había convocado a las demás ciudades del Virreinato a elegir representantes al futuro Congreso General de éste que disponía que hasta que éste se reuniese los así elegidos no entrarían a formar parte del gobierno,[84] pero pronto vino a desengañarlo la noticia de que éstos serían incorporados a la Junta a medida que llegaban a la capital. Así lo habían dispuesto las instrucciones incluidas por el secretario Moreno en la circular que acompañaban al decreto de convocatoria a elecciones, y eran ahora sus adversarios, en minoría dentro de la Junta, quienes invocaban el compromiso así asumido con los electos en la esperanza de arrebatar con el apoyo de éstos el control de ese cuerpo colegiado a la facción que lo tenía por jefe.

El 10 de diciembre, cuando el disenso que reinaba en la Junta había salido ya a plena luz, el Deán informaba a su hermano en carta «muy reservada» que había sido solicitado por ambas facciones en pugna, pero —le aseguraba— se había abstenido de tomar partido y, decidido como estaba a usar su influjo para «cortar divisiones que pueden frustrar nuestros designios», se mantenía en «perfecta armonía con todos». Mientras celebraba que esa conducta prudente le ganara nuevas adhesiones (según aseguraba a Ambrosio, tenía ya «un gran partido entre los ingleses, empezando por el comandante de marina» cuya decisión de no acatar el bloqueo declarado contra Buenos Aires por los marinos de Montevideo acababa de despojarlo de toda eficacia), en su fuero interno había tomado ya partido, y aunque había recibido con imparcial cortesía la visita del presidente Saavedra y la del secretario Moreno, que acaudillaba en la Junta a la mayoría opuesta

[84] «Lo celebraré mucho —asegura entonces a Ambrosio— así por estar más descansado como por tener menos responsabilidades», *loc cit.* n. 64.

a aquél, no dejaba por eso de anotar que «Moreno y los de su facción se están haciendo muy aborrecidos».[85]

Seis días más tarde anotaba también que «se ha aumentado mucho el clamor del pueblo porque los diputados tomen parte en el gobierno [...] los de la Junta, menos Saavedra, parece que se oponen, pero creo que se les ha de hacer la forzosa, porque el pueblo, la mayor parte de las tropas así lo quieren», y el 27 de diciembre podía anunciarle que «se verificó el que los diputados entrásemos en la Junta. Se me obligó que hablase por todos [...] hubo su oposición de parte de los vocales, pero muy amigable y pacífica» (tanto que fue el propio Moreno quien, antes de resignar su lugar en la junta para asumir una misión diplomática en Gran Bretaña, extendió el decreto que los incorporaba a ella). Pero tras señalar que con ese desenlace «el pueblo está contentísimo», ya que «saben los inocentes que pueden respirar y reposar sin susto» el Deán no deja de hacer sonar una nota de alarma («no quisiera que el pueblo me celebrase tanto, porque esto puede irritar a los que han sido del partido contrario»), que le impide congratularse sin reservas por el lugar protagónico por él conquistado cuando acababa apenas de cruzar el umbral de su nueva carrera («se me ha encomendado *La Gaceta* —comunicaba también a Ambrosio— y me da mucho que hacer»).[86] Pronto sus temores iban a verse confirmados; en una carta «reservada» dirigida a Ambrosio el 27 de marzo de 1811 se confesaba «bastante atormentado» porque «la mala semilla que dejó Moreno [la noticia de cuya muerte en alta mar no había llegado aún al Río de la Plata] al fin vino a fermentar contra mí, Saavedra y el doctor Molina», bajo la forma de un movimiento apoyado por el «regimiento de la Estrella de quien es coronel un tal French y su teniente Beruti», pero apenas «los coroneles de algunos cuerpos» lo invitaron a que «hablase con energía en la Junta pues *sus* espaldas estaban bien seguras», ésta tomó «las medidas convenientes». Con los conjurados «muertos de miedo [...] se dedicaron las cabezas a persuadirnos de que no tenían la menor parte. Algunos de ellos han estado conmigo a darme mil sa-

[85] El Deán a Ambrosio, Buenos Aires, 10/XII/1810, CIF, Atlántida, I, 2, p. 183.

[86] Ambas misivas en CIF, Atlántida, I, 2, p. 186.

tisfacciones». Pero a la vez que se presenta inequívocamente ante su hermano como el promotor de la exitosa contraofensiva saavedrista, el Deán proclama infundada la opinión dominante que lo presenta incondicionalmente embanderado en la facción que apoya al presidente de la Junta («Parece que la prevención contra mí procedía del falso principio de ser muy adicto a las máximas de Saavedra. No es así, sólo lo sigo en lo que me parece justo»). Y pronto comienza a alarmarse ante los primeros signos de que el triunfo de la facción con la que quisiera no ser visto como totalmente identificado puede revelarse efímero; en una postdata debe admitir que, si como concluía en el cuerpo de su misiva, «el nublado se *había* disipado por un momento», ese momento se había revelado inesperadamente breve: «este pueblo voluble dio y temó [en] que debían salir [desterrados de la ciudad] todos los chapetones solteros [y] así se ordenó porque no faltaba quien protegiese el pensamiento». Desde luego no el Deán, quien por el contrario «tocaba mil dificultades» y en efecto «al quererse ejecutar esa medida, se sintió un gran trastorno. De aquí resultó que los mismos que se empeñaban en que saliesen pidieron que se revocase la orden, pues desde ahora quedaba para siempre reconciliada la enemistad entre criollos y chapetones: esto se ha celebrado mucho. Esperemos que dure».

No iba a durar; el 8 de abril anunciaba a su hermano que «acabamos de salir de una furiosa borrasca; la noche del 5 se sintió una gran conmoción en el pueblo y las tropas que sin duda fue ocasionada por la que antes se sintió contra Saavedra, contra mí, Cosío y Molina», y habiendo pueblo y tropas «tomado todas sus medidas, eran ya las 11 y media de esa noche cuando «vino a verme todo sorprendido don Agustín Donado, uno de los que había tenido más parte en la conjuración contra nosotros» para solicitarle «que me juntase con los demás vocales del gobierno para disipar aquel tumulto que ya conjeturaba que iba a reventar contra él mismo. Inmediatamente vinieron también los señores Larrea, Vieytes, Peña, Azcuénaga, Paso, etc. temiendo la misma suerte. Yo procuré como pude serenarlos y hacer que nos juntáramos en el Fuerte para deliberar de acuerdo. Así lo hicimos pero ya era tarde, porque las tropas y el pueblo habían tomado su partido contra ellos» y el recinto fue invadido por «el coronel de húsares don

Martín Rodríguez, el abogado Campana y otros muchos», quienes, dirigiendo «sus voces contra Peña y los demás indicados» les anunciaron, en «uno de los actos más tumultuarios que se puede imaginar», que «el pueblo iba a hacer una representación con varios artículos de que pedía su cumplimiento». Aunque el Deán procuró apaciguar a los incursores fracasó en su intento, y se vio forzado a esperar hasta las ocho de la mañana, junto con «las cabezas» de la facción opuesta («debes imaginar la incomodidad que pasaría, hasta aquella hora, sin haber pegado mis ojos») a los representantes de la voluntad popular que en diecisiete capítulos les exigieron la remoción de los integrantes de la Junta adictos al partido caído y la de los jefes del regimiento Estrella, French y Beruti, «por ser el cuerpo que sostenía a los revoltosos», el destierro de todos ellos junto con el «de todos los chapetones que fuesen sospechosos», y todavía «muchas otras cosas [que] verás cuando se dé al público. La junta lo aprobó todo y con esto quedó serenado el alboroto», pero bajo la aparente calma «para mí no dejará el fuego de obrar ocultamente. El partido de los desterrados, aunque compuesto de hombres sin obligaciones, no es pequeño», y tomando eso en cuenta el Deán concluía la misiva recomendando a Ambrosio que no dejase de visitar a los que tuvieran asignada a Córdoba como el lugar para su forzada residencia «pues yo sé que me hacen la justicia de no suponerme autor de este alboroto».[87]

Así comenzó el Deán a avanzar en su nueva carrera, a la que iba a ver siempre como una navegación en aguas cruzadas por súbitos torbellinos que lo arrastraban hacia donde no quería llegar, en que a partir del momento en que el recurso que le permitió superar indemne el primero de ellos contribuyó a preparar las circunstancias que lo obligarían a improvisar a cada paso otros nuevos para contornear de modo no menos precario los que iban a sucederle se descubrió condenado a jugar una y otra vez el todo por el todo en una al parecer interminable carrera de obstáculos. Si la carta que dirige a Ambrosio el 8 de abril, a la que reveladoramente no pone nota de confidencial, en que se presenta ante su hermano y ante quienes éste ha de darla a leer en su

[87] El Deán a Ambrosio, 8/IV/1811, CIF, Atlántida, I, 2, pp. 190-92.

patria chica como el alarmado testigo de un conflicto en que lamenta que circunstancias fuera de su control lo hayan enredado, no logra ocultar que en ese conflicto ha sido algo más que un espectador, que lo intente confirma que —como por otra parte se trasluce plenamente de las que con nota de reservadas había enviado en los días previos— ha hecho todo lo que estaba a su alcance para apartarse lo menos posible de ese papel marginal, y la visita nocturna de la plana mayor de la facción opositora revela que ésta reconocía en él al único integrante de la oficialista que no había cortado todos los puentes con ella. Por lo que restaba de ese convulso año de 1811 el Deán pudo creer que su cautelosa conducta lo había puesto al abrigo de las acechanzas de la tormentosa política revolucionaria; en sus *Apuntaciones* iba a ofrecer una imagen tranquilizadoramente plácida de su trayectoria entre diciembre de 1810 y el mismo mes del año siguiente, en que el «alboroto» de abril era sólo mencionado al pasar como una revolución felizmente sofocada, y él mismo ocupaba el centro de la escena como redactor de *La Gaceta*, desde la que logró seguir haciendo de la opinión pública «ese muro irresistible donde vinieron a estrellarse los esfuerzos de la España», como cuando bajo la dirección de Moreno había él mismo participado en su redacción en fraternal concordia con éste y sus colaboradores Castelli, Paso y Belgrano (integrantes los tres dc la facción desplazada del poder), pero pronto también poniendo su elocuencia al servicio de la causa revolucionaria «en una proclama incendiaria del Brasil» que provocó una alarmada protesta diplomática de quienes había tomado por blanco, y aún más señaladamente cuando llegó a una aterrorizada Buenos Aires la noticia del desastre que había devuelto al Alto Perú al dominio español; fue en efecto en esa hora de extremo peligro cuando la Junta de gobierno, «encargando al Sr. Funes una proclama en que les recordaba a los pueblos que el Senado Romano dio las gracias al Cónsul Varrón por no haber desesperado de la República después de la derrota de Canes [sic], consiguió con ella generosos esfuerzos».[88] Con su estrella en ascenso, el Deán pudo por fin desempeñar en el nuevo contexto revolucionario el papel de

[88] Funes, AbF, AF, I, pp. 18-19.

consejero áulico que en el pasado había sido ya el suyo en el marco de la Iglesia cordobesa, cuando —persuadido de que «dando a todos los diputados una parte activa en el Gobierno, fue desterrado de su seno el secreto de los negocios, la celeridad de la acción y el vigor de su temperamento»— propuso «la división de poderes en legislativo (en sentido lato) y ejecutivo, revistiendo con aquél a la Junta con el título de *Conservadora*». Fue esa propuesta la que dio ocasión al episodio que vino a cerrar esa breve pausa en una narrativa de casi constantes desdichas; en efecto, apenas «la Junta adoptó este pensamiento, y creó un Gobierno de tres sujetos [éstos] por un gusto de poder absoluto [...] miraron al Reglamento, redactado por el Sr. Funes, como un código que precipitaba a la patria a su entera ruina, y haciendo en consecuencia una revolución, quedó el Sr. Funes con los demás diputados fuera de todo puesto público en Diciembre de 1811».

Apenas abierto el año de 1812 el Deán, ya suficientemente golpeado por la pérdida de los emolumentos vinculados con ese puesto público, que vino a sumarse a las debidas a los estragos que el derrumbe del antiguo orden había originado en sus restantes fuentes de ingresos, se vio súbitamente privado de su libertad, acusado de participar en una conspiración con cuyos promotores se encontró confundido en «un proceso [que] se seguía con todo aquel aparato lúgubre que hacía divisar el último suplicio». Quien de entre éstos «resultaba más criminal era precisamente un ilegítimo que estaba en relación de parentesco con uno de los señores del mando [y] de esa circunstancia se valió la parentela para interesar al mandón [quien] usando de toda la perfidia de su carácter, les dijo: que el único medio de libertarlo era mezclando en la conspiración personas respetables, como el señor Funes y otros, y les aconsejó que así lo hiciese el reo. ¿Cómo podía dejar éste de aprovecharse de una cábala tan favorable a su existencia? [...] De orden del Gobierno fue preso el Señor Funes, y llevado a la Fortaleza, donde se le puso por custodia a una guardia de 25 granaderos con un centinela de vista; se clavaron las puertas de la pieza menos una, y se abrió su proceso».[89] En la correspondencia que el Deán mantuvo con

[89] Funes, AbF, AF, I, pp. 20-21.

su hermano desde su prisión aparece menos preocupado por lo que en ese «aparato lúgubre» podía dar motivos para «divisar el último suplicio» que por la perspectiva de verse indefinidamente capturado en un limbo jurídico que lo obligaba, aun después de recibir la autorización para abandonar su celda de la Fortaleza bajo un régimen de prisión aliviada que le daba a la entera ciudad por cárcel, a permanecer inactivo en Buenos Aires afrontando con recursos gravemente disminuidos los costos extraordinarios originados por su forzada residencia en la capital, que a su juicio era para entonces «el mayor perjuicio» que le seguía infligiendo esa calumniosa denuncia. En efecto, era ya claro desde hacía meses que nada peor que eso necesitaba temer como consecuencia de una iniciativa que atribuía sin equivocarse a la malevolencia de Feliciano Chiclana (era él el aludido en los *Apuntamientos* como «uno de los señores del mando»), con quien había mantenido «muy sabidos» debates; y ya el 10 de junio podía comunicar a Ambrosio que la marginación política de éste, que se había visto forzado a dimitir «con pretexto de enfermedad», y su reemplazo por Juan Martín de Pueyrredón —un buen amigo de ambos Funes— había cambiado su situación hasta el punto de haber ya recibido seguridades de que en sólo dos o tres días se decidiría su causa.[90]

Iban a necesitarse varios meses para que una sentencia definitiva clausurase el episodio, pero ya antes de que lo hiciera éste marcó otro decisivo punto de inflexión en la carrera pública de Gregorio Funes: leemos en los *Apuntamientos* que apenas juzgó disipado el peligro de que lo cerrara una condena penal se resignó a seguir «sufriendo su prisión [...] hasta que, resfriado el calor de sus perseguidores, se le puso en libertad, y no se cuidó más de la finalización de su proceso», prefiriendo volcarse «con más tranquilidad de espíritu a la pesada tarea de su Ensayo Histórico [...] sepultándose en los archivos con el fin de recoger materiales [...] Esta contracción pacífica fue un calmante de las pasiones de sus émulos, con que fue viendo renacer de nuevo su antiguo aprecio del público».[91]

[90] El Deán a Ambrosio, 26/V/1812, CIF, Atlántida, I, 2, p. 385.

[91] Funes, AbF, AF, I, p. 21.

Al concentrar sus esfuerzos en esa tarea de la que iba a ser fruto el *Ensayo de la historia civil del Paraguay, Buenos Aires y Tucumán,* que con sus tres volúmenes estaba destinado a ser la más extensa de las obras debidas a la pluma del Deán, éste —después de una etapa en que se había dejado capturar más de lo que hubiera deseado por el engranaje de la política revolucionaria— intentaba recuperar la distancia que había esperado mantener con sus peligrosos conflictos cuando se había incorporado a la escena pública en la capital revolucionaria bajo la figura del sabio, bajo la cual había sido reconocido y celebrado ya en ella durante la agonía final del Antiguo Régimen. Se ha indicado ya el papel que pudo tener en ese reconocimiento por parte de los círculos ilustrados porteños la posición de autoridad e influencia que ocupaba en las filas de la decididamente menos ilustrada elite eclesiástica cordobesa, lo que hacía difícil que su relación con éstos sobreviviera sin daño luego de que la revolución sacó a la superficie los conflictos que mientras habían venido madurando por debajo de ella no le habían impedido ejercer con igual autoridad esos dos papeles que aún no habían revelado hasta qué punto podía ser difícil conciliar. Pero se ha indicado también que su aspiración, que no hay motivo para no creer sincera y profunda, a superar encarnando esa figura las limitaciones de una existencia mediocre, contraída a producir incansablemente «sermones, papeles en derecho, representaciones, oficios, cartas, consultas», tropezaba con otro obstáculo no menos serio, y era éste que lo que intentaba producir bajo la figura del sabio no se diferenciaba demasiado de ese fárrago de escritos en los cuales, como confiaba a Flores en 1803, «nada hay que merece leerse, ni aún referirse». Y el Deán no podía evitar que así fuese porque —como lo revela con admirable claridad el Plan de Estudios para la Universidad Mayor de Córdoba por él sometido en 1813 a «la sabia censura antecedente a la aprobación del gobierno»—[92] su manera de encarar las tareas propias del sabio que aspiraba a encarnar era la que en esa larga carrera de

[92] Doctor Gregorio Funes, «Plan de Estudios para la Universidad Mayor de Córdoba», en Senado de la Nación, *Biblioteca de Mayo,* Buenos Aires, 1960, II, pp. 1555-1587 (en adelante PEUC), la cita de p. 1555.

letrado que evocaba con tanto disgusto había llegado a constituirse en una segunda naturaleza.

A la vez la lectura del Plan de Estudios revela la presencia en Funes de destrezas y talentos que eran menos fácilmente perceptibles en sus escritos de intención polémica o laudatoria: el mismo laberíntico estilo expositivo que en esos escritos se prestaba admirablemente para velar las contradicciones en que no podía sino enredarlo su innata preferencia por la navegación entre dos aguas hace que sólo paulatinamente descubra el lector que esta vez está frente a un texto debido a quien, conociendo a fondo los problemas que aquejan a la institución que ha gobernado por varios años, está decidido a presentar con tanta claridad como firmeza las soluciones que a su juicio están a su alcance para resolverlos, en un avance rectilíneo que se abre con la estipulación de que «el estudio público de las artes y las ciencias, por donde los jóvenes pueden llegar a una instrucción elemental, pide entre otras cosas muchos profesores competentemente dotados, y la duración de un curso proporcionado a lo arduo de esta empresa», para deducir de esa premisa que aquéllos deben «gozar de las asignaturas, que cuando menos, aseguren su subsistencia; porque al fin nada más justo como el recompensar con este premio una instrucción, sin la cual se encontraría un estado a merced de la ignorancia», pero también porque es ésa la única manera de contar con profesores competentes, ya que «nadie apetece un estado en que no encuentre su ganancia [y] perecerán desde luego los estudios desde que el interés deje de animarlos».

Tras esa apertura en que desenvuelve sin prisa una línea de razonamiento lo bastante anodina para no abrir resquicio alguno a la controversia, Funes se aventura por fin a temas que sabe capaces de suscitarla, cuando recuerda a sus lectores que «ni los fondos de la universidad son suficientes para la dotación de todas las cátedras que exige un estudio general; ni el tedio a las letras tan común a la juventud, favorecido en cierto modo por los padres de familia a fin de evitar los gastos de una enseñanza dilatada, permiten la duración de un curso proporcionado al espacio que debe recorrerse para obrar con utilidad», lo que lo obliga a reducir sus «miras a los estrechos límites de las facultades que considero más necesarias, dejando al claustro la esperanza de que algún día acaso podrá ver perfeccionado este bosquejo». Pero no será suficiente aceptar esas limitaciones, si no se mantiene «la práctica de no abrir los cursos de artes cada año, sino con uno de intercalación», puesto que sólo de este modo «se consigue aumentarse las cátedras sin que se aumenten los catedráticos, pudiendo cada uno de ellos regentear dos en dos años sucesivos, lo que asegura que éstos «no se encuentren con tan escasa dotación, que si bien no satisfaga su deseo, a lo menos deje de igualar su necesidad». Y por otra parte la apertura anual de los cursos de artes «supone una concurrencia de estudiantes en número suficiente para formar cuerpo de escuela, y con la aptitud en latinidad que piden las ciencias serias a que van a dedicarse», y a su juicio esto «no podría fácilmente lograrse», ya que, si los inconvenientes derivados de la escasez e insuficiente preparación de los nuevos candidatos disponibles cada año «no son de recelar en las grandes poblaciones donde hay crecida copia de estudiantes [...] esta parte de la América no ha llegado todavía a ese caso».[93]

Éstos son los criterios que guían al Deán para diseñar un preciso programa de actividades para la Universidad que agrega a su plan de estudios una minuciosa distribución de las actividades de cada cátedra tanto en el marco del ciclo anual como en su distribución en el horario de cada día, y todavía de los textos que recomienda para su uso en cada una de ellas, y leyéndolo no queda duda de que se ha esforzado sobre todo por acercar a su universidad a la condición que juzga deseable tanto como lo permiten las limitaciones que —como sabe demasiado bien— imponen a cualquier iniciativa demasiado ambiciosamente innovadora tanto el lugar marginal de Córdoba en el orbe hispano cuanto la penuria en que se encuentra sumido un aparato estatal que mientras intenta refundarse sobre nuevas raíces se descubre privado de buena parte de los recursos que en el pasado le habían asegurado la subsistencia. Y si el lector actual de este proyecto universitario puede apreciar más plenamente qué propósito había guiado al Deán que quien se aproximaba a él hace cien o cincuenta años es quizá porque en las universidades de estos tiempos posmodernos vuelve a aflorar

[93] PEUC, pp. 1555-57, *passim.*

más de un rasgo de las del ocaso de la edad barroca, lo que le hace fácil reconocer en el Deán a un precursor de esas figuras consagradas a lo que llaman gestión que ocupan hoy en ellas una posición cada vez más dominante.

No ha de negarse que Funes comparte con éstas una viva atención a sus propios intereses; tal como señala maliciosamente Miranda Lida,[94] cuando en su reforma incorporó a los estudios filosóficos incluidos en el ciclo inicial de artes el de la aritmética vino a dar solución al problema que le planteaba el compromiso de aportar los fondos para sostener una cátedra separada para las matemáticas, por él asumido al ocupar en 1808 el rectorado de la universidad cordobesa, cuando aún intentaba progresar en su carrera en el marco de un Antiguo Régimen en que esas pruebas de «amor al Real servicio» habían sido inversiones que se esperaban destinadas a fructificar en el futuro, pero que en 1813, con la fortuna de los Funes devorada en la vorágine provocada por el naufragio de ese Antiguo Régimen, se había trasformado en una carga insoportable. Pero se podía reconocer también otro rasgo menos universalmente compartido por quienes hoy abordan una tarea análoga a la que entonces afrontó el Deán, en cuanto para dotar a su ciudad nativa de la mejor universidad que las circunstancias permitían no vaciló en afrontar la oposición, que sabía temible, de quienes desde su claustro aspiraban a seguir distribuyendo en su propio provecho el cada vez más magro botín ofrecido por una institución que era ya tan sólo la sombra de sí misma.

Y es precisamente cuando el Deán se aparta de su habitual prudencia para asumir un compromiso con un proyecto de renovación institucional que sabe destinado a provocar tenaces resistencias cuando se advierte más nítidamente todo lo que en su actitud se aparta de la del sabio que aspira a encarnar. No es difícil descubrir lo que en esa actitud continúa la de sus primeros maestros jesuitas, y se explica que así sea: del mismo modo que la respuesta de la Compañía al avance del espíritu ilustrado, la suya no buscaba participar en una revolución intelectual destinada a destruir hasta en sus cimientos el edificio de

[94] ML, p. 160.

ideas en cuyo marco su originario proyecto educativo había brotado, sino a hacer posible a ese proyecto sobrevivir sin excesivo daño a un trance que se supondría mortal.

Pero 1813 estaba demasiado lejos de ese año de 1701 en que la Compañía había creado el *Journal de Trévoux* como el instrumento por excelencia de esa empresa de salvataje, y la trayectoria recorrida entre una y otra fecha por esa milicia creada por San Ignacio para defensa del pontificado, que —perseguida primero por los más poderosos monarcas católicos— había sido finalmente disuelta por decisión del Pontífice, parecía haber ofrecido suficiente prueba de que ese proyecto era ya impracticable. Quienes en el orbe indiano se descubrieron víctimas de esa persecución y ese desahucio parecieron entenderlo así: primero fueron los exiliados de esa Nueva España en que la Compañía había contribuido más que en cualquier otra comarca de Indias a la celebración de las raíces vernáculas de la experiencia abierta por la conquista quienes desde su exilio italiano desplegaron ante los eruditos del Viejo Mundo una versión de esa experiencia alternativa a la madurada bajo la égida de la monarquía católica, pero desde que la crisis abierta por la Revolución Francesa no dejó ya duda de que ese proyecto había agotado por entero sus posibilidades, aunque no faltaron quienes dedujeran las conclusiones políticas implícitas en ese naciente nacionalismo cultural (que iba a llevar al extremo el peruano Vizcardo y Guzmán), la reacción dominante en la Compañía que se preparaba a resurgir de sus cenizas iba a ubicarla en la vanguardia de la lucha contra la irrupción de la modernidad, que a partir de la derrota final de la Francia revolucionaria iba dar su tema central a la historia de la Iglesia Católica por más de un siglo.

Todo en la *forma mentis* de Gregorio Funes le hubiera hecho impensable avanzar sobre el nuevo rumbo que se disponía a tomar la institución en que había emprendido su primera carrera literaria, y en primer lugar la huella poderosa con que ese temprano aprendizaje ubicado bajo el signo de la modernidad cristiana lo había marcado para siempre. Aunque en homenaje al ya vigente clima de incipiente resaca contrarrevolucionaria rodea cualquier invocación del legado ilustrado de signos claros de que tiene bien presente hasta qué abismos ha conducido una entrega sin reservas a sus sugerencias (así, aún en un tema menor como lo es el del orden en que debe encararse el aprendizaje de la gramática latina y la castellana, en el que luego de pronunciarse a favor de comenzar con el de esta última se apresura a diferenciar su posición de la de esos «funestos declamadores contra el latinismo» que fueron «Voltaire, Algarotti y D'Alembert» que quisieron entronizar la de la lengua nacional sobre el descrédito de la latina, asegurando tranquilizadoramente que por su parte pone en su preferencia por ella «la debida moderación»)[95] ese refugiarse en la moderación muestra hasta qué punto sigue gravitando sobre él su primera formación bajo el signo de esa versión tan cuidadosamente limitada de apertura a la modernidad propia de la versión española del proyecto de modernidad cristiana, con su apelación al «buen gusto» como criterio supremo, que dejaba muy poco espacio para cualquier aspiración a una renovación menos superficial del mundo de ideas y sentimientos vigentes entre las elites de la monarquía católica.

Vemos desplegarse esa actitud con particular nitidez en las consideraciones incluidas en el Plan de Estudios acerca de la enseñanza de la metafísica. Si bien, como admite de buen grado, en el estudio de la física «los microscopios, la máquina neumática, la eléctrica, los barómetros y termómetros son desde luego instrumentos más a propósito que los silogismos para descubrir la verdad [...] que esa mejoría sea cierta en cuanto a la metafísica no nos parece tan bien averiguado como se piensa», y es por otra parte innegable que en esa disciplina, en que «las escuelas de los escolásticos son un campo cerrado donde se puede caminar a pie seguro, no logran [sic] de este privilegio las escuelas de los nuevos filósofos». No por eso deja Funes de reconocer que «ha tenido mucho que corregir en los escolásticos la buena crítica, y que en esos mismos autores modernos (como que fueron sabios de primer orden) se encuentran bien tratadas muchas verdades, y en método mucho más agradable y ameno». Estando así las cosas, concluye, corresponde buscar una *via media* en «las obras de algunos hombres doctos, que aprovechándose de lo bueno que

[95] PEUC, p. 1559.

nos dejaron los antiguos escolásticos, y de las luces de la moderna edad, presentan sus tesis y doctrinas sin esa sujeción tiránica a las máximas rancias, misteriosas o inútiles del peripato: pero tampoco sin adhesión a partido alguno y en aquel ergotismo mitigado que sabe conciliar la forma silogística con el estilo didáctico y aún oratorio», recomendando entre ellas la «del docto Jacquier [...] que fue uno de los físicos y matemáticos más aventajados del siglo pasado» y en sus *Instituciones* eligió «seguir un camino medio en que evitando esos escollos derramase al mismo tiempo todas las riquezas científicas de que es capaz un joven ilustrado».[96]

Al llegar aquí se comienza a sospechar que no se hace entera justicia a la posición de Funes frente al dilema que planteaban en ese tránsito entre dos épocas las contrastantes demandas de fidelidad al legado de los siglos y de apertura a las luces del siglo cuando se lo presenta propiciando para él una solución ecléctica, cuando la que propicia nace quizá de su incapacidad de percibir que ese dilema es radicalmente distinto del que plantea la elección de un manual de curso, en que la existencia de una traducción española de uno de ellos, que «allana el escollo en que suele tropezarse por falta de suficiente número de ejemplares» es argumento suficiente para decidirse a su favor. Y confirma esa sospecha ver a Funes acogerse una y otra vez a la autoridad del «docto Condillac», sin que lo disuada de ello que —como no puede ignorar— éste, inspirado en el empirismo de Locke, hubiera rechazado por igual la tradición escolástica y los novedosos aportes de las grandes figuras de la filosofía moderna que Jacquier había buscado conciliar. Pero es que el abad de Condillac, ese eclesiástico mundano que se había apresurado a abandonar la abadía de la que era titular desde su extrema juventud para hacer vida de literato independiente en París, donde había forjado un estrecho vínculo con Rousseau y Diderot, y en la etapa siguiente de su carrera pasado a ocupar al lado del heredero del trono ducal de Parma y nieto de Luis XV la misma posición de preceptor que había sido la de Bossuet junto al Delfín e hijo de Luis XIV, hasta que vino a coronarla a su retorno

[96] PEUC, p. 1565.

a París su incorporación a la Academia Francesa, había tenido la fortuna de morir en 1780, en tiempos en que aún había sido posible a alguien dotado de su seguro tacto dejar a la posteridad tras carrera tan variada un nombre que no corría riesgo de suscitar excesiva alarma, y ello permitía a Funes acogerse a su indiscutida autoridad espigando en sus escritos argumentos a favor de las reformas que tan vivamente le interesaba introducir.

Al guiarse por ese criterio Funes se alejaba del ideal de sabio ilustrado que aspiraba a encarnar, y lo que le hacía inaccesible asumir ese papel más que en apariencia era un rasgo de su *forma mentis* para el que es difícil encontrar paralelo en otras figuras que con variable éxito intentaron lo mismo, y que hace que en las innumerables páginas que nos ha dejado sea imposible encontrar testimonio alguno que reflejara la presencia en él de una auténtica curiosidad intelectual por los temas que enfrentaba. Lo que lo llevaba a abordarlos era en cambio el deseo de alcanzar ciertos objetivos prácticos que —contra lo que alegaban sus enemigos— iban a veces más allá del de favorecer los progresos de su carrera: así lo revela su Plan de Estudios para la universidad cordobesa, en que en pos de esos objetivos no vacila en poner en aún mayor riesgo el triunfo pleno que aspira a alcanzar en ella.

La ausencia en el Deán de un interés profundo por la dimensión propiamente ideológica de los conflictos de los que no podía evitar ser parte no podía entonces encontrar explicación adecuada en el frío y calculador oportunismo que le achacaban sus enemigos, que hubiera sido incapaz de inspirar la pasión con que se volcaba en ellos, no menos intensa que la que llevaría a Sarmiento a hacer de su vida «tan contrariada y sin embargo tan perseverante en su aspiración a un no sé qué de elevado y noble» un combate no más tenaz que aquel que había consumido seis décadas en la vida del Deán, pero cuyo testimonio no deja duda de que ponía en la lucha de las ideas una pasión que contrasta con la cautela con que aquél se aventuraba en ese terreno. ¿De dónde entonces mana la fuente de esa pasión que hasta casi el fin de sus días iba a dar a Gregorio Funes la fuerza que necesitaba para perseverar década tras década en una carrera letrada tanto más rica en adversidades que en triunfos? En busca de una respuesta a esa pregunta que sin duda el Deán no llegó a plantearse, se acudirá aquí a la más ambiciosa de las obras con que buscó perfilarse como literato, el ya mencionado *Ensayo de historia civil de Buenos Aires, el Paraguay y Tucumán*, que vio la luz en Buenos Aires en tres volúmenes publicados en 1816 y 17.

Es ésta una opción que requiere ser explicada y defendida: desde que Sarmiento, al incluir en sus *Recuerdos de provincia* al deán de Córdoba entre esos deudos «que merecieron bien de la patria, subieron alto en la jerarquía de la Iglesia, y honraron con sus trabajos las letras americanas»,[97] tras cubrirlo de los más encendidos elogios, al llegar al *Ensayo* se vio reducido a invocar en su defensa de lo que encontraba indefendible las más variadas circunstancias atenuantes, la noción de que el Deán había ofrecido en él a sus lectores un centón en que, lejos de emprender el «grande y severo estudio de nuestro modo de ser» que hubiese justificado el tiempo y esfuerzo por él invertidos en la exploración de una etapa «repudiada por la revolución americana» se había dejado llevar «del pésimo gusto de los antiguos historiadores de las cosas americanas, de intercalar prodigios, milagros y patrañas de su invención o recogidas entre las vulgares tradiciones, en la narración de hechos que por ser mezquinos y materiales, alejan toda simpatía y cansan la curiosidad del lector», contribuyó a que muy pocos sintieran la necesidad de leerlo, mientras los poco felices argumentos invocados por Sarmiento para limpiar a su ilustre deudo de la nota de plagiario (alegando entre otras cosas que el autor del *Ensayo* usaba de «los tesoros de su erudición, tanto en las americanas crónicas, como en los libros clásicos de la Europa, que casi él solo poseía, con un total olvido de que escribía en el albor de una época que iba a poner al alcance de todos los elementos mismos de su saber», para concluir de ello que tratándose de alguien que vivió ese tránsito entre dos épocas «el cargo de plagiario [...] se convierte, más bien que en reproche, en muestra clara de méritos») tuvieron como consecuencia que hasta muy recientemente lo que más ocupó a los historiadores de nuestra historiografía en esa obra de Funes fue establecer si se trataba de la

[97] Sarmiento, RP, p. 26.

de un incontenible plagiario, tal como afirmaba Rómulo Carbia con su vehemencia habitual, y negaban con no menor vehemencia desde sus reductos cordobeses los defensores del buen nombre del Deán.[98]

Al llegar aquí cabe preguntarse si Sarmiento había alcanzado a hojear el *Ensayo* o hablaba estrictamente de oídas, porque basta hojearlo para advertir que la acusación de plagio es insostenible; del mismo modo que en los «papeles en derecho, representaciones, oficios, cartas, consultas» que se quejaba de que hubieran consumido tanto de su vida, también en su obra histórica el Deán invocaba sistemáticamente, y del modo más explícito, las autoridades en que apoyaba su argumento, entre ellas, y muy pormenorizadamente, la de esos «cerca de cuarenta cronistas» de Indias en cuya lectura se había nutrido para urdir su propia narrativa. Pero Sarmiento había leído u oído lo suficiente acerca del *Ensayo* para condenarlo invocando para ello la distancia muy real entre la imagen que en esa obra el Deán había trazado del pasado colonial y la que él mismo consideraba apropiada para una Hispanoamérica que «al día siguiente de la revolución» debía «volver los ojos a todas partes buscando con qué llenar el vacío que debían dejar la Inquisición destruida, el poder absoluto vencido, la exclusión religiosa ensanchada».[99]

Tras recusar la visión de los tiempos coloniales que trazaba el Deán en su *Ensayo* como inapropiada a las necesidades del momento en que éste la había propuesto a sus lectores, Sarmiento no creyó necesario indagar algo más acerca de ella, y este lector debe confesar que nada había encontrado este lector en los previos escritos de Funes que lo preparara para descubrir en éste la presencia de una visión tan abarcadora y coherente como la que aquél había desplegado en *Facundo,* así oponga ella a la deslumbrante riqueza de contenidos de

[98] Tal como recuerda Mariano de Vedia y Mitre, la polémica «que tuvo por escenario la revista católica *Criterio,* en 1929» y «en la que sólo intervinieron escritores católicos» debió finalmente ser «mandada suspender por la autoridad eclesiástica», Mariano de Vedia y Mitre, *El Deán Funes. Su vida-su obra-su personalidad,* Buenos Aires, Kraft, 1950, pp. 455-56.

[99] Sarmiento, RP, p. 82

la que en la visión sarmientina era fruto de una exploración abierta a todos los horizontes una obsesiva insistencia en sus motivos centrales que en efecto puede terminar fatigando la curiosidad de sus lectores. No lo sospechó ni aún al leer la carta en que el Deán, tras requerir de Ambrosio que le enviara entre otras «obritas de utilidad y gusto» de su biblioteca que habían quedado en Córdoba «*Los varones* de Plutarco; *Los Incas* de Marmontel [...] la parte política de la Enciclopedia [y] las *Décadas* de Herrera» agregaba que aunque «aquí me han ofrecido Polibio a quien yo he procurado imitar es a Tácito»;[100] en la que creyó reconocer al Funes de siempre, como siempre a la caza de citas citables, de las que Tácito había llegado a ser el principal proveedor para los historiadores y autores políticos de la temprana modernidad; iba a necesitar en cambio internarse en el *Ensayo* para descubrir que quien lo había escrito había encontrado en Tácito algo más que un modelo digno de ser copiado: un alma gemela.

No sólo tenía Funes en común con ese príncipe de historiadores la conciencia de vivir la merecida decadencia de un imperio de ambiciones universales, sino la de lo que podía significar vivirla desde muy cerca de la cumbre de esa estructura imperial: en esa narrativa de Tácito, que alcanzaba su punto culminante y ofrecía su clave en la del reinado de Domiciano, en que más que nunca la elite imperial había debido vivir cada día en el temor de que por decisión del César fuese éste el último de su paso por la tierra, podía reconocer el Deán una imagen magnificada de su propia experiencia en el marco de una revolución de la que había esperado que pusiese fin al reinado de la injusticia y que mientras lo mantenía injustamente en prisión castigaba a sus enemigos con horcas y cadalsos rodeados de muchedumbres en fiesta.

Ya lo sugiere que el 16 de mayo de 1812, cuando escribe a Ambrosio desde su prisión, aunque ya menos alarmado por la acusación que pesa contra él, tras mencionar sus dudas sobre la prudencia de retornar a Córdoba en caso de ser absuelto («dejo a tu consideración si esto es compatible en el día con mi sosiego y mi seguridad»), ce-

[100] El Deán a Ambrosio, 26/X/1814, CIF, Atlántida, II, 5, p. 204.

lebre calurosamente la decisión que éste ha tomado de encerrarse en su quinta sin ver a nadie, ya que en los tiempos que corren «es necesario mucho pulso para vivir y el medio más seguro es cortar toda comunicación».[101] Y las «terribles ocurrencias» que el 10 de julio, ya liberado de su cautiverio en el Fuerte, pero aún encausado, debe comunicar a Ambrosio le ofrecen nuevos motivos para recordar las que abundan en el relato de Tácito; en efecto narra en ella cómo el descubrimiento de la conspiración con que «el desgraciado Álzaga trajo su ruina y la de muchos» fue seguido en pocas horas por su sumaria ejecución y consiguiente exhibición del cadáver colgado de la horca erigida a ese efecto en la Plaza Mayor, que «ha dado al pueblo un día de carnaval», y cómo desde entonces la ciudad vive bajo ese mudo terror tan admirablemente evocado por Tácito, y aquí suficientemente sugerido por la cautelosa pluma del Deán («son muchos los europeos presos [y] las horcas están aún puestas»).[102]

El 26 de setiembre el avance de las tropas realistas sobre el Tucumán ha venido ya a recordar a los Funes que su destino podía depararles otras ocurrencias aún más terribles; al responder a una consulta de Ambrosio «con la brevedad que impone el correo», el Deán convenía con él en que «no es dudoso que con la cercanía de las tropas de Goyeneche se aproxime el peligro de nuestra familia y de nuestra casa». Puesto que si ello ocurriese no quedaría a Ambrosio más recurso que la fuga, su hermano quiere prevenirle que «no *aprueba* el que llegues a este pueblo» no sólo porque a ambos les faltan recursos para afrontar los gastos de su residencia en la capital, sino más aún «por otras consideraciones de mucho peso» sobre las que no juzga prudente explayarse. Cuáles son ellas lo sugiere sin embargo la noticia incluida en la misma carta, según la cual «al doctor Molina [acusado junto con Funes entre los responsables de la asonada de abril de 1811] se le hizo salir de esta ciudad»,[103] que espera sin duda que contribuya a que Ambrosio, siguiendo su con-

[101] El Deán a Ambrosio, 16/V/1812, CIF, Atlántida, I, 3, p. 385.
[102] El Deán a Ambrosio, 10/VII/1812, loc. cit., n. anterior, p. 387.
[103] El Deán a Ambrosio, 26/IX/1812, CIF, Atlántida, I, 3, pp. 391-92.

sejo, se retire a «esperar las resultas» del avance realista al inhóspito paraje de Fraile Muerto, un lugarejo de la frontera cordobesa con el territorio indio.

Tal el marco en que el Deán avanzaba en la redacción del *Ensayo,* mientras se agolpaban en su camino las ocasiones de recordar las mortales amenazas que hacían pesar sobre él mismo, su familia y su casa tanto los enemigos de la revolución a la que había unido su destino cuanto quienes en la capital revolucionaria se encaramaban sucesivamente en la cumbre del poder. La reticencia que ya en esta misiva reflejaba la conciencia de los peligros que lo acechaban iba a acentuarse a medida que éstos se tornaban más inminentes, para cesar sólo cuando abandonaba por un momento toda esperanza de no sucumbir a ellos. Todavía en febrero de 1814 no lo alarmaba demasiado el retorno de las fuerzas realistas a Salta, no sólo porque juzgaba que San Martín tenía bastante prudencia para retirarse «cuando se considere más débil que Pezuela [...] sin exponerse a los desastres del temerario Belgrano» sino porque Montevideo no tenía ya casi recursos para seguir resistiendo, ni podía esperarlos de la Regencia de Cádiz, puesto que en la Península «Wellington va perdiendo todas sus conquistas» ante el empuje de la contraofensiva francesa, pero en julio debía comunicar a Ambrosio que la situación europea había sufrido un cambio catastrófico: «Napoleón cayó del trono, Luis XVIII está en él y Fernando en el suyo», y a los que en las Indias lo habían rechazado como su soberano sólo quedaba esperar en la angustia que se revelase «qué partido tome la Inglaterra sobre América»; pero era demasiado claro que los revoluciones hispanoamericanas, ya en reflujo (en cuanto a esto el 16 de abril el Deán podía anotar que «los chilenos han tenido un fracaso bien malo», y en efecto más allá de los Andes la Patria Vieja había entrado en agonía) enfrentan desde ahora el abrumador desafío de hallar modo de sobrevivir en un mundo que se prepara a gobernarse por principios opuestos a los que las habían movilizado. Ya el 27 de junio, antes de ver confirmadas esas «terribles noticias de Europa», el Deán había comenzado a considerar la posibilidad de que «la América *volviera* a estar sujeta a España»; en ese caso —comunicaba a Ambrosio, que sin duda lo había incitado a volver a Córdoba— estaba decidido a poner a salvo su persona, «y esto no lo podría conseguir sino estando aquí».[104]

Con esa estremecedora posibilidad siempre presente desde entonces en el horizonte, las relaciones del Deán con los acosados jefes de la revolución porteña siguen siendo causa de una inquietud que se agudiza por momentos pero nunca desaparece del todo. El golpe militar que a fines de 1812 depuso al Primer Triunvirato acreció el influjo de la facción morenista, y aunque el Deán (que entre tanto había sido víctima de los herederos políticos del saavedrismo que acababan de ser desalojados del poder) no fue blanco de sanciones como las que afectaron a otros dirigentes de la facción vencedora en diciembre de 1810 y abril de 1811, se vio incluido entre los funcionarios encausados en el juicio de residencia instituido por la Asamblea Constituyente convocada por el Segundo Triunvirato para cuantos habían ocupado posiciones de gobierno desde el comienzo de la revolución. Verse incluido en ese grupo no lo alarmó en demasía desde que se le hizo claro que la eternización de los que tenían por blanco a los antiguos saavedristas buscaba tan sólo «tenerlos inhabilitados por ese medio» para ocupar cargos públicos que, según sabía de la mejor fuente, no estaban por otra parte a su alcance, ya que aunque en consideración a su prestigio «de hombre instruido» la facción ahora gobernante evitaría perseguirlo, «tampoco debo esperar que me levanten porque juzgan que nunca me conformaré con sus ideas».[105] El Deán parecía ya resignado a una marginalidad que juzgaba irremediable, y sólo parecía inquietarlo la dificultad de lograr en ese marco fuentes de ingresos capaces de suplementar las que se los aseguraban cada vez más precarios, pero en ese mismo momento la revolución se preparaba para tomar un nuevo rumbo que iba a reemplazar su distancia del poder con una relación más compleja, que mientras completaba la redacción del *Ensayo* lo vino a colocar en la situación particularmente ingrata de un tripulante apenas tolerado en una nave que todo sugería cercana al naufragio.

[104] El Deán a Ambrosio, 27/VI y 6/VII/1814, CIF, Atlántida, II, 5, pp. 202-203.
[105] El Deán a Ambrosio, 6/IX y 10/VIII/1813, CIF, Atlántida, II, 4, pp. 67 y 66.

Desde que el triunfo de la causa legitimista en el Viejo Mundo persuadió a quienes gobernaban en Buenos Aires de la necesidad de promover «la conciliación de unos patriotas con otros» para encolumnarlos a todos ellos tras un poder más concentrado que en el pasado, y más capaz por ello de guiar al frágil estado revolucionario en la difícil adaptación al nuevo orden mundial que estaba ya emergiendo, de la que dependía su supervivencia misma. Para entonces el joven general Carlos María de Alvear había conquistado un influjo absolutamente dominante sobre el aparato político y militar de ese Estado, y ello se reflejó en la designación de su tío Gervasio Antonio de Posadas, que había abandonado la posición de Protonotario Apostólico del obispado porteño para cumplir las mismas funciones en la tesorería del Estado revolucionario, y había tenido hasta entonces un papel bastante opaco en la arena política, para ocupar el cargo que acababa de crearse. Posadas había ya dado pruebas abundantes de la diligencia que ponía al servicio de la conciliación favorecida por su sobrino, y la Asamblea por su parte había decidido sobreseer a todos los imputados en la causa de residencia, haciéndolos de nuevo «hábiles para obtener empleos» cuando el Deán se decidió a visitar al Director Supremo «para cumplimentarlo. Me recibió con mucha urbanidad»—agrega en su relato a Ambrosio— y tras confesarse incompetente para desempeñarse en el cargo para el que había sido designado, proclamar que «confiaba en que los hombres de luces le ayudarían a proceder con acierto» y añadir que «nada debía extrañar de todo lo ocurrido hasta aquí teniéndose en cuenta que estábamos en revolución y que lo que había que extrañar sería que no hubiesen ocurrido cosas mayores [...] me acompañó hasta la puerta, me besó la mano y me despidió» El Deán no había llevado demasiadas esperanzas a la entrevista; diez días antes de ella, refiriéndose a la anunciada creación de un Consejo de Estado destinado a asesorar al nuevo primer mandatario y al rumor corriente que lo incluía entre sus miembros, advertía a Ambrosio que no diera «asenso a esto porque yo creo que no tiene más origen que el deseo del pueblo. No es pequeña satisfacción y esto nos basta».[106]

[106] El Deán a Ambrosio, 10/II/1814 y 29/I/1814, CIF, Atlántida, II, 4, p. 70.

Pero no son sin duda sólo esas bajas expectativas las que explican el tono escasamente entusiasta con que el Deán se refiere al nuevo rumbo tomado por la revolución porteña luego de que su jefe nominal había puesto en claro que no podía esperar de ella reparación alguna por las injusticias de las que lo había hecho víctima.

Quince días después podría medir mejor lo que ese cambio de rumbo del poder revolucionario iba a depararle; a ello iba a aludir en términos aún más crípticos de lo habitual en su misiva a Ambrosio del 2 de marzo de 1814: «Te prevengo que leerás por ahí un papel mío que acabo de dar al público. Aunque a primera vista pudiera parecer algo humillante él ha merecido la aprobación de todo hombre cuerdo y sensato. Era preciso dilatarse mucho para hablar de las circunstancias de que está vestido este hecho y acaso no podía hacerse sin peligro. Los que las ignoran censuran el papel: los que las saben no pueden menos de aprobarlo».[107] Se refiere aquí a la retractación de las imputaciones contenidas en el manifiesto de la Junta de Gobierno acerca de los sucesos del 5 y 6 de abril, por él redactado por encargo de ésta y publicado en *La Gaceta* del 15 de ese mes, en la que comienza por manifestar que «mejor instruido en los acontecimientos de aquella época, reformo mis conceptos y restituyo su reputación a todas las personas que ello hubiere ofendido». Ya cuando firmó el documento juzgaba al «suceso del 5 y 6 de abril un movimiento de facciosos; quienes creían serles permitido todo exceso, siempre que mezclasen los nombres de pueblo, patria, libertad» y aunque «la conmoción de que se ha hablado se decía dirigida a vengar nuestros agravios y sostenernos en el puesto [...] nada de esto fue bastante para decidirme a firmar el manifiesto». No alcanzó tampoco a persuadirlo que los tres vocales, víctimas junto con Funes de esos agravios, que lo urgían a hacerlo «se creían más instruidos que yo en la serie de estos hechos, y para mí era muy probable que así fuese»; y cuando «creyéndose con derecho a ser creídos exigían mi condescendencia como un deber [...] reflexionando yo que [...] siendo partes interesadas su misma conciencia los recusaba, me afirmé en mi resistencia, y me retiré a mi

[107] El Deán a Ambrosio, 2/III/1814, CIF, Atlántida, II, 5, p. 200.

habitación. La cosa tomó con esto un aspecto más serio. Los testigos (de cuyo nombre no hago memoria) se me nombraron; se me hizo relación de una serie de circunstancias particulares y se me dieron aplicadas las reglas de la verosimilitud. Ya no fue posible obstinarme en una resistencia que se creía ofensiva de la ley y del honor de la Junta. Las piezas de autos que acaban de llegar a mis manos, atacan de firme estas antiguas preocupaciones, desmienten cuanto pudieron averiguar los deponentes, y sujetándome al yugo de la obligación que impone el concepto legal, me ponen en la necesidad de ratificar mi retractación».[108]

Como el Deán advertía perfectamente, era ésta una página de penosa lectura, como lo son siempre las que ofrecen el testimonio de la víctima de una situación en que quienes ejercen el poder se juzgan por esa razón «con derecho a ser creídos», y hacen de ese derecho un deber para quien ha caído en sus manos. Ese testimonio totalmente creíble (así lo confirma que la opinión que el Deán formula aquí acerca de los sucesos del 5 y 6 de abril de 1811, y que se podría suponer destinada a congraciarlo con quienes ahora están en posición de pedirle cuentas, coincida exactamente con la vertida en su carta a Ambrosio en el momento de los sucesos), que evoca la fútil resistencia de un hombre acosado que se esforzó por salvar los últimos jirones de su dignidad, hasta que le fue imposible seguir obstinándose «en una resistencia que se creía ofensiva de la ley y del honor» de los entonces dueños del poder, es a la vez el fruto del repetirse en el presente de ese trance doloroso y humillante, y en él no faltan huellas de que el Deán buscó nuevamente encontrar modo de salvar el respeto a sí mismo cuando debió inclinarse ante sus nuevos inquisidores. Logró por lo menos que éstos conservasen en el texto la mención de la campaña de pasquines dirigida contra los dirigentes de la facción saavedrista «donde el soplo impuro de la calumnia se complacía en pintarnos con las tintas más odiosas» y mientras no se rehusó a asignar explícitamente la responsabilidad por las presiones que lo forzaron a agregar su firma al manifiesto del 15 de abril a Cornelio Saavedra, Felipe Molina y José Simón García

[108] El texto de la retractación en Mariano de Vedia y Mitre, *op. cit.*, n. 98, pp. 396-97.

de Cossio, ya sancionados por la Asamblea, a quienes por lo tanto no podía perjudicar con ello, al mencionar los testimonios adicionales que contribuyeron a que en la versión de los sucesos que ofrecía ese manifiesto «se *le dieran* aplicadas las reglas de la verosimilitud», logró abstenerse de incluir los de quienes los habían ofrecido, y a quienes sí hubiera perjudicado al incluirlos en su retractación, alegando de modo muy poco creíble no retenerlos en su memoria.

Y con ello sólo aspiraba a que le permitieran vivir en paz, pero no habría de lograrlo. De inmediato recibió la invitación del Cabildo secular a pronunciar en la catedral la oración conmemorativa de la Revolución de Mayo, que no se atrevió a rechazar «a pesar de muchas consideraciones que me impelían a negarme» y aunque la preparaba con especial esmero no confiaba en que fuese universalmente bien recibida. Lo sería: el éxito alcanzado por Funes desde el púlpito de la catedral porteña no sólo disipó sus pasadas dudas, sino superó sus más encendidas esperanzas. El 27 podía escribir a Ambrosio «si a la conclusión hubiera tenido mil ejemplares de la oración aún no hubiese podido contentar a tantos como concurrieron a pedirme el cuaderno», y unos días después informarle que «todos están ocupados en sacar copias sin que valga el decirles que se imprimirá» En efecto, ha decidido imprimir mil ejemplares para vender «a peso cada uno», aunque no espera sacar mucha ganancia y dedicarla a pagar el costo de su defensa en la causa iniciada por la denuncia de Aguiar, que ya ha hecho imprimir pero piensa «recoger hasta su tiempo», porque «en el día es peligroso hacerla correr y yo me vería en precisión de chocar con muchos». No es éste el único signo de que el Deán se prepara a retornar al centro de la escena pública en el papel del sabio; para refrescar en la memoria porteña el recuerdo de los laureles por él conquistados en su desempeño bajo el Antiguo Régimen ya el 27 de mayo había rogado a Ambrosio que le enviase «en primera ocasión segura algunos ejemplares de la oración fúnebre de Carlos III y otros tantos de la de Moscoso».[109]

[109] El Deán a Ambrosio, 27/V/1814, 3/VI/1814 y 27/VI/1814, CIF, Atlántida, II, 5, pp. 201-202.

Pero al mismo tiempo lo atenazaba el temor con que veía aproximarse el desenlace de ese «drama revolucionario», que el 27 de junio lo llevaba por primera vez a considerar explícitamente las consecuencias que para él tendría que Buenos Aires fuera reconquistada para la causa realista por una expedición partida de la Península, pero que quizá tomaba también en cuenta otras eventualidades, como lo sugiere la mención de que «la conciliación se extiende también a los europeos [y] todos los días comen a la mesa del director dos o tres de los principales» y aún más claramente que agregue como comentario a la noticia de que Belgrano y Rivadavia, «los diputados cerca de Fernando VII» se preparan a cruzar el Atlántico «te confieso que no alcanzo la utilidad de este paso»,[110] cuando era claro que éste sólo podía tener como propósito negociar un retorno del Río de la Plata a la obediencia al monarca católico, en que el Deán —figura de las más conspicuas dentro de la elite revolucionaria pero irremediablemente marginal al grupo que ocupaba la cima del poder— corría el riesgo de ser uno de los destinados a servir de víctimas propiciatorias de la buena voluntad del soberano.

En medio de esa constante angustia el Deán seguía trabajando febrilmente en el *Ensayo.* La carta del 6 de julio de 1814 en que trasmitía a Ambrosio las «terribles noticias» llegadas de Europa le comunicaba también que se preparaba a tratar de la expatriación de los jesuitas y le rogaba que le enviase «una nota de lo mejor que se ha escrito a su favor y de los resultados que ha traído su falta».[111] Y el 3 de diciembre podía celebrar que el restablecimiento de la Compañía de Jesús por decisión de Pío VII, ese hecho «memorable en los anales de la religión y de la política» hubiera «dado también nueva importancia a *su Ensayo»*. Porque sabía que «si algo tiene de memorable la historia de estas provincias son los trabajos de los jesuitas» había advertido desde que abordó esa empresa «que no podía cumplir las leyes de la historia sin referirlo con la extensión debida» pese a que no dejaba

[110] El Deán a Ambrosio, 10/II/1814, CIF, Atlántida, II, 4, p. 70 y 3/XII/1814, *ibídem,* II, 5, pp. 204-205.

[111] El Deán a Ambrosio, loc. cit., n. 104.

de sentir «temor de causar algún fastidio en tiempos en que la Compañía se hallaba ya olvidada y en que había un interés en que nunca reviviese». «Ahora se verá —concluye— que supe dar a este objeto su verdadera estimación y que iban conformes mis sentimientos con los de que [sic] aman el bien público.»[112]

Y en efecto el proyecto que había fructificado en el *Ensayo* había sido, desde que bajo el Antiguo Régimen Funes había comenzado a allegar los materiales que se preparaba a utilizar en él, una empresa reivindicatoria del legado de la Compañía, y porque lo era ofrece un contraste total con los restantes productos de su incansable pluma. Mientras éstos habían surgido en una circunstancia concreta con el propósito de incidir sobre ella con un fin determinado, en el *Ensayo* iba a consagrar por largos años sus mayores esfuerzos a una tarea cuyos frutos no era ni siquiera seguro que pudiesen alcanzar la luz del día, cuando el pasado que proponía rescatar para la memoria colectiva se estaba borrando de ella y había en efecto «un interés en que nunca reviviese». En este aspecto el *Ensayo* continuaba el esfuerzo de la diáspora jesuítica por articular y defender su propia versión de la experiencia vivida por Hispanoamérica ante el tribunal de la Europa ilustrada, y cuando el Deán celebraba que sus sentimientos estuvieran de nuevo conformes con los de quienes «aman el bien público» se apoyaba en el supuesto implícito de que la restauración que se anunciaba en el Viejo Mundo era la de esa Europa que no había visto venir el vendaval revolucionario que sólo en la víspera había dejado de soplar sobre el continente al que dejaba devastado.

Basta hojear el *Ensayo* para advertir todo lo que en él refleja la versión del papel que en esa experiencia cupo a la Compañía, forjada ya en Indias bajo el signo de la modernidad cristiana y más explícitamente articulada —a la vez que radicalizada— en el exilio, desde una visión de la conquista presente a todo su largo, que integraba en una suerte de equilibrio inestable la de los vencedores con la de los vencidos (totalmente adecuada a la trayectoria de la Compañía en las comarcas cubiertas en el *Ensayo,* en que tras perder el favor de los

[112] El Deán a Ambrosio, loc. cit. n. 110.

herederos de la conquista por su apoyo al abandono del régimen de encomiendas creó en las misiones una base alternativa para su implantación en la región y de ellas obtuvo los recursos que le permitirían recuperar con creces su ascendiente sobre las elites que dominaban tanto en las ciudades fundadas por los conquistadores como en sus zonas de influencia), hasta innumerables puntos más específicos, como cuando se esfuerza por hacer compatible la defensa del régimen socioeconómico vigente en las misiones con la adhesión a los principios de la naciente economía política favorables a la libertad mercantil.[113]

Pero si aquí se ha evocado tan extensamente la génesis de la más ambiciosa de las obras del Deán no fue en busca de reivindicar su aporte (sin duda limitado) a la historiografía de la Hispanoamérica colonial, sino de recoger lo que su testimonio nos dice acerca de cómo su autor veía el mundo en que le había tocado vivir y qué lugar se consideraba destinado a ocupar en él. Y en este punto su lectura invita a una conclusión que no tiene nada de sorprendente: la visión que el Deán ha madurado en ambos aspectos es la que podría esperarse de quien ha sido marcado para siempre por experiencias vividas en esa diminuta sucursal del infierno que se extendía por diez cuadras de este a oeste y siete de norte a sur a la vera del Río Primero. En ella ocupan el primer plano relaciones cara a cara entre individuos directamente vinculados entre sí, que son juzgadas en los términos que esos mismos individuos utilizan para apreciarlas; es esa manera de ver el mundo que su experiencia de vida ha hecho parte de su segunda naturaleza la que se refleja en la opción del Deán por el modelo historiográfico ofrecido por la obra de Tácito frente al disponible en la de Polibio, que buscaba rastrear en la gravitación de grandes fuerzas históricas la clave de episodios en que ocupan el centro de la escena actores individuales.

El relato que el *Ensayo* ofrece de la irrupción de Álvar Núñez Cabeza de Vaca en el escenario rioplatense permite percibir con par-

[113] V. sobre esto el pasaje «El Virrey Avilés destruye la comunidad de bienes en Misiones» en Gregorio Funes, *Ensayo de la Historia Civil de Buenos Aires, Tucumán y Paraguay»,* Segunda Edición, Buenos Aires, Imprenta Bonaerense, 1856 (En adelante Funes, *Ensayo),* tomo II, pp. 315-318.

ticular claridad lo que en esa opción refleja la visión del mundo que éste ha madurado a partir de su experiencia de vida. En 1542, cuando Álvar Núñez, segundo Adelantado del Río de la Plata llegó a la Asunción luego de meses de avanzar por tierra desde Santa Catalina, en la costa atlántica, para asumir la gobernación tal como lo había dispuesto la corona en el contrato con que le había trasferido la posición de Adelantado del Río de la Plata, vacante desde la muerte de su predecesor Pedro de Mendoza, encontró desempeñando el cargo de gobernador a Domingo Martínez de Irala, elegido por su pares para ocuparlo tal como lo había dispuesto el contrato concertado con Mendoza para el caso de que los designados por éste para ejercer el cargo en las ciudades fundadas en el curso de su expedición se encontraran imposibilitados de ejercerlo. Cuando la corona confirió la posición de adelantado a Álvar Núñez estaba ya muy avanzada en sus esfuerzos por limitar la parte de los descubridores y conquistadores en el botín de la conquista, y en la expedición capitaneada por Álvar Núñez lo acompañaban dos oficiales reales cuya misión era asegurarse de que el quinto real de ese botín llegase intacto al tesoro regio. Entre estos tres antagonistas —el adelantado, el gobernador interino y los oficiales reales— va a trabarse el drama del que Funes ofrece la crónica, y no puede decirse que éste ignore el contexto más amplio en que quien avanzara en la estela de Polibio buscaría su clave. Por el contrario, no oculta su posición frente a ese contexto, que —del mismo modo que la de Fray Servando— hace de la monarquía católica la responsable última de todo lo que hizo detestable su dominio sobre las Indias, primero como usurpadora de los derechos de los legítimos soberanos sacrificados por la furia de los conquistadores, y luego —retomando un argumento ya desarrollado por el ex jesuita peruano Viscardo y Guzmán en su *Lettre aux Espagnols Américains*— como usurpadora también de los que estos y sus descendientes habían adquirido sobre ella desde que sus sangrientas hazañas le habían dado el dominio de un nuevo mundo.

Pero si ese contexto no es ignorado, él permanece en un segundo plano, mientras la clave que permite dar razón de ese drama el Deán la busca y la encuentra en el perfil personal de cada uno de los que en él se enfrentan, y en el modo en que éste incide en las acciones de cada uno de ellos. En el episodio que aquí nos interesa, las indignantes injusticias de las que había sido víctima Álvar Núñez tenían una explicación muy clara: «contra un hombre, que en un lugar de corrupción como el Paraguay había tenido el coraje de ser virtuoso, preciso era que el odio, la envidia y la calumnia se armasen para echar sombras sobre su conducta», logrando que a los ojos de quienes debían juzgar su desempeño desde la otra orilla del Atlántico, «la justicia de Álvar Núñez se equivocase [*sic* «fuese confundida»] por algún tiempo con el crimen».[114] Y al evocar por lo menudo esas injusticias Funes está dispuesto a ir tan lejos como el más apasionado de los partidarios del Adelantado para defender en él al paladín de la virtud en combate contra el crimen, pero pese a que prodiga los signos positivos al referirse a su héroe y aún más los negativos cuando alude a sus innobles enemigos es difícil descubrir en su relato del episodio huella alguna de que la evocación de ese conflicto haya desencadenado en él sentimientos muy intensos y apasionados. Por el contrario, en estas páginas, en cuya redacción Funes parece haber puesto aún más cuidado de lo habitual en las del *Ensayo,* se ve avanzar el lento y majestuoso flujo de la oratoria neoclásica en la que ha encontrado su ideal de estilo sin que lo turbe ni por un instante la irrupción de una pasión demasiado fuerte para no desbordar de su cauce; es como si usara de nociones como magnanimidad, ruindad, doblez, calumnia, inocencia, que se supondría que llevan inscripta en sí mismas la pasión de quien a ellas recurre, con la misma frialdad con que podría recurrir a símbolos algebraicos en su búsqueda de la clave que le permita darse razón del episodio que narra.[115]

Tal como se indicó más arriba, todo sugiere que es el sello que sobre su formación ha dejado su experiencia de vida el que lo empuja a encontrar esa clave en el contraste entre algunos paladines del bien y sus siniestros enemigos. Y no es sorprendente que sea en los

[114] Funes, *Ensayo,* I, 67.

[115] Funes trata de las desventuras de Álvar Núñez en el Plata en los capítulos VII, VIII y IX, pp. 40-67 del primer tomo del *Ensayo.*

pasajes que Funes dedica a la expulsión de los jesuitas, que marcó el momento en que un golpe del destino desvió su trayectoria de vida del rumbo que le había fijado de antemano su nacimiento en la más eminente familia de su ciudad nativa con la misma fulmínea brutalidad con que una apuesta equivocada había desviado la de Fray Servando, donde esa pasión logra por una vez quebrar el monótono fluir de su acompasada elocuencia, sea también el lugar de ese relato en que mejor se percibe el perfil preciso de ese mundo del que no habían sido desterradas la verdad y la justicia por él perdido en esa jornada infausta, y por el cual llevaría luto hasta su muerte.

Sería imposible confundir con un par de símbolos algebraicos a Bucareli, el gobernador de Buenos Aires encargado de aplicar la orden de expulsión «en las tres provincias de este *Ensayo*», y al sargento mayor Fernando Fabro, a quien éste encomendó poner en práctica la expatriación en Córdoba, comenzando por su Colegio, «máximo entre las tres provincias», que para su alarmada imaginación era el centro desde el cual la Compañía hacía sentir la influencia que había ganado sobre las elites y las plebes de esos vastos territorios con una eficacia que había hecho de ella una rival temible del monarca católico. Hay una razón obvia para que así sea: Bucareli y Fabro no son dos figuras de cuya existencia Funes se hubiese enterado a través de la lectura de algunos cronistas de Indias; son los protagonistas de la noche que destruyó para siempre el pequeño mundo bajo cuyo abrigo había hasta entonces crecido, y como tales tienen asegurada una presencia central en una memoria que no podría ser más suya, pero que a la vez comparte con la elite cordobesa crecida a la sombra de la Compañía, y en esa memoria encontrará medio siglo más tarde inspiración para articular la clave que le permitirá darse razón de un cambio de fortuna con el que se niega a reconciliarse.

Y esa clave que la ofrece también para su propia carrera de literato, que a primera vista parece haber avanzado a la deriva al azar de las cambiantes circunstancias, hace de la noche en que el destino de Funes sufrió un cambio que iba a revelarse irreversible el momento en que una suerte de utopía criolla, en la que la Compañía había desempeñado en efecto el papel que la hubiera hecho tan temible a la corona si no hubiera contado entre sus virtudes la cristiana mansedumbre con que estaba de antemano dispuesta a someterse a los caprichos de su despótico poder, sucumbió sin protesta a la acción de esa misma corona, a la que la conciencia de sus propias culpas había incitado a reaccionar con esa represalia feroz ante un peligro imaginario (o para decirlo en el elevado estilo preferido por Funes, a no guiarse por «otro principio que la política tímida de los estados [que es] fruto preciso de sus propias faltas»).[116] Ese temor inspiró además la decisión de la corona de mantener en el más estricto secreto su terrible decisión hasta el momento mismo de ponerla en práctica, y ésta a su vez provocó el «susto» de Bucareli cuando la llegada al Plata de la noticia de que la orden de expulsión se había comenzado a implementar en la Península le reveló que «no era ya posible ocultar el misterio, por espeso que fuese el velo que lo cubría», lo que lo decidió a anticiparse a la fecha fijada para aplicarla en las tres gobernaciones rioplatenses como una urgente operación de guerra, aprontando correos que llevasen a todas partes la orden de proceder de inmediato contra los establecimientos jesuíticos y doblando las partidas que debían cruzar los campos para interceptar a quienes pudiesen llevar la noticia de la inminente catástrofe que iba a destruirlos para, tras tomar todas esas precauciones, encerrarse él mismo «en el fuerte con un cuerpo de reserva para ocurrir donde lo exigiese la necesidad».[117]

De este modo, reflexiona Funes, «la Providencia se complace algunas veces en permitir que los proyectos de la injusticia se desenvuelvan con todo aquel ridículo que puede hacerlos irrisibles a los ojos de la prudencia humana», y lo mismo iba a permitir que ocurriera en Córdoba en la noche del 11 de julio de 1767, en que el asalto de «una casa de religiosos que se habían buscado un asilo de paz y de concordia para salvar su tímida virtud» fue de nuevo encarado como el de una fortaleza enemiga. Al frente de sus tropas de asalto, «a la puerta de ese castillo inexpugnable tocó Fabro poco más de la media noche, afectando buscar un confesor, las que abiertas quedó dueño de

[116] Funes, *Ensayo,* II, 148.
[117] Funes, *Ensayo,* II, 149.

la fortaleza», en una hazaña que según aseguraba en carta a Bucareli dejó «pasmada la ciudad de mi resolución, cuando muchos aseguran que ni con mil hombres se hubieran atrevido a ejecutarla». Aunque la sorpresa causada por la inesperada hazaña de Fabro dio «muchos días de luto» a una ciudad que a los hombres de la Compañía «había confiado la educación de sus hijos [y] hallaba en sus consejos el acierto de sus dudas y en sus larguezas el alivio de sus necesitados. Preciso era que a este precio hubiese adquirido este cuerpo un imperio de opinión más fuerte que el poder, y que llorando Córdoba su desgracia llorase la suya propia»,[118] no era de extrañar que hubiera en esa ciudad en duelo quienes afectaran admirar la eficacia con que el agente de Bucareli los había hundido en la desdicha, ya que «así hablaban porque sabían que en este caso era un delito el coraje de la virtud».[119]

En su presentación del conflicto abierto con la expulsión, Funes avanza en la estela de la sorda protesta criolla que había comenzado ya a articularse muy poco después de comenzada la conquista, y el fin del Antiguo Régimen sólo se refleja en ella en la vehemencia mayor con que esgrime argumentos que en el pasado hubieran requerido un tono más circunspecto. Así lo vemos totalmente apegado a la gramática de ideas propia de ese Antiguo Régimen cuando juzga que nunca la fuerza se burló con más insolencia de los débiles que en el bando «lleno de amenazas» en que Bucareli hacía notoria «la voluntad del rey y la justicia de su resolución» sin alegar para ello «más causas que las reservadas en su real ánimo», y sin que los jesuitas hubieran sido citados para defenderse de acusaciones que no habían sido siquiera explícitamente formuladas; en efecto, cuando Funes no invoca para condenar esa omisión los agraviados derechos de sus víctimas, sino objeta que debido a ella el entero procedimiento se hubiese apartado de «las formas legales [que] son las reglas de los juicios» cuando «sólo el déspota hace consistir su poder en no conocer ninguna»,[120] deja de lado todas las innovaciones introducidas por la revolución de la que se

[118] Funes, *Ensayo,* II, 169-70.

[119] Funes, *Ensayo,* II, 150.

[120] Funes, *Ensayo,* II, 149-50.

quiere ser protagonista para acudir a la diferenciación que desde los comienzos de la modernidad los teorizadores del naciente absolutismo establecían entre el poder eminente pero no arbitrario que era el del soberano en ese nuevo modelo de monarquía y el supuestamente ejercido al margen de toda ley por déspotas como el sultán otomano.

Esa apelación de Funes a los valores vigentes en 1767 es sólo uno de los reflejos de la nostalgia que impregna toda su evocación del martirio jesuítico, que en su requisitoria contra el Antiguo Régimen aparece como el crimen que los resume a todos. Porque en la mirada que dirige a ese pasado ya remoto, contemplado a través del espesor de una revolución que, para él como para Fray Servando, hubiera debido devolver auténtica vigencia a los principios de verdad y justicia que la monarquía católica sólo invocaba para mejor traicionarlos, lo que había hecho de la Compañía la involuntaria rival de los déspotas que la gobernaban había sido la inquebrantable lealtad a esos mismos principios, que le había ganado la adhesión unánime de las plebes tanto como de las elites indianas.

Era esto lo que la hacía formidable a la imaginación de Bucareli, y al evocar todo lo que justificaba su temor Funes viene a colocar a la Compañía en el centro de la imagen excepcionalmente rica y compleja que traza de un pasado que no se resigna a aceptar que nunca volverá a ser presente. Cuando prepara su risible campaña destinada a erradicar de las tres provincias de la Cuenca del Plata la influencia y la presencia de la Compañía, el temor con que Bucareli aborda esa empresa toma en cuenta —nos dice el Deán— «la importancia de sus servicios con que había hecho dependiente de su existencia la felicidad común, su prudencia siempre atenta a consultar lo pasado, dirigir con acierto lo presente y esperar lo venidero, la fama de sus riquezas, o verdaderas o exageradas, el gran número de sus secuaces en unos pueblos donde tenía la primera influencia por la educación, por el consejo, por el interés», sin contar en los «más de 150.000 neófitos que gozaban bajo sus leyes la situación más feliz de la vida humana»[121] en las misiones del Paraguay. Pero no ha de extrañar que Funes haya decidido dedi-

[121] Loc. cit. n. 120.

car, entre todas «las casas religiosas de este célebre cuerpo [...] una descripción particular en este *Ensayo»* a la de Córdoba, y ello no sólo porque era ésta «cabeza de toda la provincia jesuítica del Paraguay» sino porque de ella provino la inspiración para el muy exitoso experimento de ingeniería social a la que debieron su «felicidad común» los pueblos sobre los que se extendía su influjo bienhechor.

«Virtud, religión, letras, todo se cultivaba en esta casa bajo una forma monástico-social. Mientras duren los siglos, durará en estas partes la memoria de su ajuste de vidas a las máximas más estrechas del Evangelio. Con el ministerio de la palabra y el consejo hacían grande fruto en el púlpito, confesionario y casa de ejercicios para ambos sexos, pero mucho más con el ejemplo. A sola su presencia, se contenía el vicio bajo una modestia forzada, y los terrores del cristianismo se hacían sentir a los corazones más endurecidos». Y si los jesuitas dedicaban «grandes esmeros por el culto exterior en los templos de las ciudades, y principalmente en el de Córdoba» era porque «ellos sabían que si la pompa de las ceremonias [...] no nos acercan al Creador, a lo menos eleva (sic) sobre nosotros mismos; que ellas vienen al socorro de nuestra debilidad, y comenzando por movernos, nos conducen al recogimiento; en fin que esta dignidad religiosa pertenece tanto al indigente como al rico; porque solamente en el templo de aquel Señor ante quien todos los hombres son iguales, participa la pobreza de todo el fruto de la opulencia; allí ella ve las riquezas sin envidia, porque cree que tiene parte en ellas.» He aquí la razón por la cual, «imbuidos de estas máximas, los jesuitas daban a sus altares una magnificencia que arrebataba los sentidos». Funes se ha referido ya en previos capítulos del *Ensayo* a la dedicación de los jesuitas «a las letras y enseñanza de la juventud» que acudía a la Universidad y al Colegio de Montserrat, y a lo incluido en ellos sólo quiere agregar ahora que aunque «es cierto que bajo un plan falto de método y un gusto por las estériles abstracciones de la escolástica eran en lo general estas escuelas una grotesca pagoda; pero la aurora de las letras comenzaba a disipar las tinieblas. [...] Pocos serían los que soportaban con gusto el yugo de las antiguas preocupaciones; y muchos se habían formado para hacer honor a la literatura».

Y gracias a que «el plan de vida de estos religiosos» se apoyaba en «la propiedad de grandes fondos en común» el lugar que en el momento de la expulsión esa institución admirable tenía reservado para el más brillante de sus discípulos, el apenas adolescente Gregorio Funes, no hubiera podido ser más envidiable. «No es fácil —anota al evocarlo— que los hombres se entreguen a profundas meditaciones y vastos estudios, sin que se hallen tranquilos sobre su existencia» y por esa razón «para el mantenimiento de 133 jesuitas, de 370 esclavos en sola la casa de la ciudad y a proporción en las estancias, en fin de los subsidios caritativos que hacían a la indigencia, era dueña esta casa de cinco famosas posesiones rurales, de las que tres rivalizaban en la suntuosidad de los templos, dejando a la naturaleza y al arte, con relación a todas, el derecho de excederse en ganados y frutos según sus fuerzas y su cultivo».[122]

El retrato que a casi medio siglo de distancia traza de esa comunidad feliz el ahora anciano Gregorio Funes, en el que la presenta como una suerte de abadía de Thelème sometida sin duda a normas más rigurosas que la que la imaginación de Rabelais había erigido a orillas del Loire, pero tan ampliamente dotada como ésta de ganados y frutos por una ubérrima naturaleza, en la que quienes dividían sus esfuerzos entre la contemplación, el estudio y la formación de las futuras generaciones podían hacerlo sin que nada turbara la monótona armonía en que trascurrían sus vidas, se parece sin duda muy poco a un original que por otra parte Funes apenas había alcanzado a conocer, en que la facción que en el seno de la elite cordobesa recibía su inspiración de los jesuitas había ganado sin duda una influencia dominante, pero se había ganado también con ello la firme enemiga de todos aquellos a quienes esa influencia postergaba, e iban a asistir con rencorosa satisfacción a la eliminación de la Compañía del horizonte cordobés, que por su parte los integrantes de la casa de Funes iban a vivir como una inmitigada catástrofe.

Esa imagen de un pasado que Funes añora, y que debe por lo menos tanto a su imaginación como a su memoria, es la que ha de guiar

[122] Funes, *Ensayo,* II, 167-69, *passim.*

su obstinada reivindicación del lugar que sus méritos y sus talentos le dan derecho a ocupar en un mundo que no quiere percibir hasta qué punto se aleja del que para él se derrumbó en 1767. En los meses en que concluyó a marchas forzadas la redacción del *Ensayo* lo había alentado en la tarea la convicción de que la distancia que separaba al presente de ese pasado estaba a punto de acortarse decisivamente (se ha mencionado ya cómo le dio nuevas energías para reivindicar la causa de los expulsos el descubrimiento de que había vuelto a ser la de «todos los que aman el bien público»), pero bien pronto se convenció de que ello no estaba ocurriendo, y que aunque su marginación se iba a atenuar hasta casi desaparecer desde que en 1815 el régimen revolucionario imprimió un giro más moderado a su acción de gobierno (mientras su hermano Ambrosio ocupaba por dos años la gobernación de Córdoba él mismo era utilizado por los gobernantes de Buenos Aires en delicadas gestiones cuasi diplomáticas frente a los jefes de los movimientos políticos rivales surgidos en el interior del territorio ganado para la revolución) la penuria que lo había acompañado desde el nacimiento de esa patria que debía a su heroísmo su existencia misma se había hecho aún más dura desde que quienes la gobernaban se proclamaban sus amigos y admiradores.

La indignación que esa situación le inspira la va a volcar en su respuesta al mensaje que en los términos más halagadores le han dirigido los comisionados de la asamblea electoral encargada de elegir a los diputados de Córdoba al Congreso Constituyente, en que le ruegan que retire la renuncia a la diputación para la que ha sido elegido, alegando que «el sacrificio de *su* persona y el influjo de *sus* luces se necesitan para salvar la nación». Reproducida en la correspondencia del Deán con Ambrosio, esa respuesta ocupa más de cinco de las nutridas páginas de *Atlántida*, pero su argumento central no hubiera necesitado tantas: traduciendo el «pensamiento tan hinchado» que invocan los comisionados a un lenguaje razonable, señala Funes, «se apoya la honorable asamblea en el principio de que interviniendo el interés de la patria ella tiene derecho al último sacrificio ¡Gran principio que está en boca de todos y en el corazón de ninguno!» Pero aunque él mismo lo tiene sin reservas por válido, se ve obligado a recordar a los comisionados «las condiciones con que entra todo hombre al estado social», de las que resulta que «son recíprocas las obligaciones del ciudadano y la sociedad», y ocurre que mientras él ha cumplido con creces las suyas la patria ha estado y sigue estando muy lejos de hacerlo.

Y esto le da ocasión para volverse sobre su entera trayectoria: «Dos son las posiciones de mi vida, una próspera y otra adversa. En la primera procuré con mis cortas luces, con mi caudal y con mis servicios personales dar a ésa mi patria [Córdoba] instrucción, decoro y toda la importancia que estuvo a mis alcances [...] Pero aún está más a mi favor el segundo estado de mi vida [...] Antes de la Revolución yo era uno de los eclesiásticos más acomodados de la diócesis; en el día ella se ha tragado todos mis bienes, que no bajaban de cuarenta mil pesos, dejándome como el más mendigo». Por servir a Córdoba en la Junta gobernativa ganó la enemiga de «una gavilla de tiranos para quienes *su* conducta era un estorbo», quienes «*le* hicieron que pasase por todos los grados del tratamiento más inhumano e ignominado». Lo afrontó con entereza, ya que «la buena causa todo lo hacía soportable. Sólo a una cosa no alcanzaba *su* sufrimiento: la falta de medios para subsistir»; y en la razonable esperanza de que el Cabildo cordobés, que había sido su comitente, lo rescataría de la indigencia en que se hallaba hundido socorriéndolo «siquiera con las dietas de aquel año» acudió e él, sólo para descubrir que «tocaba en vano sus puertas» y que el pueblo cordobés «no se mostró menos apático», por lo cual se vio obligado «a acudir como un pordiosero a la piedad de algunos amigos», y aún no ha podido cancelar las deudas con ellos contraídas. No más afortunado había estado en percibir la renta de su deanato, ya que el capítulo catedralicio había decidido asignarle la de los diezmos ahora incobrables de Cuyo y La Rioja, y decidió entonces, renunciando a recorrer como otros «esos caminos oblicuos de la intriga, el partidismo y la maldad tan frecuentados en toda revolución y tan favorables a los que sin que sin ellos vivirían probablemente en las tinieblas», consagrar todos sus esfuerzos a completar la redacción del *Ensayo histórico*.

Con ello se había propuesto alcanzar «dos fines [...] uno principal y otro subordinado. El principal fue servir a mis compatriotas presentándoles una historia de su origen única en su género» (y aquí abre un largo *excursus* en que contra quienes aleguen que el fruto de sus labores sólo puede ser «un trabajo inútil y una curiosidad insípida» invoca la autoridad de Cicerón, que había proclamado a la historia maestra de la vida, para sostener que cuando «nuestras funestas divisiones, único origen de nuestros males» revelan que «la opinión pública no está bien formada [...sólo] el conocimiento profundo de nuestras miserias pasadas será un seguro preservativo para el futuro»). Pero había otro objetivo, «no menos honesto que me propuse con la publicación de este *Ensayo histórico»* y era éste el de «libertarme del peso enorme de mis deudas que pesan sobre mi honor y por consiguiente sobre mi corazón». Con ese propósito abrió una suscripción adelantada que debía permitirle afrontar los costos de impresión, en la que «nada me dejó que desear la magnificencia del excelentísimo señor director actual, del excelentísimo cabildo de esta ciudad [Buenos Aires] y del muy digno cuerpo consular [...] Aunque de las otras ciudades del interior son pocos los suscriptores que han ocurrido hasta el presente, tengo fundadas esperanzas de una buena acogida [...] ¿Pudo jamás venirme al pensamiento sin injuriar al pueblo cordobés, mi amada patria, que sólo en ella había de encontrar mi trabajo un depósito de indiferencia más frío que la nieve? [...] ocho son los sujetos que han dado sus nombres para el logro de una empresa que bien calculados los intereses debe reputarse más de su propiedad que la mía».

Como se ve, cuando a esta altura de su trayectoria Funes se vuelve sobre ella, mientras el momento del extrañamiento de los jesuitas, que recuerda como el de su expulsión del paraíso en que había trascurrido su infancia, marca su punto de partida, marca ahora el de inflexión entre una primera etapa próspera y una marcada por crecientes adversidades el estallido de la revolución que lo ha arrojado al borde mismo de la mendicidad. En consecuencia esa utopía criolla inspirada por la nostalgia de un pasado que aunque se niega a admitir irrevocable no espera ya ver resurgir de sus ruinas no podría guiar a Funes en sus esfuerzos por dar a lo poco que le queda de vida un nuevo rumbo que al rescatarlo de la indigencia le permita también cancelar la deuda que lo abruma, y lograr así «que *sus* cenizas no sean manchadas por la memoria del oprobio».[123]

En lugar de la memoria de ese paraíso perdido Funes tiene disponible para guiarlo en la etapa postrera de su vida la de lo por él aprendido en el trecho de ésta que separa a 1767 de 1810, en que ha buscado avanzar en su *cursus honorum* en el marco de un régimen clientelar en que —a diferencia del vigente en la imaginaria Córdoba, unánime en su lealtad a la Compañía, en que su memoria le decía que había trascurrido su infancia— la discordia había sido el *instrumentum regni* por excelencia de un soberano que mediante un permanente acto de arbitraje entre grupos y facciones rivales mantenía en la monarquía católica un equilibrio siempre inestable pero que hasta su derrumbe final había logrado capear aún las peores tormentas. Ese soberano había desaparecido, y las consecuencias de una discordia ahora incontrolada eran por ello más devastadoras que nunca en el pasado, pero eso hacía aún más urgente a quien buscase guarecerse de una tormenta que le hacía indispensable adscribirse a un grupo de pertenencia con cuya solidaridad pudiese contar para aliviarlas, y en los algo más de diez años que le quedaban de vida se le iban a ofrecer a Funes dos posibilidades alternativas, que porque nunca quiso reconocer como tales terminó esquivando por igual.

La primera de ellas pudo vislumbrarla a través de la carta que Bernardino Rivadavia le dirigió desde París el 13 de setiembre de 1818, en el curso de la misión ante las potencias del Viejo Mundo que había despertado el recelo de Funes. En ella, tras expresarle la admiración con que había leído los dos primeros tomos del *Ensayo,* en que su autor «había verdaderamente creado la historia de nuestro origen», le anunciaba que estaba ya avanzada la traducción al francés que de ella había encargado, y que estaba decidido a publicar «apenas le llegase el tercero, que aguardaba «con ansiosa inquietud». Mientras tanto había puesto esos dos primeros tomos en manos de «varios sabios de esta capital», entre ellos uno «cuyo nombre es bien conocido por su filantropía universal y religiosa y por su moral valiente y uniforme, el

[123] Copia incluida en carta del Deán a Ambrosio, 10/I/1816, CIF, II, 5, 381-387, *passim.*

Sr. Grégoire, antiguo obispo de Blois», quien le manifestó «la impresión dolorosa" que le había causado descubrir que el *Ensayo* imputara a Las Casas que hubiera promovido la introducción en América del comercio y esclavitud de los negros, cuando él mismo «estaba en la convicción de haber depurado la gloria de Las Casas de una imputación tan injusta como atroz» en una memoria que había leído en el Instituto de Francia, y que —temiendo que Funes, cuya opinión estaba ansioso por conocer, dada «la justa idea de los principios que forman su noble carácter» que el propio Rivadavia le había trasmitido, no hubiese tenido noticia de ella— había decidido hacer copiar sus pasajes más importantes, para que el Deán se dignase «comunicar su juicio del modo que estime más conforme a la justicia que reclama la venerable memoria de Las Casas».

Funes «contestó esa carta del modo más urbano y lleno de atenciones. En consecuencia trajo a un examen más severo la cuestión a que le provocaba SS el Sr. Grégoire, [...y] le dirigió una memoria en forma de carta donde se disputan a un tiempo su consideración hacia este sabio y la fuerza de sus razones». El texto de esa memoria iba a ser incluido en 1820 en una colección de papeles junto con «la carta del Sr. Funes [que la acompañaba], la apología de Las Casas, obispo de Chiapa, por el ciudadano Grégoire [y] la traducción de un artículo que se encuentra sobre el Sr. Grégoire en la *Biografía Moderna*». Al acusar recibo, Grégoire, tras aplaudir «al autor por el mérito de ella [*sc.* la memoria]», y antes de ratificarle «su amistad del modo más expresivo» le había hecho saber que enterado el ex inquisidor Juan Antonio Llorente, que preparaba una historia de Las Casas, del debate entablado entre el ex obispo de Blois y el Deán de Córdoba, le había anunciado su intención de incluir como apéndice de esa obra «su apología, y la memoria del Sr. Funes». El ex inquisidor cumplió su compromiso, y «al fin del segundo tomo de su obra intitulada *Obras de Las Casas* se hallan los expresados opúsculos, una memoria del Dr. Mier, y un apéndice del Sr. Llorente, en que expresa su dictamen; puede verse allí hacia qué parte se inclina».[124]

[124] La carta aparece íntegramente reproducida en AbF, AF, I, 24-25.

De este modo el giro que Grégoire ya en 1818 había impreso a la iniciativa de Rivadavia abría a Funes la perspectiva de una nueva carrera en un horizonte que abarcaba ahora dos continentes en que tenía ya un lugar destinado en el areópago de sabios que en la imaginación del ex obispo de Blois debían preparar tanto desde el Viejo como el Nuevo Mundo un futuro en que «una *Santa Alianza* de los pueblos haga olvidar para siempre [...] el despotismo que pesa sobre la vieja Europa».[125] ¿Advertía Funes todo lo que diferenciaba al papel que Grégoire lo invitaba a desempeñar del que había esperado hacer suyo en ese momento fugaz en que había creído posible un retorno a los felices tiempos en que bajo la égida de la Compañía habían convivido armónicamente las luces del siglo con la sabiduría de los siglos? Es posible que no haya advertido hasta qué punto el proyecto al que Grégoire aspiraba a sumarlo avanzaba en la corriente de ese jansenismo contra el cual la Compañía había conducido por más de un siglo una lucha sin cuartel —se ha visto ya que su *forma mentis* no lo inclinaba a interesarse por los dilemas teológicos que estuvieron en el origen del conflicto— pero lo que es indudable es que si lo advirtió ello no le impidió avanzar en esa corriente durante los breves años en que Buenos Aires, transformada en capital de una de las trece provincias surgidas en el territorio del estado revolucionario luego del derrumbe de éste en 1820, buscó trocar su papel de émula de Roma y Esparta por el de la Atenas del Plata, que mientras vivía en inestable pero pacífico equilibrio con las restantes se había constituido en la escuela política para todas ellas. Allí bajo la égida de un Partido del Orden que se autodefinía como el agente político de las clases propietarias la administración del general Martín Rodríguez prohijó un renacimiento cultural que retomó el esfuerzo por conciliar lo antiguo y lo nuevo sobre líneas más cercanas a las de la monarquía ilustrada que a las preferidas por la Compañía, creando para la vida de la cultura y de las ideas un ámbito protegido de los desgarramientos introducidos por

[125] Así definía Grégoire su objetivo en carta a Fray Servando de 1824, reproducida en *Escritos inéditos de Fray Servando Teresa de Mier*, ed. José Miquel y Vergés, México, El Colegio de México, 1944, p. 308.

los avatares de la política revolucionaria, en el que quienes apoyaban a la facción gobernante unían sus esfuerzos tanto con los del doctor Gregorio Funes, aliado en el pasado cercano con los dirigentes de la etapa conservadora de la revolución como con los del doctor Manuel Moreno, que aspiraba a ser reconocido como el heredero político de su hermano Mariano, inspirador póstumo de la facción que la había guiado en su etapa más extrema.

En sus *Apuntamientos* Funes reseña minuciosamente las contribuciones que iban a hacer de él por esos años el más asiduo colaborador intelectual de Rivadavia, quien desde el Ministerio de Gobierno de la provincia porteña promovía ese ambicioso proyecto. En 1822 aceptó con entusiasmo su propuesta de «dar una traducción del Ensayo sobre las garantías individuales del sabio Daunou» empresa en la cual «sin limitarse a la clase de un mero traductor, dio al público la obra en el año 22 con 19 notas originales». Y en ese mismo año cuando el gobierno provincial echó «una vista cuidadosa sobre el clero regular, y no la separó sin dolor de un objeto tan desagradable» mientras «otros puntos a más de éste, que pertenecían al clero secular, llamaban también su atención, y lo convencieron de que era necesaria una reforma, en la que debía entrar la supresión de los conventos [y] con este motivo se estableció un periódico con el nombre del *Centinela*» él mismo participó en la empresa «tomando de su cuenta la parte científica y seria del periódico». Desde sus columnas apoyó la iniciativa ministerial, alegando que «atendida la relajación que las había retirado a una distancia inmensa de sus reglas en esta capital [...] una razón de estado exigía su abolición», y su prédica encontró respuesta cuando «en oposición al *Centinela* salió otro periódico *El Oficial de Día,* y entre sus editores se trabó una disputa literaria muy interesante y agradable, en que se vertieron oportunamente conocimientos de la historia, de las antigüedades, de la política y de los Gobiernos eclesiástico y profano». Y al año siguiente, cuando la Sociedad Literaria creada bajo los auspicios del gobierno, «en que se procuró dar lugar a profesores acreditados por sus conocimientos», que también en 1822 había lanzado el semanario *El Argos,* encomendó su redacción a Funes, éste «la admitió, y lo redactó todo el año

23, así por hacer este sacrificio a la patria, como por dar un auxilio a sus necesidades».[126]

Para entonces el reconocimiento de la eminencia alcanzada por Funes en el mundo de los sabios era ya un hecho indiscutido; tal como nos recuerda Miranda Lida, los términos con que en el panegírico pronunciado en Córdoba en el primer aniversario de la muerte de Fray Cayetano Rodríguez el también franciscano Fray Pantaleón García evocaba la polémica que éste había mantenido con Funes como redactor de *El Oficial de Día* revelaban que tanto para él como para la comunidad franciscana cordobesa, a la que el Deán había logrado, tras décadas de tenaces esfuerzos, arrebatar el control de la Universidad, «constituía un verdadero honor que éste hubiera podido medirse a la par de Funes en los debates periodísticos».[127] Pero la discordia vuelve a levantar cabeza; en marzo de 1823 las reformas a las que el Deán ha ofrecido su aval desde *El Centinela* dieron motivo o pretexto a «una revolución con fuego y descargas», de cuyas resultas —escribe el Deán a Ambrosio el 10 de abril— «hay muchos presos y ayer se pasaron por las armas a dos» y «esto está siempre bastante delicado». Por otra parte le alarma el avance de la impiedad entre las nuevas generaciones porteñas; no sabe si es una buena idea enviar a uno de los nietos de Ambrosio a seguir estudios de Buenos Aires, ya que «la juventud está montada en el pie que para pasar por despreocupado [*sc.* desprejuiciado] un joven, ha de ser irreligioso e inmoral», y no cree que pueda hacerse mucho para frenar esa peligrosa deriva: «No hay que esperar —confía a su hermano— que los gobiernos remedien el mal: viene del siglo».[128]

Pero acaso le preocupe también que la presencia de un sobrino suyo en Buenos Aires permita a Ambrosio y a sus apoyos cordobeses conocer mejor el papel que él mismo está desempeñando en el proyecto secularizador promovido por Rivadavia, acerca del cual se ha cuidado muy bien de ponerlo al tanto (en julio de 1822, cuando

[126] AbF, AF, I, 28-29.
[127] ML, 192.
[128] El Deán a Ambrosio, 10/IV/1823, CIF, Atlántida, II, 8, 249.

informa a Ambrosio de que «esto está muy alborotado con la reforma eclesiástica» le agrega tranquilizadoramente «no temas que yo tome parte en estos asuntos que se agitan en este pueblo aunque tenga la desgracia de que me atribuyen algunos papeles públicos de los muchos que salen en pro y en contra, cuando creen notar en ellos algún mérito» y en octubre se siente lo bastante necesitado de justificar que, contra su costumbre, no envíe copias de esos papeles a Córdoba alegando que «corre que en ésa no los admiten»).[129]

Tampoco alude al cada vez más conflictivo panorama político porteño cuando comunica a Ambrosio, en un mensaje cuya concisión justifica alegando que le falta el tiempo aún para «escribirte estos cuatro renglones», que ha aceptado asumir la redacción del *Argos* pese a que «la comisión es pesadísima [...] porque me produce alguna cosa con que aliviar mis necesidades». Y cuando Ambrosio le expresa su deseo de verlo libre de la tarea de redactar del *Argos* le responde de nuevo sin aludir al cada vez más complicado trasfondo político. «Aunque estas ocupaciones son penosísimas y llenas de incomodidades yo estimo el habérseme dado como un favor del cielo, condolido de mi situación. ¿Cómo piensas que sin ese auxilio hubiese podido subsistir este año? El cielo se ha endurecido para nosotros, y es preciso que nos armemos de paciencia». Aunque el tono general del mensaje sugiere que ha perdido ya toda ilusión acerca del éxito futuro del proyecto rivadaviano, y no aspira a nada mejor que a sobrevivir como se pueda a los malos tiempos, éste se cierra inesperadamente en una nota que devuelve un lugar a la esperanza: «Hace dos días que llegaron los diputados de España. Nada se trasluce hasta ahora; pero yo creo que va a empezar una era nueva. Pudiera ser que en ella fuesen nuestras cosas menos infelices». Así en mayo de 1823, pero esa esperanza se disipa antes de cerrado el año, y su mensaje del 26 de diciembre registra su resignación a dar por definitivamente fracasado el proyecto revolucionario al que desde 1810 lo ha apostado todo. «Estoy con muchos cuidados —escribe en esa fecha a Ambrosio— por la suerte de la patria, a la que está unida la mía. España o Fernando VII parece

[129] El Deán a Ambrosio, 17/VII y 25/X/1822, CIF, Atlántida, II, 8, 248-49.

que vuelve a disponer de la América con la ayuda de la Santa Alianza [...] Yo no veo aquí en ninguno disposición ni aun gana de resistir. Se acabó ya el patriotismo y la pobreza llegó a lo sumo.»[130]

Se entiende entonces el entusiasmo con que Funes iba a celebrar que la fortuna le ofreciese un modo de escapar al laberinto en que lo había encerrado la heroica firmeza con que en 1810, y «sin otro apoyo que la bondad de su causa» había asegurado el triunfo en Córdoba de la que encarnaba la revolución porteña. «En ese tiempo —leemos en los *Apuntamientos*— arribó a Buenos Aires el Sr. Mosquera, plenipotenciario de Colombia cerca de este gobierno. Fuese por una conformidad de carácter, fuese porque mutuamente se encontrasen con aquel mérito que hace la base de la verdadera amistad, ellos se unieron con este lazo inestimable. Aunque la Junta había ya dado a conocer al general Bolívar como el primer guerrero, en cuyas manos estaban los destinos de la América, el Sr. Mosquera instruyó con muchos documentos más a fondo al Señor Funes sobre el mérito de este hombre prodigioso. En su vista, el señor Funes se creyó en un deber sagrado de consagrarle con su pluma un tributo de reconocimiento, y lo hizo así hablando de él con encomio en su periódico el *Argos*».

Ese tributo vio la luz el 19 de febrero de 1823, y el 16 de octubre, de retorno en Lima, Mosquera libró a su autor «su despacho de Agente de Negocios de Colombia cerca del Gobierno de Buenos Aires» y «en su consecuencia, registrado ese despacho, se recibió el señor Funes de la Agencia el 2 de enero de 1824 [...] Entre tanto, cansadas las provincias de su largo aislamiento, consintieron en renovar su pacto social, instalando un Congreso Nacional, que se abrió en diciembre de 1824. El señor Funes entró también en ese Congreso; pero cargado de años y de experiencia, procuraba alejarse de un teatro, que más de una vez le había sido funesto, y en el que presagiaba un combate de vivas pasiones. Felizmente era éste el tiempo en que el señor Funes se hallaba en correspondencia con los Exmos. Señores el Libertador Simón Bolívar y el Gran Mariscal de Ayacucho, General Sucre, quie-

[130] El Deán a Ambrosio, 28/XI/1822, 26/V y 26/XII 1823, CIF, Atlántida, II, 8, 249-251, *passim.*

nes informados [...] de que la escasa renta de su beneficio nunca le proporcionaría una subsistencia decente para sostener los últimos años de su cansada edad [...] le brindaron generosamente con el Deanato de la catedral de La Paz en la república de Bolivia».[131]

Sin duda entre las consecuencias de la providencial irrupción de Mosquera en el escenario rioplatense, Funes valoraba como lo merecía que encerrara la promesa de rescatarlo de una penuria de la que ya comenzaba a creer imposible evadirse, pero sus enemigos que asignaban un motivo mercenario a su súbita explosión de entusiasmo bolivariano no tomaban en cuenta hasta qué punto era lo que en esa penuria reflejaba la negativa de una patria que le debía todo, comenzando por su existencia misma, a cumplir deberes filiales que iban mucho más allá del de asegurarle «una subsistencia decente» lo que se la hacía literalmente insoportable. Porque así estaban las cosas, su militancia al servicio de la causa bolivariana era, a la vez que el recurso desesperado de un anciano que se resistía a morir en la indigencia, el fruto de una opción política a favor de una patria distinta de la que así lo había tratado, que si prometía darle en ella el lugar que era por derecho el suyo era porque era su ambición encarnar un ideal de justicia que la surgida de las convulsiones de 1810 nunca había intentado seriamente tomar por guía.

Esa inspiración compleja aparece admirablemente reflejada en la carta en que Funes ruega a Bolívar que le envíe el poder que necesita para que el gobierno de la provincia de Buenos Aires «y del que se estableciese, instalado que fuese el Congreso de estas provincias». «A este pensamiento atrevido —agrega— me vi impulsado por un principio de adhesión a su alta persona, por el que siempre me ha animado para dedicarme al servicio de la patria, y (no disimulando cosa alguna) por buscar por esta vía honrada una decente subsistencia». Funes está seguro de que a su corresponsal este último motivo «le parecerá bien extraño, no siendo fácil concebir que a un Deán de una iglesia catedral de América, y cuyo nombre corre a pasos paralelos con los de la revolución, le falte el preciso necesario para su subsistencia. Por

[131] AbF, AF, I, 30-32, *passim*.

repugnante que esto sea a la consideración común, ello es un hecho, de cuyas amargas consecuencias sólo yo soy la víctima». «La revolución —continúa— me tomó lleno de bienes de fortuna», pero «no bien iba tomando cuerpo el volcán, cuando veía sepultarse en él toda mi suerte. Lo odioso de mi nombre para los implacables enemigos de la patria les hacía desear tener mi vida a su discreción, como tenían mis bienes, para sacrificarlo todo junto; y el fuego de los partidos en que se han abrasado estas provincias, no siendo menos devorador, me despojó del resto hasta dejarme en la calle, y con una renta de mi beneficio que no pasa de mil pesos.» Pero no se detienen aquí sus confidencias, ya que le resulta demasiado difícil no extenderse sobre un tema que lo apasiona demasiado para resistirse a la tentación de comunicar al Libertador de América hasta qué punto deplora que un «celo indiscreto» lo llevara a endeudarse por la suma de 9.500 pesos para pagar la impresión de mil ejemplares del *Ensayo histórico,* de los cuales sólo logró vender la mitad, lo que lo obliga a «*arrastrar* con trabajo la cadena de la deuda que *contrajo* con este motivo».[132]

Esa misma inspiración vuelve a aflorar aún más nítidamente un año y medio más tarde, en una misiva en que el Deán, desesperando de encontrar en catedrales peruanas la vacante que le permitiría trocar la jubilación cuyas rentas tan difícil le resulta disputar a la codicia de los capitulares de su sede cordobesa por una que le permitiera vivir sin angustias, solicita de Bolívar que le otorgue en cambio «una pensión vitalicia de alguno de aquellos estados en que V.E. tiene la primera influencia». «Cuando yo reflexiono, señor, que desde que resonó en mis oídos el grito de la libertad me propuse servir a la Patria sin medida, *ultra modum,* aunque fuese con riesgo de mi vida, y que así lo he verificado, me siento con orgullo (perdóneme V. E. este atrevimiento, a bien que yo escondo mis debilidades en el seno de un amigo) para exigir que tampoco ella la guarde (*sc.* medida) cuando se trata de mi alivio», y por esa razón juzga que «no *se exce-*

[132] El Deán a Bolívar, 19/VII/1824, en J. Francisco V. Silva, *El libertador Bolívar y el Deán Funes en la política argentina (Revisión de la historia argentina)*, Madrid, Editorial-América, s/f. (en adelante Silva), 271-72.

de mucho» al solicitar ese favor del «amadísimo señor y amigo»[133] a quien dirige su epístola.

Es de temer que Bolívar no se haya interesado demasiado en explorar los complicados estados de ánimo que movían a Funes a acompañar a sus pedidos de auxilios financieros con la evocación de los servicios por él prestados a la causa de la Patria, que sin duda encontraba también mencionados a cada paso en los que recibía de la nube de pedigüeños que lo rodeaba siempre en busca de sus favores. Los testimonios indirectos que de sus reacciones se encuentran en el archivo del Deán (que no contiene ninguna carta de su autoría) sugieren que lo que lo incitaba a buscar su apoyo era la gravitación que el prestigio de su figura de sabio le había asegurado sobre una sección hispanoamericana cuyos gobernantes veían con profundo recelo el curso tomado por la guerra de independencia en que él mismo había finalmente conquistado el lugar protagónico, que podía hacerle menos difícil incorporarla al proyecto político que estaba ya poniendo en ejecución desde el Perú hasta Nueva Granada y Venezuela.

Pero quien se interese más que Bolívar en explorar esos estados de ánimo encontrará a cada paso confirmación de que el modo en que el Deán encaró su compromiso bolivariano revelaba que ponía a su servicio un celo y aún un fervor que una motivación meramente mercenaria hubiera sido incapaz de inspirar: junto con ella pesaba que hubiera encontrado en el proyecto político de Bolívar razones suficientes para persuadirlo que incorporándose al séquito del Libertador colombiano se integraría a un grupo de pertenencia más capaz de suplir a aquel del que la disolución de la Compañía lo había privado en el umbral de la adolescencia que el que por un momento había creído encontrar en el Buenos Aires de Rivadavia. En ese proyecto veía Funes encarnarse la revolución que él había imaginado cuando había volcado a su favor a su ciudad nativa; su protagonista y beneficiaria debía ser la marginada franja criolla de la elite imperial, que desde México hasta el Río de la Plata utilizaría la oportunidad ofrecida por el derrumbe de la monarquía católica en la metrópoli para arrebatar el gobierno de las Indias

[133] El Deán a Bolívar, 26/XII/1825, Silva, 306-8, la cita de pp. 307-8.

a quienes lo ejercían como sus agentes (por entonces parece haber sido ésta una hipótesis muy compartida; en esos mismos meses el doctor Pedro Vicente Cañete, en un mensaje al virrey Cisneros llegado a destino cuando éste había sido ya derrocado, y el doctor Mariano Moreno, en el artículo «Sobre las miras del Congreso», publicado en el órgano de quienes le habían arrebatado el poder, coincidían en proponer la creación de una autoridad central para todas las Indias legitimada por un reconocimiento explícito por parte de los representantes de éstas, que reemplazara a la que ejercían los delegados de la ahora desvanecida metrópoli, aunque desde luego mientras Cañete la proponía como un recurso que permitiría a éstos revalidar mediante el reconocimiento de sus gobernados unos títulos de legitimidad que el derrumbe metropolitano había gravemente desvalorizado, Moreno veía en esa creación el medio de validar la representación de la voluntad popular invocada por quienes los habían derrocado).

Funes sabía desde luego demasiado bien que desde el comienzo la revolución había tomado otro rumbo, pero en esos años en que comenzaban a delinearse los estados sucesores que habrían de consolidarse en la segunda mitad del siglo encontraba el símil más adecuado para el proceso que conduciría a ellos en la imagen del volcán cuya erupción había reducido a cenizas el entero patrimonio material y espiritual que él mismo había sido capaz de acumular cuando esa revolución se le había cruzado en el camino. Y uno de los atractivos del proyecto bolivariano era que volviese a abrir a sus ambiciones los horizontes por él largamente explorados cuando había buscado otros rincones de la monarquía católica en que le fuera posible avanzar en una carrera eclesiástica largamente bloqueada en su nativa Córdoba. Cuando decidió tomar de nuevo ese camino estaba consciente de que estaban naciendo otros patriotismos de ámbito más limitado que el que lo ligaba a las enteras Indias, y una y otra vez iba a declararse del todo ajeno a éstos. Los términos en que refirmaba su compromiso con Bolívar al anunciarle que se disponía a ocupar la banca en el Congreso constituyente de las Provincias Unidas para la que lo había elegido Córdoba («Yo he fijado mi gloria en servir a V.E., porque es éste el medio más seguro de servir a la Patria. Si V.E.

juzga que en esta nueva carrera de la diputación puedo hacer algo que coadyuve a sus acertados designios, debe contar que yo me prestaré a cuanto tenga el honor de que me insinúe»)[134] que sugieren que no encontraba en absoluto problemático invocar su deber de servicio a la Patria para justificar el apoyo a unos «designios» que, como sabía perfectamente, incluían el de reemplazar a los gobernantes del Estado a cuyo Congreso se incorporaba por otros más dispuestos a alinearse sobre la línea bolivariana ofrecen suficiente prueba de que en 1824 su noción de patria seguía siendo la de 1810. Que veinte años más tarde lo que para Funes no había planteado dilema alguno lo planteara del modo más dramático a la generación de 1837 quizá de una idea exagerada del trecho de camino que la idea nacional había avanzado en esas dos décadas, porque hay mucho que sugiere que en este punto Funes atrasaba respecto a su tiempo. Algo de eso se vislumbra en su obra de historiador; es ya significativo que en la breve dedicatoria a la Patria que antepone a ese *Ensayo histórico* en que se propuso ofrecer a sus compatriotas «una historia de su origen única en su género» invite a buscar la clave de esa historia en el contraste entre un antiguo régimen en que «el pensamiento era un esclavo y el alma misma del ciudadano no le pertenecía» y un presente en que «el teatro está mudado: somos ya libres»,[135] que no deja duda de que ese teatro sigue abarcando a las enteras Indias, y no lo es menos que el territorio que a partir de Mitre iba a ser presentado como destinado desde el origen de los tiempos para sede de una nueva nacionalidad sea descrito en su título como el de las tres secciones de las Indias de Castilla por él elegidas para trazar, por medio de una narrativa de las vicisitudes por ellas vividas bajo el Antiguo Régimen «el cuadro horrible de una tiranía prolongada y siempre en acción», que al inspirar a la opinión pública «sentimientos bien concertados del bien y del mal», la llevará a reconocer por fin en «nuestras divisiones [el] origen único de nuestros males» y la incitará a superarlas para dedicar todas sus energías «a la grandiosa y noble empresa de libertarnos de

[134] El Deán a Bolívar, 2/XI/1824, Silva, 275-6.
[135] Funes, *Ensayo,* I, 4.

tiranos», evitando de esa manera que se apague «el fuego eléctrico que debe arder en nuestros pechos, porque un conocimiento profundo de nuestras miserias pasadas será un seguro preservativo para el futuro», que permite al *Ensayo histórico* reivindicar no sólo la utilidad que desde Cicerón se reconoce a toda historia sino también la más específica que aspira a brindar «una historia de América escrita por un americano en medio de esta revolución».[136]

Pero no es sólo la ambición de hacer del *Ensayo histórico* la obra de un militante de la causa de América la que hace que no haya lugar alguno en ella para la imagen del futuro a partir de la cual la historia del pasado y el presente de la comarca rioplatense iba a ser narrada como la de la génesis de una específica nacionalidad argentina; había algo más radical que hacía impensable para Funes encararla de esa manera, y era que el futuro era una dimensión del todo ausente de su visión histórica. Y no es difícil entender por qué: las referencias a lo por venir que en otros contextos abundan en su correspondencia muestran que en los tiempos salidos de quicio que le tocó atravesar en su ancianidad había renunciado a especular sobre el futuro no tanto porque comprobara a cada paso que éste se presentaba cada vez más impredecible, sino más aún quizá porque lo poco que creía estar columbrando en un futuro en que su suerte —como iba a recordar a Ambrosio en un momento de desesperación—[137] seguiría estando indisolublemente unida con la de la Patria a cuya causa se había votado en 1810, le proponía imágenes demasiado horrendas para que ceder a la tentación de concentrar su mirada en ellas. Y esa ausencia del futuro agravaba aún más al peso que la memoria del pasado que la revolución había venido a clausurar conservaba sobre la visión del abominable presente que le había tocado vivir que guiaba al Deán en sus esfuerzos por capear sus incesantes tormentas.

Y no es que Funes no percibiese que ese pasado es en efecto pasado. La insistencia con que en su correspondencia con Bolívar se cree forzado a justificar su disposición a trocar la ciudadanía rioplatense por la

[136] Loc. cit. n. 123.
[137] Loc. cit. n. 130.

de alguno de los nuevos Estados organizados bajo su protección, si ello le permitiera servir mejor a sus designios[138] sugiere que no dejaba de advertir hasta qué punto comenzaba a parecer excéntrica su negativa a reconocer que en el ámbito de los estados sucesores se estaban forjando nuevos sujetos colectivos dispuestos a exigir de sus ciudadanos la misma lealtad que la monarquía católica había requerido de sus súbditos, pero eso no le impedía apegarse a un *art de faire* aprendido en la escuela del Antiguo Régimen, que como se ha indicado más arriba esperaba que en el nuevo ordenamiento que Bolívar intentaba imponer en las tierras antes españolas de la América del Sur recuperara su perdida eficacia.

Y anticipándose al éxito del proyecto bolivariano sigue practicando ese arte del mismo modo en que lo ha venido haciendo por más de cinco décadas, y que es por otra parte el único que domina, nunca más fielmente que en la iniciativa cuyos frutos ofrece en homenaje a Bolívar en la carta del 26 de diciembre de 1825, en la que, a propósito de su ambición de recibir una renta vitalicia, le hace saber que «por fortuna se me presenta hoy una ocasión con la que, dando a la Patria una nueva prueba de que mi sacrificio ha sido por entero, puede contribuir al mejor logro de este asunto [*sc.* la obtención de la pensión vitalicia]». Le ha ofrecido esa oportunidad la difusión alcanzada en Buenos Aires por el escrito de Llorente sobre la constitución religiosa del clero, en que «su autor propuso introducirnos todo el sistema luterano, y causar un divorcio entre estas Iglesias y la Romana». El

[138] Así el 26/V/1825, cuando asegura a Bolívar que no debe creer que «esta resolución (*sc.* la de renunciar a la ciudadanía rioplatense) fuese para mí un gran sacrificio. Volver a un estado ingrato lo que uno le debe, y buscar otro más justo y generoso, es un sentimiento que inspira la razón», cuando cinco días después le manifiesta cuánto sentiría «dejar de emplear mis cortos servicios a favor de una República como la de Colombia, que por afición, por gratitud y por justicia considero mi verdadera Patria», y por último el 26/XII/1825, cuando le asegura que aceptaría con gusto renunciar a ella para recibir una pensión vitalicia del estado colombiano o peruano, ya que «con esa pensión vitalicia yo me haría ciudadano de un Estado, que por su generosidad, y por el honor de que me cubre, me compensa de las ingratitudes de aquel en que nací, y que especialmente he servido». Los pasajes citados en esta nota se encontrarán en Silva, pp. 280, 282-3 y 308.

disgusto que ello le ha causado —prosigue Funes— era inferior al que le inspiraba «la buena acogida que lograba entre no pocos de este pueblo, tan amante de novedad». Decidió por lo tanto impugnar ese escrito «en un tomo in quarto, cuya impresión está acabada» (y que, aunque con inusual delicadeza no lo mencione, ha pagado con recursos obtenidos por él mismo). «Al estarla escribiendo —concluye— tuve el gusto de leer en una *Gaceta* de Lima una nota de V.E. dirigida al Gobernador eclesiástico de Trujillo, en la que le protesta que empleará toda su autoridad para reprimir a todo aquel que ultraje la religión católica en sus dogmas, en su disciplina, sus altares y sus Ministros. Desde entonces me propuse dedicarle a V.E. este último resto de mi vida literaria. Así lo he ejecutado.»[139]

He aquí de nuevo a Funes guiándose por la lógica del Antiguo Régimen, en que encargarse de costear la publicación de una defensa de las posiciones del soberano había sido considerado un testimonio de «amor al real servicio» que era deber de éste recompensar adecuadamente en el futuro. Pero en este caso Bolívar, lejos de atenerse a los usos del Antiguo Régimen, no se dignó siquiera acusar recibo del ejemplar que el Deán le había enviado, en que el texto de la impugnación al escrito de Llorente estaba precedido de una dedicatoria en que quien se proclamaba «el más humilde y el más obsecuente de sus admiradores» declaraba animarse a esperar que «el excelentísimo señor Libertador» quisiera «por honor de la religión, y por el bien de sus súbditos, valorar con su protección *su* débil ofrenda, y hacer que triunfe sobre los extravíos del autor constitucional».[140]

Ya el texto de la dedicatoria sugiere algunas de las razones para la reacción de Bolívar:[141] que al abrirlo el Deán haya precedido al título

[139] Loc. cit. n. 133. La cita de p. 308.

[140] D.D. Gregorio Funes, *Examen crítico de los discursos sobre una constitución religiosa considerada como parte de la civil,* Buenos Aires, Imprenta Hallet, 1825 (en adelante Funes, *Examen),* xviii.

[141] Que no es seguro que hubiese visto en Funes mucho más que un agente político a sueldo que no se había revelado totalmente satisfactorio. Así lo sugiere la carta en que éste en carta a Sucre atribuye la eliminación de su nombre de «la lista de los empleados diplomáticos» de Colombia, al disfavor en que según un papel de Lima

de Libertador, que hubiera debido decirlo todo, con el de excelentísimo señor es apenas menos grave que la mención de aquellos a quienes gobernaba tras haberlos liberado sus súbditos, que no podía sino chocar a quien hasta el fin de su vida quiso mantenerse fiel al compromiso de liberar al Nuevo Mundo asumido apenas salido de la adolescencia en el juramento del Monte Mario y en la catedral de Milán había sido indignado testigo de la apostasía cometida por Napoleón Bonaparte al confiscar en su provecho los frutos de la victoria por él obtenida al frente de los ejércitos de la república revolucionaria coronándose Rey de Italia, y por añadidura no podía sentirse demasiado orgulloso del mensaje que había juzgado oportuno dirigir al eclesiástico trujillano, en el que no podía ver sino una más de las penosas concesiones que se descubría obligado a ofrecer a las «preocupaciones», a los prejuicios que el Antiguo Régimen había difundido entre las plebes hispanoamericanas para mejor oprimirlas, y al que éstas se mantenían irritantemente apegadas.

Pero si Funes entendía tan mal a Bolívar era porque no podía —no tampoco quería— entender al mundo irrevocablemente trasformado por la revolución de la que él mismo había sido parte, y que hasta el fin no renunciaba a ver gobernado según los criterios que habían inspirado la versión jesuítica de la modernidad cristiana por él aprendida de sus primeros maestros. La tutela que mantienen sobre el Deán quienes lo guiaron en su primera carrera literaria se refleja en la inquebrantable fidelidad a las orientaciones básicas de ellos recibida que —como subraya con toda justicia Miranda Lida— confiere a cuanto escribió a lo largo de su entera trayectoria una coherencia que sus esfuerzos por articularlas en los términos más adecuados para hacerlas aceptables en los tan variados contextos político-ideológicos que se sucedieron a lo largo de ella no hacen fácilmente perceptible a una mirada más superficial, pero que no impiden que la distancia entre los objetivos que

---

había caído frente al Libertador, a quien «continuamente se le oía decir "que jamás me perdonaría que habiendo recibido 7.000 pesos de Colombia hubiese dado mi voto a Rivadavia como Presidente"», el Deán a Sucre, 10/VII/1827, Silva, 379-83, la cita de p. 383.

habían guiado a un proyecto de reforma irrecuperablemente fracasado y los de los grupos a los que Funes buscaba hacerlos aceptables siga siendo la razón última por la cual ni uno ni otro de esos grupos en que buscó cobijarse lo reconociera sin reservas como uno de los suyos.

Hasta qué punto esa distancia iba a persistir hasta el final de la carrera de Funes puede descubrirse con sólo hojear ese *Examen crítico* del escrito de Llorente que, como sabe bien, está destinado a ser «el último resto» de su carrera literaria. Sin duda aquí ha llevado al extremo sus esfuerzos por adaptar sus posiciones de siempre al clima cerradamente misoneísta que marcó a la Restauración, comenzando por presentar como argumento decisivo contra los discursos que se propone examinar que el proyecto de reforma de Llorente, cuya defensa éstos intentaban, hubiese sido censurado «como que contenía proposiciones heréticas, sospechosas y depresivas de la autoridad de la Iglesia» por la Curia Eclesiástica de Barcelona, algo bastante inusual en la pluma de quien más de una vez había respondido del modo más despectivo a análogas condenas igualmente fulminadas desde sedes peninsulares contra dirigentes de los movimientos secesionistas hispanoamericanos. Pero de inmediato promete que su pluma no se limitará a «corregir sus errores, no malograremos la ocasión de reclamar por la disciplina de los tiempos puros, en aquello que dejó de observarse por la vicisitud de los tiempos, la ignorancia, la ambición de la Curia Romana, y de muchos príncipes». Y no se propone ocuparse tan sólo de eso; «como la religión —añade— en cuanto a su policía exterior, toma su carácter del genio, los usos y localidad de las naciones, será también de nuestros cuidados apuntar aquellas modificaciones y reformas que dejándonos a los americanos siempre adheridos al centro de unidad, juzguemos convenir a la religión y la patria».[142]

Y en efecto no se priva de hacerlo, siempre en un marco dominado por las expresiones de horror que prodiga contra los autores de los discursos que critica; juicios como «falsísima aserción [...] delirio que sólo se formó en su fantasía en los accesos de un ataque febril» o «delirios de cerebros calcitrados», o todavía «no hay paso que dé

[142] Funes, *Examen*, III-IV.

este escritor en que no descubra la acedia de la levadura que abriga en lo interior del pecho», que imitan laboriosamente el estilo polémico de los más cerriles defensores de las verdades reveladas, pero eso le permite extenderse, tal como lo había hecho en sus notas a la traducción de Daunou, cuyo texto reproduce «en servicio de aquellos a cuyas manos no hayan llegado» en una defensa cerrada de la plena libertad de cultos, y no sólo de la práctica privada de los disidentes, invocando los progresos que acompañaron su implantación, lo que le permite incluir entre muchos otros beneficios de la tolerancia que el avance del espíritu filosófico inducido por ella «produjo al sabio Kant y al atrevido Schelling». Pero de inmediato pone límites a su audacia señalando que la Iglesia «debe ser tan intolerante, como tolerante es el Estado. Su fe es una, y el que no la profesa está excluido de su gremio», y que aún limitando la mirada a la esfera de acción del Estado es preciso no olvidar que la tolerancia que es deber de la autoridad pública asegurar no la exime del de hacer uso cuando sea necesario de «la preciosa prerrogativa que la hace protectora de la fe. Sabemos bien que no de balde ciñe la espada. Sí, no la ciñe de balde, no porque deba degollar al que yerra a fin de que se salve, sino para reprimir al atrevido que la ultraja, e intenta por medios seductivos robarle los verdaderos creyentes».[143]

Hay un tema que ocupa largamente a Funes en que se refleja con particular nitidez la índole del problema al que no puede dar solución: no nace éste de que a través de centenares de páginas en que sus sucesivas tomas de posición se contrabalancean mutuamente no alcance a definir el estable punto de equilibrio entre lo antiguo y lo nuevo que aspira a alcanzar, sino de que el que tiene perfectamente claro dónde ubicar es ya inalcanzable. Es este tema el del patriarcado, que instituido en tiempos tempranos, cuando «la voz del evangelio fue dilatándose por el orbe, y que trayendo nuevos adoradores bajo el signo de la cruz, se aumentó el rebaño de la iglesia a grandes distancias, y entre naciones de distintos idiomas, empezó a tener ejercicio la dignidad patriarcal [y] los Latinos, los Griegos, los Sirios y los

[143] Funes, *Examen,* 87-102; las citas de pp. 88, 91, 94 y 96.

Egipcios tuvieron la suya propia afecta a uno de los arzobispados de cada nación». No se intentó con ello, se apresuraba a agregar Funes, limitar el poder del Primado (título por él utilizado en todo este *excursus* para designar al Papa) sino de hacerle menos difícil atender a «su obligación de gobernar a la iglesia con cuidado vigilante [...] en iglesias como éstas, pues su suma distancia establece una gran desproporción entre sus obligaciones y sus fuerzas», y precisamente la institución del patriarcado brindó a los pontífices «poderosas manos auxiliares [...] que debían *hacerles* soportable el cargo, mientras sólo se *cuidaron* de llenarlo debidamente», lo que lo lleva a concluir que si «la publicación [sic, probablemente reemplaza a *población*] de las nuevas repúblicas hispanoamericanas que se forman, estuviese en estado de admitir un mayor número de obispados y arzobispados, no trepidaríamos en desear que recibiese[sic] en ellas esta antigua dignidad de la jerarquía eclesiástica».[144]

Pero cuando vuelve a considerar el tema, cerca ya del fin de la obra, es para marcar su distancia con la propuesta de Llorente, que asignaba al soberano temporal la potestad de instituir esa dignidad eclesiástica en el territorio que gobierna: en cuanto a este último punto cree haber allegado datos suficientes para probar que «la función de erigir estos primados fue siempre propia de la potestad eclesiástica [y] también que, según el estado actual de la disciplina eclesiástica, ella está reservada a la Santa Sede». Aunque conviene con Llorente en «que esto merece una reforma y [...] que aumentados los metropolitanos, sería conveniente la creación de un patriarca» no puede sino oponerse a su propuesta de que esa creación provenga «del gobierno civil por sí solo, trasgrediendo los cánones que están en observancia, y arrancando el consentimiento de los demás obispos a fuerza de imperio», algo que no podría practicarse «sin turbulencia y sin escándalo»[145] y es por lo tanto preciso evitar a toda costa.

Pero precisamente es la pretensión de instaurar esa necesaria reforma en un marco de concordia con un pontífice cuyas ambiciones

[144] Funes, *Examen*, 67-8.
[145] Funes, *Examen*, 332-33.

no vayan más allá que la de «llenar debidamente» las obligaciones de su cargo la que, como señala de nuevo con total justeza Miranda Lida, muestra hasta qué punto Funes es incapaz de advertir que lo que desea es imposible, y que envuelto en un «sueño dulce y conmovedor» se ha dejado guiar para fijar su meta por «un espejismo poco viable».[146] Pero no fue, me parece, lo que ese proyecto tenía de ilusorio lo que impidió que viniese a estrechar el vínculo que el Deán aspiraba a establecer con el Libertador colombiano, creo más bien que tuvo aquí un papel decisivo que —contra lo que en este punto sostiene Miranda Lida— Bolívar no coincidía con los protagonistas de la reforma eclesiástica porteña en la aspiración a contar con una Iglesia «nueva completamente remozada, a tono con las nuevas repúblicas hispanoamericanas»;[147] este hombre a quien sus enemigos denunciaban como deísta (o quizás ateo) estaba más cerca de ver en la Iglesia a una institución irredimiblemente entregada a las fuerzas del eterno ayer, que le era imprescindible no sólo tolerar sino cultivar en la medida necesaria para poder utilizarla como un *instrumentum regni* que seguiría siendo insustituible hasta que gracias a la paulatina difusión de las luces del siglo las plebes hispanoamericanas terminaran de emanciparse del influjo que sus evangelizadores habían ganado sobre ellas desde los albores de la conquista. Se entiende entonces por qué Bolívar no hubiera podido acoger con buenos ojos una propuesta como la del Deán, que hubiera sido inevitablemente recibida con alarma por aquellos a quienes le importaba vitalmente mantener satisfechos con el trato que de él recibían.

El desengaño que siguió al ensueño bolivariano llegó demasiado tarde en la vida de Funes para que éste pudiera todavía partir en busca de otro grupo de pertenencia capaz de reemplazar al que creía haber encontrado gracias a su encuentro con Mosquera, pero si no podía hacerlo en vida, estaba aún en sus manos hacerlo a título póstumo, y su autobiografía que vio por primera vez la luz en 1856 es el fruto de su esfuerzo por lograrlo. Hemos visto ya cómo en ella había estilizado la

[146] ML, 210.
[147] ML, 208.

etapa colonial de su trayectoria como la de su secreta preparación para desempeñar un papel protagónico en la revolución que iba a ponerle fin, pero cuando se vuelve a la que se abre en 1810 la estilización es aún más extrema. No la inspira tan sólo su deseo de rodear de una discreta penumbra sus cambiantes tomas de posición en las luchas de facciones que a lo largo de esa etapa final de su carrera iban a mantener en perpetua discordia a los defensores de la causa revolucionaria, que lo lleva a borrar de su relato el nombre de Pueyrredón, con cuyo decisivo apoyo había logrado liberarse de la prisión en que lo había arrojado la facción alvearista, y en su narrativa de las vicisitudes por él vividas durante su etapa de militancia bolivariana a omitir el de Manuel Dorrego, frecuentemente citado con encendido elogio en su correspondencia con Mosquera, O'Leary, Sucre y desde luego Bolívar, ante quien lo presentaba como el «verdadero amigo que V.E. tiene en estos lugares [...] dotado de una alma intrépida y noble a prueba de las tentaciones más fuertes».[148] Mientras basta para explicar esos silencios la coyuntura política del momento en que el Deán compuso su autobiografía; aunque Pueyrredón era ya hasta tal punto una figura del pasado que unos años después su vida iba a alcanzar el más sereno de los ocasos en una Buenos Aires desgarrada por las sangrientas luchas de los tiempos rosistas, vivían aún en la memoria colectiva los esfuerzos de quienes habían sido sus partidarios por devolver a comienzos de esa década a la provincia porteña a las convulsiones políticas que creía haber dejado atrás para siempre, y éstos seguían siendo unánimemente juzgados imperdonables; y en cuanto a Dorrego su reciente ejecución a manos de quienes gobernaban a una provincia de nuevo hundida en la guerra civil lo explica aún más satisfactoriamente.

No fue en cambio el deseo de no desafiar los humores del momento el que llevó a Funes a llenar el vacío dejado por esos silencios proyectando a un constante primer plano de su relato la figura de Bernardino Rivadavia, que cuando él lo componía había sido expulsado de la escena pública por la impopularidad en que había caído cuando la tentativa de devolver un gobierno central a las Provincias Unidas

[148] El Deán a Bolívar, 12/IX/1826, Silva, 326-28, la cita de p. 327.

del Río de la Plata, en la que había desempeñado un papel protagónico, culminó en un fracaso que dejó como herencia a una comarca en ruinas y asolada por una guerra civil harto más sangrienta que las que durante la breve etapa triunfal de su carrera eran recordadas con unánime horror. El propósito que ha llevado al Deán a asignar a Rivadavia esa centralidad en su relato es el mismo que lo llevó a tomar por hilo conductor en su composición ese *cathalogue raisonné* de sus producciones literarias al que se ha aludido más arriba; en él el Deán ha buscado ante todo perfilar la figura de literato bajo la cual aspiraba a ser recordado por la posteridad, y su insistencia en el influjo que Rivadavia ejerció sobre el rumbo que tomó su carrera literaria en el nuevo marco revolucionario forma parte de su esfuerzo por presentarla como identificada sin ambigüedad alguna con un proyecto de modernidad cristiana que no es el que habían buscado inculcar en él sus maestros de la Compañía. Sin duda la relación que el Deán había mantenido con el fracasado primer presidente de las Provincias Unidas había tenido una dimensión estrictamente política, pero no es en ella donde ha de encontrarse la clave de la memoria selectiva a la que Funes acude al evocarla en sus apuntes biográficos: lo que esa memoria prefiere pasar por alto le sirve para alejar la atención de futuros lectores de una arena política en que nada importante parece haberlos separado, pero nada sugiere tampoco que hubieran establecido vínculos particularmente estrechos, ni aún en la etapa en que fue activísimo defensor de iniciativas que tenían una inocultable dimensión política, en la cual asegura haber limitado su colaboración a «la parte científica y seria» de esa temática, hasta el punto de describir como exclusivamente literaria la ya recordada disputa que lo opuso a Fray Cayetano Rodríguez, que recuerda como «muy interesante y agradable», prefiriendo olvidar que esa misma disputa inspiró también el primer desafío armado al gobierno de Martín Rodríguez y Bernardino Rivadavia.

Pero desde que Funes dio su adhesión al «sistema colombiano» el vínculo que había establecido con Rivadavia en el plano de las ideas y la cultura no pudo sobrevivir al conflicto que los había venido a enfrentar en el de la política. Así lo rememoraba en una misiva «muy reservada» a Sucre: fue sólo después de que tuvo «el atrevimiento de consagrar en mi periódico capítulo capítulos enteros a Bolívar y a los colombianos» causando «el sinsabor de todos los que miraban con horror las glorias del Libertador» cuando «el disgusto se *hizo* sentir aún en el ánimo del Ministro que antes se gloriaba de mi amistad, pero no por eso desmentí una línea del camino comenzado». Y en efecto iba a perseverar hasta el fin en ese camino; en febrero de 1825 cuando «vino la noticia de la célebre victoria de Ayacucho [y] los patriotas del año 10 (así se llaman los que desde el principio de la revolución tomamos la causa de la patria, para no confundirnos con esos viles egoístas que sólo espiaban el momento de serlo sin peligro) dispusieron una función popular, sacando en un carro triunfal el busto del Libertador Bolívar, y para ello señalaron mi casa como punto de reunión», el Deán, lejos de extremar como otras veces su aislamiento en los momentos en que el conflicto político se acercaba a su punto crítico, se arrojó decididamente a la tormenta: «Después de un gran refresco que di al público, puesto ya el carro en la puerta de la calle, arengué a una inmensa multitud en el modo que verá US en el impreso que acompaño, y empezó la marcha hacia la Plaza de la Victoria, entre mil aclamaciones tributadas a los inmortales nombres de Bolívar y Sucre», sometiendo con ello a un tormento del que «no podrá US formar un cálculo exacto» a los adictos al ministerio, espectadores impotentes del júbilo con que la ciudad gobernada por su facción celebraba el triunfo de su gran rival, que esperaban ansiosamente el retorno de Rivadavia de su misión en el Viejo Mundo para reconquistar bajo su guía el férreo control que su facción había ejercido sobre el gobierno provincial cuando lo encabezaba el general Martín Rodríguez, pero debían por el momento asistir como espectadores impotentes al júbilo con que la ciudad dominada por ella celebraba el triunfo de su gran rival.[149]

Como se ve, Funes, que como historiador se había esforzado más de lo que era habitual en su tiempo por agotar las fuentes disponibles y recoger con escrupulosa fidelidad el testimonio que de ellas le llegaba, aunque tampoco cuando trazó la historia de su propia vida

[149] El Deán a Sucre, 16/V/1825, Silva, 339-46, las citas de pp. 340-41 y 343.

cedió a la tentación de acudir a la *affirmatio falsi,* lo compensó con creces recurriendo con creciente abandono a la *occultatio veri.* Pero para concentrar la atención del lector sobre el vínculo que lo unió a Rivadavia en el plano de las ideas y la cultura acudió a un recurso más obvio y no por eso menos eficaz: sencillamente le concedió un espacio desproporcionadamente amplio en su excesivamente concisa narrativa autobiográfica. La carta en que Rivadavia le mencionó el interés de Grégoire por conocer su juicio sobre el discurso que cuando era aún obispo de Blois había pronunciado en el *Institut de France* es el único documento incluido en su integridad en su texto, y cumple admirablemente la función de definir aún más convincentemente que si Funes hubiera tomado a su cargo esa tarea la atmósfera espiritual en que éste aspiraba a que se viera envuelta la figura bajo la cual se proponía sobrevivir en la memoria colectiva. La presentación que Rivadavia hace de Grégoire, «cuyo nombre es bien conocido, en especial por su filantropía universal y religiosa, y por su moral valiente y uniforme» incluye en efecto los *code words* que permitían en esa etapa de resaca contrarrevolucionaria dominada por la Santa Alianza reconocerse mutuamente como tales a los remotos herederos de los *Messieurs du Port-Royal* que no lamentaban haberse identificado con la república forjada en el crisol de la revolución cuando ella se había mostrado dispuesta a reparar los agravios por ellos sufridos a manos tanto del poder espiritual como del temporal bajo el Antiguo Régimen. Pero será Funes quien se encargue de poner del todo en claro lo que está implícito en esa presentación mencionando entre los textos incluidos en la «colección de papeles» publicada en la Península luego de reimplantada la constitución de Cádiz, junto con «la carta del Sr. Rivadavia, la respuesta del Sr. Funes, la apología de Las Casas, obispo de Chiapa, por el ciudadano Grégoire», que no deja duda de la solidaridad que el ex obispo de Blois conserva con la etapa de su pasado en que desde los escaños de la Asamblea Constituyente dio su voto favorable a la instauración de la República Francesa.

Unos años después de ese primer contacto con Rivadavia, Funes tuvo ocasión de felicitarse de que éste, por entonces ministro de Gobierno de la provincia porteña «le excitase a la grata ocupación de dar una traducción al *Ensayo* de las garantías individuales del sabio Daunou», brindándole con ello la oportunidad de «ser el primer escritor que en este Estado ha promovido la libertad de cultos» en una de las notas con que la acompañó,[150] y no cesó aquí una colaboración que —como se ha visto abundantemente más arriba— todavía iba a inspirar las campañas periodísticas que el Deán iba a llevar adelante desde las columnas del *Centinela* y el *Argos.*

¿Hasta qué punto el tránsito entre la etapa de la carrera de Funes marcada por su vínculo privilegiado con Rivadavia, cuya significación subraya en su autobiografía, y la de su adhesión al proyecto bolivariano, que prefirió en cambio mantener en una discreta penumbra, alcanzó a reflejarse en un cambio significativo en sus orientaciones ideológicas y culturales? Basta hojear los testimonios que nos han llegado de ambas para advertir que no hay en ellos huella alguna de que así haya ocurrido, y eso no debe extrañar demasiado, ya que la preocupación por esa dimensión que se supondría central en la agenda intelectual del sabio que el Deán aspiraba a encarnar no la ha dejado tampoco en los por él producidos en etapas anteriores de su trayectoria. Ahora como antes busca en los textos en cuya autoridad se apoya argumentos favorables para los puntos de vista de cuya defensa se ha hecho cargo, sin que considere parte de su tarea de literato explorar las visiones del mundo y del hombre que ofrecen sostén a esos argumentos; esa actitud que no alcanza siquiera a ser ecléctica, porque el eclecticismo es ya una tentativa de dar respuesta a un problema que él mismo no alcanza a percibir como tal, que ya campeaba en sus escritos anteriores, se hace aún más conspicua que en éstos en el último que debemos a su pluma, ese *Examen crítico* del escrito de Llorente y los publicados en su defensa, que aspira más inequívocamente que cualquiera de los anteriores a ofrecer un aporte de doctrina cuya validez vaya más allá de los temas que disputa al ex inquisidor y sus defensores. Bien pronto, sin embargo, el interés que Funes pone en la defensa de sus posiciones en cuanto a los problemas que plantea la redefinición de las relaciones de los Estados sucesores del imperio español en Indias

[150] AbF, AF, I, los pasajes citados en pp. 24, 26 y 28.

con la silla apostólica supera el de acrecer su autoridad como fuente de doctrina, torciendo el rumbo de una disputa en que intenta en vano ocultar bajo la lluvia de improperios de la que hace blanco a sus contrincantes la coincidencia que en más de un punto esencial mantiene con las posiciones de éstos.

Facilita ese deslizamiento la preferencia de Funes por el uso como arma decisiva en el combate de ideas de un instrumento que encontró particularmente adecuado para las escaramuzas que en él se libran. Lo halló en obras enciclopédicas, que desarrollan en escala descomunal un proyecto esencialmente informativo, en las que descubre una rica cantera de datos sobre los temas más variados, disponibles para su empleo en las disputas literarias que puntuaron el avance de su carrera en ese campo. A quiénes recurre para ello lo sugiere el prefacio del *Examen crítico* cuando invoca contra el «escuadrón de sabios» en que se apoya Llorente al integrado por «los Jersones, los Bosues, los Fleuris, los Pedros de Marca, los Tomasinos, los Bergieres y otros muchos que se han hecho memorables en la ciencia del dogma y de la disciplina»,[151] pero entre ellos los que más frecuentemente invoca como autoridades no son ni Gerson ni Bossuet, sino Claude Fleury y Nicolas Bergier; el primero, autor de una *Histoire ecclésiastique* que en veinte volúmenes publicados entre 1691 y 1720 narraba la de la Iglesia desde la Ascensión de Cristo hasta el año 1414, a la muerte de Luis XIV fue designado preceptor del joven Luis XV por el Regente, deseoso —leemos en la *Original Catholic Encyclopedia*— de encomendar la formación del futuro soberano a un clérigo ni jansenista ni molinista que le inculcara los principios regalistas de la Iglesia galicana. En su historia tan instructiva como edificante —prosigue la misma enciclopedia— Fleury hizo una presentación cuidadosa y exhaustiva de sus materiales, pero evitó someterlos a cualquier examen crítico y aunque sus juicios están teñidos de galicanismo (especialmente en lo que toca al Papado) supo expresarlos con laudable moderación; en cuanto al segundo, canónigo de la catedral de París, que, encargado por el editor de la *Encyclopédie* de revisar los artículos de

[151] Funes, *Examen,* VIII-IX.

tema teológico para asegurar su ortodoxia, decidió reemplazarlos por otros de su pluma que pasaron a formar el *Dictionnaire de théologie* publicado por el mismo editor como parte de aquélla (y dos veces reeditado como obra separada en el siglo siguiente), fue un infatigable apologista de la verdad católica, de lo que dan testimonio los más de ciento sesenta títulos de libros y opúsculos de su autoría que registra el *Word.Cat,* entre los que predominan los que intentan dar respuesta a los desafíos que ésta afrontó en el siglo ilustrado, pero que incluye también un más ambicioso *Traité historique et dogmatique de la vraie religion,* destinado también a varias reediciones en el siglo siguiente; el juicio que sobre esa desbordante producción insinúa la *Original Catholic Encyclopedia* es decididamente reticente: «aunque en algunos puntos, como la cuestión de la gracia y la necesidad sobrenatural de la revelación, la doctrina de Bergier es incompleta y falta de precisión no puede negarse el valor de su obra teológica y apologética».

Confortado con apoyos como éstos, Funes pudo encontrar argumentos adecuados para defender las posiciones que hizo suyas tanto cuando se encontró sirviendo al obispo San Alberto, como a su sucesor Moscoso, a Bernardino Rivadavia como a Simón Bolívar y sus colombianos; mientras, como Fleury, no se sintió más ni menos tentado por el jansenismo que por el molinismo y como Bergier no se esforzó demasiado por dar respuesta precisa a problemas teológicos que nunca le interesaron vitalmente, de nuevo como ambos se mantuvo firmemente fiel al regalismo que había informado el marco institucional que había encuadrado su carrera eclesiástica tanto bajo el Antiguo Régimen como bajo el revolucionario, en lo que era, más bien que una meditada toma de posición frente a un dilema que alguna vez le hubiera interesado seriamente explorar, un pálido reflejo en el plano de la teoría de un modo de funcionar en el mundo para el que lo había preparado su entera experiencia de vida.

Eso hizo posible que no debiera cambiar nada esencial de sus puntos de vista cuando, en el solemne umbral de la muerte, decidió presentarse ante su posteridad como el más eminente de los seguidores de Rivadavia. Y esta apuesta póstuma se iba a revelar más acertada que las que en vida puntuaron su carrera: desde que los padres fundadores de la Argentina moderna decidieron hacer de la experiencia política condenada de antemano al fracaso que había tenido por protagonista al primero que intentó gobernar a la Argentina desde el sitial presidencial el punto de partida de la empresa de construcción de una nueva nación que habían tomado a su cargo, esa juiciosa decisión le iba a asegurar un lugar en el panteón de los fundadores de la nacionalidad. Y desde que ese ambicioso proyecto de ingeniería social entró en quiebra y en consecuencia la memoria de Rivadavia dejó de estar rodeada de una universal veneración se reveló también afortunado que ese lugar fuese decididamente más modesto que aquel al que el Deán Funes había aspirado, ya que en la discreta penumbra que aseguran los segundos planos su figura póstuma ha podido sobrevivir sin daño el cambio de fortuna que tanto ha afectado a la de quien había elegido para abrirle el camino a la inmortalidad.

III

EL PENSADOR ENTRE EL PASADO Y EL FUTURO: *RECUERDOS DE PROVINCIA*, DE DOMINGO F. SARMIENTO

Un texto autobiográfico se propone casi siempre ofrecer el balance global de una vida y por lo tanto no puede evitar contemplarla —si así puede decirse— retrospectivamente. Así ocurría en los de Funes y Belgrano; así volvería a ocurrir en los que algunos protagonistas del renacimiento liberal de mediados del ochocientos —Lastarria, Samper, Prieto— iban a componer en su vejez. Así no ocurre en cambio en *Recuerdos de provincia*, que el exiliado argentino Domingo Faustino Sarmiento publicó en Santiago de Chile en 1850. La coherencia de este libro aparentemente inconexo, que ofrece a la vez una reconstrucción nostálgica de la civilización forjada por tres siglos de colonización española en San Juan de la Frontera, la diminuta ciudad al pie de los Andes donde Sarmiento había nacido en 1811, y una narración de la vida del autor casi hasta la víspera de la publicación de la obra, está asegurada por la común orientación hacia el futuro de esos materiales a primera vista heterogéneos: desde luego el futuro de San Juan y de la Argentina, una vez derrocada la dictadura de Rosas, pero también —como se verá enseguida— el futuro de su autor, que no hace secreto de la convicción de que se halla en el umbral de una carrera pública en su propia patria, luego de la caída —que juzga inminente— del régimen que lo mantiene en el destierro.

Ese conservar la mirada fija en el futuro aun en el momento de volverse al pasado, que hace la peculiaridad de *Recuerdos de provincia*, es desde luego consecuencia del momento que la obra ocupa en la trayectoria total de Sarmiento. Pero si el interés que éste mantiene por el futuro en una etapa relativamente temprana de su carrera no parece requerir demasiadas explicaciones, lo que sí parece solicitarlas es que este interés del todo previsible haya inspirado un vasto fresco histórico en que la entera experiencia colonial y revolucionaria era convocada para servir de telón de fondo a la figura del protagonista.

Si Sarmiento necesita proyectar su propia experiencia de vida sobre un escenario histórico cuya vastedad misma amenaza aplastarla es porque lo mueven a componer *Recuerdos* objetivos más radicalmente heterogéneos que los de *Facundo*, su obra maestra de cinco años antes. En *Recuerdos de provincia*, en efecto, se suma a la ambición de abordar de nuevo, como en *Facundo*, el enigma propuesto por «la esfinge argentina», y la de continuar socavando, de nuevo como en *Facundo*, la legitimidad del régimen rosista a los ojos de la opinión americana y europea, otra tan inmediata como lo había sido en la obra de 1845 la de consolidar y ampliar la reputación de su autor, pero más capaz que ésta de orientar la marcha de su argumento.

¿Cuál es ese propósito adicional? Según lo declara una introducción dirigida «a mis compatriotas solamente», Sarmiento ha escrito *Recuerdos* para defenderse de la amenaza que representaba para su futuro en Chile la protesta del representante de Buenos Aires frente a sus tentativas de promover desde el exilio movimientos contra el poder de Rosas. Era ella, según afirmaba, la que lo obligaba (como ya en 1843 el ataque de un émulo chileno al que había respondido su primer esbozo autobiográfico titulado precisamente *Mi Defensa*) a ofrecer una *apologia pro domo sua*, esta vez más completa y circunstanciada. Los lectores de *Recuerdos*, que hallaban difícil creer que esa gestión en cuyo éxito nadie podía sensatamente creer estuviese forzando al exitoso hombre público que ya era Sarmiento a reiterar la defensa que en 1843 había ofrecido cuando no era aún sino una presencia advenediza en el mundillo periodístico de Santiago, preferían ver en *Recuerdos* un autorretrato monumental con el cual su autor inauguraba la campaña política que, según había anunciado dos años antes, estaba destinada a colocarlo en la cima del poder en la Argentina, luego de la caída de Rosas, que daba por inminente.

Ocurre sin embargo que la obra misma no se organiza sobre las líneas que serían esperables si su propósito fuese la glorificación, ya que no la defensa, de su autor a través de su biografía; sólo después de recorrer más de la mitad de ella Sarmiento comenzará a ocuparse de sí mismo. Y aunque lectores poco benévolos encontraron fácil explicación para esa incongruencia en su megalomanía, que lo hizo detenerse más de lo prudente en la glorificación de su exaltado linaje a través de una demasiado minuciosa evocación de las figuras sobresalientes que lo habían adornado desde el siglo XVI, ocurre también que la versión que Sarmiento ofrece de «la historia colonial de *su* familia» no cumple demasiado bien el cometido que esos lectores le atribuyen.

Para advertirlo basta echar un vistazo al llamado «Cuadro genealógico de una familia de San Juan de la Frontera, en la República Argentina», ese «índice del libro», que sigue a la introducción, y presenta condensadamente la trayectoria del linaje sanjuanino fundado en los albores de la colonia por Bernardo Albarracín, «Maestre de Campo», y representado en el presente por una parte por Paula y Rosario Sarmiento, «obreras en bordados, tejidos, etc.», y por otra por Procesa Sarmiento, «artista, discípula de Monvoisin», Bienvenida Sarmiento, «directora de varios colegios de señoras» y desde luego Domingo F. Sarmiento, miembro de corporaciones eruditas y asociaciones de bien público del Viejo y Nuevo mundo, director y colaborador de periódicos, autor «de una serie de obras de educación primaria, adoptadas por la Universidad de Chile».[1]

Este resumen de tres siglos de historia familiar incita, más bien que a regodearse en el despliegue de un exaltado abolengo, a explorar los problemas planteados por una trayectoria que tiene su punto de partida en la cumbre de la sociedad sanjuanina, y en el presente se acerca peligrosamente a los márgenes más ínfimos de ella. He aquí cómo en *Recuerdos* el objetivo más personal remite —sin la mediación de ese otro objetivo permanente de las producciones del exilio sarmientino, que es desde luego el combate contra el régimen de Buenos Aires— al nudo problemático en torno al cual se organiza la obra.

[1] Domingo F. Sarmiento, *Recuerdos de provincia*, Buenos Aires, CEAL, 1979 (en adelante RP), entre 10 y 11.

Aunque al hacer de la «historia colonial de *su* familia» uno de los temas centrales de *Recuerdos*, Sarmiento no se propone deslumbrar a sus lectores con su alta alcurnia, no ha renunciado por ello a hacer de la exaltación de su propia figura uno de los propósitos centrales de su libro; simplemente buscó alcanzarlo de modo menos obvio, y precisamente a través de la dilucidación de un problema que, aunque descubierto al rastrear su propia trayectoria familiar, no afecta tan sólo a ella, como lo revela el título mismo de ese cuadro genealógico, que al presentarlo no como el del autor, sino como el de «una familia de San Juan de la Frontera», reivindica para él esa significación más amplia.

El entrelazamiento necesariamente laxo entre esos tres objetivos, que no es fácil armonizar sin dejar cabos sueltos, tiene por consecuencia que la exploración emprendida en *Recuerdos* siga un rumbo menos nítidamente perfilado que el de *Facundo*. Así, se buscaría en vano en el libro de 1850 una declaración de propósitos comparable a la invocación inicial a la sombra de Quiroga que en el de 1845 escondía bajo su alborotado vuelo oratorio una coherente «idea de la obra», y anunciaba con precisión el itinerario de la exploración allí emprendida para arrancar su secreto a la esfinge argentina.

Sin duda, no faltan tramos de *Recuerdos* que parecen retomar el rumbo de avance de los que se habían sucedido a lo largo de la ruta más nítidamente trazada en *Facundo*, así ahora él aparezca sólo sugerido a través de frases excesivamente concisas como aquella que señala que «el aspecto del suelo me ha mostrado a veces la fisonomía de los hombres, y éstos indican casi siempre el camino que han debido llevar los acontecimientos».[2] Notaciones como ésta parecen presagiar el retorno a la ruta seguida en 1845, y la apertura de *Recuerdos de provincia* con la descripción de un paraje concreto (ese rincón de casas semiderruidas, dominadas por algunas palmas gigantescas,

[2] Loc. cit. n. 1. Que esa decadencia de los primeros linajes es general se afirma explícitamente en RP 39 «Carriles, Rosas, Rojos, Oros, Rufinos, Jofrés, Limas, y tantas otras familias poderosas, yacen en la miseria y descienden de día en día a la chusma desvalida».

reducto en el pasado de las «familias antiguas que compusieron la vieja aristocracia colonial») al movilizar los recursos descriptivos y evocativos ya magistralmente utilizados en la obra de 1845, parece también prometer un avance paralelo al de ésta.

Pero es ésta una promesa que no ha de cumplirse. Ahora la geografía hace sólo una aparición fugaz en ese cuadro inicial para ceder de inmediato el primer plano a la historia. En efecto, la evocación brevísima de un paraje deja de inmediato paso a la de las huellas ya casi borradas que en él pueden rastrearse de un pasado abolido, desde las palmeras mismas, traídas de Chile por los primeros conquistadores, hasta «una puerta [...] desbaratada [...] donde estuvieron incrustadas letras de plomo, y en el centro el signo de la Compañía de Jesús», y en la vecina casa de los Godoyes, igualmente arruinada, una carpeta cuyo rótulo reza: «Este legajo contiene la "Historia de Cuyó del abate Morales, una carta topográfica y descriptiva de Cuyo, y las probanzas de Mallea"»,[3] pero que ya sólo encierra estas últimas.

La evocación de un lugar preciso, que en *Facundo* hubiera servido de punto de partida para explorar la configuración del modo de vida igualmente preciso que lo ha marcado con sus huellas, aquí deja en cambio paso a una queja sobre las injurias del tiempo, y ello refleja muy bien todo lo que separará a la perspectiva aquí dominante de la de la obra anterior. En ésta las claves literales y metafóricas remitían a una espacial; aun cuando el conflicto que desgarraba a las provincias rioplatenses era presentado como el del siglo XI y el XIX, esos dos siglos designaban en la Argentina dos configuraciones históricas que —estrictamente contemporáneas la una a la otra— arraigaban en dos campos rivales, representados de modo totalmente literal como los dos espacios que se dividían el cuerpo mismo de la nación: la ciudad y la campaña pastora. Esa proyección del conflicto en clave espacial nunca perderá del todo su ascendiente sobre Sarmiento, y todavía en escritos de fines de la década, desde *Viajes* hasta *Educación popular*, lo veremos acudir a la metáfora que evoca el asedio de esa fortaleza

[3] RP, 10.

de la civilización que es la ciudad por una masa bárbara asentada en el arrabal (ya se trate del cada vez más vasto océano de los pobres en una Santiago que comienza a crecer a ritmo más rápido, o de la tropa por el momento sumisa reclutada por la Revolución Industrial en Europa).

Al lado de esta línea interpretativa no era imposible descubrir en segundo plano otra, que buscaba sus claves proyectando la misma problemática sobre un eje temporal antes que espacial: así *Facundo* no esquiva el tema de la decadencia de la ciudad de La Rioja. Pero precisamente en *Facundo* esa decadencia era menos el desenlace de la trasformación sufrida por un sujeto histórico en un cierto arco temporal que el resultado aciago de la derrota de ese sujeto enraizado en un espacio propio —la ciudad, territorio de la civilización— en su lucha con un rival inconciliable, identificado a su vez con la campaña pastora, reducto de la barbarie.

Es precisamente la relación entre esas dos perspetivas la que se ha invertido en *Recuerdos*. El tema anunciado por la evocación inicial de los casi borrados restos testimoniales de un pasado brillante es de nuevo el de la decadencia, pero ésta no es ya el resultado de una derrota externa, sino el castigo que el tiempo implacablemente inflige a quienes no saben avanzar con él. Pasa así a primer plano un aspecto de la catástrofe argentina que en *Facundo* había quedado relegado a lugar secundario. Allí Sarmiento no había dejado de deplorar la oposición que en el seno mismo de las ciudades habían despertado las innovaciones introducidas primero por la revolución de independencia y luego por las veleidades reformistas del bando unitario, pero a esa oposición había reprochado entonces menos su orientación misoneísta que la obcecación facciosa que la había llevado a entablar una alianza suicida con la barbarie sitiadora.

En *Recuerdos* la decadencia no proviene ya de una derrota que acecha desde fuera, y Sarmiento está hasta tal punto persuadido de la justeza de su nueva perspectiva que no advierte que el ejemplo que aduce para validarla se presta muy poco a ello. Ese ejemplo es el de los huarpes, nación indígena «grande y numerosa» que habitó los valles de Tulum, Mogna, Jachal y las lagunas de Guanacache en la futura comarca sanjuanina. «El historiador Ovalle, que visitó a Cuyo sesenta años después [de la conquista], habla de una gramática y un libro de oraciones cristianas en el idioma huarpe, de que no quedan entre nosotros más vestigios que los nombres citados, y Puyuta, nombre de un barrio, y Angaco, Vicuña, Villicún, Huanacache y otros pocos.»[4]

Para deducir de la historia de los huarpes la moraleja que ya se adivina, Sarmiento está dispuesto a olvidar el lugar que en su ruina tuvo la conquista española; no es extraño que al explorar la decadencia del San Juan contemporáneo no atribuya a la conquista de la ciudad por las huestes llaneras de Quiroga el papel decisivo que le había concedido en el pasado (y volverá a concederle en el futuro). Por el contrario, esa decadencia reconoce las mismas raíces de la de sus predecesores en el dominio de la tierra sanjuanina, y se anuncia aun más rápida que la de éstos:

> Ay de los pueblos que no marchan! Si sólo se quedaran atrás! Tres siglos han bastado para que sean borrados del catálogo de las naciones los huarpes. Ay de vosotros, colonos, españoles rezagados! Menos tiempo se necesita para que hayáis descendido de provincia confederada a aldea, de aldea a pago, de pago a bosque inhabitado. Teníais ricos antes… Ahora son pobres todos! Sabios… teólogos… políticos… gobernantes… hoy ya no tenéis ni escuelas siquiera, y el nivel de la barbarie lo pasean a su altura los mismos que os gobiernan. De la ignorancia general hay otro paso, la pobreza de todos, y ya lo habéis dado. El paso que sigue es la obscuridad, y desaparecen en seguida los pueblos, sin que se sepa a dónde y cuándo se fueron![5]

Sarmiento no descubre ahora por primera vez ese duro corolario de su fe en el progreso histórico que hace de la incorporación a su ritmo cada vez más frenético una condición de supervivencia colectiva. Ya en 1843, en su comentario a las «Investigaciones sobre la influencia social de la conquista y del sistema colonial de los españo-

[4] RP, 12.
[5] RP, 18.

les en Chile», de su amigo J. V. Lastarria, su convicción de que ese progreso avanzaba de acuerdo con «leyes inmutables» en obediencia a las cuales a través de crímenes e injusticias sin cuento, «las razas fuertes exterminan a las débiles, los pueblos civilizados suplantan en la posesión de la tierra a los salvajes» no le había impedido proclamar «providencial, sublime y grande»[6] ese espectáculo cuya contracara sombría no hacía nada por disimular.

Esa visión a la vez desolada y entusiasta de la marcha de la historia es de nuevo la dominante en *Recuerdos de provincia*, y ofrece un argumento central a primera vista paradójico para una obra que da voz a la nostalgia de un mundo muerto. Apenas se examina de qué modo este temple nostálgico se articula en *Recuerdos* con aquel argumento apasionadamente futurista se advierte que uno y otro se apoyan recíprocamente. El viejo San Juan ha sido víctima de su incapacidad de cambiar tan rápidamente como lo demandaban los nuevos tiempos; es innegablemente una culpa, pero cualquier explicación alternativa de su decadencia hubiera debido enrostrarle otras más graves.

Ese trasfondo nostálgico hace del todo comprensible la resistencia de Sarmiento a echar una mirada crítica sobre los herederos del San Juan colonial, que se refleja muy bien en uno de los primeros capítulos de *Recuerdos*, el titulado «Los hijos de Mallea». Se narra en él la historia del anciano don Fermín Mallea y su dependiente «el joven Oro, [...] tan honrado y laborioso que Mallea [...] hubo de asociarlo a su negocio». Después de diez años durante los cuales don Fermín retiraba fondos sin medirlos, y su socio «no había tocado nada» un balance revela que todo el negocio pertenecía ahora al antiguo dependiente. Don Fermín, desolado y furioso, comenzó un pleito interminable contra su antiguo protegido, cuya «naturaleza suave y amorosa no pudo resistir a tan dura prueba»; «el triste murió de pena de ver la injusticia que le hacía su amigo y protector», que por su parte halló en la locura refugio contra el remordimiento. Sarmiento cree saber

[6] Domingo F. Sarmiento, «Investigaciones sobre el sistema colonial de los españoles», por J.V. Lastarria (*Progreso* del 27 de setiembre de 1844)», en *Obras completas*, segunda edición, II, Buenos Aires, 1948, pp. 215-222, p. 218.

dónde hacer recaer la culpa por el desenlace luctuoso de esa tragedia provinciana: en los tribunales de justicia; «en ellos, en la común ignorancia, en la torpeza de los jueces, en las pasiones desenfrenadas que azuza en lugar de contener un sistema de iniquidad que trae escrito en su frente el crimen, encabezando todos sus actos con el sacramental *mueran...*»[7] Esta conclusión tan poco convincente refleja sin duda la dificultad —mayor en *Recuerdos* que en *Facundo*— de integrar el propósito político que este escrito conserva en el marco de la lucha contra la dictadura rosista con los que ahora lo llevan a indagar temas menos capaces de proporcionar moralejas para la polémica del día que los de la obra de 1845. Pero más aun que la decisión apriorística de hallar siempre culpables a los adversarios políticos pesa en esta conclusión excesivamente forzada la de defender a cualquier precio la inocencia de ese vástago del viejo San Juan que es Mallea, pese a que todo invita a reconocer en él al responsable principal de tanta desgracia, y pese también a que Sarmiento no deja de anotar que ese supuesto inocente era «de carácter áspero y de condición dura», y que «*h*arto *se* lo hizo sentir en *su* juventud».

Contra lo que le dice el recuerdo, Sarmiento se rehúsa a ver en la obstinación con que el irascible anciano recusaba las rendiciones de cuentas presentadas por su antiguo dependiente y luego honradísimo socio nada peor que «terquedad de carácter y pasiones desbordadas, que no supo ni quiso refrenar la injusticia e ineptitud de los jueces», y, no satsifecho con ello limitará aun más la significación de esos rasgos que pese a todas las atenuaciones no dejan de ser negativos al presentarlos como «genialidades [que] no alcanzaban a empañar algunas dotes de corazón muy laudables».[8]

No será ésta la única ocasión en que tales genialidades son invocadas para disipar sombras en los retratos de sobrevivientes de la élite colonial (tienen lugar aun más considerable en los más minuciosos de don José y don Domingo de Oro), al precio de reducir los rasgos más característicos de un individuo a meras excentricidades, cuya

[7] Loc. cit., n. 5.
[8] RP, 27.

arbitraria irracionalidad las torna inaccesibles al enfoque analítico que en *Facundo* había permitido descifrar a través de ellos el contexto histórico-social en que habían sido forjados. Nada menos que esa renuncia a la más poderosa herramienta hermenéutica con que Sarmiento contaba para develar el misterio de la esfinge argentina se había hecho necesaria para asegurar contra cualquier duda la monolítica inocencia de los herederos del San Juan de ayer en las desdichas que siguieron a su ocaso.

La negativa a interpretar desde una perspectiva sociohistórica los rasgos que definen a la élite sanjuanina sobreviviente a la tormenta revolucionaria tiene con todo consecuencias más limitadas que la que domina igualmente la exploración del pasado sanjuanino. Lo que impedía dirigir sobre él la misma mirada escudriñadora que en *Facundo* había tomado por blanco a la Argentina postrevolucionaria era que ese añorado San Juan estaba marcado con el cuño de la colonización española, que Sarmiento siempre había condenado y sobre la cual sigue pesando en *Recuerdos* un veredicto sustancialmente negativo (en sus páginas, como en las de *Facundo*, uno de los argumentos de elección contra la Argentina rosista es el que la presenta como el desquite de la colonia, cuyo legado la revolución no ha logrado desarraigar tan completamente como se había propuesto).[9]

Proteger a esa dorada isla de la memoria de una mirada decidida a rastrear las raíces de la degradación presente en el pasado español se revela empresa menos fácil que presentar a sus herederos sobrevivientes en la abominable Argentina de 1830 o 1850 como inocentes extraviados en un mundo cuya intrínseca maldad tienen la fortuna de no entender. Puesto que los logros del San Juan colonial, que Sarmiento evoca con nostálgico orgullo, son los de una civilización sobre la cual sigue haciendo caer su condena, su identificación apasionada con una élite fundadora integrada por maestres de campo, encomenderos y teólogos sólo puede mantenerse al precio de envolver en una caritativa penumbra rasgos que cuando toma por blanco realidades a las que se siente menos vinculado se ha esforzado por perfilar con una nitidez

[9] Loc. cit., n. 8.

que revela plenamente su significación histórica. Sería por lo tanto inútil buscar en *Recuerdos* un cuadro del viejo San Juan que —como el de Córdoba en *Facundo*— aun haciendo justicia a la articulada complejidad y riqueza de matices de la realidad evocada, mantuviese frente a ésta la distancia crítica que en *Facundo* hacía menos sorprendente verlo concluir en un llamamiento apasionado a la destrucción de todo lo que había evocado con eficacia suficiente para despertar en el lector la ilusión de estar reviviéndolo desde dentro.

Para eludir semejante exploración, Sarmiento iba a tomar un camino parcialmente diferente del que explicaba la conducta de don Fermín Mallea a partir de una personalísima, intransferible arbitrariedad, y la diferencia se percibe muy bien en la evocación del episodio que arrastró a Fray Miguel Albarracín a los estrados de la Inquisición de Lima. Ella se abre con una descripción muy precisa del marco histórico, presentado esta vez como plenamente relevante: Fray Miguel, orgullo de la familia materna de Sarmiento, es hijo de esa «Edad Media de la colonización de la América [en que] las letras estaban asiladas en los conventos»; como podía esperarse, la caracterización de su temible antagonista, el tribunal del Santo Oficio, es menos sumaria; en largos párrafos se examina tanto el papel que desempeñó en la clausura del mundo hispánico a influjos exteriores cuando el peso que su legado conserva en la desdichada Hispanoamérica de 1850, y en particular en la Argentina rosista.

Sarmiento contempla a ese tribunal con los ojos de un catecúmeno de la civilización liberal del siglo XIX; y como tal subraya para condenarlos tanto el papel que él desempeñaba como agente del régimen colonial y de la xenofobia española («Era la Inquisición de Lima un fantasma de terror que había mandado la España a América para intimidar a los *extranjeros*, únicos herejes que temía [...] entre los cuales hay entre otros un Juan Salado, francés, que fue quemado sin otra causa racional que la novedad de ser francés»), cuanto la aparatosa crueldad de sus funciones de espectáculo, marcadas con el sello de «las costumbres horriblemente pueriles de aquella época».[10]

[10] Entre otros pasajes, RP 36.

Ya en esa presentación general, sin embargo, vemos gradualmente insinuarse notas que no se acuerdan bien con el tono sombrío y patético preferido en esos mediados del ochocientos para referirse al Santo Tribunal y sus víctimas. Esas notas terminarán por organizarse en una suerte de contrapunto zumbón a la evocación compungida de los crímenes del fanatismo. Como los extranjeros judaizantes y heréticos no abundaban, nos dice Sarmiento, «la Inquisición cebaba de cuando en cuando a alguna vieja beata que se pretendía en comunicación con la Virgen María, por el intermedio de ángeles y serafines, o alguna otra menos delicada que prefería entendérsela con el ángel caído [...] cuando la fama de santidad o de endiablamiento estaba madura, caía sobre la infeliz ilusa, traíala al santo tribunal, y después de largo y erudito proceso, hacía de su flaco cuerpo agradable y vivaz pábulo de las llamas con grande contentamiento de las comunidades, empleados y alto clero, que por millares asistían a la ceremonia».[11]

Sin duda, ese lenguaje irónico refleja todavía un rechazo de lo que presenta ahora, más bien que como un crimen del fanatismo, como un ejercicio lúdico de crueldad gratuita. Ello no impide que el deslizamiento de una a otra clave interpretativa avance en dirección análoga a la que llevó a Sarmiento a postular la «genialidad» como razón última de ciertos rasgos de la élite sanjuanina que hallaba difícil justificar de otra manera, en cuanto de nuevo renuncia a buscar la clave de esa caprichosa crueldad en una secreta racionalidad inscripta en el contexto histórico, cuya recíproca iluminación con las corposas realidades descubiertas en la exploración del pasado sanjuanino hubiera podido revelar tanto el sentido de aquél como el de éstas. Sólo cuando ese trabajo sutil ha venido a privar de buena parte de su nitidez al trasfondo ofrecido por la colonia española, Sarmiento se decide a introducir en su relato el encuentro de Fray Miguel Albarracín y sus jueces inquisitoriales.

En la presentación de las razones que atrajeron sobre Fray Miguel la atención del temible tribunal señorea una actitud aun más cercana a la que dominaba la historia de don Fermín Mallea y su dependiente, en

[11] RP, 34.

cuanto toma en cuenta, ahora de modo del todo explícito, la presencia en el campo histórico-social de una franja de caprichosa arbitrariedad impenetrable a los instrumentos hermenéuticos magistralmente empleados en *Facundo*. «Hay raras manías —leemos en el pasaje que nos introduce por fin al episodio— que aquejan al espíritu humano en épocas dadas; curiosidades del pensamiento que vienen no se sabe por qué, como si en los hechos presentes estuviese indicada la capacidad de satisfacerlas. A la piedra filosofal, que produjo en Europa la química, se sucedió en América la cuestión famosa del milenario, en que todo un San Vicente Ferrer había quedado chasqueado». Precisamente Fray Miguel había «ensayado su sagacidad en resolver tan arduo problema», en un infolio cuyas «osadas doctrinas»[12] debía ahora defender ante los estrados del Santo Oficio.

Pero lo que sigue sugiere que, más que la impenetrabilidad al análisis histórico de ese súbito renacer de especulaciones sobre el milenio, pesa aquí la escasa inclinación de Sarmiento a emprender ese análisis. Sin duda no deja de subrayar que «pocos años después de producidos los *milenarios*, apareció la revolución de la independencia de la América del Sur, como si aquella comezón teológica hubiese sido sólo barruntos de la próxima conmoción»,[13] pero el camino que esta observación invita a tomar no va a ser tomado; a Sarmiento no interesa develar la secreta racionalidad que adivina escondida tras de esa rara manía, ya que descarta que ella hubiese iluminado a los protagonistas del episodio o dotado de sentido a su conducta.

Si bien Sarmiento admite que en el arreciar de debates sobre el milenario puede reconocerse retrospectivamente un anuncio de la inminente revolución, ese vínculo que dotaba de un preciso sentido histórico a esos desvaríos sobre los *ultimissima* no era advertido por los contrincantes en el debate, y no impedía entonces que la disputa se diera para ellos en torno a un puro sinsentido: «a lo que yo creo —nos dice Sarmiento— no *entendían* ni [Fray Miguel] ni la Inquisición

[12] RP, 32.
[13] RP, 36.

jota sobre todo aquel fárrago de conjeturas».[14] Ello no le impide sin embargo incluir a la victoria alcanzada por Fray Miguel en el temible escenario inquisitorial en el inventario de glorias familiares levantado en *Recuerdos de provincia*.

Si esta inclusión no va a ser en rigor justificada, es porque ello ya no parece a esta altura necesario: es como si —gracias al reemplazo de un distanciamiento auténticamente crítico, que hubiese hecho posible contemplar histórica, y por lo tanto problemáticamente, el episodio inquisitorial, por otro distanciamiento muy distinto que lo protege bajo el doble velo de la nostalgia y la ironía— Sarmiento hubiese logrado verlo con los ojos de los protagonistas y sus contemporáneos. Son los criterios que éstos comparten los que invoca para explicar el triunfo que Fray Miguel cosecha en Lima: «Afortunadamente era, dicen, elocuente el fraile como un Cicerón, cuyo idioma poseía sin rival; profundo como un Tomás, sutil como un Scott...» Se advierte cómo esa identificación nostálgica, lejos de renunciar el distanciamiento irónico, está construida sobre él; no se apoya en ninguna revalorización de la sutileza de Duns Scoto o la profundidad de Santo Tomás de Aquino, o del legado intelectual que a una y otra debía Hispanoamérica.

El modo en que Sarmiento presenta su toma de distancia frente al orgullo colectivo que en su familia inspira el recuerdo del gran don Miguel muestra muy bien el uso que sabe hacer de ese distanciamiento irónico como barrera contra cualquier perspectiva histórico-crítica demasiado zahorí. Nos dice Sarmiento que en la leyenda familiar el dominico sanjuanino había sido fraudulentamente privado del papel protagónico en el renacer de especulaciones milenaristas por el exiliado jesuita chileno Lacunza, cuyo *Retorno del Mesías en gloria y majestad* había sido publicado en Londres: «Mi tío Fray Pascual, viéndome niño entendido y ansioso de saber, me explicaba la obra de Lacunza, diciéndome con orgullo indignado: "Estudia este libro, que ésta es la obra del grande Fray Miguel, mi tío, y no de Lacunza, que le robó el nombre, sacando el manuscrito de los archivos de la Inqui-

[14] RP, 36-37.

sición, donde quedó depositado. Y me mostraba entonces la alusión que Lacunza hace de una obra sobre el milenario, de autor americano que no osó citar. Después he creído que la vanidad de familia hacía injusto a mi tío con el pobre Lacunza».[15]

Lo más notable de esta toma de distancia es la firmeza con que rehúsa someter el material que la tradición familiar ha estilizado al servicio de su propia gloria a una perspectiva histórico-crítica que se hubiese interesado menos en saber si esos comentarios apocalípticos eran de Lacunza o de Fray Miguel, y más en dilucidar por qué en un país que diez años antes había hecho suyo el lenguaje político de la república representativa, y donde por un cuarto de siglo las élites intelectuales habían comenzado a articular una nueva visión de la sociedad bajo el signo de la naciente economía política, un hombre lo bastante tocado por esos nuevos fermentos para trasformarse en entusiasta partidario del efímero presidente Rivadavia, que quiso moldear a ese país según las ideas de Constant y Bentham, podía a la vez recomendar esos textos como válido objeto de estudio para un muchacho «entendido y ansioso de saber». Pero es que los criterios en que se apoyaba ese consejo se hubiesen prestado quizá demasiado bien a ser examinados desde una perspectiva análoga a la que dominaba la presentación de Córdoba ofrecida en *Facundo*...

Si en la evocación del encuentro de Fray Miguel con la Inquisición la renuncia a cualquier distanciamiento histórico-crítico necesitaba aun ser protegida por la introducción de un distanciamiento irónico, en la que le sigue en el capítulo titulado «Los Albarracines» la admiración abandona ya toda reticencia. Es la de la opulenta doña Antonia Irarrazábal y su vivir incomparable, que la muestra rodeada de «bandadas de negros esclavos de ambos sexos. En la dorada alcoba de doña Antonia, dormían dos esclavas jóvenes para velarle el sueño. A la hora de comer, una orquesta de violines y arpas, compuesta de seis esclavos, tocaba sonatas para alegrar el festín de sus amos... Montaba a caballo con frecuencia, precedida y seguida de esclavos, para dar una vista por sus viñas... Una o dos veces al año... el gran patio...

[15] Loc. cit. n. 13.

[era] cubierto de cueros que tendían al sol en gruesa capa pesos fuertes ennegrecidos, para despejarlos del moho, y dos negros viejos... andaban de cuero en cuero removiendo con tiento el sonoro grano».[16]

Sarmiento parece anticipar la posibilidad de que sus lectores hallen chocante lo que él por su parte encuentra admirable, y sin hacerse cargo explícitamente de las reacciones escépticas que su retrato idílico de un orden basado en la esclavitud podría provocar, responde implícitamente a ellas en su comentario a esa escena incongruente en que esclavos envejecidos en la servidumbre se ocupan aún de devolver el brillo a la riqueza de su ama, en la que invita a admirar la presencia de «costumbres patriarcales de aquellos tiempos en que la esclavitud no envilecía las buenas cualidades del fiel negro!»

La resistencia a cualquier distanciamiento crítico se mantiene también frente a los criterios económicos que subtienden el estilo de vida de doña Antonia; una vez más es su caprichosa arbitrariedad la que los hace impenetrables a cualquier análisis histórico («Fue la manía de los colonos atesorar peso sobre peso, y envanecerse de ello»).[17] Esa impenetrabilidad hace imposible, y por lo tanto innecesario, explorar los nexos entre las modalidades de la opulencia pasada y la reciente caída en la penuria más extrema, tal como había ya comenzado a hacerse en algunas visiones críticas de la Hispanoamérica independiente.

Antes que explorar posibles continuidades entre el esplendor colonial y el presente de ruina y decadencia, Sarmiento prefiere detenerse en el contraste entre ambos, simbolizado para él en las casas del Dulce Nombre de María, que ofrecieron «habitación suntuosa a la rica y poderosa doña Antonia», y se encuentran «degradadas hoy a fuerza de servir de cuarteles a las tropas a causa de su extensión». Ello le permite volver a ofrecer una conclusión que ya hemos escuchado antes: «¿Qué se han hecho, oh colonos, aquellas riquezas de vuestros abuelos? Y vosotros, gobernadores federales, militares verdugos de pueblos, podríais reunir estrujando, torturando toda una ciudad, la

[16] RP, 37.
[17] RP, 38.

suma de pesos que ahora sesenta años no más encerraba el solo patio de doña Antonia Irarrazábal?»[18]

El sentido común sugiere de inmediato un motivo para la negativa de Sarmiento a contemplar históricamente (es decir críticamente) el legado familiar que lo une a Albarracines, Oros e Irarrazábales: lo hubiera impedido una identificación afectiva demasiado entrañable para tolerarlo, a la que se sumaba, como gustaban de insinuar los lectores menos favorables de *Recuerdos*, el deseo de su autor de envolverse en sus heredados oropeles (reflejado por ejemplo en el tono como de orgullo dinástico que campea en pasajes como éste: «Los jefes de esta familia [sc. los Albarracín] fundaron el convento de Santo Domingo en San Juan, y hasta hoy se conserva en ella el patronato y la fiesta del Santo, que todos hemos sido habituados a llamar Nuestro Padre. Hay un Domingo en cada una de las ramas en que se subdivide [...] y hasta la clausura del convento en 1825, se halló entre sus coristas un representante de la familia patrona de la orden»).[19] He aquí una conclusión que parecería la evidencia misma, si no fuese que es precisamente en los pasajes dedicados a sus padres, en los cuales ese vínculo alcanza su máxima intimidad, donde Sarmiento abandona súbitamente las reticencias que le habían impedido prestar atención más plena al contexto histórico de su relato familiar.

Las intermitencias en esa atención, incomprensibles cuando se busca explicarlas exclusivamente a partir de la identificación sentimental con el pasado familiar, o del apoyo que Sarmiento busca en él para elaborar la imagen de sí mismo presentada en *Recuerdos* a la admiración de sus compatriotas, se entienden mejor apenas se observa qué aspectos de su legado son puestos a cubierto de cualquier escrutinio histórico-crítico y cuáles son en cambio entregados sin vacilaciones a él.

Exento de él ha quedado todo lo que hace de San Juan un ejemplo característico de la colonización española en América: porque habla del viejo San Juan con la voz de la tradición familiar que ha bebido en

[18] RP, 39.

[19] Loc. cit. n. 18.

su infancia, Sarmiento logra ofrecer de esos aspectos tan discutibles de la experiencia colonial sanjuanina la imagen desenfocada propia de quien los contempla —si así puede decirse— demasiado de cerca.

Puesto que su imagen de la sociedad forjada por España en la antigua tierra huarpe ha desdibujado aquellos rasgos que la nueva civilización liberal iba a hallar más chocantes, Sarmiento puede envolverse sin reticencias en el prestigio derivado de la posición eminente conquistada por su linaje en esa sociedad jerárquica y abruptamente desigual, y solicitar la admiración de sus lectores tanto por los lazos algo tenues de algunos de los suyos con las hazañas del Gran Capitán en Italia, cuanto en los inmensos latifundios desiertos y las encomiendas de indígenas que dieron brillo a la etapa inicial de la etapa sanjuanina en la historia de su familia, y las prebendas civiles y eclesiásticas acumuladas luego.

A la vez, al desdibujar de este modo el marco que hubiera hecho históricamente inteligible la trayectoria de su linaje, la reduce a ofrecer tan sólo el suntuoso, el enaltecedor telón de fondo para una historia familiar que sólo adquiere verdadera dignidad de historia al integrarse en el contexto de la etapa ilustrada del Antiguo Régimen. A diferencia de lo que ocurría en los tramos previos de ese cateo del pasado familiar, Sarmiento buscará en ese contexto la clave para el complejo equilibrio que reinaba en el hogar fundado por Paula Albarracín y José Clemente Sarmiento, que nos describe marcado por la tensión entre la aún solidísima herencia colonial y los fragmentarios esbozos de un nuevo modo de convivencia surgidos a lo largo de la «transición lenta y penosa de un modo de ser a otro». Sarmiento declara haber sido atraído en su infancia por «impulsiones contradictorias»; «por mi madre —nos dice— me alcanzaban las vocaciones coloniales; por mi padre se infiltraban las ideas y preocupaciones de aquella época revolucionaria»; mientras aquélla esperaba verlo «clérigo y cura de San Juan, a imitación de *su* tío», «a *su* padre le veía casacas, galones, sable y demás zarandajas».[20] Pero está lejos de reconocer fuerza equivalente a esos dos influjos rivales: como ya en el breve texto aquí

[20] RP, 31.

citado, en el relato de su infancia y juventud Sarmiento se esforzará por presentarse ante todo como el hijo de su madre.

El reconocimiento de que en un mundo al que la revolución ha dividido en hemisferios irreconciliables, el predominante influjo materno había comenzado por adscribirlo al de la colonia es preparado (y hecho menos chocante a un público hispanoamericano todavía poco dispuesto, aun en sus franjas más conservadoras, a acoger cualquier abierta apología del orden colonial) por el examen —practicado esta vez con los mismos instrumentos hermenéuticos empleados en *Facundo*— del impacto que el esfuerzo de autorregeneración española e hispanoamericana emprendido bajo el signo de la Ilustración alcanzó en su familia más directa. El capítulo titulado «La historia de mi madre» declara programáticamente la adopción de esta perspectiva por primera vez plenamente histórica, al fijarse por cometido la exploración de «la genealogía de aquellas sublimes ideas morales que fueron la saludable atmósfera que respiró mi alma mientras se desenvolvía en el hogar doméstico».[21]

Esa búsqueda de «quién había educado a *su* madre», llevó a Sarmiento a reconstruir «la historia de un hombre de Dios», don José Castro, clérigo sanjuanino y autor de una «reforma religiosa intentada en una provincia oscura, y donde aún se conserva en muchas almas privilegiadas».[22] Esa reforma no fue tan sólo religiosa: este «santo ascético», adornado de «la piedad de un cristiano de los más bellos tiempos» era a la vez un filósofo, el tenor de cuyas pláticas hace sospechar a Sarmiento que conocía «su siglo XVIII, su Rousseau, su Feijóo». A la vez que depuraba la vida devota de «prácticas absurdas, cruentas y supersticiosas», resistentes hasta entonces a la «sana razón», Castro limpiaba también la mente de los fieles de creencias igualmente supersticiosas, «perseguidas por el ridículo y la explicación paciente, científica, hecha desde la cátedra, de los fenómenos naturales que daban lugar a aquellos errores». Su acción se extendió aun a otras esferas: «acaso con el *Emilio* escondido bajo la sotana,

[21] RP, 152.
[22] RP, 119.

enseñaba a las madres la manera de criar a los niños, las prácticas que eran nocivas para la salud, la manera de cuidar a los enfermos, las preocupaciones que debían guardar las embarazadas...» Los milagros de este santo eran los de la ciencia: cuando en una escena modelada sobre reminiscencias del Nuevo Testamento, ordenó levantarse a un magnate cuyos solemnes funerales estaba oficiando, fue porque confiaba en la certeza de las conclusiones que «sus conocimientos en el arte de curar» le sugirieron al examinar el rostro del supuesto cadáver.

En *Recuerdos* el Antiguo Régimen sólo comienza entonces a ser visto históricamente en el momento en que emprende bajo el signo de Rousseau su propia redención en el crisol de la reforma en cuya «saludable atmósfera» se iba a formar el alma de Sarmiento. Ese Antiguo Régimen contiene así su revolución, y ha revalidado a través de ésta la legitimidad del estilo de vida acuñado por la España colonizadora. Quizá por eso Sarmiento, que quiere ser un hombre muy de su tiempo, no vacila en mostrarse a la vez adherido a modos de conducta que son parte de ese estilo tradicional: cuando en su excursión al Vesubio lo golpeó la premonición de la muerte de su madre, nos dice, compró «en Roma una misa de *requiem*, para que la cantasen en su honor las pensionistas de Santa Rosa, *sus* discípulas», cuyo colegio tenía por sede el antiguo convento sobre el cual su familia había ejercido el patronato en tiempos coloniales; y cuando en el texto mismo de *Recuerdos* solicita un reconocimiento póstumo para el Sócrates sanjuanino, propone de nuevo un modo de honrarlo que se coloca decididamente en la misma línea: «Recomiendo a mi tío, obispo de Cuyo —dice en efecto Sarmiento al concluir su evocación de don José Castro—, recoger esta reliquia y guardarla en lugar venerado».

La traslación al recinto de la catedral sanjuanina es el homenaje, tradicional entre todos, que el abanderado de la nueva civilización liberal propone para una reliquia rodeada ya en su tumba casi anónima del que le ofrece la devoción más tradicional (sin percibir en ello ninguna ironía, Sarmiento anota que los restos del discípulo de Rousseau eran exhibidos por su hermana «a las personas que obtenían tanta gracia», a fin de que se edificasen con la comprobación de que «la acción de la tumba [había] respetado sus formas, como suele hacerlo con las de los cuerpos que han cobijado el alma de un santo»).[23] Si frente al socrático santo sanjuanino ambos homenajes se hacen uno, es porque la «genealogía moral» que Sarmiento ha logrado sacar a luz revela la continuidad entre el Antiguo Régimen en proceso de autorregeneración, del que es él mismo heredero, y la futura regeneración argentina, de la que se propone como protagonista.

Esa continuidad ha sido sin embargo quebrada, y lo que vino a quebrarla es la guerra de independencia. La historia del cura Castro, cuya prédica en favor de una pacífica revolución en los espíritus se vio brutalmente interrumpida por la menos pacífica revolución política, arroja una luz ambigua sobre esta última: «Cuando estalló la revolución en 1810 —nos dice Sarmiento— joven aún, liberal, instruido como era, [don José Castro] se declaró abiertamente por el rey, abominando desde aquella cátedra que había sido su instrumento de enseñanza popular, contra la desobediencia al legítimo soberano, prediciendo guerras, desmoralización y desastres, que por desgracia el tiempo ha comprobado. Las autoridades patriotas tuvieron necesidad de imponer silencio a aquel poderoso contrarrevolucionario; la persecución se cebó en él; por su pertinacia fue desterrado a las Brucas, de triste recuerdo, y volvió de allí a pie hasta San Juan, y allí, en la miseria, en la oscuridad, abandonado e ignorado de todos, murió besando alternativamente el crucifijo y el retrato de Fernando VII, el Deseado».[24] Es precisamente el ultraje infligido por la revolución al santo sanjuanino el que Sarmiento invita a su tío el obispo a cancelar dando acogida en su catedral a los restos de ese mártir de la lealtad monárquica.

Este largo pasaje parece aun más significativo porque es el único de *Recuerdos* que aborda el nudo central del conflicto que puso fin al Antiguo Régimen. ¿Debe deducirse de él que *Recuerdos* contiene una secreta moraleja contrarrevolucionaria? Sin duda no en la intención de Sarmiento: más aun que la polémica contra el federalismo en el poder, que —al postularlo como el culpable único de la decadencia sufrida por la Argentina postrevolucionaria— hace inoportuna la búsqueda de cual-

[23] RP, 122.
[24] RP, 125.

quier otro responsable menos ostensible, lo impide la irreversibilidad del proceso revolucionario, que hace de él el incontrovertido punto de partida y término de referencia para cualquier empresa política viable en la Hispanoamérica independiente. No es extraño que Sarmiento invoque una vez más, para justificar su negativa a emprender una exploración que podría de nuevo llevarlo a conclusiones poco gratas, la presencia en la realidad sociohistórica de un margen de caprichosa arbitrariedad para la cual sería ocioso buscar ninguna escondida racionalidad; la posición antirrevolucionaria de Castro sólo la menciona —nos asegura— «para mostrar una de las raras combinaciones de ideas».

Al subrayar las reticencias y contradicciones presentes en las imágenes que *Recuerdos* propone tanto del Antiguo Régimen como de la revolución, no se trata entonces de sugerir que esas imágenes así corroídas ocultaban mal la gravitación de otra que Sarmiento no osaba quizá confesarse ni aun a sí mismo, en la cual la nostalgia del pasado colonial hubiese encontrado corolario lógico en la identificación con el antiguo orden, como la estaba encontrando ya por esos años en la grandiosa reconstrucción del pasado mexicano por Lucas Alamán. Es más probable que el desconcierto que esas imágenes reflejan sea expresión del que dominaba la primera mirada retrospectiva dirigida a la etapa revolucionaria, que comenzaba a descubrir tanto las ambigüedades del proceso emancipador como las de su relación con un Antiguo Régimen que la memoria era todavía capaz de recordar como bastante distinto de los retratos brutalmente simplificadores propuestos por los publicistas de la causa de la independencia.

Pero si Sarmiento no se propone deducir una moraleja negativa de su descubrimiento de lo que tenían de ambiguo tanto el legado del Antiguo Régimen (que la opinión invitaba a repudiar macizamente) como el de la Revolución, tampoco busca poner sordina a ese descubrimiento; podría decirse más bien que atesora esa ambigüedad. Y se entiende por qué: *Recuerdos de provincia* es a la vez la presentación de un candidato y la de un programa de acción; porque es lo primero dedica tanto espacio a exaltar el legado que éste ha recibido tanto del viejo orden como de la revolución; porque es también lo segundo subraya no sólo lo que cada uno de esos de incompleto sino la aún no resuelta oposición entre ambos, que deja abierta a Sarmiento, como legatario tanto de la herencia colonial como de la revolucionaria, la tarea gigantesca de depurarlas de sus aspectos sombríos para construir con esos materiales una nación capaz de repetir en el otro extremo del Nuevo Mundo los progresos que en el Norte han hecho de los Estados Unidos el país que, como ha descubierto Tocqueville, está destinado a fijar el rumbo del futuro para la entera Europa.

Sarmiento, que en *Facundo* había tomado precisamente a Tocqueville por modelo intelectual, ahora descubre como su mentor para la tarea de construcción nacional que reivindica para sí a Alphonse de Lamartine, «aquel último vástago de la sociedad aristocrática que se transforma bajo el ala materna para ser bien luego el ángel de paz que debía anunciar a la Europa inquieta el advenimiento de la República».[25] Y —más allá de los ecos puntuales que *Recuerdos* contiene de las *Confidences*—[26] lo que ha atraído a Sarmiento en la figura del autor de ese texto que ha leído con tanta atención es el recuerdo aún vivo del momento fugaz en que Lamartine emergió como figura dominante de la segunda república francesa; aunque en 1851 ese momento estaba ya lejano, en la clave con que Sarmiento leyó la rápidamente fracasada incursión en la arena política del poeta trocado en tribuno, el Antiguo Régimen, la revolución de 1789 y la de 1848 se habían articulado sobre las líneas en las cuales él mismo se proponía hacer avanzar la historia de su patria.

Recorridos casi dos tercios del texto, se ha concluido de erigir el pedestal y parece llegado por fin el momento para que Sarmiento plante sobre él su estatua, para la cual ha encontrado el modelo en Lamartine: «A la historia de la familia se sucede, como teatro de acción y atmósfera, la historia de la patria. A mi progenie, me sucedo yo».[27] Pero en un extenso excursus que se interpone entre la evocación de

[25] RP, 124.

[26] RP, 118.

[27] Sobre este punto me permito remitir a Tulio Halperin Donghi, «Lamartine en Sarmiento: *Les Confidences* y la inspiración de *Recuerdos de provincia*», *Filología*, Buenos Aires, Año 20, núm. 2 (1985), 177-189.

la historia colonial de su linaje y su presentación como heredero de éste, los capítulos consagrados a los descendientes de don Miguel de Oro y doña Elena Albarracín se ajustan menos a esa visión del rumbo histórico hispanoamericano. Y, puesto que lo que en esos capítulos se narra trascurre ya en tiempos revolucionarios, ellos vienen a socavar con particular eficacia la imagen de la élite colonial sobreviviente en el marco del nuevo orden que es parte de la visión del curso de la historia colonial y revolucionaria dominante en *Recuerdos*.

Con «la casa de los Oro» iba a estar ligado Sarmiento desde la más temprana infancia hasta los umbrales de la madurez «por todos los vínculos que constituyen al niño miembro adoptivo de una familia».[28] Es que los descendientes de don Miguel de Oro y doña Elena Albarracín atesoraban —a más de una rica herencia psicológica, que sumaba a las inclinaciones intelectuales de su familia materna la «imaginación ardiente [y] caracteres osados»[29] que entre los Oro se habían extremado más de una vez hasta la locura— otra herencia más tangible: la de un patrimonio que había venido creciendo mientras la fortuna de los Albarracines entraba en menguante (el abuelo materno de Sarmiento, «don Cornelio Albarracín, poseedor de la mitad del valle del Zonda y de tropas de carretas y de mulas, dejó después de doce años de cama la pobreza para repartirse entre quince hijos»).[30]

Desde la más temprana infancia Sarmiento iba a establecer con esos parientes colaterales a los que llamaba sus tíos relaciones de clientela que no parecen innovar sobre las pautas maduradas en tres siglos de colonia; a la sombra de los Oro lo veremos avanzar todavía durante su adolescencia y juventud. De los tres miembros de ese linaje cuyos retratos incluye en *Recuerdos* es el presbítero José de Oro el que ejerce influencia más decisiva sobre él:

> [...] mi inteligencia se amoldó bajo la impresión de la suya, y a él debo los instintos por la vida pública, mi amor a la libertad y a

[28] RP, 143.
[29] RP, 40-41.
[30] RP, 40.

> la patria, y mi consagración al estudio de las cosas de mi país... salí de sus manos... valentón como él, insolente frente a los mandatarios absolutos, honrado como un ángel, con nociones sobre muchas cosas, y recargado de hechos, de recuerdos y de historia de lo pasado y de lo entonces presente, que me han habilitado después para tomar el hilo y el espíritu de los acontecimientos... sin que la prensa periódica me hallase desprovisto de fondos para el despilfarro de ideas y pensamientos que reclama.[31]

Fue también don José quien halló más difícil retener una posición eminente en la era republicana, cuyo adviento saludó con entusiasmo; capellán del ejército de los Andes, la guerra de Independencia abrió un escenario más amplio a una extravagancia en que la opinión veía reflejada la «locura de familia»: «Tenía desenfado bastante para atravesar su caballo con una real moza en ancas, a la puerta de un baile, y desnudar su alfanje y chirlear al más pintado, si tenía la rara ocurrencia de hallárselo a mal». De vuelta de la guerra, no abandonó del todo esas actitudes, en las que, según aseguraron a Sarmiento algunos antiguos camaradas, «había más malicia y travesura que verdadero libertinaje». Cuando lo conoció Sarmiento, «una chapa de pistolas adornaba siempre la cabecera de su silla. Vestía de paisano con chaqueta, y no rezaba el breviario por concesión especial del Papa. Gustaba con pasión de bailar, y él y yo hemos fandangueado todos los domingos de un año... en San Francisco del Monte, en la sierra de San Luis». Ya allí «no usaba del vino en cantidades moderadas», y de vuelta sólo iba a mostrarse en la ciudad de San Juan una vez al año, para pronunciar el sermón en la fiesta de Santo Domingo. En sus últimos años, recluido del todo en su viña, su actitud hizo dudar a Sarmiento si «estaba fresca su razón»: había caído víctima de una «enfermedad que se lleva a centenares de vecinos, al declinar de la edad, desencantados de la vida, sin esperanzas, sin teatros, sin movimiento, porque no hay ni educación, ni libertad, dan muchos en irse temprano a sus viñas. La soledad y el vacío trae el tedio, éste llama al vino como antídoto,

[31] RP, 125.

y concluyen por perderse de la sociedad y darse a la embriaguez misantrópica, solitaria y perenne».[32]

Esa trayectoria patética es la de un hombre lleno de cualidades admirables: en la cátedra sagrada su «oratoria concisa, llena de sensatez y de ideas elevadas expresadas en... tono de conversación, parecido al sistema que M. Thiers ha introducido con tanto brillo en la cámara francesa» es la adecuada a un cristiano de la misma escuela de don José Castro; sus esfuerzos por liberar a la mente de su sobrino del imperio de las «preocupaciones» inspiraba también a él «comentarios que al vulgo de los creyentes habrían parecido impíos». Esos esfuerzos son parte de un programa educativo admirablemente planeado y ejecutado, que «habría hecho honor a los grandes maestros»: el latín se lo enseñaba sobre «un libro de geografía de los jesuitas», y más que a él aficionaba a su discípulo «a la historia de los pueblos, que él animaba con digresiones sobre la tela geográfica de la traducción... Todos los accidentes de la vida suministraban asidero a alguna observación, y yo sentía de día en día que el horizonte se me agrandaba visiblemente».[33]

La trayectoria del primogénito de don Miguel de Oro ofrece un contrapunto triunfal al patético curso de la de su hermano el presbítero. Fray Justo de Santa María de Oro fue, a más de eclesiástico ilustre, dirigente revolucionario; diputado al Congreso de Tucumán, que declaró la independencia de las provincias rioplatenses, Sarmiento recuerda sobre todo de su actuación (que incluyó una intervención que por mucho tiempo los historiadores creyeron decisiva en contra de la instauración de una monarquía), «la moción que adoptó el congreso de aclamar por patrona de la América y protectora de la independencia sudamericana, a Santa Rosa de Lima»,[34] que trasfería al nuevo contexto republicano el celo por el prestigio de la orden a la que pertenecía por herencia familiar (la santa peruana es en efecto uno de los orgullos de la orden dominica).

[32] RP, 41.
[33] RP, 51.
[34] RP, 43.

Provincial dominico en Santiago luego de la liberación de Chile, «el convento [le] había dado ... todo lo que podía en honores, trabajos y títulos. El doctor Fray Justo necesitaba un nuevo campo; una mitra sentaría bien en la cabeza del prior». Por entonces la Santa Sede juzgaba llegado el momento de establecer vínculos con las antiguas colonias de España, y «una buena política le aconsejaba ... cohonestar el cargo que sobre [ella] pesaba de complicidad y connivencia con los reyes de España. El por tantos títulos digno diputado de uno de los congresos americanos era pues un candidato para el episcopado que acreditaría aquellas buenas disposiciones... Sabíalo el padre Oro, y tenía sus agentes en Roma que le avanzaban la gestión de sus negocios. En 1827 le vine recomendado por su hermano don José, como un miembro de la familia; acogióme con bondad, y a la segunda entrevista me inició en sus proyectos, contándome todo lo obrado, a fin de que pudiese, a mi regreso a San Juan, satisfacer plenamente la curiosidad de sus deudos».[35]

Como antes la carrera de Funes en la autobiografía de éste, aquí el ascenso de Fray Justo a la dignidad episcopal es presentado en un marco que no innova sobre el del Antiguo Régimen; el episodio revolucionario, estilizado —ya se ha visto— sobre líneas que subrayan lo que en él continúa actitudes tradicionales, aparece como un paréntesis, cerrado el cual esa carrera vuelve a avanzar sobre los mismos carriles que por siglos habían seguido las de sus predecesores.

Pero si en el texto de Funes ese enfoque reflejaba sobre todo el ascendiente que el antiguo orden conservaba sobre quien se identificaba con sincera pasión con la causa revolucionaria, en Sarmiento responde a otros resortes, en este caso menos inconscientes, ya que le permite presentarse, ante los que en Chile y la Argentina lo juzgan ideológicamente peligroso, como el heredero directo de un prelado previamente estilizado sobre las líneas del Antiguo Régimen.

Llamado como «mozo ingenioso» a colaborar con su tío el obispo en el esfuerzo por establecer «en una provincia obscura, destituida de recursos... una catedral, un seminario conciliar, un colegio para

[35] RP, 53.

laicos, un monasterio abierto a la educación de las mujeres, un coro de canónigos dotados de rentas suficientes»,[36] Sarmiento se constituye luego en su continuador al tomar a su cargo la organización del colegio de mujeres planeado por el primer obispo de Cuyo, al que coloca bajo la advocación de Santa Rosa. De nuevo al evocar esa iniciativa logra mantener la impresión de continuidad concentrando la mirada en sus signos materiales (lugares y edificios) y ofreciendo una ojeada sólo panorámica del trasfondo ideológico-político en que ella se da, que subraya la vocación del obispo («sus ideas iban más adelante, sin traspasar los límites de lo lícito, de aquello que exigía su estado»; las reglas que preparó para el monasterio que planeaba reflejaban el «estudio de las verdaderas necesidades de la época» y suprimían los votos perpetuos) y prefiere no escarbar en las orientaciones de sus supuestos continuadores (así se buscará en vano cualquier alusión a los entusiasmos saintsimonianos del «malogrado joven Quiroga Rosas», iniciador de Sarmiento en el credo de la generación de 1838, cuya crónica del acto de apertura del colegio reproduce éste en la crónica publicada por *El Zonda*).[37]

De este modo Sarmiento logra adecuar la relación entre el primer obispo de Cuyo y la generación a la que él mismo pertenece a las pautas sobre las cuales ha organizado la visión histórica dominante en *Recuerdos de provincia*. A través de su vínculo con el prelado, también ésta participa de esa continuidad entre la civilización colonial y la moderna que aparece simbolizada en el catafalco levantado para los funerales del obispo Oro sobre un proyecto del autor de *Recuerdos*, que incluía «la estatua de la Libertad con el Acta de la Independencia en la mano, y la de la Religión con la Bula que le constituía obispo».[38] Pero había otro aspecto del triunfo póstumo de Oro que se adecuaba menos bien a esa visión histórica: ese homenaje lo tributaban una ciudad y una provincia dominadas por la facción federal que en la visión en que se apoya *Recuerdos de provincia* representaba lo contrario

[36] RP, 55.
[37] RP, 58.
[38] RP, 61.

de la integración de los legados positivos de colonia y revolución, encarnados por igual en el ilustre desaparecido, y ello encerraba una paradoja que Sarmiento prefería no explorar.

Una paradoja análoga podía rastrearse ya en la trayectoria patética del presbítero Oro. Pese a su sombrío final, tampoco fue éste un marginado en la nueva república; su carrera política, comenzada poco auspiciosamente en medio de «desagrados» con San Martín, que le achacaba complicidad con las intentonas subversivas de los hermanos Carrera, disidentes chilenos refugiados en las provincias argentinas, lo había llevado sucesivamente a ocupar una banca en la Junta Provincial sanjuanina «durante la administración ilustrada de don Salvador M. del Carril», y de nuevo en la convención de Santa Fe, integrada por representantes de varias provincias (entre ellas San Juan) gobernadas para entonces por enemigos del partido unitario en que Carril y sus seguidores se habían integrado, y por fin el ministerio de gobierno en el de don José Tomás Albarracín, instalado en el poder en San Juan por influjo de Facundo Quiroga.

Esa carrera pública, como todo en la figura de don José de Oro, es en *Recuerdos* abstraída de su marco político; de nuevo la «genialidad», esa explicación que nada explica, se invoca para hacer las veces de otras menos insuficientes. Si se separó del partido de Carril no fue «tanto por las ideas liberales cuanto por algunas susceptibilidades heridas»: no hubiera podido ser de otro modo, ya que participaba sin reservas de esas ideas, y en la legislatura sanjuanina había obtenido sonada victoria defendiendo la supresión del derecho de éleos, «aquel peaje que pagamos a la entrada de la vida», contra «el clérigo Astorga, que había sido *godo empecinado* y era entonces *católico rancio*, para ser después *federal neto* [y] azuzaba el fanatismo de los mismos pobres a quienes se quería aligerar de aquella gabela».[39] Pero si la actuación pública de don José ofrecía «una rara mezcla de cualidades altas con las más injustificables extravagancias», no son ni aquéllas ni éstas las que Sarmiento presentará como rasgo central de su figura, sino la «bondad de ese hombre rarísimo [que] pasaba todos los límites

[39] RP, 58.

conocidos», y vemos desplegarse en la donación de ocho bueyes que hizo a doña Paula Albarracín apenas refrendado por él el decreto que le fijaba una contribución de seis como a esposa y madre de enemigos políticos, y de modo aun más extremo cuando Facundo «le echaba una contribución de vestuarios; y el buen clérigo [...] trajo a su casa su guardarropa de pantalones, levitas y manteos, se dio maña y trazó media docena de piezas de guarnición».[40]

Mientras en Fray Justo el acuerdo entre pasado y presente se había traducido en la continuación triunfal, en el marco del orden postrevolucionario, de una carrera que seguía definida por las pautas maduradas bajo la égida del orden viejo, en don José la transición entre dos eras se había dado bajo el signo de esos dos influjos que también habían marcado con sus exigencias contrastantes la infancia del autor de *Recuerdos*: atraído originariamente por las «vocaciones coloniales», el presbítero se abandonó también a la seducción de las «casacas, sables, galones y demás zarandajas» aportados por el torbellino revolucionario. Pero está aquí ausente la fuerte polaridad que los oponía en la visión retrospectiva que Sarmiento propone de su infancia.

Esa polaridad sólo podría provenir del contexto ideológico-político, y se ha visto ya que Sarmiento ha decidido ignorar el influjo que ese contexto pudo haber ejercido sobre los bruscos giros que caracterizaron la carrera de su tío. Esa decisión encuentra probablemente justificativo en la índole del personaje, que invitaba a buscar el secreto de esos giros en los imprevisibles impulsos de una personalidad indisciplinada y extravagante. Pero si esto es verdad, también es verdad que gracias a esa decisión la evocación de esa figura trágica que es José de Oro puede culminar como la de su hermano primogénito en una moraleja que refirma la visión histórica central de *Recuerdos de provincia*. Ambos retratos dan en efecto por supuesta una firme continuidad entre los rasgos positivos de la civilización hispano-colonial, encarnados en la economía de la obra en los antepasados de Sarmiento, y el futuro que tocará a éste encarnar. Pero esa moraleja sólo puede ser sostenida a condición de que la continuidad entre el pasado y el deplorable

[40] RP, 46.

presente previo a la obra redentora que Sarmiento se siente llamado a protagonizar permanezca centrada en la que se da entre lo que la herencia colonial tiene de negativo y los rasgos igualmente negativos del orden federal dominante en la Argentina.

Ello torna inoportuna cualquier exploración de las pistas alternativas que la historia del obispo y el presbítero Oro proponen con insistencia; lo que Sarmiento correría riesgo de descubrir es que la aclimatación de los herederos de lo más valioso de la civilización hispano-colonial en el nuevo mundo creado por la revolución se está dando ya, antes que en cualquier futuro, en el presente que Sarmiento condena; que —a la espera de trocarse en algo mejor— esa aclimatación comienza por ser la adaptación inesperadamente completa y considerablemente exitosa al orden federal. No es el clérigo Astorga, identificado con los aspectos sombríos de la tradición colonial de los que la federación ofrece un eco deplorablemente fiel, quien ocupa en ella obispados y ministerios; son Fray Justo y don José de Oro, herederos en el nuevo contexto republicano de esa Ilustración cristiana que fue la forma más alta alcanzada por la civilización hispano-colonial.

Los capítulos sobre «la casa de los Oro» ofrecen así, entre los recuerdos del pasado y los de un presente vuelto por entero hacia el futuro, un paréntesis cuya excepcional fuerza evocativa no le impide sustraerse a la visión central que domina el resto de la obra; y acaso por ello estas páginas coloridas adolecen de una opacidad sin vislumbres ni resonancias del todo excepcional en Sarmiento.

El retrato de don Domingo de Oro, sin duda el más estudiado y compuesto de los tres dedicados a su linaje, esconde también zonas opacas bajo su pulida superficie. Este sobrino de los dos clérigos Oro nos es presentado como un seductor político, cuyas artes exquisitas son capaces de vencer aun las desconfianzas que su legendaria reputación de tal suscita en todas partes. «Este ensalmo se ha ensayado con el mismo éxito sobre Bolívar y sobre Portales, sobre Rosas y sobre Facundo Quiroga, sobre Paz y sobre Ballivián». Pero ese hombre dotado de tan temibles dotes de persuasión era íntimamente escéptico; a su juicio, en Hispanoamérica «era deseperada la posición de los hombres de cultura europea frente a aquellos titanes de la guerra», y lo mejor a que podía aspirarse era «el gobierno de los hombres cultos a nombre de los caudillos».

Esa convicción —que Sarmiento juzga profundamente errada— lo vino a incorporar al séquito de esos caudillos, de Mansilla en Entre Ríos, de Dorrego en Buenos Aires, de López en Santa Fe, y finalmente de Juan Manuel de Rosas, hasta que los clamorosos crímenes de éste lo decidieron a una ruptura que lo obligó a buscar oscuro refugio en el norte minero de Chile, y le hicieron reconocer como vana la ambición de moderar con su influjo los males inherentes al régimen caudillesco. Ahora ese pesimista se reprocha haber sido demasiado optimista; a su juicio ninguna vía de salvación queda abierta para la desdichada Hispanoamérica. En noviembre de 1849, al agradecer a Sarmiento el envío de *Educación Popular*, despliega su escepticismo en términos que no están libres de autocomplacencia: a la vez que protesta su «mucha admiración por los esfuerzos» de su corresponsal y su «mucha simpatía por la generosidad y elevación de sus sentimientos», confiesa su «ninguna esperanza de que el éxito corone tan nobles, generosos y sabios trabajos».[41] Nacido con el siglo, don Domingo de Oro mantiene tanto con el legado colonial como con el revolucionario una relación menos estrecha que la de sus tíos, que habían alcanzado a vivir desde dentro a ambas etapas, o aun la de Sarmiento, que había hecho de ellas los términos de referencia para ese intento de autodefinición que es *Recuerdos*. Provisto también a diferencia de todos ellos de una muy sumaria formación intelectual, no parece haber sentido nunca la urgencia de ampliarla: «Su infancia se deslizó sin aquellas sujeciones que debilitan las fuerzas de acción por el conato mismo de educar la inteligencia que ha de dirigirlas; un poco de latín en San Juan, algo de álgebra y geometría en Buenos Aires y el conocimiento del francés, he aquí todo el caudal que hasta los diecinueve años tenía atesorado cuando la vida política se levantó a su lado para lanzarlo en una serie de actos que debían trazarle su porvenir».[42] Como Sarmiento reconoce de buen grado, Domingo de Oro «no es el pensador más sesudo, no

[41] RP, 52.

[42] RP, 87.

es el político más hábil, no es el hombre más instruido: es sólo el tipo más bello que haya salido de la naturaleza americana».[43]

La palabra naturaleza es aquí reveladora; mientras en el retrato de los clérigos Oro la nota esencial estaba dada por su problemática vinculación con una contradictoria experiencia histórica, en el del sobrino la «distinción exquisita» propia de quien ha «salido de una de las familias más aristocráticas de San Juan» es ya una segunda naturaleza, un don gratuito pasivamente recibido al nacer como parte del patrimonio de un linaje, antes que el premio ganado mediante el heroico apego mantenido a una tradición histórica en circunstancias inhóspitas.

Sin duda la personalidad fascinante de Domingo de Oro no es mero reflejo de esas dotes hereditarias: junto con ellas su exquisito trato y su arte de seducción trasuntan «el despejo adquirido por el roce familiar con los hombres más eminentes de la época, el conocimiento de los hombres, la seguridad del juicio adquirido en una edad prematura». Pero lo que hace irresistible esa conjunción de gracia aristocrática y precoz *savoir faire* político-diplomático es ver a ambos revestidos de los rasgos propios del estilo de vida de las masas populares rioplatenses: así, los jóvenes pertenecientes a «la sociedad más culta de Madrid» a los que Oro deslumbró con «su distinción exquisita de maneras», se sentían sobre todo atraídos por el «tinte americano, argentino, gaucho, que da Oro a los modales cultos sin hacerlos descender a la vulgaridad»; esa versión a la vez familiarmente llana y depuradamente aristocrática del estilo gaucho invita a entregarse plenamente el encanto del «tinte romancesco que dan a la vida americana las peculiaridades de su suelo, las pampas, sus hábitos medio civilizados».[44]

Don Domingo de Oro debe esa exótica fascinación a «predilecciones adquiridas en su contacto con las masas de jinetes en Corrientes, Santa Fe, Córdoba y Buenos Aires»; confundido entre esos jinetes ha «manejado el lazo y las bolas, cargado el puñal favorito como el primero de los gauchos». Pero si a esa experiencia formativa, complemen-

[43] RP, 67-68.

[44] RP, 64.

tada por un aprendizaje político realizado lidiando «toda su vida con patanes generales, gobernadores y caudillos que demolían pueblos», debemos esa perfecta obra de arte que es Domingo de Oro, ella inspiró a éste conclusiones políticas que merecen de Sarmiento una condena sin atenuantes: las predilecciones gauchas a las que tanto debe su inimitable estilo personal «han subido hasta su cabeza, y organizádose en sistema político, de que aún hasta hoy [no] puede curarse».

Esta seca conclusión parecería ofrecer justificación bastante a la indiferencia que Sarmiento muestra por el camino alternativo hacia el futuro implícito en la secuencia dedicada a «la casa de los Oro», que se abstendrá finalmente de explorar; puesto que ese camino desemboca en la adhesión a un «sistema político» tan aberrante que sólo puede ser considerado un síntoma patológico, no abre sino un callejón sin salida. Sólo que Sarmiento no parece del todo seguro de que así sea: a través de su personalidad toda, ya que no sus deplorables posiciones políticas, don Domingo de Oro se constituye en la garantía y el anuncio de ese futuro en el que él se rehúsa a creer: «Oro ha dado el modelo y el tipo del futuro argentino, europeo hasta los últimos refinamientos de las bellas artes, americano hasta cabalgar el potro indómito: parisiense por el espíritu, pampa por la energía y los poderes físicos».[45]

En este atisbo de profecía, que vislumbra un camino hacia el futuro distinto del que propone el argumento central de *Recuerdos*, se despliega —como no es infrecuente en Sarmiento— un poder de adivinación histórica capaz de inspirar fugaces intuiciones de deslumbradora justeza: el argentino del mañana prefigurado por Domingo de Oro dominará en efecto en unas décadas más la vida nacional: de él son ejemplos tanto el general Roca, cuyo triunfo arrojará a Sarmiento a los márgenes de la vida política, como el general Mansilla, el más representativo hombre de letras de la nueva época abierta por ese triunfo, otro seductor que desde San Petersburgo hasta las tiendas de las tribus pampas haría del mundo su casa.

Se entiende por qué Sarmiento renunció de inmediato a avanzar sobre esa ruta, que amenazaba llevarlo a conclusiones subversivas del

[45] RP, 66-67.

argumento central de *Recuerdos de provincia*. En el ejemplo de Domingo de Oro, el legado colonial aporta tan sólo una gracia aristocrática trocada en segunda naturaleza, y un orgullo de linaje que sobrevive mejor que la memoria del contexto histórico en que esa eminencia heredada vino a forjarse; también en el «futuro argentino» del que Oro es anticipo y dechado el legado de la civilización hispano-católica laboriosamente aclimatada en tres siglos de colonia sólo perdurará en un conjunto de hábitos y modos de ser tan encantadores como desprovistos de cualquier correlato cultural o ideológico capaz de mantener vivo el lazo con un pasado que ha hecho de ellos lo que son.

Del mismo modo en cuanto a la dimensión europea de ese «futuro argentino»; si se lo define como «parisiense por el espíritu» es porque se habrá apropiado de «los últimos refinamientos de las bellas artes»; su triunfo residirá pues en la creación con elementos vernáculos e importados de un perfil de personalidad y un estilo de vida que reclaman la admiración como obras de arte, no en la laboriosa y dolorosa conquista de una solución capaz de reconciliar los conflictos que en el mundo de las ideas y la política como en la sociedad han venido destrozando a Hispanoamérica a partir del derrumbe del orden colonial.

Pero para que ese «futuro argentino» pueda florecer, esos conflictos necesitarán haberse resuelto espontáneamente en alguna futura curva del avance histórico que comenzó por crearlos. Se advierte cómo el cumplimiento de la promesa que parece inscripta en la persona misma de Oro revelaría hasta qué punto es superflua la tarea de reconciliar dos pasados incompletos e incompatibles, en la que Sarmiento ha puesto su vida; la redención argentina sobrevendría en cambio como un don tan gracioso como las dotes que adornan a Domingo de Oro; la vida toda de Sarmiento quedaría así reducida a una pasión inútil. Sólo ignorando esa alternativa fugazmente columbrada puede Sarmiento retener para sí el lugar central en el drama de caída y redención evocado en *Recuerdos de provincia*, y reclamar el papel de análogo de un entero continente.[46]

[46] RP, 67.

Ese reclamo postulaba, se ha visto ya, una cierta articulación entre el pasado, presente y futuro argentinos que veía espejada en la relación entre Sarmiento y sus antepasados coloniales, asegurada a su vez gracias a la mediación de la figura materna. Una lectura cuidadosa (o quizá maliciosa) de *Recuerdos* sugiere sin embargo que los ejemplos que le llegaban de su linaje a través de la mediación materna no eran la única fuente de esa «aspiración a un no sé qué de elevado y noble» que tensaba la vida de Sarmiento. Como han advertido todos los comentaristas de *Recuerdos*, el retrato que éste ofrece del padre del autor es mucho más reticente que el materno. ¿Esa reticencia se debe tan sólo (como esos comentaristas suelen concluir) a la trayectoria poco brillante de José Clemente Sarmiento, y refleja fielmente el escaso influjo que éste efectivamente tuvo en la formación de su hijo? Un par de pasajes de *Recuerdos* sugieren que a más de esas razones puede haber gravitado aquí otra.

En ellos cuenta Sarmiento cómo a los cinco años era ya una suerte de niño prodigio, que «leía corrientemente en voz alta, con las entonaciones que sólo la completa inteligencia del asunto puede dar, y tan poco común debía ser en aquella época esta temprana habilidad, que *lo* llevaban de casa en casa para oír*le* leer, cosechando grande copia de bollos, abrazos y encomios que *lo* llenaban de vanidad».[47] Ese triunfo precoz ocultaba un secreto:

> Mi pobre padre, ignorante pero solícito de que sus hijos no lo fuesen... me hacía leer sin piedad por mis cortos años la *Historia crítica de España* de don Juan Masdeu, en cuatro volúmenes, el *Desiderio y Electo*, y otros librotes abominables que no he vuelto a leer... Debí, pues, a mi padre la afición a la lectura, que ha hecho la ocupación constante de una buena parte de mi vida,

[47] «En mi vida tan destituida, tan contrariada y sin embargo tan perseverante en la aspiración a un no sé qué de elevado y noble, me parece ver a esta pobre América del Sur, agitándose en su nada, haciendo esfuerzos supremos por desplegar las alas y lacerándose a cada tentativa contra los hierros de la jaula que la retiene encadenada», RP, 144.

> y si no pudo después darme educación por su pobreza, diome en cambio por aquella solicitud paterna el instrumento poderoso con que yo por mi propio esfuerzo suplí a todo, llenando el más constante, el más ferviente de sus votos.[48]

Páginas antes ha explicado ya el origen de esa «solicitud paterna»; José Clemente Sarmiento había jurado que su hijo nunca se vería obligado como él a tomar en sus manos una azada, «y la educación que me daba mostraba que era ésta una idea fija nacida de resabios profundos de su espíritu. En el seno de la pobreza, criéme hidalgo, y mis manos no hicieron otra fuerza que la que requirieron mis juegos y pasatiempos. Tenía mi padre encogida una mano por un callo que había adquirido en el trabajo...»[49] Bajo el estímulo de las nuevas ideas revolucionarias, que adoptó con fervor, el «odio invencible por el trabajo material, ininteligente y rudo en que se había criado» se expresaba en su padre, a la vez que en la avidez con que exploraba las alternativas necesariamente modestas que la nueva coyuntura le abría (la más brillante le deparó una posición como «oficial de milicias en el servicio mecánico del ejército» de San Martín en Chile), en la decisión de dar a su hijo los instrumentos necesarios para eludir un destino tan detestable como el suyo propio.

Sin duda, también José Clemente Sarmiento hubiera podido encontrar antecedentes para la vocación letrada que buscaba suscitar en su hijo en las florecidas en el pasado en su propia familia, sólo recientemente caída también ella en decadencia. Pero, si hemos de creer a ese hijo, casi nada de ese distinguido legado familiar sobrevivía en este hombre que comenzó su carrera como «peón en la hacienda paterna de *La Bebida* [y] lindo de cara y con una irresistible pasión por los placeres de la juventud», pasó luego a «arriero en la tropa»[50] y tomó gusto a la libre vida de las rutas del interior andino. Cuando este vástago de buena familia a quien no sólo la caída en la penuria

[48] RP, 145.
[49] RP, 127.
[50] Loc. cit. n. 49.

había desclasado buscaba asegurar una carrera letrada para su propio hijo lo movía, más bien que la aspiración a restaurar a través de él la continuidad de una tradición de linaje, la de abrirle un camino de ascenso social que le ahorrara el estigma con que el trabajo manual lo ha marcado a él mismo. Esa perspectiva parece haber arraigado también en el niño; en una frase quizá más reveladora de lo que él mismo advierte, Sarmiento nos confía: «Yo creía desde niño en mis talentos como un propietario en su dinero, o un militar en sus actos de guerra»;[51] las habilidades que le abren la puerta del mundo de los letrados las ve aquí a la vez como un don personalísimo y como el pasaporte al éxito que lo liberará de la oscuridad y la heredada penuria (es también reveladora la equiparación de esas habilidades con las dos cartas de triunfo —dinero y fuerza militar— que de veras cuentan en la etapa convulsa abierta por la revolución).

Sarmiento no organizará sin embargo a partir de estas sugerencias un relato de su formación que busque su clave en el fermento de nuevas aspiraciones y ambiciones desencadenadas por la revolución (tal como lo había hecho en *Mi Defensa*, en que se había presentado como el hijo de sus obras). Sin duda, como figura aún marginal en la vida periodística chilena, hubiera entonces hallado poco eco para cualquier otra presentación de sí mismo, pero si en *Recuerdos* aun la pobreza se reviste de un tinte patricio más adecuado a la satisfecha mirada retrospectiva que sobre su trayectoria arroja un exitoso hombre público que gracias a un buen casamiento vive por fin en la holgura, más aun que esa adecuación a mejores circunstancias impulsa a adoptar esa nueva perspectiva el argumento central de la obra, que al hacer de su autor la figura central en la articulación de pasado, presente y futuro argentinos, le veda reivindicar de nuevo para sí el papel de hombre sin pasado.

Puesto que ese vínculo con el pasado no puede asegurarlo un padre indiferente a ese pasado, Paula Albarracín ofrece el único nexo posible con éste. Pero ella es a la vez algo más que el nexo entre ese pasado y quien tiene por misión articularlo con el futuro. En *Recuerdos* la veremos en efecto asumir una misión análoga, aunque en un plano

[51] RP, 146.

distinto, que la constituye hasta cierto punto en rival de su hijo por el lugar central del relato.

Se recordará que el cuadro genealógico de *Recuerdos de provincia* remata en una generación cuyas actividades se gradúan entre las puramente manuales de dos «obreras en bordados, tejidos, etc.» y las que han extendido la reputación de su hermano por ambos mundos. Ahora bien, contra lo que podría suponerse, esas dos obreras ofrecen un desenlace tan legítimo al relato de *Recuerdos* como su más célebre hermano: hay en efecto en el libro una suerte de argumento paralelo al principal, que también gira en torno a la crisis del antiguo orden, pero en el cual el autor no puede ya reservarse el papel protagónico.

Ese argumento tiene en Sarmiento una más breve prehistoria que el que le asegura lugar protagónico en *Recuerdos*: se apoya en una reflexión sobre la índole de la modernidad y sobre los caminos que las comarcas coloniales tienen abiertos para alcanzarla, que ha avanzado bajo el estímulo de su contacto directo con Europa (sobre todo con Francia, que consideraba en la vanguardia de esa modernidad) y con los Estados Unidos, durante sus viajes de 1845-48.

Es imposible explorar aquí todo lo que esa reflexión aportó a Sarmiento; baste señalar que lo indujo no sólo a valorar mejor el legado colonial, sino a estructurar de él una imagen nueva, aunque algunos de sus elementos provenían ya de la etapa anterior a sus viajes. Ya antes de ella coexistía con la visión fuertemente negativa de la colonia, que compartía con el renaciente liberalismo hispanoamericano, y que la definía en torno a un núcleo ideológico-cultural, una disposición mucho menos compartida a descubrir con mirada libre el legado colonial a través de los restos materiales que de él sobrevivían en el presente.[52]

[52] El temprano «Un viaje a Valparaíso (*Mercurio* de 2,3,4,6 y 7 de setiembre de 1841)» en *Obras completas*, segunda edición, I, Buenos Aires, 1948, 117 y ss. En particular p. 123 («...acometimos la subida de la cuesta del Prado, en la que la tiranía colonial de España abrió un camino duradero y útil, aunque le faltó el esencial requisito de hacerlo con conocimiento de las cortes... Es mucha fortuna que nos hayamos librado de aquella mala madrastra que nos chupaba las venas y nos contentaba con caminos y obras públicas, haciéndonos carecer de elecciones de diputados, de la libertad preciosa de la prensa y de las fiestas del 18 de septiembre»).

Pero ese intermitente contracanto escéptico a la versión que el liberalismo está haciendo canónica no se organiza todavía en la visión alternativa que estará insinuada, antes que explicitada, en *Recuerdos de provincia.* Para esta última el estilo de vida acuñado en la colonia no es ni específicamente colonial ni exclusivamente hispánico; no es sino «el mensaje de la vida antigua... descrito en las novelas de Walter Scott o de Dumas»; si sólo se lo descubre vivo en el presente en España y en la América del Sur es porque allí se encuentran «los últimos de los pueblos viejos que han sido llamados a rejuvenecerse».[53] Tampoco esta noción carece de paralelos en el renaciente liberalismo hispanoamericano;[54] más original es en cambio el corolario que de ella deduce Sarmiento: hay más de un camino para rejuvenecerse, y el que ha tomado Hispanoamérica no es quizá el mejor:

> El siglo XVIII había brillado sobre la Francia y minado las antiguas tradiciones, entibiando las creencias y aun suscitando odio y desprecio por las cosas hasta entonces veneradas; sus teorías políticas trastornado los gobiernos, desligado la América de España, y abierto sus colonias a nuevas costumbres y a nuevos hábitos de vida. El tiempo había de llegar en que había de mirarse de mal ojo y con desdén la industriosa vida de las señoras americanas, propagarse la moda francesa, y entrar en las familias el afán de ostentar holgura.[55]

En los Estados Unidos ha descubierto cómo es posible atesorar la lección de sobriedad e industriosidad ofrecida por «la vida antigua», e instrumentarla para alcanzar una entrada triunfal en la modernidad, que Hispanoamérica buscaba en vano a través de la imitación del lujo parisiense.

[53] RP, 136.
[54] Así la *Sociabilidad chilena* de Francisco Bilbao (1844) se abría con este par de frases tan concisas como definitorias: «Nuestro pasado es la España. La España es la Edad Media». (Francisco Bilbao, *La América en peligro*, Santiago de Chile, 1941, 76).
[55] RP, 136.

De ese camino alternativo (y desde luego mejor) *Recuerdos* propone como precursora a Paula Albarracín, cuyo retrato aparece discretamente estilizado sobre las líneas del de una *pioneer woman*; como a sus hermanas que están poblando las praderas, la caracteriza una precoz independencia, de la que es monumento la casa que construyó para sí ya antes de «asociarse en matrimonio». A ella suma una laboriosidad literalmente inagotable, y una soberana inteligencia práctica («las industrias manuales poseídas por mi madre son tantas y tan variadas, que su enumeración fatigaría la memoria con nombres que hoy no tienen ya significado»). Esas virtudes que espejan las que subtienden el milagro norteamericano son en San Juan parte del legado de un antiguo orden en que todas las mujeres eran industriosas, «aun aquellas nacidas y criadas en la opulencia».[56]

Sin duda el mismo orden que fomentaba tales virtudes en las mujeres desdeñaba canalizarlas útilmente en los hombres: es la conclusión que propone el retrato colectivo de la familia Salas. El padre, don Joaquín Salas, «inventaba máquinas y aparatos para todas las cosas, y perdió una inmensa fortuna heredada de doña Antonia Irarrazábal, parte en aquellos ensayos de su ingenio»; de sus hijos «don Juan José Salas... despunta por la misma capacidad fabril, que en San Juan, dados los hábitos de rutina española, se malogra en curiosidades improductivas», sus hermanas solteras «viven en una honesta medianía del producto de una industria que ellas han inventado, perfeccionado en todos sus detalles y elevado a la categoría de una de las bellas artes. Son célebres en San Juan las flores artificiales de mano de las Salas».[57] Pero si en el presente esos talentos mecánicos e industriales sólo sirven para que las mujeres palien las consecuencias de las inesperadas calamidades que han seguido al derrumbe del orden colonial, en un futuro mejor, trasformados como en el Norte en patrimonio de la entera sociedad, harán posible a San Juan, a la Argentina y a la entera Hispanoamérica reiterar las hazañas de la América inglesa. Aunque Sarmiento advierte plenamente cuánto tiene de promisorio el camino

[56] RP, 125.

[57] RP, 150.

hacia el futuro del que su madre aparece como precursora, aquel en que él mismo se esfuerza por avanzar es del todo distinto. Y ello crea entre su experiencia de vida y la de su madre un hiato no menos radical porque para él permanezca tan invisible como la distancia que lo separaba de sus antepasados que habían ganado honra y provecho en el San Juan colonial.

La consecuencia es que cuando —después de haber dedicado los dos tercios de *Recuerdos de provincia* a invocar en su defensa, junto con sus antepasados ilustres que le muestran «el noble camino que ellos siguieron», su provincia y su «humilde hogar», y comprobar que los «sentimientos morales, nobles y delicados» que en él mismo descubre provienen de ese complejo legado de aristocrático brillo y patricia penuria— llega para él el momento de ofrecer a través de la narración de su propia vida el segundo tramo de este argumento, esa narración se resistirá desde el comienzo a prolongar las líneas sobre las cuales han avanzado esos desmesurados prolegómenos.

Es que, al volverse a su propia trayectoria, van a ser otros los temas y problemas que se impondrán a la atención de Sarmiento en su esfuerzo por entenderla. Y también por justificarla; pese a que cuando escribe *Recuerdos de provincia* tiene ya motivos sobrados para estar satisfecho del punto al que ella lo ha conducido, y se presenta al final del libro como quien, tras de «*vencer* las dificultades» de una carrera iniciada en situación casi desesperada, ha podido finalmente «*tomar* estado después de haber recorrido la tierra, y llegado con el estudio, la discusión de las ideas, el espectáculo de los acontecimientos, los viajes, el contacto con hombres eminentes, y *sus* relaciones con los jefes de la política de Chile, a completar aquella educación para la vida pública que principiaba en 1837 entre las prisiones y los calabozos»[58] —en ese balance retrospectivo la ufanía oculta mal un inesperado subtono defensivo.

Esa ambivalencia no resuelta no se debe tan sólo a que la pretensión —laboriosamente preparada por la larga presentación de sus antepasados— de hacer de ella la reconquista de un patrimonio sobre

[58] RP, 223-24.

el cual Sarmiento reivindica derechos hereditarios, de convertirse en suma en el continuador en un mundo nuevo de la elite colonial en la que brillaron tantos ascendientes ilustres, no es totalmente convincente. Ya hemos visto cómo en la evocación de la primera y humilde etapa de esa trayectoria esa interpretación no logró obliterar del todo elementos que invitaban a reconocer en ella más bien un eco de las aspiraciones al ascenso social que la revolución estaba inspirando entre quienes eran ajenos a esa elite; también en la de las siguientes se verán aflorar disonancias análogas. Pero, como gradualmente comenzará a advertirse, las ambivalencias de Sarmiento reflejan algo más que sus dudas sobre las fuentes reales de esa «aspiración a no sé qué de elevado y noble» que tensaba su vida: invisten aun la validez y la índole del éxito que se jacta de haber alcanzado en ella.

Esas ambivalencias no afloran aún en la evocación de la etapa que Sarmiento ubica bajo la égida de la naciente revolución emancipadora, ya que ahora atribuye el celo con que, «balbuciente aun, empezaron a familiarizar mis ojos y mi lengua con el abecedario», antes que a las equívocas motivaciones de José Clemente Sarmiento, a una más genérica «prisa con que los colonos, que se sentían ciudadanos, acudían a educar a sus hijos», y es sabido que la continuidad entre esas aspiraciones revolucionarias y lo más valioso del legado colonial es uno de los postulados centrales de *Recuerdos de provincia*. Ellas inspiran en 1816 la creación de la Escuela de la Patria, en que iba a comenzar y también concluir su educación formal. Allí —nos cuenta— bajo el magisterio de «dos sujetos dignos por su instrucción y moralidad de ser maestros en Prusia... yo pasé... a confundirme en la masa de cautrocientos niños de todas edades y condiciones, que acudían presurosos a recibir la única instrucción sólida que se ha dado entre nosotros en escuelas primarias», en un contexto trasformado por el culto revolucionario de la igualdad, «sentimiento... desenvuelto en nuestros corazones por el tratamiento de *señor* que estábamos obligados a darnos unos a otros los alumnos, cualquiera que fuese la condición o la raza de cada uno».[59]

[59] RP, 145.

En ese contexto igualitario la superioridad que Sarmiento debe a lo que llama «sus talentos» (en primer lugar entre ellos su precoz facilidad para la lectura) va a ser bien pronto reconocida: «Siendo alumno de la escuela de lectura, construyóse en uno de sus extremos un asiento elevado como un solio, a que se subía por gradas, y fui yo elevado a él con nombre de *primer ciudadano!* Si el asiento se construyó para mí dirálo don Ignacio Rodríguez [uno de los maestros] que aún está vivo».[60]

Pero no le iba a ser fácil avanzar sobre las líneas trazadas por este comienzo tan auspicioso. Luego de nueve años de concurrir a la escuela «sin haber faltado un solo día bajo pretexto ninguno, que mi madre estaba ahí para cuidar con inapelable severidad que cumpliese mi deber de asistencia», se fatigó de aprender una y otra vez «la gramática, la aritmética, el álgebra». Como confiesa Sarmiento, «mi moralidad de escolar debió resentirse en esta eterna vida de escuela, por lo que recuerdo que había caído al último en el disfavor de los maestros. Estaba el sistema seguido en Escocia de ganar asientos... Últimamente obtuve carta blanca para ascender siempre en todos los cursos, y por lo menos dos veces al día llegaba al primer asiento; pero la plana era abominablemente mala, tenía notas de policía, había llegado tarde, me escabullía sin licencia, y otras diabluras con que me desquitaba el aburrimiento, y me quitaban el primer lugar, y el medio de plata blanca que valía conservarlo todo un día entero, lo que me sucedió pocas veces».[61]

Comienza a desenvolverse aquí un motivo que volveremos a escuchar una vez y otra vez pero nunca llegará a hacerse dominante: tras de las ambivalencias en la relación entre Sarmiento y la élite colonial o entre Sarmiento y su padre, tras de las que arrastra aún la efusiva identificación con su madre, se ocultan otras frente a sus propios esfuerzos por realizar esa «aspiración a no sé qué de elevado y noble», que retrospectivamente no le parecen quizá ni tan tenaces ni tan deliberados como hubiese sido necesario.

[60] RP, 145-46.
[61] RP, 146.

No es que vuelva a oírse en el balance de su carrera la nota claramente defensiva que resuena en la evocación de la última etapa de su frecuentación de la Escuela de la Patria. Pero el relato quizá deliberadamente fragmentario e impreciso de las que siguen parece esforzarse por eludir la conclusión de que, si una vez cerrada esa demasiado larga iniciación, aquella carrera siguió avanzando a la deriva, ello no se debe tan sólo, como busca persuadirnos y persuadirse, a las obstinadas injusticias de la suerte.

Sin duda, las dificultades que Sarmiento afronta no son inventadas, pero no es fácil medir la intensidad que ellas efectivamente alcanzaron en esta etapa conocida sobre todo a través del testimonio de *Recuerdos*. Así, ya en 1821, cuando contaba sólo diez años, su padre decidió hacerlo ingresar en el seminario de Loreto, en Córdoba; ello dio ocasión para la única visita de Sarmiento a la metrópoli del interior, pero ésta fue breve: «hube de volverme sin entrar»; en *Mi Defensa* había achacado este contratiempo a «enfermedades que me atacaron»;[62] en *Recuerdos* esta justificación sugestivamente lacónica es reemplazada por una más genérica apelación a «la fatalidad».[63] En 1823 debe fecharse otro episodio que para Sarmiento revela aun mejor el peso incontrastable de esa fatalidad: en ese año el gobierno de la provincia de Buenos Aires ofrece a la de San Juan seis becas para el recién creado Colegio de Ciencias Morales, antesala de la universidad: «pedíase que fuesen de familia decente, aunque pobres, y don Ignacio Rodríguez fue a casa a dar a mi padre la fausta noticia de ser mi nombre el que encabezaba la lista... Empero se despertó la codicia de los ricos, hubo empeños, todos los ciudadanos se hallaban en el caso de la donación, y hubo de formarse una lista de todos los candidatos; echóse a la suerte la elección, y como la fortuna no era el patrono de mi familia, no me tocó ser uno de los seis agraciados. Qué día de tristeza para mis padres aquél en que nos dieron la fatal noticia del escrutinio! Mi madre lloraba en silencio, mi padre tenía la cabeza

[62] Texto de «Mi Defensa» incluido en *Recuerdos de provincia*, Buenos Aires, Sopena, 1950; la cita de p. 11.

[63] RP, 157.

sepultada entre sus manos».[64] Un año después, a los trece de edad, vemos a Sarmiento buscar a tientas modos de sobresalir alternativos al que parece haber quedado cerrado para él. Utilizando de modo menos novedoso las mismas dotes que habían hecho de él el primer ciudadano de la Escuela de la Patria, los domingos por la mañana comienza a ofrecer un simulacro de misa en la capilla privada del «jorobado Rodríguez», consagrada (¿es necesario decirlo?) a «nuestro padre Santo Domingo». El espectáculo provoca «grande edificación de los devotos» y a él acuden aun «los frailes del convento de Santo Domingo». Ese público era atraído por la maestría con que el precoz oficiante «parodiaba a *su* tío el cura que cantaba muy bien, y de quien, siendo *él* monaguillo, atisbaba todo el mecanismo de la misa».[65] Pero, puesto que para entonces había abandonado el seminario cordobés, no parecía ya posible hacer de esa precoz celebridad el punto de partida de una exitosa carrera eclesiástica.

En las tardes dominicales, quien por la mañana se había ofrecido en edificante espectáculo se trocaba en igualmente espectacular caudillo de una banda de fieles admiradores cuya edad oscilaba entre los once y los veinte años, reclutados entre las clases subalternas y aun marginales («un mulato regordete» que «había en casa de los Rojos», «inquieto y atrevido, capaz de una fechoría»; otro «del mismo pelaje, de Cabrera, ... diminuto, taimado», «un peón chileno de veinte o más años, un poco imbécil»,[66] y otros más hasta llegar a siete).

Al frente de ese diminuto ejército obtiene una victoria que es fruto de la sorpresa. El desquite convoca a los «cardúmenes de muchachos» que pululan en los barrios de Colonia y Valdivia; organizados en una tropa de quinientos combatientes, éstos reducen a duras penas a Sarmiento y sus siete seguidores, hechos fuertes en un puente de las afueras: esa gloriosa derrota pone brusco fin a esta apenas esbozada carrera de caudillo. A los catorce años de edad Sarmiento ha pues explorado y descartado (acaso sin advertirlo) las versiones

[64] RP, 147-48.
[65] RP, 152-3.
[66] RP, 153.

cimarronas del rojo y el negro que permanecen abiertas en esa era de guerras civiles.

Un año más, y otro golpe del destino le ofrecerá un bienvenido diversivo para una situación en la que todos los caminos hacia el futuro parecen cerrársele (a falta de alternativa mejor, acaba de ocuparse como ayudante de un agrimensor francés doblado de arquitecto, para comenzar así —nos asegura— el aprendizaje de la ingeniería). En 1825 su tío José de Oro participa en una revolución que derroca al gobernador Del Carril, invocando el carácter sacrílego de las iniciativas secularizadoras incluidas en la Carta de Mayo que ha promulgado para la provincia; Del Carril es restaurado poco después por las fuerzas de los Aldao, caudillos de la vecina Mendoza, y Oro debe partir al destierro en un rústico rincón de la provincia de San Luis; «yo quise seguirlo —nos dice Sarmiento— y mi madre por gratitud lo aprobaba».[67] Se abre así un intermedio pastoral, que da ocasión a algunas de las páginas más eficaces de *Recuerdos de provincia*. En San Francisco del Monte, donde trascurre su venturoso destierro, no se repite el contraste que en su nativo San Juan opone a la sonriente huerta creada por siglos de acción humana una naturaleza inhóspita y estéril: aquí pierden su ponzoña aun los rasgos que en el contexto sanjuanino le aparecían hostiles; cuando «por las tardes, a la hora de traer leña por los vecinos bosques», Sarmiento se internaba en «las soledades prestando el oído a los ecos de la selva», no sólo el ruido de las palmas o el canto de las aves, sino aun el chirrido de las víboras se integraba para él en la acordada melodía de ese mundo sin sombras. Junto con la naturaleza, también los hombres presentaban a los desterrados un rostro más amistoso que en el rincón nativo; en las cabañas perdidas en ese amable desierto lo esperaban paisanos dispuestos a recibirlo con «mil atenciones».[68]

En los dos años pasados en ese rincón de mágica concordia, sedimenta en Sarmiento la visión nostálgica de un mundo incontaminado por las impurezas de la historia, que en una página célebre de

[67] RP, 49.
[68] RP, 50.

Facundo se volcará en una imagen estilizada sobre el modelo de las reconstrucciones de la vida arcaica armadas a partir del relato bíblico.[69] Pero no es sólo esa visión idílica la que le hace atractivo el recuerdo de la etapa de su adolescencia trascurrida en San Luis, en la compañía de don José de Oro; ni tampoco solamente que en esas soledades en que «las pláticas y lecciones» de su maestro se contituyeron en su ligazón única con «la cultura del espíritu», su personalidad alcanzó su perfil definitivo. Por lo menos igualmente importante es que en su destierro ha encontrado modo de sobresalir gracias a sus dotes y saberes.

En ese mundo incontaminado, en efecto, las «buenas gentes» tributan aun la deferencia debida a superioridades que en la Argentina trabajada por la crisis de emancipación suelen provocar una rencorosa hostilidad. Las «mil atenciones» que Sarmiento recibe, los quesos y huevos de avestruz que le tributan los paisanos encontrados en sus vagabundeos a la hora del crepúsculo, son homenajes al sobrino del cura, pero más aun al «maestro de la escuelita del lugar», y Sarmiento evoca con intensa complacencia su desempeño como tal.

Al hacerlo no deja de subrayar cómo a esa posición había debido un poder y un prestigio que parecían desafiar el orden natural: «Fundamos una escuela, a que asistían dos *niñitos* Camargos, de edad de veintidós y veintitrés años, y a otro discípulo fue preciso sacarlo de la escuela, porque se había obstinado en casarse con una muchacha lindísima y blanca, a quien yo enseñaba el deletreo. El maestro era yo, el menor de todos, pues tenía quince años; pero hacía dos por lo menos que era hombre por la formación del carácter, y ay de aquel que hubiese osado salirse de los términos de discípulo a maestro a pretexto de que tenía unos puños como perro de presa!»[70] He aquí a Sarmiento, casi niño, derivando de su modesto dominio del alfabeto

[69] Véase al respecto la evocación de las oraciones con que un estanciero de la campaña de San Luis suplía la falta de sacerdote («creía estar en los tiempos de Abraham, en su presencia, en la de Dios y de la naturaleza que lo revela»), en D. F. Sarmiento, *Facundo*, ed. Alberto Palcos, La Plata, 1938, 42-43.
[70] RP, 49.

la autoridad necesaria para imponerse a hombres hechos, y participar en la decisión que aleja a uno de éstos de una muchacha al parecer demasiado blanca para él. Se entiende por qué, cuando «una mañana apareciose uno de *sus* deudos que venía a llevar*lo* a San Juan, para mandar*lo* de cuenta del gobierno a educar a Buenos Aires», ante la autorización de su tío a «optar libremente», repuso con «la carta más indignada y más llena de sentimiento que haya salido de la pluma de un niño de quince años». Aunque poco después vino a llevarlo su padre «y entonces no había qué replicar»,[71] la demora iba tener consecuencias fatales: el gobierno provincial que ofrecía costear sus estudios fue derrocado por las fuerzas invasoras de Facundo Quiroga. Una vez más, lo que el relato dice y más aun lo que calla sugiere que Sarmiento no está seguro de no haber colaborado con esa fatalidad que le cerraba una vez más las vías de acceso aún abiertas a las filas de la elite intelectual.

De todos modos la intervención paterna lo ha expulsado del paraíso que había sido para él San Francisco del Monte, definitivamente perdido cuando su tío retorna también de su destierro al ser devuelta su facción al poder en San Juan gracias al triunfo de Quiroga. Al tomar empleo en el negocio de otra remota pariente, Ángela Salcedo, «tímido dependiente de comercio en una tienda, yo que había sido educado por el presbítero Oro en la soledad que tanto desenvuelve la imaginación, soñando congresos, guerra, gloria, libertad, la república en fin», Sarmiento resignarse a abandonar la búsqueda del lugar en la sociedad que está seguro que es suyo en derecho. «Estuve triste muchos días, y como Franklin, a quien sus padres dedicaban a jabonero, él que debía robar al cielo los rayos y a los tiranos el cetro, toméle desde luego ojeriza al camino que sólo conduce a la fortuna.»[72]

Será en efecto la lectura de la autobiografía de Franklin la que le revele una alternativa no sólo a ese *cursus honorum* todavía cercano al de los letrados coloniales, que la fatalidad —ayudada por el celo

[71] RP, 50.

[72] RP, 157.

sólo intermitente que Sarmiento ponía para afrontarla— le había cerrado, sino también a esas vertiginosas carreras político-militares que la revolución había abierto para tantos hombres de una generación anterior, y que eran ahora irrepetibles. Franklin, el «joven que sin otro apoyo que su razón, pobre y destituido, trabaja con sus manos para vivir, estudia bajo su propia dirección, se da cuenta de sus acciones para ser más perfecto» ofrece por fin un ejemplo pertinente a ese otro joven «pobrísimo como él, estudioso como él». «Dándome maña y siguiendo sus huellas —concluye Sarmiento— podía un día llegar a formarme como él, ser doctor *ad honorem* como él, y hacerme un lugar en las letras y en la política americana».[73] Lo que la vida de Franklin le ofrece es entonces la revelación de que su «aspiración a no sé qué de elevado y noble» no necesitaba quizá canalizarse a través de los cauces heredados del pasado, o de los más azarosos excavados por la crisis revolucionaria: en una sociedad menos rígidamente perfilada que la neohispana, Franklin había venido inventando su propio rumbo al avanzar en él, y sólo retrospectivamente puede descubrirse que cada una de sus etapas había marcado un progreso hacia el desenlace apoteótico que lo constituiría en el «Santo del Pueblo».

Sarmiento necesita de la promesa inscripta en ese ejemplo para atravesar sin perder esperanzas años de esterilidad y penuria; en la evocación que de ellos ofrece *Recuerdos* está muy viva la conciencia de que su vida sigue a la vez dos cursos distintos: superficialmente es la de un muchacho que, por razones que retrospectivamente le parecen fútiles, abandonó las filas de la facción favorecida por sus valedores para unir su suerte al partido que iba a ser derrotado en las guerras civiles, y verse arrojado a un penurioso exilio en el cual, tras de llevar a la ruina el bodegón que abrió con su padre en un poblacho chileno, con fondos adelantados por parientes menos infortunados, terminó como apire y capataz en una mina explotada por entonces con no mejor fortuna por un también exiliado jefe militar argentino en el Norte Chico de Chile. Pero en medio de esa experiencia desazonante

[73] RP, 162-63.

confía en que ella secretamente prepara el desenlace que hará de él una figura pública, y no le faltan reconocimientos que le anticipan algo de ese prometido triunfo.[74]

Pero si el recuerdo de Franklin le ayuda a seguir confiando en ese desenlace tan improbable, el ejemplo que Franklin ofrece no se presta a una imitación literal por parte de Sarmiento. Sus talentos, aunque excepcionales, son menos versátiles que los de su modelo; y hay en *Recuerdos* indicaciones suficientes de que él mismo lo advierte muy bien. No ha heredado de su madre la destreza manual, ni lo atrajeron en la infancia los juegos que la requerían, así fuese en grado mínimo («No supe nunca hacer bailar un trompo, rebotar la pelota, encumbrar una cometa, ni uno solo de los juegos infantiles a que no tomé afición en la niñez»;[75] no estaba entonces a su alcance emular la hazaña de arrebatar a los cielos el rayo, que había constituido a Franklin en el «Santo del Pueblo»). Y su veleidad de explorar otros campos que le estaban menos vedados, pero en los que tampoco se descubría dotes sobresalientes, no iba a llegar demasiado lejos: así en cuanto al dibujo («en la escuela aprendí a copiar sotas, y me hice después un molde para calcar una figura de San Martín a caballo que suelen poner los pulperos en los faroles de papel; y de adquisición en adquisición yo concluí en diez años de perseverancia con adivinar todos los secretos de hacer mamarrachos... Cuando pude, por el conocimiento de los materiales de la enseñanza del dibujo, faltóme la voluntad para perfeccionarme»).[76]

Esa voluntad no le faltó para seguir avanzando por terrenos menos ingratos. En 1829, ya derrotado en su primera campaña de la guerra civil, y prisionero en su casa gracias al influjo de sus familiares de la facción rival, se dedica a aprender francés sin más maestro que «una gramática y un diccionario prestados» («Tenía mis libros sobre la

[74] RP, 166. Sobre el episodio y su significado, ver «Una vida ejemplar: la estrategia de *Recuerdos de provincia*», en Carlos Altamirano y Beatriz Sarlo, *Ensayos argentinos. De Sarmiento a la vanguardia*, Buenos Aires, 1983, 50-52.

[75] RP, 151.

[76] RP, 151-2.

mesa del comedor, apartábalos para que sirvieran el almuerzo, después para la comida, a la noche para la cena; la vela se extinguía a las dos de la mañana, y cuando la lectura me apasionaba, me pasaba tres días sentado registrando el diccionario»). En 1833, ya exiliado en Chile y dependiente de comercio en Valparaíso «ganaba una onza mensual, y de ella destiné media para pagar al profesor de inglés Richard, y dos reales semanales al sereno del barrio para que me despertase a las dos de la mañana a estudiar mi inglés». Pero si el sacrificio es abrumador, la victoria sobre las dificultades afrontadas es total y fulmínea: «al mes y once días de iniciado el solitario aprendizaje [del francés], había traducido doce volúmenes, entre ellos las *Memorias* de Josefina...después de mes y medio de lecciones, Richard me dijo que no me faltaba ya más que la pronunciación, que hasta hoy no he adquirido. Fuime a Copiapó, y... traduje a volumen por día los sesenta de la colección completa de Walter Scott»).[77]

Pero si aquí lo vemos poner el mismo esfuerzo desesperado que cuando niño había sido la fuente secreta de su precocidad con el alfabeto no es sólo porque el aprendizaje de idiomas le permite revivir los triunfos casi instantáneos de aquella experiencia a la que debía su fe inconmovible en sus «talentos». No es sólo la «aspiración a un no sé qué elevado y noble», en que se entrelazan ambición personal y fe en una misión redentora, la que le da el tesón necesario para esos esfuerzos más que humanos: es una ambición de descifrar el mundo que, aunque no menos viva que la de Franklin, lo ve bajo una figura distinta de la preferida por éste. Está convencido de que las claves para ese desciframiento están escondidas en los libros, y «para los pueblos del habla castellana, aprender un idioma vivo es sólo aprender a leer».[78] Sarmiento no comienza sólo ahora a ver en su conquista del mundo de la escritura algo más que la de un arma de triunfo, y a buscar en él el instrumento capaz de descifrar ese otro mundo cuyo acceso le abría su experiencia de vida, y que a medida que avanzaba en ésta se le aparecía cada vez más enigmático. A la salida misma de

[77] RP, 164.
[78] Loc. cit. n. 77.

la infancia, la «lluvia oral» de enseñanzas que manaba de don José de Oro, al ofrecerle un inventario de ese mundo a través de una deslumbradora sucesión de imágenes comparables a las «láminas de un libro cuyos significados comprendemos por la actitud de sus figuras» y en el cual «pueblos, historia, geografía, religión, moral, política, todo libro que detallaba» lo que ese índice le había prometido, y con ello vino a redefinir para siempre su relación con el mundo de la palabra escrita.

Creyó recibir esa buscada revelación de «los catecismos *de Ackermann* que había introducido en San Juan don Tomás Rojo»: en ellos —nos dice— «encontré lo que buscaba, tal como lo había concebido, preparado por patriotas que desde Londres habían presentido esta necesidad de la América del Sur de educarse... Allí estaba la historia antigua, y aquella Persia, y aquel Egipto y aquellas Pirámides, y aquel Nilo de que me hablaba el clérigo Oro».[79] El descubrimiento de esos catecismos no marca desde luego el punto de llegada, sino el de partida de una exploración que no iba a cesar ya nunca.

Por años todavía ella pareció marchar por rumbos dictados por el caprichoso azar de las lecturas; lo que su espíritu experimenta en esa etapa lo compara Sarmiento con «las inundaciones de los ríos, que las aguas al pasar depositan poco a poco las partículas sólidas que traen en disolución, y fertilizan el terreno». De retorno en San Juan desde 1836, entre 1838 y 1840 participó discusiones de un grupo de jóvenes —Quiroga Rosas, Aberastain, Cortínez— dotados de la formación universitaria que a él le faltaba. Entonces —nos dice— «empecé a sentir que mi pensamiento propio, espejo reflecto hasta entonces de las ideas ajenas, empezaba a moverse y a querer marchar. Todas mis ideas se fijaron clara y distintamente... llenos ya los vacíos que las lecturas desordenadas de veinte años habían podido dejar».

Aunque la ambición propiamente teórica que había brotado en Sarmiento bajo el estímulo de las enseñanzas de José de Oro había agregado una dimensión nueva a la relación esencialmente práctica que hasta entonces había mantenido con el mundo de las letras (tanto desde una perspectiva individual, que lo valoraba como capaz

[79] RP, 158.

de proveerle los instrumentos que le permitirían conquistar —o reconquistar— el lugar en la vida pública que era suyo por derecho de herencia, como desde una supraindividual, que veía en la difusión de la cultura letrada un instrumento particularmente eficaz de trasformación colectiva) esta última seguía siendo ofrecida como la justificación de aquélla. Sarmiento estaba menos dispuesto que su lector actual a concluir que los hallazgos alcanzados en esa búsqueda (tal como se despliegan por ejemplo en *Facundo*) constituyen su contribución esencial; la frase que acaba de citarse remata ofreciendo como coronamiento de ese esfuerzo teórico «la aplicación [de nuevo eminentemente práctica] de aquellos resultados adquiridos a la vida actual, traduciendo el espíritu europeo al espíritu americano, con los cambios que el diverso teatro requería».[80] Con ello no sólo supeditaba su ambición teórica a un objetivo práctico, sino circunscribía duramente su alcance, en cuanto el surgimiento de un «pensamiento propio», que parecía prometer una tentativa original y autónoma de exploración del mundo con instrumentos que, cualquiera fuese su origen, había ya hecho plenamente suyos, se resuelve en algo menos que eso; a saber, una exitosa «traducción del espíritu europeo al espíritu americano». Pero si Sarmiento advertía muy bien el papel que esa búsqueda de una clave para entender el mundo (y en primer lugar el mundo bajo la figura de la historia) tenía como motor de su formación intelectual, y no dejaba de ver en la ambición teórica que subtendía esa búsqueda la manifestación de un afán de saber que siempre reconocerá como socialmente útil, al proponer una imagen global de su proyecto intelectual la relega a pesar de todo a un difuso segundo plano.

Puesto que no compartía la perspectiva del lector actual, para el cual a esa ambición teórica debemos lo que su legado intelectual tiene de más valioso, no hubiera podido tampoco encontrar en ella el elemento capaz de dotar a la figura de intelectual sobre la cual busca perfilarse de la coherencia y la enjundia necesarias para justificar plenamente el papel que invocándola reivindica para sí en el futuro de su patria. Esa reivindicación no podría entonces apoyarse sino en la

[80] RP, 168.

eficacia práctica con que su acción de intelectual incide en la realidad que ambiciona trasformar, y Sarmiento advierte muy bien cómo ello amenaza tornarla aun más problemática, y para superar esos problemas procura modelar sucesivamente su perfil de intelectual sobre dos figuras que halla disponibles para ello: la del educador y la del escritor.

Ya antes de que la experiencia de San Francisco del Monte le revelase qué formidables instrumentos de influjo y dominio sobre los hombres ponía a su alcance el papel de maestro, la de la Escuela de la Patria se lo había anticipado a través de la devoción inquebrantable que habían sabido evocar en él los que allí lo tuvieron por alumno. Pero durante su primer destierro chileno, entre 1831 y 1836, iba a descubrir la contracara de esa imagen exaltante: de todas las posiciones que ocupó durante esa etapa poco afortunada la de maestro de escuela fue quizá la menos prestigiosa y sin quizá la peor retribuida.

Sin duda, en el mundo en que se mueve Sarmiento en las provincias argentinas y en Chile no sólo son educadores esos famélicos maestros de aldea, pero quienes desde niveles más altos practican el arte de enseñar hacen de esa práctica una actividad ancilar; en la universidad ella requiere de quienes la ejercen los títulos que precisamente faltan a Sarmiento, y de ellos recibe su prestigio; a otros niveles se apoya también en un más difuso prestigio social e intelectual previamente conquistado en otras esferas de actividad: así algunos de los publicistas más prestigiosos de esa hora hispanoamericana (en Santiago, don Andrés Bello; en Buenos Aires Pedro de Angelis; en ambas ciudades, José Joaquín de Mora) regentearon escuelas en alguna etapa de su carrera, pero pudieron hacerlo porque llevaban a esa actividad una reputación ya adquirida, que por su parte Sarmiento necesitaba aún conquistar. Realizarse bajo la figura del educador no podía entonces significar para él acogerse a lo que la sociedad en que vivía aceptaba como válida, sino inventar otra radicalmente nueva, y a partir de su retorno a San Juan, en 1836, iba en efecto a avanzar hacia esa invención.

El asesinato de Facundo Quiroga, en 1835, fue seguido al año siguiente por la instalación en el gobierno de San Juan de un antiguo discípulo de la Escuela de la Patria, Nazario Benavides, que debía su encumbramiento al influjo de Rosas, ya predominante en todo el país. Con Benavides comenzaba lo que podría llamarse la normalización de la hegemonía federal; mientras el ritual y el lenguaje heredados de los conflictos facciosos de la década anterior eran cuidadosamente conservados y aun exacerbados, el clima de emergencia permanente que la provincia y el país habían vivido durante diez años comenzaba a disiparse. En este contexto se produce el retorno de Sarmiento a San Juan, facilitado de nuevo por sus parientes de la facción ahora dominante, más esta vez los Quiroga Sarmiento que los Oro, entre los cuales Domingo, muy cercano a Facundo Quiroga, es víctima de la reorientación política que sigue al esesinato de éste, y sus tíos —tanto el obispo como el presbítero— están en la antesala de la muerte.

En su ciudad nativa, Sarmiento no sólo continúa, ahora como integrante de un grupo generacional, el esfuerzo de aprendizaje y maduración que hasta entonces ha debido afrontar solitariamente, sino —nos dice— comienza a perfilar una figura pública: «En 1836 regresé a mi provincia, enfermo de un ataque cerebral, destituido de recursos y apenas conocido de algunos, pues, con los desastres políticos, la primera clase de la sociedad había emigrado y hasta hoy ha vuelto. Una complicada operación de aritmética que necesitaba el gobierno, púsome en evidencia, y pasando los días y comiéndome privaciones, llegué por la amistad de mis parientes a colocarme entre los jóvenes que descollaban en San Juan... hombres de valor, de talento y de luces, dignos de figurar en todas partes de América. De aquella asociación salieron ideas utilísimas para San Juan», en primer lugar entre éstas un «colegio de señoras».

Ese colegio del que iba a ser maestro y director Sarmiento había comenzado por inventarlo como la herramienta que debía trasformar el clima político-cultural a través de la formación de la mujer: «Era mi plan hacer pasar una generación de niñas por sus aulas, recibirlas en la puerta, plantas tiernas formadas por la mano de la Naturaleza, y devolverlas por el estudio y las ideas, esculpido en su alma el tipo de la matrona romana. Habríamos dejado pasar las pasiones febriles de la juventud, y en la tarde de la vida vuelto a reunirnos para trazar el camino a la generación naciente. Madres de familia un día, esposas, habríais dicho a la barbarie que sopla el gobierno: no entraréis en mis umbrales que apagaríais con vuestro hálito el fuego sagrado de la civilización y de la moral que hace veinte años nos confiaron. Y un día aquel depósito acrecentado y multiplicado por la familia, desbordaría y transpiraría hasta la calle, y dejaría escapar sus suaves exhalaciones en la atmósfera».[81]

Ese proyecto está marcado sin duda por la coyuntura política en que surge, cuando el triunfo federal aparece demasiado abrumador para que no sea inevitable aceptarlo como el dato básico del marco sociopolítico en el cual a Sarmiento y sus compañeros de generación les tocaría vivir, y por su parte la normalización que se insinúa parece ofrecer aun dentro de ese marco posibilidades nuevas a la generación ascendente de la elite letrada. Pero refleja a la vez ciertos rasgos de la figura del educador que quiere ser Sarmiento que no dependen en cambio de ese contexto coyuntural: ese educador es más el inventor y planificador de un proyecto educativo que un practicante del arte de enseñar, y es guiado en sus planes por propósitos de trasformación sociopolítica antes que por objetivos estrictamente pedagógicos o culturales (aun en etapas posteriores de su carrera, en Chile y la Argentina, Sarmiento canalizará su esfuerzo de educador en publicaciones programáticas y luego en proyectos legislativos y medidas de gobierno, antes que en cualquier actividad estrictamente directiva o docente, y es significativo que ya en la concisa presentación que hace de sí mismo en el cuadro genealógico que abre *Recuerdos* la mención de su acción educativa sea inesperadamente concisa, y se ciña a recordar a sus lectores que él es el «fundador de la Escuela Normal» de Santiago, de la cual fue también el primer director).

Sarmiento es en suma educador porque es ésa la única forma de acción política que queda abierta para él, pero, puesto que la validez de esa opción depende de que ese instrumento de trasformación sociopolítica termine por revelarse tan eficaz como él espera, sólo el futuro podrá consagrarla como legítima. Mientras ello no ocurra, presentarse bajo la figura del educador no da a la posición pública de Sarmiento

[81] RP, 61-62.

la solidez y la espectabilidad a la que éste aspira. No podría dársela: esta figura él la está inventando, y, más bien que conferirle prestigio ninguno, del éxito del proyecto que él intenta realizar a través de ella depende que ella misma conquiste un prestigio del que por el momento carece.

A la espera del éxito futuro que habrá de vindicarla, la figura del educador seguirá entonces colocada bajo una luz que aparecerá tanto más ambigua por cuanto, al ser ofrecida como alternativa a la perfilada a través del *cursus honorum* al que abre acceso la Universidad, viene a oponer a ésta una recusación demasiado tajante, apoyada en bases demasiado inseguras. Sarmiento estaba muy consciente de lo que ese desafío tenía de problemático, y la huella de esa conciencia puede rastrearse en el testimonio que *Recuerdos* ofrece acerca de su inserción en su camada generacional de la elite letrada sanjuanina, que siguió a su retorno del primer destierro chileno.

Ésta no hubiera podido ser más exitosa: sin afrontar oposición de ninguno de sus pares, Sarmiento iba a emerger como la figura dominante en ese diminuto grupo generacional, como lo revela su papel protagónico en los dos más importantes proyectos de éste, el colegio de Santa Rosa y el periódico *El Zonda*. Ese éxito es aun más sorprendente si se recuerda que su pertenencia al grupo letrado no tiene el sello de legitimidad que confiere un grado universitario, y que el papel de iniciador ideológico —que en Buenos Aires había permitido a Esteban Echeverría, también él desprovisto de formación universitaria, ocupar en una primera etapa el liderazgo de su generación de 1838— había sido ya ocupado en San Juan por José Quiroga Rosas.

Pero hubo al parecer, fuera de ese menudo grupo de precoces intelectuales al que Sarmiento estaba incorporándose, quienes objetaban a su creciente espectabilidad. *Recuerdos* se refiere a todo ello en un par de frases que combinan la concisión con la vaguedad incluidas en el conmovido retrato de Antonino Aberastain, el integrante de ese grupo al que Sarmiento se sentía afectivamente más cercano:

> Nadie mejor que yo ha podido penetrar en el fondo de su carácter, amigos de infancia, su protegido en la edad adulta, cuando en 1836

llegábamos al mismo tiempo a San Juan, desde Buenos Aires él, de Chile yo, y empezó a poco de conocerme a prestarme el apoyo de su influencia, para levantarme en sus brazos cada vez que la envidia maliciosa de aldea echaba sobre mí una ola de disfavor o de celos, cada vez que el nivel de la vulgaridad se obstinaba en abatirme a la altura común. Aberastain, doctor, juez supremo de alzada, estaba siempre ahí defendiéndome entre los suyos, contra la masa de jóvenes ricos o consentidos que se me oponían al paso.[82]

Estos comentarios demasiado ricos en sobreentendidos pueden sin duda interpretarse en distintos contextos; Carlos Altamirano y Beatriz Sarlo[83] han ofrecido un análisis penetrante del pasaje, que busca su clave en la posición de Sarmiento en la élite tradicional sanjuanina, a juicio de ambos lo bastante problemática para suscitar las desdeñosas recusaciones de esos «jóvenes ricos o consentidos». Pero es difícil encontrar en este punto diferencias significativas entre Sarmiento y su protector; éste sin duda está vinculado por origen con esa élite (pertenecía, como no iba a dejar de notar su antiguo protegido en el folleto que le dedicó poco después de su trágica muerte, en 1861, «a una de las más antiguas familias de San Juan, pues que uno de sus antepasados alcanzó hasta 1605»)[84] pero parece menos arraigado en esa elite y en lo que de ella sobrevive al vendaval revolucionario que el propio Sarmiento, cuyas vinculaciones con Oros y Quirogas Sarmiento le han ayudado —se ha visto ya— a superar trances difíciles de la vida política, y desempeñarían luego en su promoción a director del Colegio de Santa Rosa un papel que invita a verla, al estilo del Antiguo Régimen, como el triunfo de un linaje. La pertenencia de

[82] RP, 148-49.

[83] Altamirano y Sarlo, op. cit., p. 60.

[84] En su breve biografía de Aberastain, incluida en *Hombres notables de Cuyo. Segunda Serie*, La Plata, 1910, pp. 72-92, Pedro I. Caraffa afirma tan sólo que «provenía de familias honorables» (72); a don Ignacio Sarmiento, padre del segundo obispo de Cuyo, lo presenta en tono menos reticente como «descendiente de distinguidas familias de la época colonial» (41).

pleno derecho a esa elite tradicional sanjuanina de los hijos de José Clemente Sarmiento y Paula Albarracín parece estar por otra parte fuera del alcance de cualquier malévola duda; en la Sociedad Dramática Filarmónica, en cuyas actividades, según cuenta Damián Hudson, «fue nuestra firme resolución no acompañarnos sino de señoritas de familias principales»,[85] tanto Procesa Sarmiento, la futura discípula de Monvoisin, como su hermana Rosario, presentada en el cuadro genealógico como «obrera en bordados, tejidos, etc.» figuran entre las damas que superaron con éxito escrutinio tan exigente...

Por añadidura, si Sarmiento es pobre, Aberastain lo es aún más (su padre, comerciante, ya en el momento de su nacimiento «había tenido la desgracia de perder los bienes que poseía, por malos negocios»).[86] Hasta tal punto lo es que cuando la beca para la cual fue preferido a Sarmiento le permitió iniciar estudios en el Colegio de Ciencias Morales de Buenos Aires, la imposibilidad en que estaba su familia de enviarle recursos «le hacía pasar al muchacho con su industria personal que lo constituía carpintero para componer todo mueble desarreglado, zapatero para remendar su calzado, y el de sus amigos...».[87]

Pero si la distancia social entre Aberastain y Sarmiento no es la que confiere a aquél ese prestigio más sólido que le permite proteger eficazmente a éste, hay otra diferencia más obvia entre ambos, también ella recogida en esas frases de rumbo impreciso: como «doctor, juez de alzada», Aberastain se ha apropiado de los signos a través de los cuales quienes no integran la elite letrada han aprendido a reconocer la eminencia dentro de ella. El contraste entre los títulos irreprochables de Aberastain y la irregularidad de los de Sarmiento es evocado por éste en términos que sugieren de nuevo que le es imposible ver en esta última, como desearía, el fruto exclusivo de la fatalidad.

[85] Damián Hudson, *Recuerdos Históricos sobre la Provincia de Cuyo*, Buenos Aires, 1898, II, 386.

[86] Caraffa, loc. cit., p. 72.

[87] «Antonio Aberastain», D. F. Sarmiento, *Obras completas*, XLV, Buenos Aires, 1953, p. 27.

Precisamente porque le es imposible creerlo del todo, el aval de Aberastain es importante para él no sólo en cuanto lo ayuda a superar esas «olas de disfavor o de celos» con que la «envidia maliciosa de aldea» se interpone en su camino, sino en cuanto es capaz de acallar el eco que esos juicios desfavorables encuentran en quien es su blanco: «He debido a este hombre bueno hasta la médula de los huesos, enérgico sin parecerlo, humilde hasta anularse, lo que más tarde debí a otro hombre en Chile, la estimación de mí mismo por las muestras que me prodigaba de la suya».[88]

Lo que Sarmiento admira en Aberastain y vuelve a reconocer en ese «otro hombre en Chile» (se trata desde luego de don Manuel Montt, el ministro de cuya política se ha trasformado en portavoz periodístico, y cuya candidatura presidencial apoya con entusiasmo en 1850) no son tanto los impecables títulos académicos y profesionales que ambos ostentan, sino las virtudes de carácter que les han hecho posible adquirirlos venciendo obstáculos acaso no menos duros que los que a él le vedaron conquistarlos. Ambos son todo lo que Sarmiento no es: cuando éste, habiendo absorbido ya todo lo que la Escuela de la Patria podía darle, entraba en una etapa de impaciencia e indisciplina, su condiscípulo y coetáneo Aberastain seguía mostrándose «serio, aprendía con asiduidad todo, descollaba entre todos sus condiscípulos y no fue reprendido nunca por acto ninguno de los tan frecuentes en los niños». Quienes fueron sus camaradas de estudios en el Colegio de Ciencias Morales, «el Sr. Carreras, D. Marcos Paz y Dr. Alsina, todos recuerdan aquella imperturbable moralidad en medio de la atmósfera de travesuras y disipación que dominaba a sus compañeros, sin serle por esto molesto aquella contracción al estudio». Esa virtud imperturbable y flemática tiene una contracara casi estólida que Sarmiento advierte muy bien, y parece encontrar igualmente admirable («llamáronle los estudiantes de la Universidad "el buey", y su robusta mole, su calma habitual, su mansedumbre inmutable daba a esa similitud una extraña oportunidad»).[89]

[88] «Antonio Aberastain», D. F. Sarmiento, *Obras completas*, XLV, Buenos Aires, 1953, p. 27.
[89] RP, 149.

El retrato de Manuel Montt presenta con el de Aberastain similitudes más estrechas de lo que parece a primera vista. Las diferencias entre ambos se deben sobre todo a que, mientras los dos que Sarmiento nos ha dejado de Aberastain —el de *Recuerdos* y el del folleto de 1861— son los de una figura decididamente secundaria, hundida en 1850 en un casi anónimo destierro en Copiapó, y en la segunda trasfigurada ya por una muerte trágica en cuya condena aun los dirigentes nacionales de la facción de la que había sido víctima se creían obligados a participar, el segundo era en el momento en que Sarmiento compone *Recuerdos* uno de los hombres más eminentes pero también más odiados de Chile (su avance hacia la presidencia provocará en 1851 reacciones lo bastante enconadas para encender una guerra civil). Sarmiento no puede ignorarlo del todo, y admite que el nombre de su amigo y protector suscita en Chile «impresiones diversas de afecto o de encono como hombre público». Pero —se apresura a agregar— esas divergencias cesan en cuanto a su «carácter personal, que todos tienen por circunspecto, moral, grave y bien intencionado. Debido a ese su «aspecto grave», hay quienes creen que Montt «no se ha reído nunca»; su circunspección es la de un hombre que «habla poco, y cuando lo hace, se expresa en términos que expresan una clara percepción de las ideas que emite».

Como Aberastain, Montt se siente demasiado seguro de sí para sacrificar nada al amor propio o la vanidad («Don Manuel Montt pretende no saber nada, lo que permite a los que le hablan exponer sin rebozo su sentir, y poder contradecirlo sin que su amor propio salga a la parada, a diferencia en esto de la generalidad de los hombres con poder y con talento, que se aferran a su propia idea, negando hasta su existencia a las adversas; y un ministro letrado o un orador que no sea pedante, es una rara bendición en estos tiempos en que cada hombre público está haciendo la apoteosis de su fama literaria en escritos y discursos»). A juicio de Sarmiento, tanto Montt como Aberastain van quizá demasiado lejos en el desinterés por la dimensión personal de la ambición política que los mueve: si al sanjuanino lo encontraba «humilde hasta anularse», lamentaba que al más famoso chileno, adornado con «todas las dotes del hombre público», le faltase «la única que debiera darle complemento y objeto: la ambición decidida».[90]

En la hora de *Recuerdos*, por otra parte, el homenaje que Sarmiento ofrece a un cierto perfil humano, antes que un más sólido anclaje en la vida pública, no excluye ya la convicción muy segura de que él mismo posee dotes que lo hacen radicalmente distinto, pero no inferior a esos dechados (en el caso de Montt, las diferencias que los separan permiten que ambos se complementen útilmente en la acción; «nuestras simpatías —asegura Sarmiento— [han sido] confirmadas por diferencias esenciales de espíritu, que han hecho servir el suyo de peso opuesto a la impaciencia de mis propósitos, no sin que alguna vez haya yo quizás estimulado y ampliado la fuerza de su voluntad en la adopción de mejoras»).

Lo que hará posible a Sarmiento reconocer como sus iguales a quienes fueron sus protectores es el éxito que ha coronado su esfuerzo por ganar una presencia expectable en la escena pública, y nunca habría de olvidar el momento en que, para su sorpresa, descubrió que habría de alcanzarlo no bajo la figura del maestro o del pensador y agitador político (todo eso vendría después) sino bajo la de un escritor cuya prosa ejercía un extraño poder de seducción sobre sus lectores. Ese descubrimiento tuvo una fecha precisa: es la del 11 de febrero de 1841 (no habían pasado aún tres meses desde que se había refugiado por segunda vez en Chile, fugitivo de su San Juan, cuando la derrota de la coalición de provincias norteñas alzadas contra Rosas, a cuya causa había buscado infructuosamente ganar a Benavides, anunciaba ya una etapa de feroz persecución de los que habían sido sus partidarios; ha sobrevivido hasta entonces en «un cuarto desmantelado debajo del portal, con una silla y dos cajones vacíos que *le* servían de cama» malvendiendo los libros traídos en su fuga. Pero en ese día *El Mercurio* de Valparaíso publica su conmemoración de la victoria de Chacabuco, primer golpe decisivo del ejército chileno-argentino de San Martín contra el restaurado dominio español en Chile. El eco alcanzado por ese artículo atribuido a un anónimo teniente de artillería

[90] Loc. cit. n. 88, p. 26.

decidió su destino: «Yo era escritor por aclamación de Bello, Egaña, Olañeta, Orjera, Minvielle, jueces considerados competentes. Cuántas vocaciones erradas había ensayado antes de encontrar aquella que tenía afinidad química, diré así, con mi presencia!»[91]

Como iba a recordar ya en 1843 en *Mi Defensa*, Sarmiento surgió a la vida pública chilena «en un día»;[92] rescatado del anonimato por esas aclamaciones, lo veremos de inmediato redactor de *El Mercurio*, desde cuyas columnas ofrece apoyo y a la vez amistoso consejo al gobierno conservador de Chile, tal como ha prometido a Manuel Montt, cuya influyente amistad le ha ganado esa brillante «entrada en escena». El artículo que hace de él un «escritor por aclamación» no es sin embargo el primero que sale de su pluma: en San Juan ha sido redactor y primer colaborador de *El Zonda*, órgano del grupo juvenil al que se incorporó al retornar de su primer destierro chileno. Pero no había entendido con ello acogerse a la figura del escritor: en la visión de Sarmiento escribir era, más exclusivamente aun que educar, una actividad ancilar puesta al servicio de un proyecto de trasformación de entera sociedad, y no podría por lo tanto ser valorada independientemente de éste, ni tampoco por consiguiente ser invocada por quien la ejerce para reivindicar el lugar al que Sarmiento aspira en la vida pública.

Lo que el éxito de su estreno como escritor en Chile le ha revelado es que el mundo en que le toca desenvolverse valora la actividad del escritor de modo distinto, en cuanto quienes lo aplauden no necesitan para ello cerciorarse de que sus escritos alcanzarán esa eficacia trasformadora que es a su juicio la que los justifica, y celebra en ellos cualidades del todo independientes de la eficacia con que puedan cumplir ese papel trasformador. El aplauso revela en suma a Sarmiento que posee virtudes de escritor que nunca se interesó en cultivar; pero aunque no vacila en esgrimirlas como la decisiva carta de triunfo que han resultado ser, no abandona por ello la justificación eminentemente instrumental de la escritura que ha sido siempre la suya.

[91] RP, 196.
[92] RP, 191.

Ello impide que el descubrimiento de que para el mundo él es ante todo un escritor lleve a Sarmiento a ampliar el lugar que en su proyecto personal ha reconocido a la actividad de escribir, o a interesarse más específicamente que en el pasado por ella. Si no deja de anotar que el triunfo ganado con su «magnífico artículo de entrada en escena» en Chile se debe a una «afinidad química» entre lo que llama su «presencia» y la actividad del escritor, eso no lo lleva a indagar cuáles son las facetas de su personalidad y las modalidades de la relación entre autor y lectores o auditores entre las cuales se da esa afinidad a la que debe su éxito fulgurante.

No es que en las evocaciones de su iniciación en el periodismo chileno falten notaciones que se hubieran prestado para ser exploradas sobre esas líneas: ellas revelan de inmediato, por el contrario, todo lo que separa el contexto en que ella se dio de aquel en que tomaron la pluma Mier, Funes o Belgrano, y sugieren cómo ese nuevo contexto ha contribuido a hacer posible el triunfo que Sarmiento no se cansa de celebrar. Porque entre sus escritos y los de aquéllos se ha cruzado ya una frontera entre dos épocas hispanoamericanas; ello es así, el diálogo que Sarmiento propone no se entrelaza ya como el de Belgrano con su propia conciencia, o como casi siempre el de Mier con perseguidores y jueces, sino con un público. Y éste, a diferencia del que sin duda preveía Funes para sus páginas autobiográficas, supera los límites del estrecho mundo de los letrados, cuyos integrantes vienen a confundirse en él en el seno de una más vasta, indiferenciada, casi anónima masa de lectores.

Los signos de esa trasformación parecen muy claros, y van desde la existencia de una prensa diaria dirigida a ese público nuevo hasta la presencia en las columnas de ésta de los anuncios de libreros que le ofrecen las últimas novedades introducidas en el mercado. Pero esos signos sugieren acaso una trasformación más completa de la que efectivamente se ha dado: cuando Sarmiento comienza su carrera de escritor de periódicos en *El Zonda* de San Juan, lo veremos lamentar que ese público para el cual escribe por el momento no existe como tal. Sin duda ese provinciano San Juan, golpeado primero por más de medio siglo de decadencia económica y desolado luego por un ciclo de salvajes guerras civiles, es territorio poco propicio para el cultivo de una nueva relación con un nuevo público, pero cuando el artículo que consagra a Sarmiento ante el de Chile ve la luz en *El Mercurio* de Valparaíso, éste es el único cotidiano publicado en la república de Portales; aunque la capital pronto volverá a contar con algunos, éstos sobrevivirán gracias a subvenciones abiertas o indirectas del gobierno; sólo en la ciudad del puerto, centro del comercio ultramarino de la nación, la nueva economía ha adquirido densidad suficiente para asegurarles una supervivencia menos artificial.

No faltan con todo otros signos de que —pese a la endeble base socioeconómica que ofrece Chile— se hace sentir ya en él la presencia de un como esbozo de ese público nuevo. Sarmiento iba a aludir a ello al evocar en 1881 las polémicas con que cuatro décadas antes había buscado retener la perezosa atención de sus lectores, mediante calculadas provocaciones al sentimiento nacional chileno, al que azuzaba prodigando desde las columnas de *El Mercurio* desdeñosas referencias a las primeras notabilidades intelectuales de su país de refugio: día tras día le era posible medir el éxito de ese desafío con sólo asomarse por la mañana a la Plaza de Armas desde su miserable cuarto en la recova del sur: «en una antigua casa... del lado del este... estaba la oficina de correos, y el de Valparaíso llegaba a las siete de la mañana trayendo *El Mercurio*... desde mi balcón podía divisar la mancha negra con puntos blancos de gente devorando, que no leyendo, el recién llegado *Mercurio*».[93]

Pero si se leen con atención estas reminiscencias, se comienza a dudar de que ese público nuevo sea mucho más vasto que aquel al que tenían acceso los letrados de la madura colonia; pese a que lo ensanchaban las reacciones del patriotismo chileno, y más episódicamente las de «gazmoñas» y clérigos ante las burlas desmasiado subidas o las alusiones poco piadosas en que también incurría Sarmiento, sus filas se nutrían sobre todo de «la juventud universitaria», que contaba menos de un millar de integrantes, no todos por cierto dotados de las curiosidades intelectuales capaces de atraerlos a esos debates, pese

[93] Loc. cit. n. 62, p. 7.

a los señuelos un tanto gruesos con que Sarmiento los provocaba a interesarse en ellos.

Y por otra parte ese público anónimo que iba a evocar en 1881 no era, según sus más recientes recuerdos de 1850, el destinatario que tenía en mente para sus producciones. Sin duda nos asegura Sarmiento que en víspera de presentarse ante él «mi oscuridad, mi aislamiento me anonadaban menos que la novedad del teatro, y esa masa enorme de hombres desconocidos que se me presentaban a la imaginación cual si estuvieran todos esperando que yo hablase para juzgarme». Pero esa «masa enorme» no es una multitud anónima; lo que la hace formidable son los prestigios personales e institucionales acumulados por sus integrantes como partícipes de la vida pública chilena; en la ocasión Sarmiento, como «el caminante solitario que se acerca a una gran ciudad [y] ve sólo de lejos las cúpulas, pináculos y torres de los edificios excelsos... no veía público... sino nombres como el de Bello, Oro, Olañeta, colegios, cámara, foro, como otros tantos centros de saber y de criterio».[94]

No es sorprendente entonces que para cerciorarse del éxito de su «entrada en escena» no haya buscado recoger el eco anónimo de la calle, anunciador de una popularidad de multitudes, sino la reacción de aquellos a quienes reconocía «superioridad», comenzando por el exiliado argentino Domingo de Oro, con quien aún no había intimado: «Mandé a un amigo a la tertulia donde Oro solía hallarse, para que leyese en su fisonomía qué efecto le causaba la lectura... El amigo volvió después de dos horas de angustiosa expectativa, diciéndome desde lejos: "Bravo! Oro ha aplaudido. Yo era escritor, pues». «Al día siguiente supe que don Andrés Bello y Egaña lo habían leído juntos, hallándolo bueno. "Dios sea loado!", me decía a mí mismo; estoy ya a salvo.»[95] He aquí cómo en estos comienzos de una nueva era los espaldarazos siguen buscándose como antes en las tertulias.

[94] «Reminiscencias de la vida literaria (*Nueva Revista de Buenos Aires*, 1881)», D.F. Sarmiento, *Obras completas*, I, Segunda Edición, Buenos Aires, 1948, pp. 335-345, p. 340.

[95] RP, 190.

Pero si el círculo de lectores al que Sarmiento tiene acceso puede no exceder mucho el de los letrados, y dentro de él es decisivo el juicio de aquellos cuya eminencia es reconocida a partir de criterios que no innovan sobre los del Antiguo Régimen, ello no impide que la relación entre autor y lectores haya variado radicalmente, y de un modo que hace aun más difícil a Sarmiento reconocer valor autónomo a su actividad de escritor. Hay sobre esto en las *Reminiscencias* de 1881 un pasaje revelador; se cuenta allí cómo, entre otros escritos polémicos, Sarmiento ha producido una fábula, supuestamente traducida del francés de Jorge Sand, para pintar a través de ella a «ciertos literatos hostiles de Chile». Se describe en ella un certamen sobre lenguaje entre gallos afrancesados, chilenos y mestizos, del que sale victoriosa «una jaca castellana despachurrada [que] avanzándose con aires de padre prior... con sus enormes y retorcidos espolones, con su franciscano plumaje de bruto refinado, y con voz grave y con su ganguera exclama: *Chriiiis...to na...cióóóó!*» Gracias a esa inspirada invención, concluye Sarmiento, «Lastarria se pasa a nuestras filas» y la polémica «toma nuevas formas».[96]

El episodio tiene por protagonistas a los participantes activos en la disputa, todos ellos letrados, antes que al público quizá algo fantasmagórico al que éstos gustan de imaginar que se dirigen, pero sólo la gravitación que todos convienen en reconocer a este último puede dar peso decisivo a una página satírica que no contribuye en nada a iluminar el argumento central de la polémica. «Don Andrés Bello —recuerda con orgullo Sarmiento— aplaudía como el golpe maestro de la composición la *h* del Cristo, sin la cual el *Cristo nació* que oyen las comadres en el canto del gallo, pierde su significado tradicional.»[97] Esa grafía arcaica sólo podría alcanzar la eficacia polémica que Bello le reconoce si se postula como su destinatario un lector ante el cual los recursos sugestivos y evocativos tienen un papel distinto y más amplio que en el diálogo interno al grupo letrado. Porque tiene ese lector en mente, ese letrado quintaesencial que es Bello aplica al aná-

[96] La mención de Oro, RP, 67; la de Bello y Egaña, RP, 191.
[97] «Reminiscencias» cit. n. 94, p. 343.

lisis del texto de Sarmiento criterios retóricos menos orientados por la tradición clásica que por una situación nueva, y que ofrecen como un esbozado anticipo de los seguidos con tanto éxito por los *hidden persuaders* de la propaganda moderna.

Pero si al leer a Sarmiento, Bello está dispuesto a suspender su autodefinición como letrado para colocarse en el lugar de ese público más indiferenciado que quizá sólo exista como un desdoblamiento imaginario del que desde antiguo integran sus pares, sólo muy ocasionalmente escribe sus producciones con vistas a ese público así redefinido. Ese público menos prestigioso será en cambio el primero al que se dirige Sarmiento, y seguirá siendo luego para él el principal; ello coloca a su triunfo como escritor bajo una luz tan ambigua como la que la ausencia de otros triunfos igualmente tangibles proyectaba sobre su definición bajo la figura del educador.

Esa ambigüedad de la que estará cada vez más consciente contribuye a explicar las reticencias que Sarmiento mantiene frente a sus específicos talentos de escritor, y a la contribución de éstos (que sin embargo sabe decisiva) al éxito de sus escritos. Para aludir a los valores literarios aclamados por los lectores de su biografía de Aldao, este hombre tan poco dado a fingir la modestia se limita a mencionar que esa «obrita» fue «muy gustada por los inteligentes como composición literaria»; en cuanto al *Facundo*, fuente principal de la reputación europea de la que está tan orgulloso, si no deja de recordar a los lectores de *Recuerdos* que la larga reseña publicada en la *Revue des Deux Mondes* lo había proclamado «obra brillante de imágenes y de colorido», lejos de apropiarse de ese elogio, se apresura a admitir que el libro «revela en cada página la precipitación con que está escrito».[98] La ambivalencia del juicio de los entendidos frente a una producción que aspira a entrar en un circuito más amplio pero también menos selecto que aquel al que tenían en mente los letrados no sólo se refleja en la resistencia de Sarmiento a asumir con un orgullo sin mezcla los triunfos ganados en ese terreno algo dudoso. También va a reforzar su desinterés por establecer si los recursos expresivos acuñados para

[98] RP, 218.

satisfacer las apetencias de ese nuevo público son a la vez más adecuados para comunicar sus intuiciones básicas acerca de la historia y la sociedad hispanoamericanas que los más prestigiosos cultivados por la tradición letrada.

La coincidencia —que así se vedaba explorar— entre las preferencias asignadas a ese hipotérico nuevo público y las exigencias interiores de quienes buscaban dirigirse a él, no se descubre tan sólo en Sarmiento. Ella subtiende ya el triunfo del artículo de costumbres, que intenta acortar la distancia con un público más amplio que el íntimo grupo letrado ofreciéndole —a través de un avance aparentemente caprichoso, que en la línea del ensayo periodístico cultivado desde el siglo anterior adopta el tono y el ritmo de un monólogo dirigido a un interlocutor cercano— una ilusoria intimidad con los movimientos espontáneos de la mente de su autor.

Pero el artículo de costumbres incurre en una infracción todavía venial al ideal de reticente decoro que es parte de la tradición letrada, ya que lo que en él finge desnudarse es la mente —y sólo la mente— de su autor. Sarmiento va a ir más lejos: para conquistar al público está dispuesto a ofrecer la persona toda del autor a su curiosidad. Es ése quizá el modo más obvio de dotar a un texto del «toque humano» que se espera habrá de retener el interés de lectores que no es seguro que tengan en común entre sí y con quien a ellos se dirige mucho más que, precisamente, su indisputablemente común humanidad.

Desde el comienzo Sarmiento está dispuesto a utilizar este recurso: la evocación de Chacabuco con que se presenta al público chileno la pone en la pluma de un veterano de esa jornada, trasformando con ello la narración al cabo bastante convencional de un hecho de armas en «documento humano» capaz de evocar reacciones más vivaces entre sus lectores. Pero pronto se descubrirá que está dispuesto a ir aún más lejos, reemplazando a ese artificioso sujeto forjado al servicio de un recurso retórico por otro que es inconfundiblemente el propio Sarmiento, quien se ofrece así en espectáculo desplegando efusivamente sus sentimientos y pasiones para beneficio de ese público anónimo.

No pocos de sus contemporáneos —y no sólo por cierto los nostálgicos del decoro neoclásico— hallaron excesivo tanto desenfado, que iba a contribuir a la fama de excentricidad (cuando no de algo peor) que iba a crecer junto con la popularidad de Sarmiento. Pero, aunque esas confidencias eran entre otras cosas expresión de un desbordante egocentrismo, la disposición de Sarmiento a ubicarse en el centro del cuadro que pinta no se debía tan sólo a ese rasgo demasiado real, y sería igualmente erróneo ver en ella nada más que una concesión a las preferencias de un público poco dispuesto a interesarse en una presentación más abstracta de los temas y argumentos que Sarmiento aspira a comunicarle.

Se ha visto, ya cómo en *Recuerdos*, éste se propone explorar el problema de la decadencia sanjuanina, que es cifra de la argentina e hispanoamericana, a través de la historia de su linaje, y a la vez proponerse como el destinado a darle solución: ese proyecto, en el que el egocentrismo sarmientino alcanza su punta extrema, se apoya en un modo de ver la relación entre destino individual y colectivo que postula entre ambos una correspondencia gracias a la cual ambos se ofrecen al indagador de la realidad histórico-social como claves recíprocas.

Esa postulada correspondencia, sobre la cual se había erigido ya *Facundo* cinco años antes de *Recuerdos*, había sido ya explorada por la generación romántica argentina de 1838, de la que Sarmiento se proclamaba discípulo a distancia. Echeverría y Alberdi habían escrutado la relación entre el personaje histórico (o la figura pública contemporánea) y el contexto del cual surge y sobre el cual incide, en la esperanza de que su examen les revelaría cuánto espacio la presión de ese contexto dejaba abierto a la iniciativa creadora de los hombres públicos; la conclusión que habían alcanzado en ese escrutinio era que esa iniciativa sólo alcanzaba eficacia histórica cuando venía a realizar exigencias objetivas ya inscritas en aquel contexto. Sarmiento iba por su parte a hacer de esa conclusión, que le parecía la evidencia misma, la justificación de un método de aproximación a la realidad histórica que en *Facundo* se mostraría capaz de manejar con deslumbradora destreza.

Ese método estaba ya anunciado en el título originario de su obra maestra, *Civilización y Barbarie. Vida de Juan Facundo Quiroga y aspecto físico, costumbres y hábitos de la República Argentina*, que hace plena justicia al doble tema de la indagación allí emprendida. Juan Facundo Quiroga, caudillo militar de los Llanos de La Rioja, que al frente de sus jinetes conquistó las provincias del interior argentino en la segunda mitad de la década de 1820, es allí a la vez el artífice de la victoria alcanzada por la barbarie en las guerras civiles de esa década y el hijo legítimo de esa barbarie. La exploración de un país a través de un hombre y de un hombre a través de un país se articulan a través de una anécdota que narra cómo la infinita paciencia y fortaleza de ese hijo del desierto pampeano le permite sobrevivir al ataque de un tigre. Esa anécdota está ya parcialmente iluminada por la minuciosa reconstrucción del modo de vida de las campañas pastoras que le antecede. En ese crisol se han forjado las cualidades a las que Quiroga debe haber sobrevivido al temible encuentro, pero que a la vez han hecho de él El Tigre de los Llanos denunciado por la pluma justiciera de los sobrevivientes a sus crueles acciones. El perfilamiento en la figura pública de Quiroga de rasgos ya anticipados en su infancia y sobre todo en su turbulenta adolescencia, y la incidencia que ellos alcanzan en la luctuosa historia reciente de las provincias argentinas, se agregan como corolarios a lo sacado a luz en esa exploración de una anécdota que es mucho más que una anécdota.

Las muchas otras que jalonan el avance del argumento desenvuelto en el libro (del mismo modo que las que se suceden en *Recuerdos*) son también ellas algo más que un medio para retener la atención de ese nuevo lector del que no cabría esperar la paciencia con que el de los letrados había aprendido a seguir el desarrollo de razonamientos teóricos considerablemente abstractos: lo que con todo hace de ellas algo más que un recurso retórico es la convicción de que ellas ofrecen acceso privilegiado a las totalidades de sentido forjadas a través de la entera experiencia histórica de una colectividad.

Pero esas anécdotas siguen siendo a la vez parte del arsenal de recursos retóricos que están inventando a tientas los escritores que producen de cara a ese público nuevo. Precisamente gracias a tales recursos el argumento central de *Facundo*, de densidad y complejidad comparables a los que tradicionalmente encontraban vehículo en el tratado, puede envolverse sin violencia —tal como acaba de recordarnos Elizabeth Garrels—[99] en la estructura del folletín. Pero esa estrategia expositiva, a la que *Facundo* debe un triunfo conquistado primero desde las columnas de un periódico, es la que le impide ser a la vez plenamente la obra que Sarmiento, según asegura en el prólogo, hubiese ambicionado ofrecer: a saber, la que haría para la América del Sur lo que la de Tocqueville hizo para la del norte.

Se ha visto cómo Sarmiento lo advierte muy bien y, aunque no está dispuesto a renunciar a ese público, teme que al destinar sus escritos a un circuito más amplio pero menos selecto que el tradicional de los letrados haya venido a restar legitimidad al triunfo que lo ha consagrado como escritor, en cuya celebración pone una cautelosa mesura del todo inhabitual en él. Esa cautela estaba aun más justificada de lo que él mismo advertía: sólo gradualmente iba a advertir la seriedad de las reservas con que era recibido por muchos de los lectores argentinos cuyo aplauso le interesaba sobre todo ganar.

La reticencia que Sarmiento mantiene frente a su producción escrita considerada en sí misma (y no como instrumento para ulteriores fines) se acompaña de una decidida resistencia a aceptar todas las consecuencias del veredicto que ha hecho de él un escritor. Cuando admite que escribe mal, esa declaración entre confesional y desafiante, y en todo caso demasiado modesta para ser del todo sincera, proclama más bien que no está dispuesto a someterse a la disciplina que una plena identificación con esa vocación de autor vendría a imponerle. Y de nuevo esa renuencia se justifica: dos años después de *Recuerdos* y en medio de una desbridada polémica, Juan Bautista Alberdi, ahora su compañero de destierro en Chile, abroquelado en los títulos irrecusables que le confieren sus borlas doctorales y su próspero bufete, se encargará de recordarle que su estruendoso éxito como tal le ha ganado tan sólo un lugar en una suerte de equívoco *demi monde* de la vida letrada.[100]

[99] Elizabeth Garrels, «El "Facundo como folletín», *Revista Iberoamericana*, Pittsburgh, 143 (abril-junio 1988), 419-447.

[100] Sobre este aspecto de la polémica entre Sarmiento yAlberdi, ver ahora el trabajo de Adolfo Prieto, «"Las ciento y una". El escritor como mito político», loc. cit. n. 99, pp. 477-489.

Tras de seguir hasta el fin el desarrollo del argumento desenvuelto en *Recuerdos* parece posible concluir que Sarmiento no está él mismo totalmente persuadido de la validez de las conclusiones que se había propuesto inculcar a sus lectores acerca de sí mismo. Mientras su tentativa de presentarse como el hombre predestinado por la herencia de un pasado prestigioso para constituirse en protagonista de la empresa de redención nacional que proclamaba inminente descansaba en una postulada continuidad con un pasado colonial del que ofrecía una imagen lo bastante desenfocada para ocultar lo que su legado tenía de más específico, por su parte la reválida de los títulos heredados de ese pasado, tanto bajo la figura del educador como la del escritor, ha puesto en descubierto demasiados aspectos problemáticos para que Sarmiento pueda identificarse sin reservas con ninguna de ambas.

Puesto que renuncia a cobijarse en ellas, sólo le queda abierta como vía de reivindicación una apuesta tan exorbitante que podría creerse desesperada: quien ha recorrido en vano pasado y presente en busca de títulos suficientes para justificar el papel protagónico que reivindica para sí en su país, se remite con más firmeza que nunca al futuro que ha de revelarlo como el predestinado regenerador requerido por esa esperanzada hora argentina. Como comienza a advertirse, la construcción del pasado y el presente sobre el futuro, que diferencia el testimonio autobiográfico de Sarmiento de los de sus compañeros de generación, es algo más que una consecuencia del momento en su trayectoria personal en que ese testimonio fue articulado en *Recuerdos*, y depende más bien de dos elementos permanentes en la visión que Sarmiento había elaborado de su propio lugar en el mundo.

El primero es una percepción más fina y precisa de la relación entre los dilemas que no ha logrado resolver en cuanto a su ubicación en el presente y la indeterminación e incoherencia que la atormentada etapa hispanoamericana que le tocó vivir imprimía a cualquier carrera pública. Si se esfuerza con sólo relativo éxito por convencerse de que es el influjo invencible de los tiempos el que le ha hecho imposible perfilar la suya sobre líneas más cercanas a las de sus ilustres antepasados, al completar su exploración está por lo menos razonablemente seguro de que su incapacidad de trazarse una carrera más convencional ha tenido consecuencias para él menos graves de lo que al comienzo había temido. Más aun: el avance zigzagueante que ha seguido hasta entonces, inventando a cada instante su rumbo mientras avanzaba sobre él, ha contribuido a aclimatarlo más exitosamente que a sus rivales en esa desorientada Hispanoamérica postrevolucionaria. Ya en sus primeras polémicas, mientras se descubría ante el superior saber de ese letrado por antonomasia que era Bello, no dejaba por eso de concluir que era precisamente esa superioridad la que hacía de su contrincante un anacronismo viviente. Al afirmarlo advertía mejor que sus compañeros de polémica romántica que el gran venezolano no era el nostálgico sobreviviente de un pasado que merecía morir, y que sus exigencias de rigor y mesura anticipaban por el contrario las de un tiempo que aún no había llegado, pero ello no tornaba a Bello menos ajeno a ese otro tiempo en que era su destino vivir y actuar, y que era más plenamente el de Sarmiento.

En el marco que ese tiempo ofrece, por otra parte, aun quienes emprenden con títulos menos discutibles que Sarmiento la reconquista de un lugar en la sociedad comparable al de los letrados en la de la colonia sólo en apariencia alcanzarán ese objetivo: en la dura polémica que en 1852 lo opone a Alberdi, los argumentos *ad hominem* que le asesta con inaudita violencia buscan todos mostrar cómo la adquisición oportuna de los títulos tradicionales a un lugar en el mundo letrado no ha dado a la carrera de su contrincante la coherencia y ejemplaridad cuya ausencia éste denuncia acremente en la de Sarmiento.

Esa constatación tiene por corolario legítimo la negativa a reconocer ningún fracaso en el hecho de que luego de tantos triunfos su figura pública no haya alcanzado un perfil nítido y ejemplar. Esa ambición es sencillamente inalcanzable, y aunque es cierto que al renunciar a realizarla por los carriles heredados Sarmiento se ha condenado a desempeñar en el escenario hispanoamericano un papel distinto de los de Bello o Montt, ese papel no le parece ya menos valioso que los de éstos.

Ese modo de reconciliarse con su papel en el mundo está destinado a perdurar. En 1868, en el diario de su navegación entre Nueva York y Buenos Aires (donde, como sospecha ya al partir y confirma en el curso del viaje, le espera la presidencia de la República Argentina) incluye estas líneas confesionales: «Soy yo un ente raro... Soy el intermediario entre dos mundos distintos. Empecé a ser hombre entre la colonia española que había concluido, y la República que aún no se organiza». Esa declaración que arraiga su rareza en la hora hispanoamericana bajo cuyos influjos se formó se acompaña de un inciso que revela que a su juicio no es ella la que lo diferencia de sus contemporáneos, sino su lúcida conciencia de ella y sus raíces («otros lo son más y no se aperciben de ello»).[101] Pero las incongruencias que no hacen sino arraigarlo triunfalmente en su tiempo son rasgos básicos de una personalidad demasiado vigorosamente dibujada para que el éxito de la obra de redención colectiva que es su misión llevar adelante alcance a cancelarlos. La consecuencia paradójica es que ese éxito, lejos de consolidar su figura pública, no podría sino socavarla, ya que precisamente gracias a él será Sarmiento quien se habrá trasformado en un anacronismo.

Así lo imaginaba Sarmiento cuando, como sabía demasiado bien, llegó para él el momento decisivo de la carrera para la cual había venido preparándose ya por dos décadas, pero bien pronto se evidente que, aunque no iban a faltar en las nuevas generaciones de hombres públicos argentinos quienes hubieran deseado verlo ceñirse al melancólico papel que se había creído condenado a desempeñar en la nación a la que se preparaba a dar forma, todavía en 1880 la iniciativa del presidente Julio A. Roca, que le encomendó tomar a su cargo la edición de sus *Obras completas* costeada por el tesoro nacional, aunque le dio grata ocupación hasta su muerte, no logró distraerlo ni por un instante de una participación en la arena pública tan ardiente (y conflictiva) como en el pasado, en que tomaba frecuentemente por blanco al atrevido Presidente que había intentado en vano relegarlo al panteón de las glorias nacionales, en textos memorables que revelaban que en el umbral de la tumba seguía blandiendo con la antigua

[101] «Un viaje de Nueva York a Buenos Aires de 23 de julio al 29 de agosto de 1868», D. F. Sarmiento, *Obras completas*, XLIX, Segunda Edición, Buenos Aires, 1954, p. 295.

destreza la pluma con que en *Las ciento y una* había dado respuesta a las *Cartas quillotanas* de Juan Bautista Alberdi.

De este modo Sarmiento logró cubrir en su vida activa el entero arco de la metamorfosis que se ha intentado explorar en este libro (el último de sus feroces ataques al presidente Miguel Juárez Celman está fechado pocas semanas antes de que tocara a éste presidir el apoteósico duelo nacional que siguió a su fallecimiento), y de ello dio testimonio en un brevísimo texto autobiográfico, en que de cara a la muerte rogaba en el lenguaje de su piadosa infancia que le fuese concedida «una buena muerte corporal», y no lo hacía con el ánimo nostálgico con que Lamartine había rogado *«ô croix de mon berceau, sois la croix de mon tombeau»* sino con el de quien estaba totalmente aclimatado en un radicalmente nuevo mundo de ideas en que era otra la inmortalidad que estaba seguro de haber conquistado en la memoria agradecida de sus conciudadanos.

Es ésta la razón por la cual Sarmiento pudo escapar al sino común a cuantos como él se creyeron destinados en los años centrales del siglo XIX a desempeñar un papel protagónico en el nacimiento de un mundo nuevo, y demasiado pronto descubrieron no sólo que el mundo irreversiblemente trasformado en esos años de veras decisivos no tenía espacio para quienes aspirasen a desempeñar en él el papel de redentores para el cual estaban convencidos de haber nacido, sino que no era seguro siquiera que les permitiera desempeñar esos otros papeles tanto menos exaltantes a los que se habían resignado a aspirar tras tan duro desengaño. Y por eso será preciso volvernos a los textos en que el chileno José Victorino Lastarria, el argentino Juan Bautista Alberdi, el neogranadino José María Samper y el mexicano Guillermo Prieto intentaron elaborar el duelo por todas esas esperanzas cruelmente disipadas y buscar en sus testimonios las claves para esta etapa final en el lento perfilarse de una nueva figura de intelectual sobre el trasfondo hispanoamericano forjado por el medio siglo de profundas trasformaciones de la que todos ellos habían comenzado por ser los profetas.

IV

EL NACIMIENTO DEL INTELECTUAL HISPANOAMERICANO EN EL TESTIMONIO DE JOSÉ MARÍA SAMPER

En 1881 José María Samper, nacido en Honda en 1828, publicó en Bogotá el primer volumen de unas memorias que debían cubrir toda su vida, pero que en él alcanzan sólo hasta 1864 (la continuación allí anunciada no iba a publicarse nunca, pese a que en sus últimas páginas declara haberla ya completado hasta 1876). Ese relato, que quiere ofrecer la *Historia de una alma*, alma «de hijo, de hermano, de amigo, de ciudadano, de pensador, de trabajador incansable, de esposo y padre»,[1] nos interesa aquí como el testimonio que acerca de su trayectoria ofrece una de las figuras centrales del despertar ideológico y finalmente político con que su nativa Nueva Granada contribuyó al resurgimiento del liberalismo hispanoamericano de mediados del siglo XIX. No es que esperemos encontrar reflejados en esa trayectoria los rasgos que permitirían definir un perfil común para los intelectuales hispanoamericanos que emergen en ese momento central del siglo; aunque hay en la presentación que Samper hace de sí mismo un término —el de pensador— que es aplicable a casi todos los integrantes de esa relativamente reducida cohorte, ese término se limita a trasponer una clave positiva de un rasgo negativo que separa al moderno intelectual *in statu nascendi* de quienes han afrontado tareas similares en el pasado: tanto el letrado colonial como el movilizado al servicio de la revolución, como por su parte el sabio que por un momento pareció destinado a ocupar su lugar en el marco de la marejada conservadora

[1] *Historia de una alma. Memorias íntimas y de historia contemporánea escritas por José María Samper, 1834 a 1881*, Bogotá, 1881 (en adelante *Historia*), VI.

del segundo cuarto del siglo —y que al cerrarse éste seguía teniendo por figura paradigmática a Andrés Bello— habían contado con un lugar y unas funciones precisas en la sociedad de la que eran parte; la nueva promoción, para la cual la sociedad no tiene ya un lugar preparado para recibirla, ve halagadoramente en esa carencia el precio que le es preciso pagar por su compromiso con un futuro que debe ser lo opuesto del deplorable presente.

A la vez, quienes habían asumido ese compromiso necesitaban encontrar en la sociedad que aspiraban a trasformar radicalmente un lugar que les permitiera vivir en ella sin traicionar esa opción por el futuro. Las opciones que se les abrían eran muy variadas; sólo entre los argentinos Sarmiento descubrió el del educador, Alberdi el del abogado de negocios, Mitre el del soldado profesional, y todos ellos en algún momento el del periodista. Lo que hace la originalidad de la trayectoria de Samper es que la recorrió bajo el estímulo de la opción quizá más ambiciosa abierta a quienes buscaban conciliar presente y futuro: el papel que se propuso desempeñar fue en efecto el del redentor, pero la consecuencia de esa apuesta exorbitante fue que ya al llegar a los veintidós años su precoz irrupción en la escena pública de su nativa Nueva Granada se cerró con un irrevocable fracaso, que lo forzó desde entonces a concentrarse en una menos exaltante búsqueda de un lugar menos precario en un mundo que se obstinaba en permanecer irredento, acudiendo para ello al mismo capital de saberes, destrezas e ideas al que antes había puesto al servicio de esa ambición desaforada.

El único origen posible para el redentor que Samper se había propuesto encarnar es el que lo ubica en la cima de la sociedad que se cree destinado a redimir, y no ha de sorprender entonces que esta *Historia de una alma* se abra con la de un ilustre linaje, el de los Sáinz de Samper, «antigua familia española, de origen francés, que había ocupado alta posición en la extinguida corte de los Alfonsos de Aragón».[2] Ya extinguida esa corte y sus grandezas, tres hermanos Samper llegaron a la Nueva Granada entre 1788 y 1790, atraídos por

[2] *Historia*, 7.

la expansión administrativa que fue parte de las reformas borbónicas: un oficial de marina, pronto devuelto a la Península, un gobernador de Santa Marta, que dejó allí descendencia, y un recaudador de rentas reales, sucesivamente residente en Mompox, Neiva y la villa de Guaduas, donde casó en segundas nupcias con una dama «de origen castellano» que le dio cinco hijos, de los cuales el último sería padre del narrador de la historia de su alma.

«Como acontece con todos los hombres honrados que sirven empleos públicos por largo tiempo»,[3] el recaudador no dejó fortuna al morir. Su hijo más joven —aunque buen patriota e irreprochable republicano— no combatió en la guerra de Independencia, ya comenzada cuando falleció en Guaduas el fundador de la familia: con veinticinco pesos, valor de su herencia paterna, se lanzó a tráficos mercantiles que en menos de dos décadas hicieron de él un comerciante y hacendado que pasaba lo mejor de sus días en «la cercana hacienda del *Caimital*»,[4] mientras su esposa señoreaba en la casa familiar de Honda. Esa esposa, nativa ella misma de Honda, era «hija de don Miguel Agudelo, oriundo de Andalucía, y doña Brígida Tafur, natural de aquella ciudad; familia muy respetable por ambas líneas y que fue muy considerada en la provincia».[5]

De esa familia llegan las primeras inspiraciones a través de las cuales José María Samper (todavía Pepillo) comienza a entender el mundo y su lugar en él. Su tío Juan Antonio, que sí ha hecho la guerra hasta alcanzar el grado de coronel en los ejércitos revolucionarios, y es luego socio en los negocios de su hermano y padre del memorialista, agrega a las infinitas historias «de las guerras venezolanas»[6] que aportan a sus sobrinos el legado de la leyenda heroica de la revolución de Independencia, otras que atestiguan su fidelidad a la corriente antibolivariana de la que el liberalismo iba a proclamarse heredero (la muerte de Juan Antonio Samper en la guerra civil de 1841, en

[3] *Historia*, 9.

[4] *Historia*, 2.

[5] *Historia*, 11.

[6] *Historia*, 11.

circunstancias que una vez más iban a dar fe de su valor temerario, iba a retener para él un permanente lugar de privilegio en la memoria liberal). Y mientras, a través sobre todo de su tío, Pepillo descubría precozmente la política y el lugar que tenía ya asignado en ella, su padre y su madre habían comenzado ya a librar una batalla silenciosa por su alma.

O era más bien su alma infantil la que vacilaba ya entre dos modelos igualmente admirables, pero apoyados en sistemas de creencias claramente incompatibles. De su madre Samper ofrece un retrato convencional y escasamente nítido, que hace de ella una réplica decididamente más indiferenciada de ese modelo incomparable que para trazar el retrato de la suya en *Recuerdos de provincia* Sarmiento había ya encontrado en las *Reminiscences* de Lamartine. Frente a esa abogada de un catolicismo que en su hijo iba a sobrevivir hasta tarde en su vida reducido a una pura efusión sentimental deliberadamente despojada de todo contenido preciso, su esposo ofrece el ejemplo de una incredulidad nada ostentosa, pero mantenida con férrea consecuencia: «desde que se casó no volvió a confesarse, y murió en su ley —nos dice su hijo— con una firmeza de convicción negativa que deploro en el alma».[7] El ascendiente que adquirieron a los ojos de ese hijo «el volterianismo y la incredulidad» reflejaba el que sobre él ejercía un padre del que nos ofrece un retrato más preciso y matizado que el de su angélica madre.

Aunque rico en matices, ese retrato está menos atravesado por ambiguos sentimientos de lo que sugiere una lectura rápida. Aunque Samper lamenta que ese hombre casi totalmente liberado de antiguas preocupaciones se hubiera mantenido fiel al tradicional recurso al castigo corporal como instrumento de disciplina, no parece que la experiencia de sufrirlo haya dejado en su memoria un rencor secreto. Ella no le impide presentar a su padre como un hombre no sólo «honrado y generoso» sino también dotado de personalidad e inteligencia excepcionales, a quien sólo faltó para desplegarla plenamente una instrucción formal menos sumaria que la que sólo le había enseñado a

[7] *Historia*, 49.

escribir «en gruesos trazos de letra española». Bien pronto se advierte hasta qué punto está desenfocado ese afectuoso retrato de un hombre de talentos no cultivados, cuya inteligencia sólo había llegado tan lejos como era posible hacerlo en el páramo intelectual que era su rincón rústico del Magdalena. El volterianismo de José María Samper padre no era ajeno a sugerencias recibidas por la lectura, y ya antes de abandonar su comarca nativa para ocupar una banca en el Senado nacional había madurado una conciencia política que iba mucho más allá de la adhesión global a una facción. Liberal convencido, «no tenía estimación» por el general Santander, venerado precursor de su partido, y se inclinaba en cambio por «el liberalismo avanzado del doctor Vicente Azuero», a la vez que «nombraba frecuentemente como tipos de probidad y patriotismo a don Félix Restrepo, al doctor Castillo Rada y al doctor Francisco Soto».[8]

No sólo en la esfera política, que nunca consideró la principal para su acción, era el padre de Samper una figura vigorosamente original: «no sólo patriota sino filántropo [...] le gustaba hacer un negocio poco lucrativo pero de buenos resultados morales: cuando le ofrecían buenos esclavos los compraba para el servicio de su casa o de su hacienda, les trataba muy bien, y les daba su carta de libertad gratuitamente, al cabo de tres, cuatro o cinco años, si le habían servido con cariño, fidelidad y esmero. Una vez libres, los esclavos, ya habituados a la casa o la hacienda [...] preferían quedarse con mi padre, trabajando como asalariados. Aquellos sirvientes o trabajadores eran por lo general preferidos por mi padre a los primitivamente libres, porque eran menos perezosos, tenían costumbres más morales y servían con una fidelidad a toda prueba»[9]. A más del patriotismo y la filantropía, se adivina aquí algo de la sagacidad de quien con un capital inicial de veinticinco pesos había logrado instalarse en el cogollo de las clases propietarias de su trecho del Magdalena.

El tono condescendiente que Samper adopta a ratos para referirse a una figura que se sospecha quizá más interesante que la de quien

[8] *Historia*, 16.

[9] *Historia*, 23.

la evoca ofrece paradójico testimonio del ascendiente que su padre retiene sobre él. Fue sin duda José María Samper, padre, quien le hizo sentir hasta qué punto había limitado sus posibilidades de acción su «modesta condición de hombre poco ilustrado». Porque sufría por ello, ese padre quiso dar a todos sus hijos una educación universitaria, y por un momento cinco de ellos asistieron simultáneamente a los cursos preuniversitarios de Bogotá. Pero la temporaria ruina que fue consecuencia de su participación en el bando derrotado en la guerra civil de 1839-41 obligó a José María Samper padre a renunciar a su proyecto; pensó entonces dedicar a Pepillo al comercio, y enviar a la universidad a su hermano Rafael, «que quería ser médico y cirujano». Fue el hermano primogénito, Manuel, quien sugirió que «precisamente por ser juicioso Rafael, no ha menester completa educación universitaria, mientras que *Pepe*, precisamente por ser indiscreto, de genio muy pronto y de imaginación fosfórica, necesita recibir esa educación para no ser desgraciado».[10]

A partir de 1843, la universidad en que ingresaba Samper fue sometida a una rigurosa reorganización basada en los principios religiosos, ideológicos y disciplinarios de un conservadurismo que estaba en el proceso de descubrirse a sí mismo. Por esa experiencia Samper conserva sentimientos mezclados: no sólo no lamenta que los esfuerzos del doctor Mariano Ospina, a quien se debía la inflexible orientación conservadora impuesta en la universidad, se revelaran contraproducentes en cuanto crearon una generación de precoces rebeldes, sino se complace en reconocer que esa universidad conservadora que había hallado insoportable, aunque fracasada en sus objetivos políticos, había logrado formar hombres más enteros, cultivados y maduros que el sistema educativo prohijado por los liberales luego de su victoria.

Su genio muy pronto y su imaginación fosfórica iban a permitir a un José María Samper que acababa de doblar el cabo de los veinte años ocupar una posición de absoluta primera fila dentro de la generación que precozmente invadió la escena pública gracias a la inespe-

[10] *Historia*, 27.

rada victoria del liberalismo en la elección presidencial de 1849. Fue la constante evocación del «mártir del Gólgota» con que gustaba de adornar sus piezas oratorias la que hizo que toda esa facción juvenil del partido liberal —que luego formaría en las filas radicales— recibiese el mote burlón de gólgotas, trasformada muy pronto en término casi neutro empleado para designar a ese grupo tan ambicioso como bullicioso.

Samper parece haber vivido esa experiencia embriagadora como el cumplimiento de un destino para el que había venido ya preparándose. A la espera de que, completada la reorganización de la Universidad, le fuese posible comenzar en ella sus estudios mayores, trabajaba en la casa comercial que su padre había puesto a cargo de su hermano Manuel en Ambalema, cuando la lectura de Plutarco le sugirió nociones todavía no del todo precisas, pero enormemente atractivas, de lo que ese destino podía ofrecerle: «quizá debo a tan estimulante lectura —aseguraba retrospectivamente— mucho de la filantropía y de la ambición de gloria que han sido los principales resortes de mi vida».[11]

Pero si cuando entró en la Universidad Samper había tomado como principal objetivo para su vida la conquista de un destino excepcional, no era ése su único norte: lo había atraído a ella —nos confía— a la vez que «el vivo deseo de instruir[se] para llegar a distinguir[se] un día entre [sus] compatriotas», «una aspiración bien determinada a ser abogado para tener una profesión provechosa». Y su ambición de gloria no había aún tomado como principal cauce la acción política hacia la que lo orientaba «un patriotismo ardiente que [...] traducía con la pasión del liberalismo de tradición y familia»; no excluía en efecto abrirse un camino alternativo hacia la fama cultivando la poesía, a la que lo inclinaba «la natural ardentía de [su] imaginación y [...] el cúmulo de impresiones que había recibido en [su] infancia y años subsiguientes»[12]

Dos episodios vividos durante su etapa de estudios preuniversitarios pero no vinculados con éstos le habían con todo ofrecido una

[11] *Historia*, 48.

[12] *Historia*, 97-8

prefiguración más precisa de ese destino excepcional al que aspiraba. En 1843 había escrito un artículo sobre —o más bien contra— el Plan de Estudios que debía implantarse en la Universidad, y lo llevó a Juan Antonio Cualla, impresor y editor del periódico *El Día* (y también de *La Gaceta Oficial*). El espectáculo de una imprenta en pleno funcionamiento hizo imborrable el recuerdo de esa visita: «Aquellos tipos de plomo que tan ingeniosa y exactamente reproducían el pensamiento, aquellos humildes obreros de la luz, mecánicos de la verdad escrita, cómplices de la fecunda acción de las ideas, aquellas prensas que multiplicaban tan rápidamente la obra producida por los tipos [...] todo eso me impresionó grandemente, me reveló el valor del patriotismo, la importancia social del escritor, la solidaridad de todos los servidores de la imprenta y la idea de la colaboración recíproca del escritor y el lector en la inmensa obra de la civilización. Todo aquello me hizo descubrir mi vocación de escritor (desgraciada vocación por cierto!) y me inculcó el ensueño de la gloria».[13] Por debajo del descubrimiento de la solidaridad de todos los servidores de la imprenta y el de la colaboración recíproca de escritor y lector, hay otro para Samper más decisivo: el de la posición dominante que ambas ofrecen al escritor, al poner a su servicio al ejército integrado por los «humildes servidores de la luz» y permitirle con ello constituirse en el guía de la vasta masa de lectores que aquéllos han puesto a su alcance.

La otra experiencia decisiva fue su precoz consagración como orador, en las exequias de Azuero, figura en ese momento dominante en las filas de la oposición liberal. Ya en 1840 las de Santander habían despertado en él viva impresión: «Parecióme ver la imagen de un grande hombre de los tiempos antiguos [...] Comprendí que la gloria era una cosa imponente y sublime, que el patriotismo tenía su aureola superior a la muerte [...] La idea de la gloria me asaltó desde entonces, y el patriotismo apareció a mis ojos no sólo como un deber que ya comprendía, sino también como un resultado necesario del destino inmortal del hombre [...] En el cementerio pronunciaron numerosos discursos, y me electrizó el del doctor José Duque Gómez [...] Des-

[13] *Historia*, 120-21.

de entonces sentí la tentación de cultivar algún día la oratoria»[14]. La muerte de Azuero, en octubre de 1844, le ofreció la oportunidad que estaba decidido a no dejar pasar. Entre los estudiantes del colegio de San Bartolomé, del que lo había sido el desaparecido jefe liberal, «muchos había de destacada capacidad, pero sin audacia»; era precisamente esa audacia la que en la ocasión no faltó a Samper: «mi desparpajo me hizo obtener tan delicada comisión [...] detuvieron el cadáver al pie de la cruz exterior del cementerio, cuyo pedestal servía de tribuna en las grandes ocasiones [...] algunos amigos me alzaron de súbito y me plantaron encima [...] Yo veía a mis pies, en derredor, un mar de cabezas descubiertas, de cuerpos enlutados, de semblantes tristes [...] Pequeño y humilde, yo era sin embargo instrumento de la historia [...] Ello fue que todo el auditorio me aplaudió, aun olvidando la severidad de aquel fúnebre acto [...] Desde aquel día fui tal vez el más conocido de los estudiantes de la Universidad [...] Desde ese momento comprendí que tenía abierto mi porvenir: me sentí estimulado, y todas mis facultades de actividad se sobreexcitaron. Si no vislumbré la gloria en lontananza (ay! por desgracia me ha sido tan esquiva!) a lo menos la adiviné y comencé a tributarle culto».[15]

Celebridad bogotana desde 1844, reconocido desde entonces por la acorralada oposición liberal como destinado a un brillante futuro político, el vuelco de fortuna de 1849 le iba a ofrecer un horizonte más amplio sobre el cual desplegar sus sobreexcitadas facultades. Las decisivas jornadas de marzo de ese año, en que los electores elevaron a la presidencia al general Hilario López, candidato del partido que ya se llamaba liberal, sorprendieron al ya abogado y doctor José María Samper en su comarca del Magdalena, pero ya en Julio lo encontramos en Bogotá, participando en la febril distribución de despojos burocráticos que siguió al triunfo del liberalismo.

Lo que vivía en ese momento la Nueva Granada era, a la vez que el desplazamiento de una facción gobernante por otra rival, el fruto final de una vertiginosa trasformación en el clima colectivo que debía casi

[14] *Historia*, 62-3.

[15] *Historia*, 36-7.

todo al eco alvcanzado en ese aislado rincón de la América española por el triunfo en Francia de un régimen republicano que había vuelto a grabar en todos los edificios públicos la tríada de la Gran Revolución y estaba poblando las plazas públicas de árboles de la libertad. Esas novedades que se supondría destinadas a ser recibidas con horror por un régimen consagrado a la instauración de un monololítico *orden moral* lograron en cambio el milagro de devolver por un instante a la república conservadora la memoria de sus orígenes revolucionarios (según una versión que Samper recoge, el propio don Mariano Ospina sufrió tal arrebato de entusiasmo al llegar a Bogotá la noticia del triunfo de la Revolución de Febrero en Francia que propuso que para celebrarlo fueran echadas a vuelo las campanas de la catedral). Sólo por un instante, sin duda, pero a partir de entonces resultaría cada vez más difícil a ese régimen poner freno a los avances de un clima colectivo animado por el súbito despertar de esperanzas tan vastas como imprecisas.

Ese clima era el más adecuado para estimular las iniciativas de Samper, que —designado a la vez luego de la victoria liberal Profesor de Derecho Constitucional y Administrativo en la Universidad, y Jefe de la sección contabilidad de la Secretaría de Hacienda— como sus sueldos así acumulados excedían sus modestas necesidades de soltero, decidió gastar «el sobrante [...] en bien de la patria»,[16] invirtiéndolo en la publicación de un semanario, *El Sudamericano*, debido íntegramente a su pluma, que ocultaba bajo variados seudónimos, mientras se volcaba con entusiasmo en las actividades de la Sociedad Democrática, en que la juventud universitaria liberal se consagraba a tareas de esclarecimiento ideológico y educación popular para beneficio de los artesanos bogotanos, en su mayoría militantes también ellos en las filas del liberalismo, y encontraba todavía tiempo para concurrir asiduamente a las sesiones de la Logia Masónica que acababa de ser muy oportunamente reinstalada en Bogotá.

Esa actividad devoradora era la de quien a los veintidós años se descubría como uno de los protagonistas de la historia en marcha de su país. Veía así comenzar a cumplirse el destino que creía le había

[16] *Historia*, 194.

sido prometido; y esa promesa, apoyada en la imagen de sí mismo y de su lugar en el mundo que había destilado de experiencias acumuladas desde su más temprana infancia, seguiría constituyendo su más firme término de referencia aún después de que largas décadas ricas en desengaños cerraron con un interminable anticlímax la embriagadora y demasiado breve etapa abierta por el desquite liberal de 1849.

Samper no era el único dentro de esa juvenil cohorte liberal neogranadina e hispanoamericana cuya autoimagen como paladín del futuro encerraba un elemento clamorosamente contradictorio; eran en efecto varios los abanderados de un movimiento impaciente por completar las revoluciones democráticas que en todas las secciones hispanoamericanas se habían estancado a mitad de camino que se complacían en evocar con indisimulado orgullo sus raíces en linajes a los que ese antiguo orden cuyas huellas proclamaban urgente borrar había reservado un lugar de privilegio. Quienes percibían lo que esa actitud tenía de contradictorio buscaban habitualmente atenuar esa contradicción misma incluyendo en la herencia ideal recibida de su linaje una adhesión precoz al naciente nuevo orden, que había revalidado ya para ellos en el marco de éste las credenciales conquistadas bajo el antiguo. Así, de nuevo en las provincias del Río de la Plata, Sarmiento podía reunir en la evocación de sus variados linajes la memoria de quienes habían hecho de su nativa San Juan una fortaleza del dominio castellano sobre las Indias con la de los dirigentes de la empresa revolucionaria, y Alberdi presentar a la inquebrantable adhesión que su nativa Tucumán había otorgado a la empresa revolucionaria como un testimonio del influjo que en el nuevo como en el antiguo orden ejercía en esa comarca «su familia de Aráoz».

Fue ése también el recurso elegido por Samper para allanar esa contradicción: para definir su relación con el pasado nobiliario de su linaje dice haberse inspirado en el consejo ofrecido por su abuelo paterno tras de reunir a todos sus hijos en torno a su lecho de muerte. Les dijo enconces el moribundo: «Aquí tenéis todos los papeles que [...] prueban que sois bien nacidos: leedlos para que estiméis a vuestros mayores. Pero os aconsejo que no hagáis ningún caso de ellos. Esta tierra es y ha de ser una república, y cada día será más democrática.

Tratad de crearos nuevas ejecutorias con la honradez, el trabajo y el patriotismo, que han de valeros más que estos papeles». Y el nieto que recuerda ese consejo agrega que la íntima satisfacción que le produce «la idea de ser bien nacido, según las antiguas tradiciones» pesa menos en él que «la ejecutoria que [le] dejaron, con su patriotismo, [su] padre y [sus] tíos. Esta nobleza generosa, a cuya clase pueden elevarse todos los ciudadanos por la virtud, es tan compatible con la igualdad democrática, que en verdad contiene el mejor estímulo para las almas intrépidas dispuestas a servir con interés y abnegación a la Patria».[17]

La nobleza que invoca Samper tiene mucho en común con esa «nobleza democrática que a nadie puede hacer sombra, imperecedera, la del patriotismo y el talento» que Sarmiento reclama para sí en *Recuerdos de provincia*, pero hay entre ambas un matiz diferencial que no puede ignorarse: es la invocación por aquél de la generosidad, esa virtud nobiliaria por excelencia, que tendrá un papel esencial en su ambición de desempeñar en el mundo el papel del Redentor. Samper comienza muy temprano el aprendizaje de esa virtud, que tiene ya un papel en su primer recuerdo de infancia: su madre le ha dado un cuartillo para la «cieguecita negra», mendiga habitual en la casa paterna y otro para él, del que se desprendió para dárselo a la «coja de las muletas» que todos los días seguía las huellas de la otra mendiga.[18] Pero muy pronto su generosidad encuentra un carril menos rutinario; tiene sólo seis o siete años cuando viene a enterarse, a través de una conversación de su madre, «que una negra esclava había sido mi nodriza durante cerca de tres meses, y que yo debía la vida, después de Dios y mis padres, a una mulata esclava también» (que en efecto lo había salvado de ahogarse en el río Guali). Desde entonces, asegura, «sentí tierna conmiseración por los esclavos, gratitud por Nicolasa y Josefa, y una simpatía por su raza que se puso después de manifiesto en muchos de mis escritos, discursos y actos, y me indujo a ser ardiente filántropo y demócrata decidido».[19]

[17] *Historia*, 8-9.
[18] *Historia*, 5.
[19] *Historia*, 24-5.

Toda su trayectoria anterior ha venido entonces preparando a Samper para ese día de Año Nuevo de 1852 en que le tocó poner en vigor la ley de abolición de la esclavitud en Ambalema, dando libertad a setenta esclavos, a quienes, tras de pronunciar «un sencillo y patético discurso» dio «un abrazo al entregarles su carta de libertad y los regalos en dinero que les correspondían, y casi todos ellos lloraron, llenos de gratitud, con enternecimiento». «Cuando bajé del estrado —prosigue Samper— me asió de las piernas una persona arrodillada que me abrazaba con efusión, me besaba las manos con transporte de gozo íntimo y me decía Oh! mi amito, mi amito, qué bien hice en salvarle la vida a su merced».[20] Más aún que en Sarmiento —trabado en parte por la ambigüedad de su extracción dentro de la sociedad sanjuanina, y oscilante frente a los humildes entre la benevolencia señorial, la malquerencia de quien debe marcar la frontera acaso demasiado tenue que lo separa de ellos, y las fugaces tentaciones de una militante solidaridad— es en Samper magnánima benevolencia, que alimenta por sí sola la filantropía que inspira su acción política.

Porque ello es así una y otra pueden ser elevadas a un plano distinto para inspirar una obra de redención cuyo modelo es demasiado alto para que Samper ose invocarlo explícitamente, pero que no es difícil de rastrear: él mismo nos dice que desde niño había identificado a su madre con la del Redentor, y a él mismo con Jesús; aunque, quizá porque advierte lo que esta última identificación tiene de exorbitante, la acompaña de cautelas y limitaciones, no se desdice de ella.[21] Todo sugiere que esa identificación es algo más que una ocurrencia infantil: entre Pepillo y ese José María Samper que sorprendería a los bogotanos con sus constantes alusiones al Mártir del Gólgota la continuidad es evidente. Y —sorprendentes en Bogotá— esas alusiones reflejan el temple sentimental dominante en el fugaz momento inicial de los movimientos de 1848; si con la revolución de 1830 había podido aflorar en Francia el anticlericalismo realimentado durante la Restauración por el redescubrimiento de la tradición volteriana, dieciocho años

[20] *Historia*, 231.

[21] *Historia*, 38.

más tarde los párrocos iban a ser a menudo llamados a bendecir los árboles de la libertad.

Bajo ese signo la doble herencia del noble del Antiguo Régimen y del filántropo republicano inspira una muy incompletamente secularizada imitación de Cristo, como Redentor y Maestro. Y esa imagen que Samper propone de sí mismo supone una bastante precisa de esa Nueva Granada sobre la cual su acción va a incidir. La continuidad entre las figuras del noble generoso, del filántropo y del Redentor en que ambas se subliman exigen como complemento la de la mulata Chepa, que como esclava conoció la generosidad nobiliaria y la filantropía del patricio republicano, quien ahora postrada invoca la protección del cielo sobre el heredero y superador de ambos. En términos menos figurados, exigen la continuidad de una sociedad a la vez jerárquica y concorde, en cuyo marco la posición eminente puede heredarse, aunque varíen profundamente las justificaciones para ella.

No sólo en su vida pública José María Samper puede creer por un momento que está encarnando el arquetipo del redentor; también su primer matrimonio consagra un vínculo definido sobre esa pauta. De su primera esposa no menciona ni aun el apellido; era —sólo nos dice— hermana de uno de sus más antiguos compañeros de estudios, e hija de una familia que, aunque honorable, se encontraba sumida en la probreza. Durante un noviazgo del todo convencional, que llevó adelante paralelamente con su febril actividad pública, «nos ocupábamos —recuerda Samper— Elvira en hacer lindos tejidos de *crochet*, y yo en cortar grabados de periódicos ilustrados y acomodarlos y pegarlos con arte, según su tamaño y forma y sus armonías de asunto, en un enorme album fromado con papel de imprenta empastado. Don Juan, el padre de Elvira, que era muy pobre, colocaba después en rifas, entre sus buenos amigos, aquellos curiosos *album*, cada uno de los cuales le producía ciento o más pesos, sin más costo que el del libro en blanco, pues las ilustraciones se las regalaban».[22] Así su futura familia política redondea ingresos acudiendo a expedientes muy cercanos al recurso a la caridad pública, y Samper no oculta que a su juicio Elvira ha sido

[22] *Historia*, 215.

muy afortunada al hacerse objeto de su elección. Una elección que —se apresura a agregar— no nació de ninguna pasión devoradora, sino más bien de la razonada convicción de la superioridad del estado matrimonial, y del hecho de que con su futura esposa lo unía una prolongada familiaridad, como hermana que era de un amigo cercano.

Todo el breve episodio que hubo de cerrarse con la muerte de Elvira durante su embarazo, bajo el impacto de una desgracia de familia que la toca muy de cerca, la atribuye a ciertas fallas de carácter sin duda moralmente inocentes, pero no por eso menos graves, que la llevaron a reaccionar con «una completa dislocación interior y una grave y peligrosa afección histérica»[23] causante de un parto prematuro que tuvo consecuencias fatales, es el de una experiencia matrimonial que había tomado de inmediato un rumbo muy distinto del esperado por el novio en el momento de la boda, cuando había sentido «verdadera satisfacción al sustraer a Elvira, si no a la medianía de condición —pues yo era pobre individualmente, y sólo contaba y quería contar con mi trabajo— al menos a la escasez y a las angustias domésticas de una vida trabajosa. Elvira iba a deberme toda fruición y toda comodidad, todo goce y toda felicidad, y me era muy grato considerar que todo debía provenir de mi trabajo, estimulado por el tierno amor, la virtud y los hacendosos cuidados de mi esposa».[24]

Mientras Samper veía frustrarse el proyecto de encarnar la figura del redentor en la esfera doméstica, la de la política no se iba a revelar menos decepcionante. Aunque asegura que muy pronto comenzó a temer por las posibles consecuencias del ingreso en la arena política de masas desposeídas e ignorantes, ello no le impidió perfilarse en las Sociedades Democráticas como uno de los más connotados agitadores liberales surgidos de las nuevas promociones universitarias, y decididos a orientar en el campo político a los artesanos agrupados en ellas. Los comienzos fueron promisorios: «Tomé interés —nos dice— en que se organizase un sistema de enseñanza gratuita; y dando el ejemplo, establecí dos clases por mi parte, dictando lecciones

[23] *Historia*, 233.

[24] *Historia*, 220.

orales de Moral y Derecho Constitucional en dos noches por cada semana [...] Mis lecciones eran escuchadas con placer por más de 300 artesanos [...] Pude notar que los artesanos de Bogotá eran muy inteligentes y tenían verdadero deseo de instruirse y adelantar en civilidad y cultura».[25]

Pero pronto hubo de descubrir en esos artesanos otros rasgos menos admirables: corría 1850 cuando se debatía en la Sociedad democrática bogotana el envío al Congreso de una petición en favor de imponer tarifas aduaneras protectoras de los productos de talabartería, herrería y sastrería de origen local: «Al punto comprendí que los artesanos estaban muy fuertemente apasionados y no entendían palabra del asunto. Pedí la palabra, subí a la tribuna y expuse con claridad los fenómenos de reciprocidad que enlazaban estrechamente la producción y el consumo de la riqueza».

Esos argumentos no convencieron a su público: ¿qué fuerza podían tener estos razonamientos económicos y de justicia, en el ánimo de unos artesanos que, si eran en general hombres de bien y patriotas, también eran casi todos muy ignorantes, sobre todo en asuntos de ciencia? «En vez de agradecerme el interés que tomaba por el bien de los artesanos, casi todos montaron en cólera». Ante la amenaza de ser apartado por la fuerza de la tribuna «no os molestéis, repuse. La causa de unos hombres que se conducen como ustedes, no merece que se le haga ningún sacrificio! Bajaré de la tribuna, pero será para no volver jamás a esta Sociedad. Me bajé en efecto, atravesé el salón mirando con supremo desdén a la asamblea democrática, y nunca volví a ninguna de sus sesiones».[26]

Comienza aquí la evolución que hará de Samper un conservador dispuesto a reconocer que esa repulsa había castigado con justicia a quien, junto con sus camaradas, había «extraviado, sin quererlo, a una muchedumbre ignara que aún no estaba educada para el gobierno verdaderamente democrático»,[27] y que en lo inmediato lo obliga a buscar

[25] *Historia*, 191-2.
[26] *Historia*, 207-9.
[27] *Historia*, 289.

en la sociedad neogranadina un lugar que reemplace al del redentor de una muchedumbre agradecida que rechazó con gesto desdeñoso al descubrir que no estaba a su alcance. A la vez, la misma experiencia liberal que lo ha obligado a renunciar a realizarse en la grandiosa imagen del redentor ha comenzado también a modificar la de la sociedad neogranadina que había aspirado a redimir: a través de ella se reveló para Samper el sentido de la experiencia colectiva abierta para la entera generación liberal formada en el marco de la universidad conservadora desde que el triunfo de su fe política la proyectó al centro mismo de la escena pública.

Para entonces esa promoción se ve a sí misma ubicada ya en un más complejo campo de fuerzas que cuando ponía en primer plano su papel de guía y maestra de las masas populares. Paralelamente con su participación en las Sociedades Democráticas ha creado otra asociación destinada a servir como su órgano interno: es la Escuela Republicana, donde «se recitaban poesías y se pronunciaban discursos político-filosóficos». («Todos éramos en ella socialistas —rememora Samper— sin haber estudiado el socialismo ni comprenderlo, enamorados de la palabra, de la novedad política y de todas las generosas extravagancias de los escritores franceses.»)[28] En un esfuerzo paralelo, los jóvenes del partido desplazado del poder, mientras promueven la organización de sociedades populares que reclutan sus huestes en el mismo horizonte social de las democráticas, crean en la Sociedad Filotémica una alternativa a la Escuela Republicana.

En ese momento las discrepancias ideológicas entre ambas no son aún muy marcadas: hay en la Filotémica por lo menos un orador que se proclama también él socialista y, para indignación de no pocos veteranos de la facción antes gobernante, la sociedad misma toma posición en favor de una irrestricta libertad de cultos. Pero la faccionalización política avanza rápidamente: los filotémicos inventan un pasado para un conservadurismo que sólo en ese momento comienza a adquirir su perfil preciso, ligándolo para siempre con el recuerdo y el culto de Bolívar (a quien la mayoría de las figuras veteranas del

[28] *Historia*, 213.

antiguo oficialismo habían hecho fiera oposición), mientras los liberales organizan un paralelo mito de los orígenes en torno a la figura del general Santander, que estiliza también para siempre al que fue guerrillero del Casanare en la imagen del Hombre de las Leyes.

La degeneración del debate de ideas en lucha facciosa es vista con creciente alarma por los jóvenes ideólogos del liberalismo, y la hace aún más inaceptable a sus ojos el papel que tiene en ella la plebe artesanal que tiene por ídolo político al general Obando, el gran derrotado de la guerra civil de 1839-41. Cuando el conflicto faccioso se acerca a la abierta violencia (los conservadores, diariamente informados de que están viviendo bajo un clima de irrestricto terror por una prensa curiosamente inmune a ese terror, conspiran cada vez más abiertamente) los jóvenes liberales, movilizados en «una lucida Compañía de cosa de 140 miembros» se consagran a proteger a la elite conservadora de los brutales ataques que la plebe prepara contra ella.

Ya lo han hecho con don Mariano Ospina, cuando «súpose una noche que los Filotémicos [...] iban a salir en cuerpo militar, para incorporarse a las guerrillas que se habían levantado» y que los Democráticos, junto con tropa veterana, se preparaban para prenderlos en la casa en que estaban ocultos. Enterado de ello Samper, acudió a Palacio y obtuvo del presidente López que, por tratarse de «jóvenes de talento, delicados y de la mejor sociedad», encomendara «a la Republicana la comisión de arrestar a los filotémicos, y llevarlos luego a su mismo cuartel para tratarlos como a camaradas». Samper se encarga de persuadir a los filotémicos que renuncien a una locura que los expone a que «otros los ultrajen y hagan daño», y de llevar a sus «amables prisioneros a cenar, hacer versos y dormir con nosotros en el Salón de Grados».[29]

En 1852 la elección presidencial da lugar a una clara división del liberalismo, y los jóvenes que por un momento se habían creído destinados a dirigirlo no logran impedir la elección del general Obando, que representa a la vez con los recuerdos históricos que definen al liberalismo a los ojos de su clientela plebeya, y a esa clientela misma.

[29] *Historia*, 226-7.

En 1854 la fracción liberal que apoya a Obando —los llamados draconianos por su fervorosa adhesión a una concepción facciosa de la lucha política— jaqueados en el Congreso dan su apoyo a la dictadura militar del general Melo, en oposición a la cual la fracción opuesta del liberalismo, que ha comenzado a definirse como radical, se une a los conservadores y, con fuerzas reclutadas en las provincias, derrota a la sedición entronizada en Bogotá por la guarnición con el apoyo de la plebe draconiana. Samper conservará rencorosa memoria del episodio, que lo ha obligado a huir de Bogotá, según asegura para organizar la resistencia, pero también para ponerse a recaudo de venganzas plebeyas luego de que su criado, sólo por serlo, ha sido golpeado y enrolado por fuerza en las tropas rebeldes.

Aunque pese a todo lo que en el episodio trae a la mente la explosión de la plebe parisina en junio de 1848, la moraleja que Samper deduce de él refleja más decepción que alarma, esa decepción iba a pesar sobre él con su intensidad originaria por el resto de su vida; si en el prólogo *A mis hijas* con que se abre su *Historia de una alma* declara haber renunciado a toda ambición, ello no le impedirá seguir midiendo según el exigente cartabón constituido por el proyecto vital con el que se había identificado desde su infancia los modestos éxitos que alcanzará una vez disipada toda esperanza de verlo realizado. Es probable que la tenacidad con que ese proyecto sigue gravitando sobre su fantasía deba algo a la dificultad de encontrar una alternativa capaz de ofrecerle un papel necesariamente menos exaltado, pero suficientemente definido, en el marco postrevolucionario. Y esta dificultad debe menos a la incapacidad de Samper de emular los logros requeridos para que la carrera de un letrado colonial pudiese ser juzgada exitosa que al vacío dejado por el derrumbe del antiguo orden, que hace que esos logros no puedan ya ser celebrados como otros tantos éxitos en la carrera de un sujeto social nítidamente perfilado.

Es aquí útil comparar la trayectoria de Samper con la comenzada en el marco colonial por Gregorio Funes,[30] deán de la catedral de

[30] Más sobre este punto en Tulio Halperin Donghi, «El letrado colonial como intelectual revolucionario: el deán Funes a través de sus *Apuntamientos para una biogra-*

su nativa Córdoba en el Río de la Plata, y doctorado en leyes en la metropolitana Universidad de Alcalá; a lo largo de ella iba a sumar al prestigio que derivaba de sus raíces en uno de los más ilustres linajes de su ciudad natal las posiciones que iba a conquistar en la Iglesia, la Universidad y el Estado, en un contexto en que todas esas esferas de actividad se integraban armoniosamente como otras tantas facetas en la figura de un letrado en quien confluían prestigio intelectual, venerable piedad, eminencia social y holgura económica apoyada no sólo en sus actividades profesionales, su parte en las rentas decimales de la catedral cordobesa sino también en la parte que le tocaba en los lucros de las actividades agrícolas y mercantiles de su familia. Legitimaba esa enaltecedora imagen del letrado exitoso una visión del mundo que lo concebía como un ordenado cosmos en que todas las excelencias eran entre sí solidarias, y que permitía a Funes exaltar en el mismo renglón la piedad austera y la ostentosa opulencia que habían caracterizado por igual a la Compañía de Jesús. Es precisamente el desvanecerse de esa visión del mundo, que no ha sobrevivido al fin del Antiguo Régimen, el que pone una nota de angustiosa precariedad a la trayectoria que ha de recorrer Samper luego de renunciar a su originario proyecto vital.

Así, cuando descubre que debe canalizar simultáneamente sus esfuerzos hacia ese cúmulo arbitrario de actividades heterogéneas atribuye esa necesidad al atraso en que está hundida la sociedad neogranadina. Si faltan «elementos sociales» para vivir de una profesión liberal, si «el profesorado, el comercio, la agricultura y aun los puestos públicos son por lo común auxiliares casi necesarios de aquellas otras profesiones»,[31] si en Colombia «el soldado se vuelve gobernante y el abogado, coronel o general» ello ocurre por la misma razón por la cual «el comerciante es hasta droguista y boticario en casi todas nuestras localidades», a saber, que «la *especialidad* en el comercio y en los negocios (signo seguro de progreso industrial, porque la división del trabajo es una ley fecunda) no existía ni existe aún en nuestros

---

fía», Escuela de Historia, Facultad de Humanidades y Artes, Universidad Nacional de Rosario, *Anuario*, 11, Rosario, 1984-85.

[31] *Historia*, 178.

pueblos; y aún en Bogotá está muy lejos de haber sido establecida»; y es ese atraso el que se refleja en el caos reinante en la tienda de su hermano, donde se yuxtaponen sin ningún orden «ropas y mercería, ferretería y quincallería, especies, licores y hasta drogas».[32]

Cuando debe resignarse a buscar su camino en una sociedad tan distinta de la que había imaginado ansiosa de reconocerlo como su redentor, Samper se vuelve a su comarca nativa, en la cual gravitan con mayor peso los elementos con que había antes contado para conquistar esa posición, y con los que cuenta ahora para alcanzar alguna más modesta. La comarca es ese rincón tropical a orillas del Magdalena en que el federalismo iba a tallar el estado (luego departamento) de Tolima; en esa tierra sólo sumariamente ocupada hasta muy avanzada la conquista surge una sociedad bravía, a la que la fugaz prosperidad aportada por el breve *boom* tabacalero —abierto precisamente por las reformas liberales— no confiere orden más regular; allí Honda, su arruinada ciudad nativa, situada allí donde el vertiginoso Guali vuelca sus aguas en el Magdalena, cuyo curso atormentado por rápidos y saltos ofrece el único vínculo con el mundo exterior, en que las ruinas dejadas por un terremoto, viejo ya de un cuarto de siglo cuando nació Samper, están cubiertas pero no ocultadas por la vegetación invasora; y Ambalema, la súbita metrópoli del tabaco, ciudad-hongo de construcción precaria en que los incendios pueden devorar barrios enteros, y los inmigrantes atraídos desde todos los cuadrantes por una prosperidad que ha de abandonarla tan súbitamente como la invadió, resuelven sus disputas con todos los recursos de la violencia y la traicionera astucia, acotan el breve territorio de la patria chica que ha contribuido a plasmar la personalidad de Samper, y de la que espera que le ayude a conquistar un lugar en el mundo.

A esa comarca, que sólo descubrirá hasta qué punto es salvaje cuando visite las domesticadas selvas europeas, debe mucho Samper. Según admite de buen grado, allí aprendió a no rehuir litigios: «A falta de cultura y moderación en todos y de seguridad social, sólo se hace respetar el hombre que tiene valor para desafiar el peligro y exponerse

[32] *Historia*, 96.

a todo por defender su dignidad».[33] De ella proviene quizá lo que esa litigiosidad conserva de tosco y rústico, tal como se trasparenta a cada paso en episodios narrados en prosa incongruentemente solemne, que lo hace digno integrante de esa promoción de *cachacos* bogotanos a quienes Alberto Lleras, heredero por tradición familiar de sus adversarios draconianos, retrata como «mozos fuertes de segunda generación de campesinos», dispuestos siempre a cambiar con los «patanes» de la plebe capitalina «golpes y garrotazos, en tosco silencio».[34]

A esa tierra rústica y primitiva debe sin duda mucho también la imagen a la vez exaltada y sorprendentemente literal que Samper propone de la condición del letrado, en la que el dominio del alfabeto puede contribuir por sí solo a asegurarle una posición eminente. Invitado a administrar la hacienda tabacalera del excelente y opulento don Pastor Lezama, en Ambalema, ha puesto como condición para asumir esa tarea que ese rico propietario aprendiese a leer, y para alentarlo a emprender ese aprendizaje enseñó con todo éxito ese difícil arte a uno de sus peones. He aquí cómo el dominio de la escritura puede ser suficiente para elevarlo a la vez por encima de ricos propietarios y modestos peones; de aquí proviene sin duda uno de los motivos estilizados y extrapolados en la figura exorbitante del redentor.

Junto con la comarca, sigue pesando el linaje, aunque desde que fue preciso a Samper renunciar a su desaforada ambición originaria pasan a primer plano aspectos del vínculo con éste a los que no hacía justicia la genealogía que había vinculado al filántropo-redentor con el patriota republicano y el aristócrata del Antiguo Régimen. Aunque Samper, que gusta de presentarse como continuador de su padre en su carrera pública, prefiere no subrayarlo, esa carrera ha avanzado durante largas etapas a la sombra de la paterna. Cuando el hacendado y comerciante de Honda envía a sus hijos a estudiar en la capital, su influjo los protege frente a la que los adolescentes venidos de tierras calientes consideran una metrópoli ajena y hostil; cuando uno de ellos cae preso, sus hermanos acuden «a amigos de nuestro padre,

[33] *Historia*, 41.

[34] *Memorias de Alberto Lleras. I. Mi gente*, Bogotá, 1975, p. 48.

tales como el doctor Rufino Cuervo y don Lino de Pombo» para que esos dos ilustres adversarios políticos a la vez que excelentes amigos personales de su progenitor los auxilien en la emergencia.[35] Unos años más y José María hijo será admitido en las tertulias del presidente Mosquera de la mano de su padre, ya senador, cuyo acendrado liberalismo no le impide cultivar una ecuanimidad que lo coloca por encima de las facciones.

El influjo y prestigio del senador Samper gravitan aún más plenamente en la comarca en que hizo su fortuna; en tiempos de guerra civil, ocupada Honda por los revolucionarios con los que simpatiza, es autorizado a dar refugio en su casa y hacienda a cinco «ministeriales notables»; sofocado el alzamiento, temiendo por la vida de su amigo el revolucionario coronel Murray, organiza su fuga, para la cual solicita en términos apenas velados la cooperación del Alcalde, quien —hombre de mundo y de su mundo— le responde: «La humanidad no se opone al deber; será usted servido, señor don José María».[36] Unos años después será el autor de *Historia de una alma* quien, siguiendo las huellas paternas, se asegure de que los «facciosos» a quienes se le ha ordenado prender como jefe polítido de Honda estén debidamente enterados de la orden y se pongan a buen recaudo.[37]

¿Es preciso concluir de todo esto que quien ambicionó el papel de redentor se ha realizado finalmente en el de un señorito provinciano, perteneciente por su origen familiar al cogollo de la clase propietaria de su comarca nativa, y sólo distinguido dentro de ella por una formación universitaria todavía poco frecuente entre sus integrantes? Sería ésta una conclusión apresurada; aunque Samper no parece haberse sentido incómodo en el refugio que comarca y linaje le ofrecían, estaba lejos de considerar que al haberlo alcanzado su navegación por la vida hubiera llegado a puerto.

Mientras tanto su renuncia al papel exorbitante del redentor ha tenido ya una consecuencia paradójica: precisamente cuando abandona

[35] *Historia*, 71.

[36] *Historia*, 58.

[37] *Historia*, 230.

su papel de paladín del igualitarismo democrático, Samper se reconoce por primera vez como integrante de una sociedad de iguales, así se restrinja ésta a las clases ilustradas neogranadinas. El contraste entre su segundo matrimonio y el primero refleja en la esfera privada esa nueva imagen de su modo de insertarse en la sociedad neogranadina. Soledad, su segunda esposa, es hija del general Joaquín Acosta, un guerrero letrado, en París vecino y amigo del gran historiador demócrata y revolucionario que es Jules Michelet, y en Bogotá sostenedor decidido del partido ministerial del que se proclamará heredero el conservador. Ese hijo ilustre del Tolima ha muerto ya cuando Samper conoce a Soledad Acosta, cuya madre, una dama inglesa «en cuyo hogar elegante y pulquérrimo» se aspira «un perfume de suavidad y distinción»,[38] comienza por responder sin entusiasmo a las propuestas matrimoniales de un candidato a yerno que milita ruidosamente en la facción adversaria, pero cede finalmente ante la tenacidad de éste y desde entonces le concede su «simpatía y consideraciones».

Si el primer matrimonio de Samper había trasportado a la esfera privada la figura del redentor en cuanto, al rescatar a la novia de una vida de estrecheces y angustias, la había colocado para siempre en el papel de agradecido objeto de la generosidad de su marido, el segundo comenzaba bajo auspicios muy diferentes, pero iba a ser sobre todo la personalidad de Soledad Acosta la que le fijaría un rumbo totalmente distinto de su anterior experiencia matrimonial. Aunque la belleza de Soledad no debía nada a la vez británica y griega de su madre, y tenía en cambio «no sé qué de arábigo», su figura orientalizante escondía «fuerte voluntad, energía y reserva»; gracias a ese fuerte temple y a una educación más completa de lo que era entonces habitual entre las niñas de buena familia neogranadina (mientras su predecesora había entretenido sus ocios con el *crochet*, la segunda señora de Samper los consagraba a traducciones del francés y el inglés), pudo establecer desde el comienzo con su marido una relación muy distinta de la planeada por éste en términos idílicos al contraer matrimonio con la desdichada Elvira.

[38] *Historia*, 326.

Con una esposa que era —y no sólo socialmente— su igual y ligado a través de ella con las notabilidades del partido caído, se agudiza para Samper el problema de encontrar un nuevo lugar en la sociedad neogranadina. La dimensión económica de ese problema no parece angustiarlo en exceso, pese a que tiene ahora una nueva familia que mantener, a la que se ha sumado su imponente suegra; si Samper se declara a cada paso pobre, si asegura que su padre ha conocido varias veces la ruina, de la experiencia familiar parece venirle también la persuasión de que no necesita preocuparlo demasiado de dónde ha de llegarle el pan del día siguiente. El pan y no sólo él; la vida de Samper trascurre en medio de un enjambre de criados que casi nunca son individualizados con un nombre. Aunque ese espíritu fuerte que fue su padre ha insistido en que aprendiera a valerse por sí mismo, sólo en tres ocasiones en su vida se vio forzado a utilizar esa destreza: una en la cárcel, otra durante un breve destierro venezolano y la última en lo más agudo de la guerra civil,[39] aun cuando huye de Bogotá por atajos en la montaña durante el golpe de Melo lo acompaña «un criado que llevaba algunas provisiones».[40]

Un cúmulo de actividades públicas, profesionales y mercantiles le permite vivir con decoro, y aunque encuentra esa solución objetable por las razones indicadas más arriba, asegura que ese género de existencia no le resulta ingrato; así, este hombre que cuando no está construyendo su imagen heroica o patética sabe verse a sí mismo con notable lucidez confiesa encontrar particularmente grata la variedad de actividades que impone el ejercicio del comercio. Lo que terminará por hacerle imposible retener un lugar en la vida neogranadina será la creciente ambigüedad de su autodefinición política, en una etapa en que, dejada atrás la alianza liberal-conservadora que derrotó el intento dictatorial de Melo, adquiere virulencia creciente el conflicto entre los que son ya los partidos históricos. Puesto que Samper no está aún dispuesto a abandonar las filas de un radicalismo que se prepara a lanzarse a la guerra civil contra el gobierno conservador de Ospina ni

[39] *Historia*, 43.

[40] *Historia*, 292.

participar en esa rebelión contra un gobierno que cree legítimo, escapa de ese imposible dilema alejándose temporariamente de su tierra.

Ese alejamiento es a la vez una toma de distancia que le revela por primera vez que lo que hasta entonces ha sido para él el mundo es sólo un menudo rincón de ese mundo. Si siempre sospechó que su nativo Tolima no se ubicaba en la vanguardia del progreso económico y social, nunca había dudado de que Bogotá era una metrópoli; una escala en Saint Thomas del vapor que lo llevaba a Europa lo privó para siempre de esa halagadora ilusión, cuando en esa soñolienta capital de una de las Antillas menores adquirió «la primera noción objetiva y directa de la civilización europea».[41] Del mismo modo la distancia iba a reducir el imperio que sobre él habían conservado, pese a dudas y vacilaciones, las tradiciones políticas que estaban arraigando en su Nueva Granada, empequeñeciendo la leyenda heroica del liberalismo y deslavando la leyenda negra de la facción opuesta. En París Samper cultivará la compañía y se honrará con la amistad del doctor De Francisco Martín y el doctor Lino de Pombo, notabilidades ambos del antiguo partido ministerial; allí podrá también medir por primera vez plenamente las insuficiencias de ese provinciano ignorante que es el doctor Murillo Toro, máximo caudillo civil de su facción radical.

Y ese alejamiento que era una huida era también un viaje hacia el futuro, en un mundo cuyos horizontes no cesaban de ensancharse. Los caminos de los hermanos Samper, que hasta ayer habían recorrido monótonamente los itinerarios del Magdalena y la sabana, se cruzan ahora al azar en Londres tanto como en Panamá. Experiencia ya típica: en París, Samper encontrará ya instalada una colonia neogranadina e hispanoamericana, con la que se siente escasamente afín (no se propone imitar la rumbosidad de quienes no siempre pueden permitírsela, pero anticipan la que a comienzos del nuevo siglo dará origen a la grotesca celebridad de los *rastaquouères*, ni se siente a gusto en las tertulias políticas que en distintos cafés parisinos someten a infinito comentario faccioso las novedades de la patria). Más lo halaga el interés que su condición de literato y hombre público despierta

[41] *Historia*, 359.

entre algunos de sus más eminentes pares franceses, desde que como yerno del general Acosta es cordialmente acogido por Michelet. Sin duda no advierte hasta qué punto las limitaciones impuestas por el imperio autoritario (en plena vigencia en 1858) favorecen su acogida por un grupo de notabilidades europeas confinadas por ellas en la tibia sociabilidad de las tertulias privadas, y ansiosas de encontrar cualquier alternativa caja de resonancia. Todavía menos adivina que el imponente señor de Lamartine, que con «majestuosa benevolencia» le abre las puertas de su casa,[42] es particularmente ávido del homenaje de quienes lo ven como un príncipe de los poetas y una figura pública de dimensiones europeas, cuando para sobrevivir se ve forzado a vender al menudeo los restos de su gloriosa reputación en los fascículos de su curso de literatura para uso de las familias.

Pero esas felices ignorancias apenas exageran el éxito con que Samper logra insertarse en la vida cultural parisiense: desde Arago hasta Sainte-Claire Deville, desde Michelet (que compara con él sus respectivas experiencias de autores) hasta Jules Sandeau, desde Emile Augier hasta Alejandro Dumas hijo, desde políticos en forzado semirretiro hasta periodistas de éxito tienen con él contactos que están lejos de ser superficiales.

En esa Francia que está a punto de inventar la noción misma de América Latina, donde está surgiendo el aparato empresario que desde el último cuarto de siglo hará de París la capital de la edición hispanoamericana, Samper rechaza la propuesta de abandonar el periodismo a sueldo para «realizar, junto con otros cinco o seis escritores, un vasto plan de publicaciones en castellano y en francés» con el auspicio de «una gran casa de librería de París».[43] Ya para entonces ha podido reemplazar la desdibujada acumulación de actividades indispensable en la Nueva Granada por una profesionalización completa; el vago compromiso de enviar crónicas de actualidad a *El Comercio* de Lima que había asumido al partir a Europa se había tornado más preciso a través de un contrato que le asignaba un nada desdeñable salario anual

[42] *Historia*, 397.

[43] *Historia*, 496.

de doce mil francos, y lo obligaba a enviar «dos veces por mes cuatro correspondencias muy diferentes, una sobre los acontecimientos políticos, tratados tan a fondo como [le] era posible; la segunda, sobre el movimiento literario en todos sus aspectos (teatro, novelas, poesía, crítica, filosofía, bibliografía, ciencias, etc.); la tercera, sobre todos los rasgos notables de la economía industrial, el crédito público, la situación fiscal y la estadística de Europa; y la cuarta que comprendía las narraciones metódicas de todos sus viajes», a las que se agregaba otra debida a la pluma de Soledad Acosta, quien «enviaba (con el seudónimo de *Bertilda* y el título de *Revista de la moda*) extensas correspondencias sobre bibliografía, bellas artes, literatura, algo de observaciones de viajes, y movimiento de la moda elegante en Europa».[44]

Así Soledad y José María dedican sus días y noches parisienses a fabricar copia, y Samper ofrece de esa actividad una imagen totalmente cuantificada: «desde principios de 1858 hasta fines de 1862 —nos dice— alcancé a producir veinte volúmenes de a 300 páginas en artículos y en correspondencia».[45] El éxito con que lleva adelante esa abrumadora tarea debe mucho a ciertos rasgos ya visibles en la trayectoria anterior de quien es ya un veterano del periodismo, y aunque nunca hasta entonces haya hecho de él su medio de vida, ha adquirido a lo largo de ella un muy vasto aunque extremadamente heterogéneo bagaje cultural que le ofrecerá un auxilio precioso en esa nueva etapa de su carrera, en la que podrá contar además con esa facilidad de pluma que Menéndez y Pelayo había encontrado peligrosa al juzgarlo como poeta,[46] pero que le permitirá producir un flujo inagotable de prosa que, aunque pobre en color y relieve, y rica en cambio en recursos expresivos en exceso rutinarios, resultará plenamente adecuada a su propósito periodístico.

Los éxitos que Samper estaba cosechando en su nueva carrera no consiguen reconciliarlo del todo con esa plena profesionalización de

[44] *Historia*, 479.

[45] *Historia*, 479.

[46] *Edición Nacional de Obras de Menéndez y Pelayo*, XVII, *Historia de la poesía hispanoameicana*, I, Santander, 1948, p. 476.

una actividad que había primero descubierto como la totalmente desinteresada del redentor que busca en ella tan sólo un medio de conquistar la gloria. Sin duda para entonces ha descubierto ya que es posible combinar la conquista de la gloria con la de un buen pasar: ya Lamartine, Michelet o Jules Simon en Francia o Emilio Castelar en España habían hecho de su vocación una profesión que les permitía vivir en un estilo adecuado para figuras públicas de reputación europea. Pero esos ejemplos no alcanzan a acallar los escrúpulos de Samper, quien busca acallarlos separando con una línea muy firme su actividad de periodista a sueldo de la que ejerce al servicio de causas más altas, y que no podrían ser sino gratuitas, que lo hace negarse a percibir remuneración alguna por colaboraciones ocasionales, destinadas a sostener sus propios puntos de vista en temas de interés general, si no rescata de sus producciones remuneradas aquellas que juzga de interés menos efímero integrándolas en libros que publica a su costo y a sabiendas de que nunca podrá recuperar lo que invierte en ellos (según asegura, consume en ese proyecto editorial todos sus ahorros europeos).

¿Llegó Samper a vislumbrar la posibilidad de hacer una sola cosa de su vocación de redentor y su profesión periodística? Aunque no se refiere explícitamente al punto, parece claro que la posibilidad de lograrlo fue uno de los alicientes que lo llevaron a abandonar París por Lima, para asumir la posición de redactor en jefe de *El Comercio* (el otro fue más estrictamente profesional; con cuatro mil pesos anuales más pago de vivienda, la remuneración doblaba la de su corresponsalía parisiense). Lo que le tocó vivir en Lima lo disuadió para siempre de seguir explorando la alternativa que el periodismo profesional le había abierto.

Su relato de los sinsabores sufridos en la capital peruana, dominado —como es habitual en Samper— por una férrea seguridad en las razones que lo asisten, hace posible adivinar cuánto pudo contribuir él mismo a hacer difícil su estancia en Lima. Colombiano e hijo por lo tanto de la generosa nación que había llevado la libertad al Perú, se consideraba acreedor a la respetuosa atención de un público que le debía eterna gratitud, y su decepción en este punto hizo aún más desfavorable la opinión que le merecieron sus huéspedes, a su juicio faltos de todo patriotismo y manchados por una polifacética corrupción tanto en el terreno político y financiero como en otros más privados (un juicio que es de temer que no se haya esforzado lo suficiente por ocultar a los interesados). Al mismo tiempo —como es también habitual en Samper— esas reiteradas lamentaciones no le impiden percibir con notable lucidez los términos del dilema del que es víctima: mientras deplora el reemplazo del periodismo doctrinario por uno crudamente comercial, advierte muy bien que sólo éste puede proporcionar un pasar seguro, y su conclusión será que estando así las cosas la redacción en jefe de un periódico no es actividad propia para un caballero: sólo le queda entonces volver a Honda, y a su complicada existencia de comerciante, político en sus ratos y publicista y autor cuando la inspiración así se lo impone.

Su encuentro con el futuro había tenido como desenlace una renuncia a lo que ese futuro podía en los hechos ofrecerle. ¿Porque ese futuro mismo se ha revelado irreductiblemente distinto del que Samper había creído entrever en los días afiebrados de 1849? Sin duda, pero también porque ya desde entonces había en su imagen de ese futuro deseable ambigüedades y contradicciones que preparaban ese rechazo final.

Al trasponer entonces la figura del redentor que aspiraba a encarnar de la esfera religiosa a la social y política la proyectaba sobre una sociedad en cuya imagen sobrevivía —volcada en el nuevo lenguaje de la igualdad revolucionaria— la solidaridad jerárquica y concorde que en su autoimagen idealizada había caracterizado ya al viejo orden, pero ello no le impedía buscar las leyes que regían el funcionamiento de esa sociedad presidida por un orden armonioso y orgánico entre las que estaba develando la moderna economía política. Pero ocurre que ésta se apoya en una visión del hombre y de la sociedad incompatible con la que permite a Samper estilizar su prédica política como un equivalente apenas secularizado de la del redentor. Para que la sociedad funcione es suficiente que los hombres se guíen por los dictados de su interés bien entendido, ya que la reconciliación entre su interés individual y el de la colectividad está asegurado por las leyes que gobiernan la economía, que extienden a la imagen de la vida del hombre en sociedad esa secularización radical, ese desencantamiento que la nueva física había introducido en la del mundo natural.

La nueva economía lleva implícito un modelo también nuevo de vida en sociedad que Samper no podrá nunca hacer suyo. No es que tenga nada preciso que objetarle; cuando debe refugiarse en Inglaterra porque el tono de las crónicas políticas que envía a Lima desde París ha atraído sobre él la curiosidad de la policía imperial encuentra admirable el modo con que el hombre de negocios británico divide su vida entre el suburbio, donde puede ser generoso con su tiempo y su dinero en su trato con familia y amigos, y cultivar actividades desinteresadas como la música, y la City, «donde parece no tener familia ni pensar sino en los negocios».[47] Pero, aunque Samper encuentra en efecto admirable a ese precursor del hombre plenamente modernizado que ayer definía y exaltaba Talcott Parsons, no se siente en absoluto atraído por su estilo de vida, y apenas cree que ha amainado la vigilancia policial que pesa sobre él en Francia se apresura a abandonar la libre y bien ordenada Londres por ese París en el que encuentra tanto que censurar.

Samper halla más fácil mantener sus reticencias frente al mundo moderno porque en su Nueva Granada —que es ya Colombia— ese avance, que en 1849 había imaginado avasallador, es aún más incompleto que casi todas las otras comarcas hispanoamericanas. Escribiendo sólo ayer sus recuerdos de juventud, Alberto Lleras podía mostrar a las grandes figuras del gobernante partido conservador atendiendo sus tiendas y sastrerías ubicadas en las cercanías de la Plaza Mayor; la perduración de ese espectáculo, que en otras capitales hispanoamericanas se había borrado ya para mediados del siglo anterior, se debía a la misma pobreza y estrechez del mercado denunciada en su tiempo por José María Samper, que hacía que aún en la segunda década del XX en Bogotá las sirvientas tuviesen por único vestido «los trapos abandonados por las señoras».[48]

En ese contexto arcaico debía debilitarse cada vez más la tentación de buscar en la apuesta por la modernidad la alternativa a la que había

[47] *Historia*, 456.

[48] *Memorias de Alberto Lleras* cit., p. 121.

llevado al adolescente José María Samper a aspirar a desempeñar el papel del redentor. Puesto que el futuro se demora interminablemente, puesto que gracias a ello su patria le asegura un modo de existencia deplorable por lo que significa como signo de atraso, pero personalmente placentero, es comprensible que Samper haya preferido a una vida de productor asalariado de prosa periodística la de un «patriota ciudadano», en que la delicada nostalgia del redentor que nunca llegó a ser agrega tan sólo una nota melancólica a la reconciliación con ese pasado que había soñado redimir, y que no parece lamentar que siga siendo el presente. Es ese tiempo casi detenido en cuyo marco ha avanzado la trayectoria vital de Samper el que le permite[49] imaginarse en la última página de *Historia de una alma* cerrándola allí donde comenzó: «a cien pasos del campanario de la iglesia a cuya sombra había crecido», y a la vera del «inolvidable cementerio donde, al pie de rústica cruz de mármol, de la sagrada tumba de [su] padre se desprendía una silenciosa y sublime enseñanza para [su] alma, inagotable en su ternura y ávida de luz y de esperanza...»

Tulio Halperin Donghi
Universidad de California, Berkeley

[49] *Historia de un alma. Memorias íntimas y de historia contemporánea escritas por José María Samper, 1834 a 1881*, Bogotá, 1881, p. 498.

V

ALBERDI POR ALBERDI: LA DIMENSIÓN AUTOBIOGRÁFICA EN LOS *ESCRITOS PÓSTUMOS*[1]

¿La dimensión autobiográfica presente en los *Escritos póstumos* de Alberdi merece atraer la atención del estudioso? Hay algo que invita a dudarlo: tanto Adolfo Prieto, que en 1962 exploró por primera vez de modo sistemático la literatura autobiográfica argentina en su libro de ese título, como varias décadas más tarde Sylvia Molloy en *Acto de presencia* no sólo no aluden más que marginalmente a los textos autobiográficos que debemos a la pluma de Alberdi, sino que dedican lo esencial de sus breves comentarios a señalar que quien los lea no encontrará en ellos todo lo que su autor había prometido. Así, Prieto subraya la ausencia en ellos de «la menor efusión emotiva, [el] menor abandono que permita descubrir al niño, al adolescente, al hombre enfrentado con la familia y el ambiente»,[2] mientras Molloy por su parte señala que el texto alberdiano «comienza con una promesa de intimidad que de ningún modo cumple su relato».[3]

Si ambos creen necesario subrayar ese rasgo es porque la noción que uno y otra hace suya de los caracteres propios de la literatura autobiográfica hace difícil encuadrar plenamente dentro de ella a escritos

[1] En las notas entre corchetes intercaladas en el texto a continuación de citas de Alberdi los números romanos son los del tomo correspondiente de los *Escritos inéditos* y los arábigos los de la página o páginas de las que proviene la cita.

[2] Adolfo Prieto, *La literatura autobiográfica argentina*, Buenos Aires, Eudeba, 2003 [1962], p. 54.

[3] Sylvia Molloy, *Acto de presencia. La escritura autobiográfica en Hispanoamérica*, México, El Colegio de México-Fondo de Cultura Económica, 1996, p. 121.

afectados por la carencia que ambos señalan en los que Alberdi presenta como tales. Para Prieto la actitud autobiográfica sólo puede surgir cuando la relación entre conciencia común y conciencia individual ha adquirido una dimensión problemática; invocando a Erich Fromm, agrega que ello ocurrió cuando la disolución del orden medieval hizo posible el surgimiento de «la conciencia del propio yo individual, del yo ajeno y del mundo como entidades separadas», y ocurre que los textos de Alberdi parecen más decididos a velar que a revelar tanto el perfil de su «propio yo individual» cuanto su modo específico de relacionarse con el mundo.

La perspectiva adoptada por Prieto está marcada por el *Zeitgeist* de una época aún cercana y sin embargo tan distante en que se depositaba una fe muy firme en la capacidad explicativa de las grandes narrativas históricas; esa perspectiva hace de antemano esperable que la exploración del vínculo entre conciencia común y conciencia individual sea vista sobre todo como la de las trasformaciones que experimenta esa «conciencia común» a lo largo del tiempo, tal como ellas se reflejan en las conciencias individuales. Y en efecto la opción de Prieto en favor de esa ruta de abordaje a su tema se refleja no sólo en su señalamiento de que «el conjunto de los textos autobiográficos consultados trasunta los efectos de enorme peso con que lo social agobia los destinos individuales, y la preponderancia que los hechos de la vida colectiva adquieren sobre la vida interior de los autores», sino aún más nítidamente la conclusión según la cual, de continuarse para tiempos más recientes la exploración por él emprendida, «puede asegurarse que el aporte de nuevos testimonios y una adecuada perspectiva temporal para el análisis, permitirán disponer de un valioso registro del proceso social contemporáneo».[4]

El disiparse del clima colectivo reflejado en el libro de Prieto —que en cuanto al análisis de textos autobiográficos iba a hacer que el acento se trasladara progresivamente del proceso social del que éstos dan testimonio a ese testimonio mismo— ha modificado menos de lo que hubiera quizá podido esperarse las nociones centrales a su

[4] Prieto, *Literatura* cit., p. 229.

planteo; cuando, en una obra que —como es el caso de la de Molloy— ha madurado en un marco ya profundamente trasformado, leemos pasajes como el siguiente: «Si por una parte esta combinación de lo individual y lo comunitario restringe el análisis del yo, tan a menudo asociado con la autobiografía [...] por otra parte tiene la ventaja de captar la tensión entre el yo y el otro, de fomentar la reflexión sobre el lugar cambiante del sujeto dentro de su comunidad [...] Aun en los casos que parecen favorecer a uno de los polos de esta oscilación entre sujeto y comunidad, excluyendo en apariencia al otro [...] aun estos casos permiten, quizá sin sospecharlo, que exista esa tensión»,[5] percibimos con igual claridad lo que en su planteo avanza sobre el de la propuesta de Prieto y lo que en él viene a continuarlo.

Advertimos en suma que lo que diferencia a Molloy de Prieto no es que aquélla ignore «la preponderancia que los hechos de la vida colectiva adquieren sobre la vida interior de los autores», o «el enorme peso con que lo social agobia los destinos individuales», sino que busque en los textos autobiográficos, antes que una corroboración de que ese peso es en efecto enorme, un testimonio acerca del modo peculiar en que el autor de cada uno de ellos procuró elaborar la experiencia casi nunca grata de soportarlo. Hay a la vez algo que —dado el clima de ideas y sensibilidad en que surgió la obra de Molloy— hubiera podido también diferenciar su enfoque del de Prieto, y sin embargo no lo hace: aunque el subtítulo da como su tema «la escritura autobiográfica argentina» también para ella la escritura sirve como camino de acceso a quien la ha escrito, y (consecuencia menor pero aún así significativa) también ella encuentra lícito emprender complementariamente ese camino a partir de algún texto no estrictamente autobiográfico.[6]

[5] Molloy, *Acto* cit., p. 20.

[6] En cuanto a lo primero, considérese el minucioso y ciertamente poco favorecido perfil de Mariano Picón Salas que traza Molloy a partir de sus textos autobiográficos (Molloy, *Acto de presencia* cit., pp. 146-168); en cuanto a lo segundo, la inclusión de «Habla el algarrobo» entre los escritos de Victoria Ocampo relevantes al tema pese a no ser «estrictamente autobiográfico» (id., p. 226)

Porque encaraba ya de ese modo su tarea, Prieto podía abordar de manera productiva esa reticencia que impedía descubrir en el texto autobiográfico de Alberdi «al hombre enfrentado con la familia y el ambiente», reconociendo en ella un indicio capaz de aportar —para entender a ese hombre que hurta tan celosamente su intimidad— claves cuya validez verá confirmada en «una simple carta fechada siete años después de escritas las memorias».[7] En esa carta dirigida a su primo Miguel Moisés Aráoz, de la que habremos de ocuparnos todavía más adelante, Prieto encuentra en efecto la justificación que necesitaba para ubicar al testimonio propiamente autobiográfico de Alberdi entre los de quienes, en ese «permanente conflicto entre lo viejo y lo nuevo» que da argumento a toda la literatura autobiográfica, y que en el siglo XIX argentino se encarnó en la tensión entre el ascendiente que conservaba la herencia del antiguo régimen y los tentadores atractivos de la modernidad, no han logrado aún emanciparse plenamente de ese ascendiente; aunque Alberdi —nos dice Prieto— cree haber controlado «racionalmente su ingreso a un nuevo orden de cosas», basta «un instante de abandono» para que deje «oír el eco de intensas voces soterradas».

La incomodidad frente a las modalidades adoptadas por el «nuevo orden de cosas», que Alberdi se niega a asumir pero no logra superar, se refleja quizá también en la curiosa ambivalencia que tampoco logra superar frente al proyecto de narrar su propia biografía. Sin duda debe de haber influido en ella —como sugiere el mismo Prieto— el recuerdo de la dureza con que reprochó a Sarmiento haber narrado dos veces la suya, en un gesto de vanidad particularmente incongruente en un país en que cien próceres no habían encontrado aún quien escribiera su biografía. Se comprende entonces que encontrara Alberdi excesivamente problemática cualquier decisión de incurrir en la misma falta de recato, y en efecto logra no incurrir en ella. En este punto es preciso tener por totalmente válida su declaración de que el relato autobiográfico que emprende no aspira a alcanzar más que al círculo familiar, y que si se ha decidido a hacerlo imprimir es sólo porque ese círculo está ya tan poblado que «la prensa es el medio más económico

[7] Prieto, *La literatura* cit., p. 54.

de multiplicar las copias de este escrito, sin que deje de ser privado y confidencial» [XV, 261].

Como anota muy justificadamente Molloy, el carácter confidencial que Alberdi asigna a su proyecto autobiográfico hace aun más notable la ausencia en él de esa dimensión íntima que ya antes había subrayado Prieto. Esa ausencia se entiende quizá mejor apenas se toma en cuenta la naturaleza del vínculo que lo une a ese tan vasto círculo familiar: ningún lazo basado en íntimos afectos lo liga con muchos de esos tan numerosos colaterales y sobrinos, a la mayoría de los cuales no ha visto nunca; el que aún en ausencia de asiduos contactos personales lo vincula con todos ellos está en cambio muy cercano al que invocaba ya la *Memoria autógrafa* que en la intención de Cornelio Saavedra debía ofrecer a los suyos un arma «contra la calumnia, si es que llegase a volver a aparecer»; si había juzgado su deber proporcionársela —agregaba Saavedra— era porque «por testamento les he legado el honor que heredé de mis abuelos, y el que supe adquirir por mis servicios».[8]

Al encontrar en el goce en común de un patrimonio ideal el cemento que asegura antes que ningún otro la cohesión familiar, Alberdi permanece fiel a la visión que ha sido dominante en la elite tardío-colonial; pero si esa visión puede parecernos hoy arcaica, se trata en todo caso de un arcaísmo ampliamente compartido. Todavía en 1850, un pasaje de *Recuerdos de provincia* mostraba hasta qué punto ella seguía viva en el país que estaba terminando de nacer: es el que rememora el encuentro que Sarmiento había mantenido en Santiago de Chile en 1827 con Fray Justo de Santa María de Oro, quien en ese momento ambicionaba ocupar el obispado próximo a ser erigido en su nativa San Juan, y «tenía sus agentes en Roma, que le avanzaban la gestión». En su segunda entrevista —relata Sarmiento— Fray Justo «me inició en sus proyectos, contándome todo lo obrado, a fin de que pudiese, a mi regreso a San Juan, satisfacer la curiosidad de sus deudos».[9] Curiosidad no parece la palabra justa, ya que esa mitra estaba destinada

[8] Pasajes citados en Prieto, *La literatura* cit., p. 39.

[9] Domingo F. Sarmiento, *Recuerdos de provincia*, ed. Ricardo Rojas, Buenos Aires, La Facultad, 1934, p. 101.

a acrecentar grandemente el patrimonio ideal compartido por todos y cada uno de los integrantes del clan de los Oro. Y casi un cuarto de siglo más tarde, Sarmiento no creía necesario explayarse más sobre las razones que habían movido a ese ambicioso eclesiástico a compartir informaciones que no hubieran podido ser más confidenciales con un mozo de dieciséis años a quien no había visto desde su temprana infancia, y que aunque lo recordaría como su tío, a la vez se confesaría sólo «miembro adoptivo» de «la casa de los Oro».[10]

Sería tentador ver en el apego que todavía otro cuarto de siglo más tarde Alberdi mantiene por esa visión que se supondría arcaica de la solidaridad familiar un testimonio más de ese «permanente conflicto entre lo viejo y lo nuevo» que, en la ya citada y justísima observación de Adolfo Prieto, suele ofrecer uno de sus temas centrales a la autobiografía.[11] Sólo que no hay en el texto de la de Alberdi indicio alguno de la presencia de un conflicto: lejos de reivindicar polémicamente en él un modelo de familia que está siendo erosionado por el avance de la modernidad, Alberdi —sin siquiera considerar la posibilidad de que ese modelo estuviese perdiendo vigencia— se propone reivindicar la posición privilegiada que debe a su condición de integrante de la más eminente de su rincón nativo.

Esa reivindicación inspira inequívocamente las páginas con que se abre *Mi vida privada*, el texto en que rememora su infancia y juventud, hasta su emigración de Buenos Aires en 1839, que en su originario proyecto autobiográfico debía ser el de la primera de las cartas dirigidas a sus familiares, a la que se proponía agregar otras tres acerca de sus años de residencia en Montevideo, Chile y Europa, pero es la única que ha llegado hasta nosotros. Aunque al abrir su narrativa de vida prefiere acudir al contexto más reducido de la familia nuclear, cuando asienta como premisa que «más que de la tierra en que somos nacidos, más que de la sociedad en que nos hemos formado, somos por nuestra naturaleza física y moral los hijos, la reproducción o nueva edificación de nuestros padres» [XV, 265], esa premisa no deja más

[10] Sarmiento, *Recuerdos* cit., p. 85.

[11] Prieto, *La literatura* cit., p. 219

huella perceptible en su relato que una observación al pasar, en la que presenta a su madre, «dama de alta estatura, delgada, rubia», como «la compañera obligada de un hombre de pequeña estatura, como era mi padre, cabello negro, cuerpo enjuto y ágil, cual verdadero vasco» [XV, 265-6]. Y —aún más significativamente— antes ya de introducirla, al presentar a sus padres en el marco de la elite de su nativo Tucumán, ha puesto decididamente en primer plano el vínculo que por vía materna lo liga con la familia de Aráoz.

Esa presentación nos informa en efecto que su padre, don Salvador de Alberdi, comerciante vizcaíno establecido en el Virreinato del Río de la Plata, cuando «la disposición de su salud lo llevó a Tucumán, país más análogo por sus montañas [que Buenos Aires] a la España de los Pirineos», «tomó [allí] por esposa a la señora doña Josefa Rosa de Aráoz y Balderrama, hermana de don Diego y de don José de Aráoz» [XV, 265]: como se ve, antes de buscar la clave de esa elección matrimonial en la atracción que ejercen los contrarios, la ha encontrado ya en el vínculo que ese matrimonio vino a crear entre la más poderosa e influyente de las familias de la elite tucumana y quien, aunque —como su hijo cree necesario subrayar— no era propiamente un inmigrante, puesto que «el Plata era entonces una provincia española», era en todo caso ajeno por origen a esa elite.

Hasta qué punto su condición de integrante por vía materna de la familia de Aráoz constituye para Juan Bautista Alberdi una definitoria seña de indentidad se percibe muy bien en la carta sobre la cual Prieto llamó la atención de sus lectores, a través de la cual tomaba por primera vez contacto —en 1880— con su primo Miguel Moisés Aráoz, obispo *in partibus* de Berissa, «bajo un auspicio que no podrá dejar de serle simpático», ya que en ella se ocupa del «parentesco que parece indudable de nuestra familia de Aráoz con el ilustre fundador de la Sociedad de Jesús, San Ignacio de Loyola». Prosigue Alberdi: «Un pariente nuestro, el doctor don Juan José Aráoz, residente en París [...] al presente está ocupado en llevar a cabo las investigaciones históricas sobre la verdad y prueba de dicha genealogía»; su misiva tiene el propósito de solicitar para ellas la colaboración de su destinatario, ya que «parientes nuestros de Tucumán» le han asegurado que es «fuerte y competente juez de toda cuestión relativa a nuestros orígenes europeos y americanos de familia». Espera obtenerla, porque está seguro de que no ha de ser ajeno al obispo el sentimiento de «justo orgullo de su origen» que ha estimulado a Juan José a probar «la conexión ilustre con la familia de Loyola [...] como no lo ha sido para mí mismo en mi calidad de miembro de la familia de Aráoz» [XV, 265-6].

Y aunque en el relato autobiográfico de Alberdi «la familia de Aráoz» no ocupa un primer plano análogo al que llena en *Recuerdos de provincia* «la casa de Oro», a cada paso se hace sentir su presencia tutelar. Si cuando se desencadena la guerra revolucionaria su padre abraza con entusiasmo la causa emancipadora, la primera razón para ello es su vínculo «con la familia de los Aráoz, que dieron a Belgrano una parte del ejército con que venció en Tucumán» [XV, 267]; dos páginas más adelante Alberdi volverá a presentar ese vínculo como determinante («casado en la familia de los Aráoz, siguió la causa de su familia y de su país adoptivo [XV, 269]»); y para explicar que, en el mismo Tucumán, Belgrano hiciera de él su mejor amigo, invoca su «triple carácter de español, liberal y —de nuevo— pariente de los Aráoz, que le formaron su ejército».

A la intimidad que se estableció entre el mercader vizcaíno y el general patriota iba a deber el propio Alberdi el privilegio de haber sido «el objeto de las caricias del general Belgrano en [su] niñez», y haber más de una vez jugado «con los cañoncitos que servían a los estudios académicos de sus oficiales en el tapiz de su salón de su casa de campo en la Ciudadela» [XV, 269-70], en una imagen que lo muestra instalado ya en su primera infancia en el centro mismo del poder, en el marco de una revolución que en Tucumán era a la vez la máxima hazaña de la casa de Aráoz.

Sin duda, no es ése el único argumento que subtiende las páginas iniciales de *Mi vida privada*: más insistentemente aún que a su conexión con la ilustre familia materna, lo veremos aludir al origen peninsular de su padre, y la firmeza con que se rehúsa a considerar siquiera que ese origen hubiese podido introducir una dimensión problemática en la relación de éste con «su país adoptivo» sugiere que por lo menos a los ojos de algunos ella había constituido en efecto un problema. No en todo caso a los de su padre, para quien «la revolución fue una desmembración natural de la familia española», en la que descubrió y celebró la oportunidad de contribuir al triunfo de los «principios y máximas del gobierno republicano, según el *Contrato social* de Rousseau», cuyo texto había usado para explicar esos principios en sesiones privadas destinadas a «los jóvenes de ese tiempo» [XV, 267]. Y tampoco a los ojos del poder revolucionario, que le otorgó carta de ciudadanía por decisión del Congreso que declaró la independencia; no ha de sorprender entonces que cuando la disolución del estado revolucionario dio lugar a la creación de una legislatura local, don Salvador de Alberdi fuera elegido para integrarla. Nunca iba a cruzar el umbral de la época que así se abría: asistente a la sesión en que «don Bernabé Aráoz, mi tío» debía ser investido de facultades extraordinarias, se retiró sin firmar el acta, presa de un súbito malestar «y murió en la misma noche de ese día» [XV,268].

Pero el horror ante la inminente dictadura, que detuvo para siempre el corazón republicano de don Salvador de Alberdi, no le había inspirado enemistad alguna contra quien se preparaba a ejercerla. ¿Y cómo hubiera podido ser de otra manera, cuando el propio Juan Bautista Alberdi tenía en su poder «una carta original del general San Martín (que pertenece al señor Posadas) dirigida al presidente Pueyrredón recomendando para gobernador de Tucumán a don Bernabé Aráoz», en la que presentaba a éste «*como el mejor hombre de bien que existe en toda la República*»[XV, 268]?

Alberdi puede así cerrar el capítulo de su infancia con un recuerdo orgulloso tanto para el padre de quien había recibido en herencia su austera conciencia republicana cuanto para la ilustre casa de Aráoz, pero su vinculación con ésta aún habría de allanarle las siguientes etapas de su camino. Cuando, luego de «aprender a leer y escribir en la escuela pública que fundó Belgrano», partió a Buenos Aires todavía no cumplidos los catorce años, para proseguir estudios en el Colegio de Ciencias Morales, lo hizo como uno de los seis becarios que el gobierno de esa provincia había asignado a la de Tucumán, recomendado para ello por el gobernador Javier López, quien invocaba en su favor su calidad de «hijo de una de las primeras familias de este pueblo» (de la que el propio López había venido a formar parte gracias a su matrimonio con Lucía Aráoz, prima del agraciado).[12]

Cuando encontró insoportable la disciplina del colegio, y obtuvo el consentimiento de su hermano mayor y tutor para colocarse como dependiente en la casa de comercio de quien lo había sido de su padre, «las ocupaciones del comercio fueron cediendo [...] al gusto y al hábito de leer». *Las ruinas de Palmira*, de Volney, fue su «primer lectura de esa edad», y de inmediato lo cautivó su «encanto indefinible» [XV, 275]. Había comenzado a contemplar con envidia, desde la tienda en que trabajaba, situada frente al Colegio, a sus ex colegas «salir en cuerpo diariamente para tener sus cursos en la Universidad» [XV, 274], cuando pudo retomar estudios gracias a la intervención de su primo hermano Jesús María Aráoz, quien a su paso por Buenos Aires, viéndolo «siempre dado a la lectura», solicitó la intercesión en su favor de «don Alejandro Heredia, que era diputado por Tucumán en el Congreso nacional en 1826»; fueron precisamente las instancias de Heredia las que llevaron a Florencio Varela, «empleado importante del ministerio de Rivadavia en ese momento», a gestionar exitosamente que se lo restableciera en el goce de su beca. Pero llegó aún más allá el interés de Heredia por el hijo de Josefa Aráoz: «quiso darme él mismo las primeras lecciones de gramática latina; y una tarde, en su casa, sentados en un sofá, al lado uno de otro, empezó por invitarme a persignarme; después de lo cual, abriendo él mismo el *Arte de Nebrija*, dimos principio a la carrera en que ha girado mi vida» [XV, 276].

Tras de entrar en ella cobijado bajo la sombra protectora de la casa de Aráoz, bajo ese mismo amparo logra cruzar indemne los años terribles anunciados por «los cañonazos de los combates tenidos en las aguas del Plata» durante la guerra del Brasil, que habían más de una vez atronado en la distancia durante sus lecturas de Volney. En 1834, tras de detenerse brevemente en Córdoba, con el propósito de obtener más rápidamente que en Buenos Aires su grado universitario, lo que pudo lograr gracias a una recomendación de Heredia, ya

[12] Jorge M. Mayer, *Alberdi y su tiempo*, Buenos Aires, Eudeba, 1963, p. 37.

gobernador de Tucumán, a su colega cordobés, retornó luego de diez años de ausencia a su tierra nativa, en la que encontró a su hermano mayor y antiguo tutor trasformado en figura influyente: aunque no desempeñaba el papel de «consejero oficial» del gobernador Heredia que algunos le asignaban, como «íntimo amigo» que era de éste «le hacía, por mero comedimiento, algunos papeles de estado, que Heredia le pedía» [XV, 286].

A su llegada encontró a su ciudad natal ensombrecida por «las escenas de una revolución sofocada ese día, contra el gobierno del señor Heredia». En el cercano aniversario de la declaración de independencia, invitado a pronunciar «algunas palabras» en la sala misma en que ésta había sido proclamada, y en presencia de «todas las autoridades presididas por el Gobernador, y acompañadas por el pueblo más selecto», usó de la ocasión para solicitar de su antiguo protector la libertad de los revolucionarios, «pertenecientes a la mejor sociedad de Tucumán» [XV, 287]. Fue escuchado; Heredia concedió una amnistía universal, y ello hizo de su retorno a su tierra nativa «un feliz evento, por el influjo que tuvo en el restablecimiento de la paz» [XV, 285].

Pronto iba a recibir nuevos signos de la benevolencia con que lo miraba el gobernador tucumano: tras de autorizarlo a ejercer la abogacía en la provincia pese a no haber cursado la Academia de Jurisprudencia, se proponía incorporarlo a la legislatura provincial, y pensó por un momento enviarlo como su agente a Salta. Cuando, decidido como estaba a eludir «todos esos compromisos precoces que interrumpían [su] carrera» [XV, 289], Alberdi apresuró su retorno a Buenos Aires, su inveterado protector, lejos de considerarse desairado por ello, quiso acompañar con su solicitud de siempre «la terminación de una carrera en que él [lo] había colocado». Deseoso de que viniera a ofrecerle digna coronación un viaje de estudios a los Estados Unidos «para perfeccionar[se] en esa grande escuela del gobierno federal», Heredia encargó «al general Quiroga, que residía entonces en Buenos Aires» que proveyera a Alberdi de los fondos necesarios para ello. Pero al día siguiente de recibir de Facundo «una orden para el Banco de Buenos Aires, por toda la suma que debía servir[le] para trasladar[se] y residir un año en ese país» [XV, 291], el mismo Alberdi se la devolvió, renunciando así —por razones que no cree del caso mencionar— al proyectado viaje.

Cuando se lee el pasaje en que El Tigre de los Llanos es presentado desempeñando el inesperado papel de agente de un proyecto eminentemente civilizatorio se hace tentador ver en él una escaramuza más en la guerra que Alberdi lleva contra Sarmiento: en el prólogo de *Facundo* éste había pedido un Tocqueville sudamericano, pero su antihéroe se le había anticipado cuando intentó llenar ese vacío patrocinando al talentoso joven que se disponía a emprender un viaje de exploración paralelo a aquel que había de dar su fruto en *La democracia en América*.

No creo sin embargo que en este caso esa motivación polémica haya pesado de modo significativo: su presentación de la figura de Facundo se mantiene fiel a un rasgo que domina ya hasta tal punto la que ofrece del entero contexto en que avanzó su carrera, que quien se mantenga en la superficie de su relato la imaginará proyectada sobre un trasfondo mucho más apacible del que podía ofrecer un país en guerra civil. Y esa estilización se hace particularmente violenta en cuanto a las vicisitudes vividas por Tucumán, que tocan a Alberdi aún más de cerca; la brevísima alusión a «la ejecución de mi tío D. Bernabé Aráoz, en el pueblo de las *Trancas*, por la revolución que lo derrocó de su gobierno dictatorial» [XV, 285] elude mencionar algo que sin duda Alberdi tiene tan presente como los parientes para quienes —según asegura— ha escrito *Mi vida privada*: a saber, el conflicto que desgarró a la casa de Aráoz y pareció acercar a la historia de esa etapa tucumana a la de la Inglaterra bajomedieval cuyas *sad stories of the deaths of kings* dieron tema frecuente al ciclo de obras históricas de Shakespeare. Bernabé Aráoz —contra lo que prefiere recordar Alberdi— no murió víctima de la revolución que derrocó su dictadura; refugiado en Salta luego de ser despojado del poder, y sospechado, sin duda justificadamente, de preparar desde allí un golpe de mano destinado a devolvérselo, fue entregado por el gobernador salteño a las autoridades tucumanas, y ejecutado por éstas bajo la acusación de intentar fugarse de su cautiverio. Era entonces gobernador de Tucumán Javier López, quien —tras de disputar con Diego Aráoz el poder dejado vacante por el derrocamiento de Bernabé, en el que ambos habían participado— había establecido con él una alianza refrendada por el ya mencionado matrimonio del primero con Lucía Aráoz, hija del segundo, que vino a consolidar la primacía política de la rama de esa familia a la que pertenecía Alberdi, como hijo de una hermana de Diego.[13]

Pero cuando Alberdi escribía *Mi vida privada* todo eso era historia pasada, en todos los sentidos del término. Aunque algunos miembros de la familia brillaban en el mundo (uno de ellos, Daniel Aráoz, estaba cerrando en un escaño del Senado una larga aunque algo opaca carrera política que había tenido por marco el naciente estado central), ello no impedía que entre los grandes linajes que seguían siendo actores centrales del drama político tucumano apenas figurase ya el de Aráoz (como señalaba por esos años Paul Groussac, el nombre que ahora aparecía vinculado más frecuentemente con los más variados lugares de poder era el de Posse), y sin embargo el texto de *Mi vida privada* no incorpora ese dato nada secundario en el relato familiar. Sin duda, los deudos a quienes Alberdi lo destinaba no hubiesen agradecido que les recordasen que el pasado en él evocado era —como ya sabían demasiado bien— irrevocable, pero quizá no fuese ésa la razón principal para el silencio que éste quiso guardar sobre este punto, que se debía quizá más bien a que en el relato de Alberdi el tema de la decadencia del clan Aráoz ha sido subsumido —y por lo tanto ocultado— bajo el de la frustración de la promesa implícita en la pertenencia a ese clan que marcó el destino de Alberdi. La relegación del tema ofrecido por el ocaso de los Aráoz a los márgenes de ese relato es tan extrema que sugiere que si Alberdi había presentado a ese antes poderoso clan familiar como el destinatario en que pensaba al escribir *Mi vida privada*, era porque ello le permitía ignorar que lo que estaba escribiendo era —una vez más— un memorial dirigido a sí mismo, un fragmento de ese inacabable soliloquio del que nos ofrecen testimonio parcial los *Escritos póstumos*.

[13] Como señala Jorge M. Mayer, mientras Diego Aráoz era su tío carnal, Bernabé —aunque mayor en edad— era sólo sobrino en tercer grado. Mayer, *Alberdi*, cit., p. 35, n. 132.

En efecto, si en *Mi vida privada* la novela familiar permanece en un remoto segundo plano, es porque el primero está totalmente dominado por un relato que estiliza la trayectoria vital de su autor sobre las líneas de la de un príncipe que vio arrebatada su herencia (ya la imagen del niño que juega con los cañoncitos de Belgrano, con que abre su relato, trae a la mente la estampa del infante Rey de Roma jugando con el orbe, símbolo de la universalidad de la soberanía que había nacido destinado a ejercer). Lo que le arrebata esa herencia no es la victoria de la barbarie denunciada por Sarmiento; como se ha visto ya, el conflicto que ofrece para éste la clave del enigma argentino no tiene lugar alguno en una narrativa en la cual, mientras las provincias argentinas viven la incesante tormenta que ofrece el trasfondo para *Facundo*, el general Belgrano y el general Quiroga, Bernardino Rivadavia por medio de Florencio Varela y Alejandro Heredia suman sus esfuerzos para impulsar una carrera cuyo rumbo se anuncia triunfal: será sólo la consolidación del orden político erigido por Rosas desde Buenos Aires la que ha de desviarla de él, en un revés que tres décadas más tarde no cabe ya esperar que pueda ser contrarrestado.

El encuentro con ese obstáculo que hubo finalmente de derrotarlo es el tema de *Alberdi*,[14] un conjunto de fragmentos reunidos —al parecer por él mismo— bajo ese título, para servir de pórtico a las proyectadas *Memorias sobre mi vida y mis escritos*, abiertas precisamente por *Mi vida privada*. En esos fragmentos Alberdi acumula argumentos para una *apologia pro vita sua* en que ofrece como clave para esa derrota su «combate de veinte años contra el localismo absorbente de Buenos Aires; como obstáculo a la institución del gobierno nacional argentino, que tuvo por mira la Revolución de Mayo contra España» [XV, 244]. «Consagrado desde niño a la causa de la Revolución de Mayo —agrega— y designado por sus colegas desde su más joven edad para estudiar su fórmula, [Alberdi] no tardó en reconocer que el obstáculo [...] era el provincialismo de Buenos Aires, que después de servir esa revolución, y con ocasión de ese papel, se constituyó en la resistencia a su más grande propósito: la creación de un gobierno patrio y nacional» [XV, 244-45].

[14] «Alberdi», en Alberdi, *Escritos*, t. XV, p. 243.

Es esa devoción por la causa nacional la que perversamente ha movido a algunos a dirigirle «el reproche de traición a su patria». Un reproche que viene de lejos: «No ha necesitado defender al Paraguay para ser odiado y calumniado por Buenos Aires; ya lo había sido hasta el colmo, por sólo defender a la Confederación Argentina» [XV, 252]; por otra parte quienes así lo calumnian prefieren ignorar que «el Paraguay ha firmado las ideas diplomáticas, y publicado y propagado las ideas políticas de Alberdi» y que por lo tanto «lejos de haber servido Alberdi como instrumento del Paraguay, el Paraguay ha sido instrumento de Alberdi» [XV, 255]. No es ésta por otra parte la primera vez que buscó poner a su servicio a instrumentos extraños; en 1865 habían pasado casi tres décadas desde que había descubierto «en el extranjero un instrumento menos hostil y peligroso para la República Argentina que el *localismo* doméstico que suscitó siempre conflictos externos para disfrazar la fealdad de su despotismo usurpador con falsos prestigios de gloria nacional. Es así como se vio de aliado de los franceses en 1840, de los brasileros en 1851 y lo ha sido de los paraguayos en 1865» [XV, 266-67].

Pero no es sólo el localismo lo que reprocha a Buenos Aires. Ya en el *Fragmento preliminar al estudio del Derecho* había presentado al régimen rosista como esencialmente democrático, en cuanto se apoyaba en una opinión colectiva que le era abrumadoramente favorable; esa caracterización, que fue vista por muchos como el anuncio de una inminente apostasía, era a sus propios ojos quizá menos favorable al rosismo de lo que esos muchos parecían temer. Luego de 1852 Alberdi la seguiría esgrimiendo contra el peculiar estilo de política madurado en Buenos Aires, en circunstancias que no le hacían ya necesario abstenerse de formular el juicio negativo que el espectáculo ofrecido por la política democrática le inspiraba. Sin duda no son los rasgos que la hacen inaceptable los que invoca para proclamarse el más tenaz adversario de las causas políticas que defiende Buenos Aires, pero es la capacidad para imponer las pautas de ese estilo a la entera nación, que la primera provincia había perdido en Caseros pero reconquistado en Pavón, la que lo ha obligado a desistir de participar en un juego político que sólo pueden practicar con éxito quienes estén dispuestos a «escribir cosas que embriagan la vanidad de la multitud; estudiar fríamente las preocupaciones, los errores arraigados y las pasiones reinantes del país para hacerse el eco exagerado y sonoro» de todo eso; tal es el secreto «vulgar de que se valen los caracteres bajos y egoístas que trafican con el error» [XV, 251]; y la eficacia con que saben hacer uso de ese recurso condena de antemano al fracaso a quienes con intención honrada aspiren a cerrarles el camino.

Pero esa eficacia se debe a la perfecta adecuación de su estilo de hacer política a un «país, dominado como todo país republicano por esas corrientes de opinión y sentimiento, justo o injusto, que hacen pagar caro a la independencia sus menores desvíos de la huella común que gobierna y dirige en soberana». Aunque Alberdi se complace en denunciar al Buenos Aires de Mitre como al heredero y continuador del de Rosas, admite a la vez que en aquél, a diferencia de lo que ocurría en éste, la tiranía no la ejerce ya en primer término quien ocupa el gobierno: «la intolerancia de los gobiernos forma [sólo] la cuarta parte de la intolerancia que le sirve de base natural, la cual se compone de las costumbres, de las corrientes de opinión y del torrente de las preocupaciones reinantes, dotadas del poder soberano de una democracia que no gusta de ser contradicha» [XV,310]. En el Buenos Aires del que Alberdi se presenta como irreductible adversario no cuesta trabajo reconocer a la ciudad en que, como quiere Hilda Sabato, la política se hace en las calles tanto como en las sedes del gobierno, pero es precisamente ese rasgo, que ha hecho de Buenos Aires una república de la opinión,[15] el que persuade a Alberdi que el país al que Pavón ha vuelto a someter a la hegemonía porteña no ha de concederle jamás el lugar que se juzga con derecho a ocupar en su vida pública.

Ya antes de que la carrera política de Alberdi encallase en ese obstáculo inamovible, habían venido acumulándose los signos de que en él la vocación política era menos imperiosa y excluyente que en sus grandes rivales. Mientras —como era por otra parte esperable— la mirada retrospectiva que *Mi vida privada* dirige a esa carrera no se

[15] La fórmula es de Alberto Lettieri (*La República de la opinión. Política y opinión pública en Buenos Aires entre 1852 y 1862*, Buenos Aires, Biblos, 1999).

detiene en sus titubeantes exploraciones de alternativas para ella, que no habían faltado a lo largo de su curso, otros de los *Escritos póstumos* recogen los testimonios directos de una etapa difícil en que sintió con particular intensidad la tentación de buscar otros rumbos.

Esa etapa se abre con su abandono de Montevideo al comenzar el Sitio Grande, que hizo de él —en la pérfida y trasparente alusión incluida por Sarmiento en su dedicatoria de *La campaña en el Ejército Grande*— «el primer desertor argentino de las murallas de defensa al acercarse Oribe»;[16] tras de su partida de la ciudad sitiada —en compañía de Juan María Gutiérrez, como recordaba también Sarmiento con intención igualmente malévola— Alberdi emprendió junto con éste una excursión europea que, comenzada en Génova y continuada a través de Turín, Chambéry y Ginebra, tuvo su etapa más prolongada en París para terminar en El Havre. Los apuntes que nos ha dejado de ese viaje —tanto los muy circunstanciados de «Veinte días en Génova»[17] como las más escuetas «Impresiones» que cubren el resto de su itinerario europeo—[18] dedican un espacio inesperamante amplio a la descripción de los locales y de los procedimientos que encontró vigentes en los tribunales de esas ciudades, así como de las satisfacciones materiales y de prestigio asequibles a los abogados que practicaban en esos variados foros. Así en Chambéry, donde, presentado por los jesuitas «con una generosidad que nunca olvidaré, a los señores Cot, padre e hijo, el primero notario del Senado» (tribunal), descubre que el segundo, aunque «abogado pleiteante» desde hace sólo un año, gana ya doce mil francos anuales, al frente de un bufete en que, auxiliado por «cinco o seis escribientes», maneja simultáneamente ochocientas causas [XV, 837-38]. Sin duda, el marco físico no podría ser más modesto («el tubo de lata de una de las dos chimeneas

[16] Domingo F. Sarmiento, *Campaña en el Ejército Grande aliado de Sud América*, Bernal, Universidad Nacional de Quilmes, 1997, pp. 118-19.

[17] «Veinte días en Génova» en Juan Bautista Alberdi, *Obras escogidas. Tomo VI. Memorias e impresiones de viaje*, Buenos Aires, Luz del Día, 1953, pp. 45-156.

[18] «Impresiones de viajes», en *Escritos póstumos de Juan Bautista Alberdi, Tomo XV, Memorias y documentos*, Buenos Aires, Imprenta J. B. Alberdi, pp. 835-929.

que hay en ella, atraviesa horizontalmente la sala» del tribunal, que ya ha presentado como «pequeña, negra y mal dispuesta», y cuyas «antesalas y secretarías, tienen el aire de tabernas»), pero sobre ese telón de fondo casi sórdido resaltan aún con mayor relieve la «dignidad y nobleza en el aire de los jueces, tan urbanos, tan simples, tan graves» [XV, 838]. Por otra parte Alberdi no deja de anotar que en Chambéry «los abogados gozan de gran respetabilidad, y a los pleiteantes, como me decía uno, si no se les respeta por su categoría, se les respeta por el mucho dinero que ganan»[XV, 839].

Aunque no supiéramos que Alberdi se interesó por un momento en la posibilidad de incorporarse al foro de Madrid, la decisión de hacer de su primera excursión europea un viaje de estudio acerca de la administración de justicia en el Viejo Mundo sugiere que lo que lo atrae al tema no es un interés puramente teórico. ¿Qué podía Alberdi encontrar de atractivo en el ejercicio de la profesión de «abogado pleiteante»? Probablemente en primer término la promesa de un lugar en la sociedad capaz de asegurar una cierta holgura a quien lo practicase con mínima destreza. Aunque en este punto no se puede ir mucho más allá de la conjetura, hay mucho que sugiere que en ese momento de la trayectoria de Alberdi el problema de cómo ganarse la vida vino a planteársele con una urgencia desconocida en el pasado: si todavía cuando partió de Montevideo contaba con recursos suficientes para hacer de esa partida la ocasión para un extenso y necesariamente costoso viaje europeo, las anotaciones del diario que llevó a lo largo de éste lo muestran cada vez más angustiado por la incógnita que en este aspecto pesaba sobre su futuro.

Pero no es eso todo: cuando Alberdi abandonó Montevideo todo anticipaba que la inminente caída del único rincón rioplatense que no había sido conquistado por las fuerzas de Rosas cerraría con una derrota ya irrevocable de las fuerzas que le habían sido hostiles la más seria crisis que había afrontado su régimen, pero ya antes de ver encerrada a la causa antirrosista en ese precario bastión había tenido ocasiones sobradas para entregarse al desaliento a lo largo de cuatro años en que cada esperanza había dado paso a la más amarga decepción. Y Alberdi estaba mal preparado para superar las decepciones;

como se ha visto más arriba, a diferencia de lo que había ocurrido con Sarmiento, su experiencia de vida sólo comenzó a sugerirle que el rumbo tomado por la política postrevolucionaria en el Río de la Plata podía afectarlo duramente cuando le tocó vivir desde dentro las tensiones cada vez más insoportables que acompañaron la reconquista del poder en Buenos Aires por parte de Juan Manuel de Rosas, pero ni aun ellas lo incitarían a dejar totalmente de lado la imagen considerablemente más plácida de esa experiencia que había madurado en las etapas anteriores de su trayectoria.

De nuevo en este punto coincidía con sus camaradas de la Nueva Generación: si ésta se había fijado por tarea una lenta permeación ideológica de las elites políticas argentinas era porque confiaba, así fuese implícitamente, en que ningún nuevo avance en la exacerbación de los conflictos facciosos habría de incitar a esas elites a cerrar sus oídos a su prédica. Ni aun la reacción de Rosas, que obligó a la que entraba en escena como Nueva Generación a interrumpir su campaña pública de esclarecimiento ideológico cuando ésta apenas comenzaba, permitió a ésta percibir la seriedad del desafío que enfrentaba: así lo sugiere que todavía el 25 de mayo de 1838 solemnizara su ingreso en la clandestinidad con un banquete público en una fonda de Buenos Aires. Pero cuando aún no era capaz de percibir del todo que el estilo político de Rosas, que lo llevaba a doblar la apuesta frente a cada nuevo desafío, haría finalmente imposible a la Nueva Generación seguir avanzando, así fuese en forma menos pública, en su proyecto originario, la internacionalización del conflicto entre Rosas y sus adversarios, en que ese estilo alcanzó su punta extrema, pareció ofrecerle la oportunidad para asumir un papel más activo, haciendo suya la audacia en la reacción frente a cualquier desafío gracias a la cual quien se había revelado su enemigo irreconciliable había logrado remover todos los obstáculos que hasta entonces se habían interpuesto en su camino.

Y la Nueva Generación —que a los ojos de los veteranos del antirrosismo no era sino un grupo de jóvenes advenedizos que se habían encerrado hasta la víspera en una calculada ambigüedad frente a los dilemas políticos que desgarraban a las Provincias Unidas— logró arrastrarlos a apuestas cada vez más audaces, que los terminaron forzando a jugar el todo por el todo en los desesperados combates que cuando Alberdi abandonó Montevideo parecían a punto de culminar en uno de resultado demasiado previsible. Pero si —gracias en buena medida al celo y al talento que el propio Alberdi puso en la empresa— la Nueva Generación pudo ganar influjo hegemónico sobre el entero conglomerado de fuerzas antirrosistas, no por ello había modificado del todo la relación mediada con la esfera política por la que había optado cuando había esperado contribuir con sus ideas a corregir las carencias que en este aspecto afligían al triunfante bando federal. Aunque cuando se marchó de Montevideo Alberdi dejaba atrás varios años de frenética actividad política, esa experiencia no había sido suficiente para que se viese a sí mismo bajo la figura del político.

Ésa es sin duda la razón que le hacía menos duro concluir que su partida estaba cerrando de modo irrevocable la etapa abierta por su voluntaria expatriación a la capital uruguaya, en que la distancia que había mantenido hasta entonces con la esfera política se había reducido hasta hacerse imperceptible, salvo para él mismo. Y si había llegado para él el momento de imaginar una vida fuera de la política —se ha sugerido ya— el foro presentaba atractivos que iban más allá de la promesa de un honrado bienestar. Tal como pudo descubrir en su viaje que en una Europa desquiciada por las pasadas revoluciones, y amenazada quizá de otras aún más terribles, la administración de justicia ofrecía quizá el único terreno en que la monarquía de Julio, que había adoptado por estandarte el tricolor de la Gran Revolución, podía mantener fidelidad a inveteradas prácticas sociales que se revelaban con ello dotadas de una suerte de vigencia intemporal, y capaces por lo tanto de atravesar indemnes las más duras intemperies de la historia. Y ello lo autorizaba a esperar que en el foro le sería aún posible alcanzar ese futuro que había antes podido creer reservado de antemano a quien como él era desde el momento mismo de su nacimiento integrante de una elite que, forjada por el Antiguo Régimen, había sabido revalidar sus credenciales bajo el signo de una revolución inspirada en el *Contrato social*.

Cuando Alberdi descubría Europa, el ejercicio de esa profesión liberal que era la abogacía se le presentaba como la mejor de las alternativas entre las cuales lo forzaba a escoger la situación en que lo habían colocado los reveses acumulados al servicio de una causa que todo anunciaba cercana a una derrota ya irrevocable. Pero si cuando abandonó Montevideo todo sugería que la inminente caída de la ciudad estaba a punto de consumar esa derrota, a fines de 1843, cuando cerró su periplo europeo, no sólo ella no se había producido, sino parecía ya menos seguro que hubiese de producirse en un futuro previsible: aunque el régimen rosista había logrado sobrevivir a la furia de todos sus enemigos, y resultaba difícil imaginar de qué modo éstos podrían revertir las consecuencias de sus recientes fracasos, esos descalabros no habían tampoco logrado eliminarlos del campo.

Alberdi iba a descubrirse menos dispuesto a permanecer en la arena política en medio de una coyuntura que amenazaba encerrarlo indefinidamente en un callejón sin salida que a resignarse a una derrota sin atenuantes. Y no debe sorprender esa reacción por parte de quien había entrado en liza decidido a librar una lucha sin cuartel contra un enemigo despiadado, que por su naturaleza misma debía alcanzar rápida resolución: iba a ser el desconcierto ante el alejamiento hacia un horizonte cada vez más remoto de ese momento resolutivo el que colorearía sus reflexiones durante el viaje de retorno.

En los diarios que Alberdi llevó durante ese viaje, recogidos primero en las páginas finales de las ya citadas «Impresiones de viajes», que registran las de la navegación entre El Havre y Río de Janeiro a bordo del navío francés *Jeune Pauline*, y luego en las de «En Río de Janeiro» y «A bordo», que recogen respectivamente las de «los 30 días más tontos de [su] vida», trascurridos en esa ciudad, y las de los vividos a bordo de la barca inglesa *Benjamin Hort*, en viaje de Río de Janeiro a Valparaíso, fechadas estas últimas entre el 8 de febrero y el 5 de abril de 1844, en que cesan antes de que esa penosa navegación encuentre su término,[19] lo veremos recorrer una y otra vez la distancia entre la desesperación y la esperanza. Apenas embarcado en El Havre,

[19] «Impresiones de viajes», en Alberdi, *Escritos*, XV, pp 835-929; las apuntaciones sobre la travesía de la *Jeune Pauline* comienzan en p. 889; «En Río de Janeiro», en Alberdi, *Escritos*, XVI, p. 9; «A bordo», *ibidem*, p. 31.

le complace descubrir que su espíritu se ha librado «del *ennui* que le abrumaba sordamente, en medio de los mayores atractivos de la *Italia, Suiza* y *París*» [XV, 898]. Lo ha reemplazado el contento por «estar volviendo a la América», luego de que las desilusiones sufridas en Europa le permitieron apreciar mejor lo que esa América vale.

No por ello se le ocultan las dificultades que le esperan, «a los 33 años de edad, después de tanto preparativo, de tanto ruido, de tanto negocio: pobre, viniendo de Europa a América sin saber a qué destino, como uno de los muchos parias que vienen a buscar fortuna y colocación. [...] Llegar a Chile, y encontrar un abogado que admita mi colaboración mediante un estipendio que me dé para vivir, esto es, habitar y comer, es toda la felicidad ideal que yo ambiciono. He aquí en lo que ha parado el mundo de ambiciones que abrumaba mi cabeza de 25 años» [XV, 901-2].

Es éste el primer pasaje en que Alberdi comienza a barajar las alternativas que se le abrirán a su retorno, y es la ofrecida por la abogacía la que primero le viene a la mente. No es que se prometa mucho de ella; subraya por el contrario que encarar esa opción supone resignarse al fracaso en que vino a terminar «tanto preparativo, tanto ruido, tanto negocio», estilizando así su trayectoria pasada sobre las líneas de un relato en que la ambición juvenil se frustra al primer choque con la realidad. Al presentarse como el émulo austral de tantos personajes que en la narrativa romántica paladean infinitamente su propio fracaso, Alberdi logra pasar por alto —aun ante sí mismo— que al asumir ese fracaso asume también —tal como lo habría de denunciar Sarmiento— la condición de desertor de una guerra a la que ni aun las durísimas derrotas sufridas por la causa que él había hecho suya habían logrado imponer un desenlace definitivo.

Otras notaciones datadas en ese mismo día 26 de noviembre de 1843 muestran que no se ha resignado del todo a aceptar ese destino. Comienza recordando en ellas que «pasado mañana es aniversario del 28 Noviembre del 40 y 42 —*Quebracho* y *Caa-Guazú*», el primero el de la derrota que marcó el comienzo de la reconquista de las provincias norteñas por los ejércitos rosistas, y el segundo el de la victoria que dos años más tarde prometió arrebatar a Corrientes a la influencia de

Rosas. «Oh, si a mi llegada a Río, supiese que habíamos tenido otro Caa-guazú! —exclama— Quiera Dios que este Noviembre vea concluirse la invasión de Rosas en la Banda Oriental!» Lo espera con tanta más ansia porque ese golpe de fortuna vendría a dar solución feliz al dilema que lo atormenta: «Cómo esperar, en Río, el fin de la cuestión? Cómo volver a mezclarme en ella, sin medios, ni esperanzas?» [XV, 903]. El 29, con un sol radiante, y un fresco viento que parece decidirse por fin a impulsar a la *Jeune Pauline* a su puerto de destino, le «asalta la idea de que a esta hora está, quizá, definida en nuestro favor la cuestión del Plata. Cómo habría podido pasar este sol sin producir nada! Cuando la victoria de Caa-Guazú, yo la soñé la noche antes que llegara la noticia. Habrá sido profeta mi corazón esta vez también?» [XV, 905]. Pero siguen días en que el sol se nubla, y el viento se torna de nuevo más esquivo; y el 10 de diciembre, cuando de nuevo la llegada parece inminente, sus pensamientos son decididamente más sombríos: «yo creo que el Brasil será para mí la mitad del camino; porque quizá tendré que doblar el Cabo. Cuántas son mis dudas sobre mi destino! Qué será de mí! [...] Estoy seguro que no vacilaré mucho en abrazar un partido. Pero será posible que, de cuatro meses aquí, no haya tenido un desenlace el drama de Montevideo?» [XV, 922].

En Río de Janeiro ha de enterarse de que no lo ha tenido, y —si de antemano se negaba a considerar la alternativa de esperar allí el desenlace de la guerra que se libraba en el Estado Oriental— la impresión que le causa la capital del Imperio brasileño sólo intensifica el rechazo que esa opción le inspira, hasta tal punto que cuando un periódico de Río insinúa la posibilidad de «un rompimiento entre este país y Rosas», ello sólo refuerza su decisión de partir prontamente a Chile; «Presenciar y participar de una guerra más, contra Rosas; y hallarse al lado del extranjero; y del extranjero inepto, del extranjero destinado tal vez a ser vencedor! Oh! no!— Fuera! a Chile! Salud a cualquier acontecimiento que haga sucumbir a Rosas. Pero líbreme Dios de que yo me halle en él enrolado a la par del extranjero victorioso» [XVI, 24].

Por otra parte el reencuentro con compatriotas, que había esperado con ansia, le inspira sentimientos mezclados: «He conversado de

Montevideo, de Rosas, de Oribe, etc., etc., de estas cosas que de buena gana habría olvidado para siempre», y esas monótonas conversaciones han sido los puntos altos de su estancia en Río («es lo que he pasado más a mi gusto. La tertulia de don Ladislao [Martínez]; he aquí mi querida tertulia») [XVI, 23]. Ello no le impide partir con ánimo sombrío («nada feliz, nada risueño me augura el corazón» [XVI, 33]), pero se obliga a revestirse de su «energía de hombre» para pensar «en Chile, con fe, con esperanza, en los bellos días venideros, en que paso a países estables y felices» [XVI, 35].

Quince días después, el 21 de febrero, la nave atraviesa la desembocadura del Plata, y aunque se «había preparado para vertir lágrimas», tiene la satisfacción de descubrirse «superior a sí mismo» [XVI, 42] cuando logra mantener sus ojos secos. Pero bajo su exterior impasible no deja de preguntarse «Cuándo volveré a la patria? Seré yo de esos proscriptos que acaben sus días entre los extraños? Oh! yo haré porque así no sea; yo no seré proscripto eternamente. Vergüenza al que arrojen lejos de los suyos! No puede ser oprobioso jamás habitar su país, aunque sea en cadenas. Seguir el destino del país en todas sus alternativas. Oh!, no; eso no puede ser vergonzoso jamás, cuando se ha hecho lo posible para mejorar las condiciones de su fortuna. No: *yo prefiero los tiranos de mi país a los libertadores extranjeros.* El corazón, el infortunio, la experiencia de la vida, me sugieren esta máxima, que yo he combatido en días de ilusiones y errores juveniles» [XVI, 43-4].

La del retorno es una tentación que Alberdi ha de haber sentido más de una vez, y si es del todo excepcional verla aflorar en sus reflexiones es sin duda porque no logra convencerse del todo de que, dados los usos políticos impuestos por el rosismo, ese retorno no le impondría condiciones infinitamente más humillantes que la aceptación del carácter definitivo de la derrota sufrida. Hay en cambio otra tentación que Alberdi se esfuerza menos por reprimir: es la de «la neutralidad, que es hoy toda mi pasión», pero sólo para descubrir que, si le sería del todo imposible mantenerla en el Buenos Aires de Rosas, aun en las tierras rioplatenses que escapan por el momento al influjo del dictador porteño esa neutralidad lo colocaría en una posición difícil de sobrellevar. Van a ser los azares de la difícil travesía por los mares australes los que lo obliguen a encarar urgentemente el dilema que le plantea un retorno a la ciudad que había abandonado a su destino el año anterior. En el *Benjamin Hort* ha partido con destino a Valparaíso, pero los vientos impiden obstinadamente a la nave seguir avanzando por el Atlántico sur para afrontar el temible Cabo de Hornos, y el capitán decide que si la situación se mantiene deberá poner proa a Montevideo. Alberdi comienza por celebrarlo; en las primeras notaciones de viaje la idea de que en pocos días habría de bordear «la costa querida donde quedan el Río de la Plata, Buenos Aires, Montevideo, la patria en fin!» le hacía exclamar «yo amo al Río de la Plata con todo lo que él encierra. Nada, nada fuera del *Río de la Plata*» [XVI, 32]; no ha de sorprender entonces que cuando el capitán le haga preguntar si está dispuesto a ir a Inglaterra en lugar de Valparaíso, responda que a Inglaterra no, pero «a Montevideo, sí, iría con más gusto que a Valparaíso» [XVI, 45].

Pero al día siguiente, cuando el piloto le informa que, si el viento se mantiene, en dos días estarán en Montevideo, «se me descubre el desagradable reverso de este cuadro que, de lejos, me parecía tan bello. Será preciso hacerme militar o empleado, porque la neutralidad, que hoy es toda mi pasión, no será permitida. Las reconvenciones, las malas miradas, las invectivas, que me serán dirigidas por tantos diablos de los que campean en momentos como los presentes. La escasez y miseria, la falta de trabajo, tanta cosa desagradable que se me ofrece a la imaginación, cuando pienso en la vida que actualmente se hace en ese país». Abrumado por el dilema que así se le plantea, le consuela pensar que esta vez la decisión no depende de él, y concluye dejándola literalmente en manos de Dios «que hasta hoy me ha sido propicio más bien que adverso» [XVI, 48-9].

Dios vuelve a serle propicio; el viento cambia y, tras de una peligrosa navegación en torno al Cabo de Hornos, Alberdi llegará a Valparaíso, pero ahora la seguridad de que ha de alcanzar la meta de su travesía vuelve a hundirlo en la desesperanza: «Empecé bien triste este diario, en vísperas de salir de París, y lo acabo más triste aún, en vísperas de llegar a Chile. Yo no espero sino desdicha de este país. Un viaje tan desgraciado no puede ser presagio de fortuna» [XVI, 89]. Y no es sólo el recuerdo de las incomodidades y peligros del viaje el que inspira ese humor sombrío; ya antes de abandonar Europa temía que en Chile le tocaría afrontar obstáculos quizá tan graves como los que lo hubieran esperado en Montevideo: «Tendré que practicar, dos años de derecho allí para ser abogado; y después de esto, que buscar clientes, que hacerme carrera, etc. — Con qué viviré en los primeros meses? Volveré a ser periodista? Perspectiva horrible» [XV, 893].

Aunque, como se ha indicado más arriba, y era por otra parte esperable, la narración que Alberdi hace de su vida mientras la va viviendo, tal como se despliega en sus diarios, concede amplio espacio a las vacilaciones, a los titubeos que la visión retrospectiva recogida en *Mi vida privada* ha logrado borrar de su memoria, sería peligroso concluir a partir de ello que ofrezca una imagen más pasivamente fiel de esa experiencia que la que Alberdi dibujará cuando ya conozca casi todo lo que le resta por vivir de su historia. Y ello no tan sólo porque esa pasiva fidelidad no puede nunca alcanzarse del todo, sino más aún porque Alberdi ha logrado problematizar hasta tal punto su relación consigo mismo y con sus experiencias que el relato que hace de ellas se asemeja al de la exploración de un territorio desconocido, frente al cual el recurso a la estilización a partir de modelos inspirados en narrativas literarias puede ser, más bien que la adopción de un deformador modelo retórico, la búsqueda de una clave que le permita entenderse mejor a sí mismo.

Así en cuanto a sus cambiantes humores, que subraya con una cierta autocomplacencia. En la travesía a Valparaíso, el 9 de febrero, lo pone al borde de las lágrimas el recuerdo de que ha preferido viajar en un buque comandado por un capitán sin experiencia previa en la peligrosa ruta del Cabo de Hornos y con compañeros de viaje con los que no comparte el dominio de ninguna lengua, a hacerlo en un buque y con un capitán más dignos de confianza; pero en compañía de algunos que han sido ya sus «pésimos vecinos de Montevideo»; por fortuna su «pesar hizo crisis en ese instante» y pronto «ideas risueñas [le] vinieron al ánimo» [XVI, 34]. Pero al día siguiente «en un acceso repentino de melancolía, poco [le] faltó para llorar a gritos» [XVI,

36]. Unos días más, cuando lo tiene en vilo la duda acerca de si su viaje terminará en Montevideo o en Chile, proclama en un muy poco convincente tono compungido que es ésa una nueva prueba de que le ha sido concedido un destino a su medida: «nunca tendré la conducta de un hombre de juicio. El romance me sigue por todas partes» [XVI, 46]. Y todavía unos días después anota con no menos satisfacción: «Anoche pensaba en *París*, en *Italia*, y hacía nuevos proyectos de viaje. Yo he de ser loco toda mi vida: soy un verdadero Mad. Mendeville» [XVI, 60].

Pero quien concluyera que las reacciones de Alberdi no alcanzan a hacer de él el interesante excéntrico que esas anotaciones nos invitan a admirar, descubriría de inmediato que el mismo Alberdi ha llenado su texto de pistas que lo sugieren: así, hace notar reiteradamente y con no menos complacencia que ninguna de esas devastadoras tormentas interiores ha afectado su apetito. No significa ello que éste no haya conocido altibajos, a los que Alberdi concede atención aun más constante que a los de su ánimo, hasta tal punto que sus anotaciones terminan ofreciendo más afinidad con las que se esperaría surgidas de la pluma del *malade imaginaire* que con las confesiones de un hijo del siglo.

La atención hipocondríaca que presta a las reacciones de su estómago frente a las vicisitudes de la errática comida de a bordo ofrece sólo una dimensión de una constante atención a sí mismo que se concentra con igual intensidad en su modo de relacionarse con sus compañeros de viaje; y en los comentarios que éste le inspira vemos aflorar dos rasgos que —me parece— ofrecen claves para entender a Alberdi válidas más allá de esa experiencia-límite que era una travesía oceánica a mediados del siglo XIX. Uno de ellos es la conciencia constante de su propia superioridad respecto de esos compañeros; el otro la más dolorosa de su incapacidad de hacerla valer, porque su limitadísimo dominio de cualquier lengua que no sea la suya nativa le hace difícil comunicarse con la fluidez necesaria para persuadir a esos compañeros de que su pretensión de ver reconocida esa superioridad tiene fundamentos válidos. En la *Jeune Pauline* no tiene todavía motivo de queja en cuanto al pasaje: «Yo hago una vida excéntrica a bordo. Mi pretexto es la no posesión del idioma que hablan todos los pasajeros, extraños al español, excepto uno, que lo posee a medias. Es gente de negocios toda: bulliciosa, alegre, frívola, activa como niños. Sin embargo, todos me miran con distinción» [XV, 905]. Pero sí tiene quejas del capitán: «no le soy muy agradable, es justamente porque yo no me humillo a él. Y nada hago para que él crea otra cosa. Es insufrible la preponderancia que estos capitanes pobres diablos quieren darse hacia los pasajeros, que componen una escolta en su honor, a tanto precio. La culpa la tienen los que llevan su servilidad hasta adular y humillarse ante el mismo hombre, a quien le dan su plata. [...] Los franceses son instintivamente amables con el poder» [XV, 928].

En el *Benjamin Holt* no necesita tributar al capitán la deferencia que había sido obligada en la *Jeune Pauline*; mientras en el anterior tramo de su viaje a él le tocaba dar los buenos días al capitán, y la compañía de un pasaje numeroso lo hacía sentirse como «en un fastidioso restaurant», en el que acaba de emprender es el capitán quien lo saluda por las mañanas y puede por otra parte disfrutar «la soledad de un castillo feudal» [XVI, 36-7], ya que el barco lleva sólo otro pasajero, un suizo-alemán que habla francés y portugués, con quien espera intercambiar consuelos cuando los embargue la tristeza [XVI, 32]. Pero pronto debe concluir que las únicas virtudes de su compañero son haber traído consigo un ejemplar de «*Consuelo*, de Mª Sand» y no hablar español. En cuanto a lo primero, Alberdi se ha apresurado a apoderarse de los tres volúmenes de ese «libro ameno, hecho con talento», y el 18 de febrero va ya por el último («hasta aquí todo versa sobre el viejo capítulo de las intrigas de amor, en *Venecia*»); en cuanto a lo segundo, la ignorancia del español que aqueja a su compañero no le ha conferido toda la protección que esperaba contra las importunidades de ese «bobote» («Ayer le dije que me tradujese al francés un trozo de un papel alemán que le hacía perecer de risa. Esta imprudente demanda casi me hizo perecer de sueño y de fastidio. Una hora justa echó en traducir una columna»). Más no puede esperar de quien no es más que «un triste muchacho de un oscuro cantón de Suiza» [XVI, 40] que aunque haya aprendido a preparar y tener listo el mate que Alberdi tomará al despertar no resulta por eso menos insufrible [XVI,45]. Finalmente, la relación entra en crisis terminal cuando, pasando todos los límites de lo tolerable, ese «pobre diablo a quien yo honraba con un tono familiar, me ha dicho en mis propias barbas *que yo le importunaba con mi conversación*, cuando le hacía la confidencia de una queja contra una torpeza del capitán [...] Al suizo le pesará esto alguna vez [...] Por lo demás, no me conoce absolutamente».

Pero el ingrato episodio contiene una lección que Alberdi está dispuesto a atesorar; en él ha sufrido un «justo castigo por mi adhesión al extranjero, con despego, muchas veces, de los míos. Tenemos la mala habitud de prodigar nuestra franqueza a estos plebeyos oscuros, acostumbrados a verse despreciados siempre y por ello ingratos con quien los eleva» [XVI, 85-6]. Ahora bien, un joven que, aunque nacido en el rústico cantón de Sankt Gall, contaba con medios suficientes para navegar los mares australes, había adquirido —como Alberdi debe reconocer— un excelente dominio del francés, y estaba lo bastante al corriente del movimiento literario para elegir a *Consuelo* como lectura de viaje quizá hubiera encontrado difícil percibir el abismo que separaba su posición en la sociedad de la de su compañero de navegación, y las obligaciones que esa distancia le imponía al tratar con éste.

Pero si Alberdi creía firmemente en la presencia de ese abismo, percibía también con dolorosa claridad que ella tendía cada vez más a ser ignorada desde su entorno, exponiéndolo a ofensas que sólo podría evitar esquivando las ocasiones de recibirlas, aun al precio de un aislamiento creciente. Esa actitud constantemente defensiva, propia de quien sabe de antemano que la superioridad de la que está investido no es necesariamente reconocida por sus interlocutores no sólo vino a limitar aun más esas «disposiciones de sociabilidad» que en carta del 21 de octubre de 1852 a Luis José de la Peña confesaba haber tenido siempre «en escaso número» [XVI, 297], sino tuvo aun más amplios efectos inhibitorios, entre ellos el de agravar su timidez para abordar el uso de lenguas extranjeras (aun la francesa, con la cual no hubiera podido estar más familiarizado, ya que era la de casi todas sus lecturas),[20] y era rasgo excepcional entre sus coetáneos, desde Juan Manuel de Rosas, quien en su destierro recurría con inagotable volubilidad a un inglés harto rudimentario, pero suficiente para desempeñar sin dificultades mayores su nuevo papel de *gentleman-farmer* en el condado de Hampshire, hasta Sarmiento, que nunca dudó de su capacidad de dialogar de los temas más variados con Emerson y Thiers, y a quien bastó poner los pies en Italia para descubrir que dominaba ya el italiano. Esa timidez, nacida de percibir la situación de inferioridad en que lo colocaba su falta de destreza en el manejo del idioma extranjero, no era sino uno de los modos de manifestarse ésa que Alberdi llamaba su «altivez», que le llevaba por otra parte a comentar, cuando debió vestir por primera vez su uniforme de diplomático, que se había sentido humillado, más que enaltecido con ello. [XVI, 460]

Pero la «altivez» ofrecía una protección demasiado precaria contra las consecuencias de la distancia que —como Alberdi advertía demasiado bien— separaba a su propia noción del lugar que por derecho le correspondía en la sociedad y el que ésta estaba inclinada a reconocerle; y es comprensible que apenas su carrera de abogado comenzó a tomar rumbo ascendente buscara refugio más eficaz abroquelándose tras de la figura de un príncipe del foro que parecía abrirse a sus posibilidades. En las cuatro páginas finales de la sección de sus diarios titulada «En Chile» resume los avances en verdad notables que en seis años realiza en esa dirección, desde que comienza instalándose en Santiago como redactor de la *Gaceta de los Tribunales*, cargo en el que permanece diez meses, a razón de ocho onzas mensuales, y al margen de ello escribe varios manuales para uso de abogados y funcionarios, una biografía oficiosa del presidente Bulnes, por encargo del ministro Montt, y todavía un Cuadro Sinóptico del derecho comercial («en cuatro días y lo vendí en cuatro onzas» [XVI, 115]). Pronto entra a actuar profesionalmente tanto en Santiago como en Valparaíso, participa en varias *causes celèbres*, con alegatos que luego publica

[20] Así, con motivo de la ceremonia de presentación de credenciales a Napoleón III, el 16 de diciembre de 1855, anotaba: «He llegado a él sin miedo, aunque embromado por la etiqueta y la falta del idioma» [XVI, 460-61].

(el más sonado, en defensa de un padre que asesina al amante de su hija, es, según él mismo, «una página de George Sand, ocurrida en Chile»,[21] y como tal lo trabaja; la irrupción de la musa romántica en los tribunales chilenos despierta reservas aun en el liberal y romántico José Victorino Lastarria, pero contribuye a hacer popular el nombre de Alberdi).

Su celebridad naciente favorece su éxito económico; en setiembre de 1847 entra en sociedad para abrir una imprenta que a partir de noviembre publicará bajo su dirección el diario *El Comercio de Valparaíso*, para el cual ha ya gestionado con éxito «suscripción del gobierno». Abandona la sociedad en junio de 1849, vendiendo su parte por cuatro mil pesos y tomando la defensa del diario en un juicio de imprenta por otros cuatro mil; de su alegato en ese juicio se hicieron «cinco ediciones en ocho días, pues todos los diarios la repitieron» [XVI, 118].

Pronto vemos a Alberdi intervenir en asuntos que afectan intereses económicos cada vez más considerables, a los que defiende y representa ante la administración pública, primero «ocupado por Mr. Wheelwright, en Santiago, sobre los vapores y caminos de hierro», luego arreglando «con el Cabildo el asunto de la provisión de agua de Valparaíso», y comisionado por el mismo Cabildo «para optar al despacho, cerca del ministerio, del asunto de la renovación del privilegio de la Compañía [dirigida por Wheelwright], del ferrocarril y de la provisión de agua»; en esta última ocasión escribe además «17 cartas sobre la cuestión de vapores, en apoyo de la renovación, las que aparecieron en el *Progreso*». A fines de 1849, sus crecientes éxitos le permiten comprar «una casaquinta con el producto de [su] trabajo de abogado», en el Estero de Valparaíso, y allí establece su residencia un año más tarde; en ella escribe las dos primeras ediciones de las *Bases* y el proyecto de constitución anexo a la segunda [XVI, 118-19].

Ya en ese momento Alberdi ha logrado realizar un prometedor primer avance en una carrera que comienza a perfilarse como la de uno de esos abogados de negocios, para quienes el tribunal ha dejado de

[21] Meyer, *Alberdi* cit., p. 329.

ser el único teatro de sus actividades profesionales, que iban a florecer en la etapa de incorporación más íntima de los países latinoamericanos a la economía atlántica entonces en sus más tempranos comienzos. Pero no ha de continuar ese avance: en febrero de 1852 la caída del régimen rosista introduce un nuevo y decisivo giro en su trayectoria, que lo separa más rápida y completamente de lo que hubiera deseado de la práctica de la abogacía. Ello no impide que al asumir en la vida pública argentina el papel para el cual su memoria le dice que había sido «designado por sus colegas desde su más joven edad» al encomendarle éstos «estudiar la fórmula» capaz de «constituir un gobierno nacional y patrio» [XV, 244-45], se incorpore a ella bajo la figura del opulento príncipe del foro que hubiera podido llegar a ser si no hubiera interrumpido en ese momento el ejercicio cada vez más exitoso de su profesión de abogado.

Como Sarmiento percibe muy bien, es la identificación de Alberdi con esa figura de sí mismo la que a sus ojos lo autoriza a dejar de lado la silenciosa altivez con que en el pasado se había defendido del riesgo de ser estimado en menos que su verdadero valer, en favor de la altanería propia de quien por el contrario apenas necesita reivindicar explícitamente una superioridad que ya es por todos reconocida, y que se refleja en el sistemático desdén con que lo fulmina desde las primeras líneas de las *Cartas quillotanas*, en que declara que, si no fuese que su contrincante le ha dedicado la *Campaña en el Ejército Grande*, «probable es que yo no hubiese leído ese escrito, por escasez de tiempo para lecturas retrospectivas de ese género, ni me hubiera ocupado de contestarlo».[22] En su respuesta, Sarmiento prefiere una táctica menos oblicua, pero —si las alegaciones en que se apoya para marcar la distancia que separa a Alberdi del personaje que ha decidido encarnar son a menudo veraces— lo que falta en *Las ciento y una* es la capacidad de trazar a partir de ellas el retrato de un personaje reconocible y creíble. Falta desde luego porque esta vez Sarmiento, que habitualmente aún frente a aquello de lo que abomina quiere a la

[22] Juan Bautista Alberdi, *Obras escogidas*, t. VIII, Buenos Aires, Luz del día, 1954, p. 4.

vez entenderlo (es lo que en el fondo le reprocha Alberdi cuando lo acusa de haberse constituido en el «Plutarco de los bandidos»), quiere simplemente destruir a su contrincante.

Es ésa sin duda la razón por la cual frente a Alberdi su habitual penetración sólo aflora en breves chispazos que no logran desviar de su rumbo el torrente de injurias de *Las ciento y una*. Hay uno en particular en que se acercó a individualizar el que es a la vez enigma y clave para entender a Alberdi, sólo para pasar de largo frente a él. Ha dicho ya que en Chile el admirativo autorretrato que no se cansa de trazar Alberdi puede quizá resultar convincente, pero sería recibido con burla en Buenos Aires, donde todos recuerdan al severo jurisconsulto como afinador de pianos, compositor de minués y redactor de un periódico de modas femeninas. Pero —se apresura aquí a agregar— esa reacción divertida no sería totalmente justa: «Ignoran, acaso, que un hombre maduro, con paciencia, capacidad y "necesidad", madre de la "ciencia", sobre todo, Alberdi, puede, como lo ha hecho usted, completar sus estudios viajando, recibirse abogado en Chile también entre jueces competentes en la materia y con buena dosis de indulgencia; y con una práctica asidua y laboriosa, con excelentes libros franceses, por no serle familiar el latín, que descuidó de niño, labrarse una situación honrada, una reputación merecida y atesorar, en cuanto su capacidad lo permita, caudal de ciencia real y pesetas pocas, pero muy bien sonadas».[23]

Sin duda, aun cuando trata de hacer justicia a Alberdi, Sarmiento limita cuidadosamente el reconocimiento de cualquier mérito en su contrincante (si la competencia profesional de quienes en Chile le abrieron la práctica de la abogacía es indiscutible, acaso su claridad de juicio haya sido velada por la indulgencia; si Alberdi ha bebido su cultura jurídica en «excelentes libros franceses» es porque su ignorancia del latín le ha impedido acceder directamente a las fuentes romanas del derecho). Pero aún así, Sarmiento percibe aquí con admirable claridad el problema central que plantea la imagen que Alberdi propone de sí mismo, cuando subraya con razón que en su actividad

[23] Domingo F. Sarmiento, *Las ciento y una*, Buenos Aires, Claridad, s/f., pp. 43-44.

profesional Alberdi ha logrado atesorar «pesetas pocas, pero muy bien sonadas», desmintiendo así sin proponérselo su previa acusación de desmedida codicia, ya que muestra a un Alberdi menos interesado en hacerse rico que en ser tenido por tal.

La opulencia, que se ha trasformado en un rasgo necesario del personaje que Alberdi está decidido a encarnar, está implícitamente presente también en la respuesta que el 21 de octubre de 1852 dirige a Urquiza con motivo de su propuesta designación como diplomático. Lo primero que en ella llama la atención es la presencia de esa nueva imagen de sí mismo, que también en este caso hace innecesaria la altivez, y si no la reemplaza con la altanería que se cree con derecho a desplegar frente a Sarmiento, abre paso a algo muy cercano a la condescendencia. Pese a su disposición a «ser útil a la patria y a los grandes trabajos orgánicos de V.E.» —escribe Alberdi a Urquiza— no puede olvidar que, «establecido como abogado en Valparaíso, [lo] ligan a su clientela compromisos serios de que no podría desprender[se] honorablemente sino después de algunos meses»; por otra parte «el clima de Santiago es tan funesto para [su] salud, que es causa de que pudiendo abogar cómodamente y con mayor ventaja en sus Cortes superiores, [se] haya venido a esta provincia en busca de su temperamento adecuado a [su] salud, mala de ordinario». Pero más que todo eso pesan «[sus] hábitos de retiro, la actitud aislada que [desea] conservar para no comprometer la sinceridad de [sus] ideas y de [sus] simpatías políticas», que son las que en último término le hacen imposible aceptar «el honor tan noblemente ofrecido por V.E.» [XVI, 293-94].

Hasta aquí es posible percibir con mayor nitidez el dilema que aquí afronta Alberdi cuando lo traslada a una clave menos grandiosa, tal como lo hace en la carta que en esa misma fecha envía a Luis José de la Peña, ministro de Relaciones Exteriores de la Confederación. Allí hace claro que una de las razones que lo llevan a declinar la designación es que ella «importaría un cambio de carrera para mí», y define con mayor precisión la propuesta alternativa que estaría en cambio dispuesto a aceptar, a saber, la de «una comisión *ad hoc*» que lo ocuparía por sólo algunos meses en «obtener tratados sobre los muchos y graves intereses por los que se relacionan los dos países [...]

después de lo cual [se] volvería a [su] estudio» [XVI, 297]. Como se advierte, en el momento mismo en que aborda la empresa de las *Bases*, que promete hacer de él el Licurgo argentino, Alberdi vacila aún entre retomar plenamente el papel grandioso para el cual había sido «designado por sus colegas desde su más joven edad», volcándose de lleno en la experiencia que se abre más allá de los Andes, de la que se ha constituido ya en el demiurgo en cuanto autor de la fórmula institucional que hará de la Argentina una nación no sólo en el nombre, o por el contrario continuar en el foro chileno una carrera que encierra promesas más modestas pero más sólidas.

Resuelve esa vacilación optando en los hechos por la primera alternativa sin por ello abandonar la esperanza de que le será ahorrada la necesidad de escoger entre ambas: todavía en diciembre de 1856, después de más de dos años de gestión diplomática en Europa, el tenor de una alusión a su etapa chilena revela que no la considera irrevocablemente cerrada.[24] Pero en la imagen de sí mismo que proyecta Alberdi el vínculo con esa etapa profesional aparece cada vez más relegado a un segundo plano; lo que sobre todo la mantiene viva en el recuerdo es que le ha asegurado un pasar independiente, gracias al cual puede funcionar en sociedad con el decoro esperable de quien ha ganado en ella una posición tan expectable como lo es ya la suya. Es ese legado de su etapa chilena el que, según está seguro, lo pone al cubierto de cualquier duda acerca de las motivaciones que lo llevaron a dar su apoyo a determinadas causas políticas: puesto que no necesita derivar de él ventajas materiales, sólo puede ser el fruto de una convicción sincera.

Resulta más fácil percibir la vinculación entre el goce de ese pasar independiente y la actitud más aplomada, menos insegura que desplie-

[24] «Desde el 10 de julio de 1854, en que acepté el cargo de diplomático que me trajo a Europa, se me deben sueldos por la ley. Desde ese día paralicé en cierto modo mis trabajos como abogado en Chile», pasaje de «Instrucciones confidenciales, según las cuales se expedirá en mi nombre el señor D.C.M. Lamarca», en Ramón J. Cárcano, *Urquiza y Alberdi. Intimidades de una política*, Buenos Aires, La Facultad, 1938, pp. 141 y ss., la cita de p. 144.

ga ahora Alberdi, porque a menudo se ve obligado a desplegarla en sus comunicaciones con el gobierno de Paraná, que tras de enviarlo a Europa se despreocupa de cumplir los compromisos financieros que con él ha asumido. Frente a ese gobierno asume el tono de un acreedor dispuesto a explorar los más extremos límites hasta los que lo autoriza a avanzar la cortesía. «Se me ha premiado reimprimiendo oficiosamente los libros de mi *propiedad literaria* —escribe en sus instrucciones a su *attaché*, el joven Carlos María Lamarca, que debe actuar en su nombre en Paraná—. Reconozco y agradezco el honor de la intervención.»

> Pero hasta he pagado esa impresión, bajo la seguridad que recibí del señor Ministro Dr. Derqui de una libranza que se dijo haberse girado. Yo no la he recibido.
>
> Ese desembolso me deja en posición crítica; o mejor dicho, deja a la *Legación argentina* en Europa, en el mayor compromiso.

Desde luego, en situaciones normales no tendría dificultades en afrontar él mismo ese compromiso, pero «aquí no hay espera: *yo estoy a tres mil leguas de mis relaciones y de mis recursos*».[25] Y mientras tanto, representar a un gobierno que no vacila en invocar su insolvencia como excusa para ignorar sus obligaciones lo obliga a vivir a salto de mata, cambiando con demasiada frecuencia de domicilio, con grave daño para el prestigio del país al que representa, ya que «en Europa se juzga del gobierno y de la capacidad de un país extranjero, por el modo como se ve vivir y traerse a sus ministros diplomáticos».[26]

A más de inspirarle una seguridad nueva para afrontar el trato social, a pesar de saberse dotado de escasas «disposiciones de sociabilidad», tal como confiesa a Luis José de la Peña en la carta citada más arriba, la conciencia de gozar de una posición económica que juzga sólida contribuye a devolverle la que en su juventud le había

[25] Cárcano, *Urquiza*, cit., pp. 144-45.
[26] Cárcano, *Urquiza*, cit., p. 153.

dado fuerzas para llevar adelante la obstinada campaña que terminó por persuadir a a la emigración argentina a entrar en alianza con la intervención francesa que primero había denunciado, y que hacia 1844 «el corazón, el infortunio, la experiencia de la vida» habían debilitado considerablemente. Pero en esa reconquista de la seguridad perdida influye quizá en mayor medida que la causa que ahora apoya Alberdi se esté revelando más capaz de capear tormentas y superar adversidades que los efímeros movimientos antirrosistas en los que antes había depositado esperanzas demasiado pronto disipadas.

Sin duda esa confianza en sí mismo, que ya no le inspira la juvenil y turbulenta impaciencia con que en sus cartas de 1840 conminaba al general Lavalle a poner de inmediato en ejecución los planes de batalla que en ellas le trazaba, y es más bien la del pensador maduro que, creyendo haber realizado la ambición de Platón, entabla un diálogo entre iguales con el soberano que, según confía, ha de hacerse ejecutor de sus ideas, se funda ante todo en la conciencia de que sus *Bases* son en efecto las bases sobre las cuales se está edificando la nación. Pero aun así es importante para Alberdi que su fortuna, aunque incomparablemente más modesta que la del general Urquiza, no sólo le permita entablar con éste un auténtico diálogo de iguales, sino lo constituya en miembro de pleno derecho de esa elite económica y social que, tal como argumenta en esas mismas *Bases*, es la única que tiene la posibilidad de guiar a la Argentina en su camino hacia la consolidación del estado nacional.

Cuando Alberdi aparta su mirada de las experiencias cotidianas que le recuerdan qué limitadas son sus «disposiciones de sociabilidad» para reivindicar su asumido papel de opulento príncipe del foro desde una perspectiva propiamente política, se hace evidente que para invocar su condición de tal como una de las razones que le aseguran peso y autoridad en la vida pública argentina se apoya en la visión del lazo entre sociedad y política que subtiende los argumentos de las *Bases*. El desenlace de Pavón, en que la «monarquía con máscara republicana» —que había esperado ver surgir con el apoyo unánime de una elite socioeconómica dispuesta a explorar y utilizar en su provecho las oportunidades nuevas abiertas para ella por un mundo en febril trasformación— ha sido derrotada por «una democracia que no gusta de ser contradicha» impone una última metamorfosis a la autoimagen de Alberdi: en adelante pasará a encarnar la figura del profeta que no puede serlo en su tierra, figura patética a la que conviene la pobreza más bien que la holgura adecuada al integrante de la elite del poder que había ambicionado encarnar entre 1852 y 1861.

Vuelve ahora a primer plano la tensión entre la exaltada imagen que Alberdi tiene de sí mismo y la que sus contemporáneos le reconocen, que ofrece en verdad el motivo central a los fragmentos a los que ha puesto por título su propio nombre. Leemos en ellos que «la prensa actual de Buenos Aires» osa presentarlo como el antiguo Consejero de la Confederación, cuando es mucho más que eso: «para todo Sud-América no se aconseja sino en sus escritos —conocéis consejo alguno, sea que emane de Laboulaye, de Fabre, de Simon, del más amigo de América de los liberales de ambos mundos, que no esté de antemano en los libros de Alberdi? La Constitución que rige a quienes así hablan, de quién es?» [XV, 250]. Eso torna demasiado «absurdo y ridículo» el reproche de traición a la patria para que se rebaje a contestarlo: «es como llamar herejes a San Mateo y San Lucas» [XV, 255]. Ese reproche es sin embargo el premio que recibe quien «pudiendo ser rico, teniendo reputación, abierto y accesible el camino de los empleos lucrativos —ha preferido la pobreza, la oscuridad de la vida en el extranjero, antes que callar lo que ha creído ser la verdad útil para su país».

Pero la hora de su plena rehabilitación ha de llegar, aunque quizá no vivirá para verla: «Cuando el cinismo de los que compran su lujo y su brillo con sus escritos adulones y venales se haya cansado de poner a toda una nación a los pies de la localidad rica que les compra el alma, la voz y la conciencia —lo cual sucederá el día de la redención nacional—, los escritos de Alberdi serán cubiertos del respeto que merece la palabra alta, sana, varonil que interesa al mayor número, en que reside la nación, aunque arruine a su autor generoso». [XV, 252-53].

Esa amarga profecía resuelve finalmente el dilema que ha acompañado la entera trayectoria de Alberdi, pero sólo lo logra al precio de proyectar esa solución hacia un mítico futuro que deberá abrir un igualmente mítico «día de la redención nacional». Esa profecía nacida de la desesperación ha venido a su manera a cumplirse; el mismo Alberdi que en el ocaso de su vida fue finalmente reconocido como el secreto legislador del orden roquista, y cuya visión del itinerario que debía seguir —y finalmente estaba siguiendo— la Argentina había terminado por conquistar aun a su más tenaz enemigo,[27] iba a tener una segunda carrera póstuma como autor maldito, cuyos desolados soliloquios tienen asegurada una vasta audiencia en un país que desespera de ver alguna vez cumplidas las promesas que Alberdi había formulado en sus *Bases*.

[27] La América del Sur, proclamaba en 1886 el general Mitre, «está en la república posible, en marcha hacia la república verdadera» (Bartolomé Mitre, *Historia de San Martín y de la emancipación sudamericana*, Buenos Aires, Anaconda, 1950 [1886], p. 53.)

VI

GUILLERMO PRIETO

Guillermo Prieto, nacido en 1818 en la que todavía por tres años seguiría siendo la capital de la Nueva España, comenzó a escribir el 2 de agosto de 1886 en su ciudad nativa sus *Memorias de mis tiempos,* que interrumpen su narrativa con su evocación del destierro que le impuso el presidente y mariscal Santa Anna en 1853, y que sólo han llegado a nosotros gracias a una laboriosa reconstrucción a partir de un conjunto de manuscritos encontrados entre sus papeles realizada por encargo de su segunda esposa, viuda desde 1897, por el doctor Nicolás León, profesor de etnología en el Museo Nacional, y publicada por éste en 1906.

Para quienes en 1897 contemplaran desde el marco de unos Estados Unidos Mexicanos cuya dirigencia política se esforzaba por moldear sobre el modelo de los más avanzados del Viejo Mundo, las casi ocho décadas que los separaban de un momento inicial en que Fray Servando había vivido en cautiverio en las cárceles del Santo Oficio, que se hubiera abierto muy cerca del recinto de esas cárceles un Museo Nacional que tenía a su servicio a un profesor de etnología era un motivo más para que ni aun los sectores que dentro de las elites mexicanas no habían terminado de pagar el precio de su obstinada oposición a ese proyecto de regeneración nacional pudieran sustraerse del todo a la ufanía de los que se habían identificado con él, una ufanía tanto más hondamente sentida porque el triunfo de quienes lo estaban imponiendo a las masas mexicanas había permitido dejar atrás una etapa rica en catástrofes en que había llegado a temerse que la nación mexicana misma fuese a desvanecerse en la próxima vuelta de su tortuoso camino de avance.

En ese espíritu, nos asegura Guillermo Prieto, comenzó a recorrer sus «recuerdos tan raros, tan incoherentes, con interés tan sólo y privativo para mí, que los habría omitido si no fuera porque en consignarlos tengo placer y esto lo escribo muy especialmente para pasar el tiempo y darme gusto».[1] Le sobraban en efecto motivos para sentirse satisfecho de lo logrado por él para sí mismo y para México desde que en 1831, cuando, llegado apenas al umbral de la adolescencia, la muerte de su padre puso brusco fin a su infancia de hijo privilegiado de las elites mexicanas, se incorporó como permanente testigo y en más de un momento actor algo más que secundario en ese tortuoso avance, y descubrió entonces en su versátil ingenio como artífice de la palabra la que iba a ser hasta el fin de sus días la más eficaz de sus cartas de triunfo. Así lo refiere en uno de los pasajes dramáticos que periódicamente introducía para quebrar la plácida vena de las memorias de sus tiempos; narraba allí cómo esa muerte, de la que fueron responsables «algunos parientes cercanos, [quienes] con su proceder, lo precipitaron a la tumba», tuvo como consecuencia que «de los cuantiosos bienes de *su* casa se *apoderaran* personas extrañas» y cómo, recogida su madre, que había buscado refugio en la locura, por la caridad de algunos de sus tíos maternos, él lo encontró por su parte «en la casa de unas señoras hijas de un dependiente de *su* casa y que vivían honrada y pobremente de sus costuras». Durante los dos años siguientes debió hallar modos siempre precarios de sobrevivir, sin poder siquiera convivir con su madre, a quien a siete décadas de distancia recordaba

> [...] joven, porque apenas tendría treinta años, sus ojos pequeños llenos de ternura, con labios rojos, manantial de gracias, con su dentadura blanca, blanca como luz de claro día; con sus manecitas de niño con que imprimía en cada caricia placeres de cielo... Ella tenía su razón perturbada y a veces no me conocía... yo le hacía de una cuentecita de vidrio una joya para ponerla en su

[1] Guillermo Prieto, *Obras completas I Memorias de mis tiempos,* Consejo Nacional para la Cultura y las Artes, México, 1992 (en adelante MMT), 52.

> cuello... sus palabras incoherentes me herían, sus movimientos [sic] lúcidos me abrían los cielos y me presentaban radiosa y divina la esperanza... De cada entrevista salía con el alma llena de quimeras, quería ser grande, valiente y rico y... pero a poco un harapo inoportuno era un desengaño... y la vista de mi calzado roto el castigo de mi ambición.

Deseoso de salir de esa penosa precariedad, debida a que la extrema torpeza de sus manos le impedía hallar ocupación más estable en trabajos artesanales, no había llegado a los quince años cuando pensó en utilizar para ello el caudal intelectual acumulado en el pasado aún reciente en que había sido alumno distinguido de un colegio frecuentado por niños de lo más granado de las elites novohispanas. El único material en que pudo apoyarse con ese fin en la humilde vivienda que le había dado refugio fueron los sonetos inscriptos en el «alto de calendarios que formaban la biblioteca» de las generosas costureras, y pronto, tras grabarlos en su memoria, los «iba recitando por la calle... Una vez que quería recordar un soneto y no pude, hice el primer pie por mi cuenta, y luego otro, y otro hasta el fin, y salté de contento porque ya sabía yo hacer sonetos. Aquél fue para mí maravilloso descubrimiento».[2]

Cuando decidió utilizar esa inesperada destreza para mejorar su suerte, un amigo guitarrista y militante en la fracción liberal extrema identificada con las logias yorkinas le aconsejó acudir al presidente Santa Anna, huésped en su capital de su ministro de Justicia, el licenciado Andrés Quintana Roo, y fue a éste a quien Prieto, según su recuerdo, narró la historia de sus desdichas «sollozando, reclamando piedad con acento dolorido o haciendo partícipe a *su* oyente de *sus* quimeras ambiciosas, llenas de fiereza y orgullo». Quintana, conmovido hasta las lágrimas, se levantó súbitamente dejándolo solo en su despacho y volvió poco después de sus habitaciones privadas con el dinero que tanto él como «la señora y las señoritas» de la casa querían que llevara a su madre. Prieto lo rechazó indignado, y arrojando al suelo las monedas increpó con dureza a su benefactor.

[2] MMT, 75-7 *passim.*

> Yo buscaba a un padre —recordaba haberle dicho— yo quería un amparo que me guiase, que me indilgase [sic], que me hiciera apreciable, sabio, querido como lo es usted. Y me trata como un pordiosero ¿Es usted un mal hombre?

Así interpelado, Quintana renunció solemnemente a darle dinero y la conversación prosiguió en lenguaje más llano mientras el dueño de casa bebía su chocolate y Prieto afrontaba el desafío de «un magnífico borrego de alfeñique con sus lanas sembradas de oro volador y listones, y sus ojos de escuditos de oro» del que consumió un pie entero, mientras guardaba en sus bolsillos algunos de los dulces que rodeaban al borrego en el platón, y que se proponía llevar a su madre para que participara del convite, arrancando nuevas lágrimas «del señor Quintana [que] lo veía con el rabo del ojo y se limpiaba el llanto con disimulo».

Finalmente Quintana preguntó a ese casi niño qué sabía hacer que pudiera servirle para conseguir ocupación estable, y para su sorpresa éste le repuso:

> «¿Qué sé hacer?... sé hacer sonetos... y eso sí en menos de un decir Jesús»... Soltó la carcajada el señor Quintana. Y para desterrar su incredulidad tomé la pluma e improvisé un endiablado soneto del que apenas he podido retener esta cuarteta: «En la risueña edad de los amores/ cuando el vendado dios muestra contento/ yo sólo acompañado del tormento/ sufro de la fortuna los rigores».

El resultado fue inmediato; una carta de Quintana logró que Prieto fuese designado en la Aduana «meritorio gratificado con dieciséis pesos mensuales» y otra al rector del colegio de San Juan de Letrán le permitió reanudar en él sus interrumpidos estudios. Tras anunciar a sus bienhechoras su nueva posición, «*instaló* por *sí,* y asumiendo la responsabilidad de *su* independencia plena, a la señora *su* madre en una vivienda interior, calle de la cerca de Santo Domingo número 11» mientras, a más de cursar estudios en la cátedra de gramática de

San Juan de Letrán, los seguía de matemáticas e inglés en la escuela de Minería.[3]

De este modo otro golpe de fortuna puso término a la relativamente breve caída de Guillermo Prieto en los bajos fondos de la sociedad de esa capital de la Nueva España que se estaba metamorfoseando en la de México, pero esa caída vino a dejar una huella permanente en su visión de ese caótico proceso. Para decirlo con sus palabras, a ella iba a deber su

> [...] amor inmenso a los pobres, porque mis bienhechoras eran costureras, porque mi nana me buscaba con afán solícito para llevarme dulces y bizcochos, porque mi tata, que era zapatero, al realizar su calzado llevaba a mi madre sus pobres obsequios... porque las costurerillas mis amigas, lloraban con mis penas, aseaban mi casa, cosían y curaban a mi madre, y cuando en un fandango me presentaban, era yo objeto de tiernas atenciones y les pagaba en alegría, en versos y expansiones lo que recibía de ellas de ternura y cariño.[4]

Gracias a esa temporada en el infierno que la memoria le pintaba con colores de idilio, Prieto se liberó para siempre del temor que quienes asumían la riesgosa tarea de gobernar a esa sociedad en busca de una nueva forma sentían ante unas masas capaces de dejar atrás súbitamente largas etapas de resignada pasividad en explosiones de inaudita violencia. Desde luego estaba tan alarmado como el resto de su clase de origen ante la irrupción de figuras grotescas como las que ocupaban las viviendas principales en su casa de vecindad —para decirlo de nuevo con sus palabras

> [...] personajes elevados por la reciente revolución que traían el pelo de la dehesa... hacían en el corredor cocina de humo, trajinaban de enaguas y zapatos enchanclados la señora y las

[3] MMT, 89-91 *passim.*

[4] MMT, 102.

> niñas... los asistentes alborotaban a todas las gatas, interceptaban el tránsito con sus retozos, escandalizaban con sus cantos obscenos, y deslumbraba de vez en cuando el señor de la casa con su bota fuerte, su casaca ricamente bordada de oro, su sable curvo de vaina de acero, su bastón con borlas y su gran sombrero de tres picos, con sus carrilleras doradas, su gran escarapela y sus plumas tricolores que cimbraban airosas en las alturas de su cuerpo,[5]

que no podía sorprender en una ciudad en que, si los lugares de diversión y esparcimiento estaban tan orientados como en el pasado hacia los distintos estamentos de una sociedad rigurosamente jerárquica y desigual, habían sido todos ellos invadidos por quienes antes no hubieran osado visitarlos, desde el café de la Gran Sociedad, «lugar de cita de la gente más acomodada, como comerciantes ricos, empleados de categoría, jefes del ejército, hacendados ociosos» que en el presente «se mezclaban sin escrúpulo con cómicos y danzantes, caballeros de industria y niños de casa grande, como se los llamaba, holgazanes y prostituidos» hasta las pulquerías de las afueras, donde al lado del salón de suelo de tierra apisonada en que «hombres, mujeres, chicos, matanceros, toreros...se revolvían formando remolino inquieto, en que el grito, la injuria, la desvergüenza, la carcajada y la blasfemia brotaban sin cesar» en el contiguo cuartito de tablas, en que habían hallado refugio «el músico y el capellán de tropa, el fraile copetón y decidor, el ranchero ladino, el lépero resabioso y tremendo, el puñal y la daga, la bandola y la baraja, en una palabra, todos los útiles para el desempeño entusiasta de los pecados capitales» no vacilaban en exhibirse y exhibir «el militar los deslumbradores entorchados y las pintorescas charreteras, el fraile... los pañuelos de puntas de chaquira hechos por las delicadas manos de sus hijas de confesión, el juez... su bastón con borlas»[6] mientras a su lado exhibían las chinas las suntuosas vestiduras que eran a la vez el instrumento y el fruto de su oficio.

[5] MMT, 95.
[6] MMT, 112-15 *passim.*

Aunque los enigmas que planteaba el futuro de una sociedad que había perdido su forma serían tema recurrente de *Memorias de mis tiempos* la experiencia de esos dos años había dejado a Prieto como enseñanza permanente la firme convicción de que bajo esa agitación de superficie no se ocultaba un volcán capaz de destruirlo todo, sino una muchedumbre de mexicanos y mexicanas que aspiraban del mismo modo que sus admirables padres a salvar su honradez y su decoro aun en las circunstancias más difíciles. En su narrativa buscó trasmitir esa convicción a sus lectores acudiendo a un lenguaje a primera vista incongruentemente ceremonioso al presentar como «mi señora madre» a la que evocaba como casi una niña, y mantenerlo dos líneas más abajo al describir a las pobrísimas costureras que le habían dado asilo como «unas señoras hijas de un dependiente de mi casa». Encontramos aquí un recurso habitual en el arte narrativo de Prieto, que había renunciado de antemano a la búsqueda de cualquier originalidad expresiva y se había esforzado en cambio por adquirir el seguro dominio de un muy amplio repertorio de estilos alternativos que una vez conquistado debía permitirle en cada ocasión decir exactamente lo que quería. E iba a ser la pericia con que Prieto llegó a dominar ese difícil arte la que le permitió asumir el papel de vocero frente a las elites tanto como a las masas mexicanas de un liberalismo que había heredado en lo esencial el proyecto regenerador de la monarquía ilustrada pero que, ante el peligro de una derrota a la que sabía que no podría sobrevivir, iba a buscar su salvación en esas mismas masas aún irredentas que se había propuesto moldear sobre su propia imagen.

Ello sólo iba a ocurrir luego de que la derrota que al forzar a México a ceder a su vecino del Norte la mitad de su territorio significara la bancarrota de la clase política que había conducido a la nación a ese desastre; fue sólo entonces cuando el liberalismo mexicano conquistó demasiado fácilmente una supremacía que se iba a ver obligado a defender en un ciclo guerrero extendido por casi un cuarto de siglo cuyas devastaciones dejaron muy atrás las de los once años de la guerra de Independencia. Hasta entonces el aporte de Prieto a la vida pública mexicana había sido la del escritor y periodista cuyas contribuciones a una prensa periódica ferozmente facciosa fueron influidas por los azares que sucesivamente lo habían vinculado con uno u otro de los hombres del poder, y no podía entonces ser más adecuado que para evocarla acudiera a los usos narrativos de la picaresca, que habían dejado ya su huella en el relato de su decisivo encuentro con Andrés Quintana Roo.

Convencido de que el juicio favorable de la posteridad a la que por lo tanto no había creído necesario interpelar en sus *Memorias* tomaría sobre todo en cuenta la segunda etapa de su carrera, abierta precisamente cuando cerraba la narrativa ofrecida en ellas, hizo tema central de éstas la descripción circunstanciada de la sociedad que el liberalismo se había propuesto redimir. En este punto buscó deliberadamente su modelo ultramarino en los cuadros de costumbres de Ramón de Mesonero Romanos y Serafín Estébanez Calderón, más bien que en los artículos en que Mariano José de Larra había hecho inventario de todo lo que era preciso que cambiase en España,[7] y se entiende por qué: puesto que creía saber que en el siguiente cuarto de siglo en que él mismo había participado activamente en la vida pública de su país la sociedad mexicana había terminado por volcarse en el nuevo cauce cavado para ella por los liberales, cerrando así la etapa en que había oscilado largamente al borde del caos, podía recordar con ánimo sereno el espectáculo que esa sociedad había ofrecido a lo largo de ella, y apreciar ahora como no hubiera podido hacerlo entonces su variopinta riqueza de detalles y sus súbitos cambios de escena como se aprecian las imágenes de un caleidoscopio.

Pero si le era posible volverse a esa etapa del pasado nacional como un puro espectador capaz de apreciarla como un puro espectáculo era porque a ese espectáculo lo veía como totalmente separado de la experiencia que le había tocado vivir a lo largo de ella. Así cuando fechaba el origen de las desgracias nacionales en el asalto al Parián por los adictos al

[7] No puedo aquí estar de acuerdo con Carlos Monsiváis, cuando en su agudísima presentación de Prieto como autor de cuadros de costumbres («Guillermo Prieto: cuadro de costumbres», en Guillermo Prieto. *Obras completas II Cuadros de costumbres I*, Consejo Nacional para la Cultura y las Artes, México, 1992, pp. 13-36) afirma «a Prieto entusiasma el costumbrismo inspirado en la obra de Mariano José de Larra, no fijación aldeana sino un comienzo beligerante» (p. 27).

general Guerrero, cuya victoria en las elecciones presidenciales de 1828 se negaban a reconocer como legítima los partidarios del candidato derrotado. Frente al Sagrario había sido el Parián la sede del alto comercio que

> [...] conservaba con rigurosa exactitud las tradiciones españolas, los amos de la más pulcra aristocracia, bienhechores de conventos y casas de beneficencia, los dependientes irreprochables de elegancia y finura... aunque sujetos a las reglas casi monásticas de sus patrones.

Y en esa jornada aciaga sobre el vasto mercado en que el abuelo de Prieto tenía abierta con un socio su tiraduría de oro en correspondencia con la nao de China

> [...] cayó la avalancha de las furias del saqueo para entronizar una invasión salvaje de furias e iniquidades... Se rompían puertas, se regaban joyas y encajes por los suelos, se desbarataban cajas con tesoros, se herían, se asfixiaban por arrebatarse lo que cogían... Los autores de tantos crímenes se paseaban triunfantes entre los vítores del populacho, ebrio y desenfrenado.[8]

En el brillante ensayo con que Fernando Curiel prologa la edición de 1992 de *Memorias* la muerte del acaudalado tendero del Parián, que no sobrevivió más que unos meses a esa catástrofe es presentada como «el primero de los golpes brutales que la Fortuna asestaría a la familia, próspera y avenida».[9] No iba a ser así como la recordaría su nieto: «La muerte de mi abuelo —informaría a sus lectores al respecto— acreciendo nuestra fortuna, nos hizo trasladar a México, en donde en menos que canta un gallo adquirí nuevas relaciones y se abrieron a mis ojos horizontes espléndidos».[10] En su memoria había sido la

[8] MMT, 70-1.

[9] Fernando Curiel, «Vistas de Guillermo Prieto en la ciudad de México/Album», MMT, 15-47, la cita de p. 20.

[10] MMT, 67.

muerte de su padre en un drama doméstico del todo independiente del gran drama nacional la que en 1831 había torcido para siempre su destino, y ello justificaba a sus ojos que prescindiera de asignarle un lugar en el relato de sus tiempos, ya que, para decirlo con sus palabras, había emprendido ese relato «con el designio de ocupar a los lectores lo menos posible de mi insignificante personalidad... relatando más bien mis impresiones de las cosas que ocurrían a mi alrededor», y si se había resuelto a decir «algo de mis aventuras de juventud en la alegre mañana de mi vida» había sido tan sólo porque «tal propósito no podía llevarse a cabo en todo lo que muy de cerca me atañe» [11] sin rendir homenaje a la hipocresía, pero lo que confesaba haber incurrido acerca de las dos que evocaba era tan clamorosamente inocente que concluía sus confesiones admitiendo algo contradictoriamente en cuanto a la segunda de ellas, en que le tocó desempeñar un papel poco gallardo, que sobre ella hubiera guardado «prudente silencio, si no fuera porque en mi sentir tiene algo del colorido de época».[12]

Es el carácter exquisitamente privado de la novela familiar desarrollada en las *Memorias* en paralelo con el drama coral que tiene a la sociedad mexicana como protagonista colectivo el que legitima el papel de observador que Prieto se ha asignado en sus reminiscencias y le da el derecho a exigir ser creído bajo palabra cuando un muy comprensible pudor lo hace abstenerse de esclarecer para sus lectores en qué consistió el proceder de esos parientes muy cercanos que llevó a su padre a la tumba. Eso no impide que, si el elemento desencadenante de la ruina que cayó sobre su familia permanece en la sombra, las consecuencias que ese proceder tuvo sean largamente exploradas, y hay en el modo en que Prieto las presenta a sus lectores indicios suficientes (primero entre ellos la insistencia en la imagen de su madre como mujer-niña) para sospechar que no se le había escapado la publicación del *David Copperfield* de Ch. Dickens en México y en 1874.[13]

[11] MMT, 265

[12] MMT, 268

[13] Charles Dickens, *David Copperfield o El sobrino de mi tía,* tomo I, Biblioteca del Eco de Ambos Mundos, México, impr. en la Calle de Tiburcio Núm. 7, 1874.

Se ha visto ya que si Guillermo Prieto no se esforzó por ganar la adhesión de sus lectores para la visión de la etapa mexicana que le tocó vivir tal como la había destilado de su experiencia fue porque esa visión era parte de un sentido común que compartía con éstos. Eso no significa que esa experiencia no lo hubiera llevado a proyectar al primer plano una de las dimensiones de la agenda liberal, que por otra parte era ubicada en un lugar no menos central por el público al que interpelaba, y era ésta el papel asignado en ella al esfuerzo por desbaratar el influjo que retenía en la vida nacional esa fortaleza central del Antiguo Régimen que había sido la Iglesia católica romana. Gracias a que, al concentrar su actividad en el terreno de las finanzas cuando se integró en la elite de gobierno que tomó a su cargo llevar adelante esa agenda, Prieto vino a ubicarse en primera línea en el manejo del contencioso que oponía a esa elite a una institución dispuesta a defender contra viento y marea la fuerte gravitación que en el nuevo marco republicano retenía en ese campo, aprendió a ver en el papel de esa institución en el pasado mexicano la clave esencial para entender todo lo que hacía indispensable dejarlo atrás.

No ha de sorprender entonces ver a la Iglesia ocupar el centro del panorama de esa Nueva España de la que había sido hijo privilegiado con que abrió sus *Memorias*. En esas primeras páginas, escritas cuando conservaba toda su fuerza el impulso que lo llevó a volverse al pasado, logró sin esfuerzo evocar lo que recordaba como un paraíso perdido en términos que justificaban plenamente su entusiasta participación en el esfuerzo por borrar las huellas que de él sobrevivían en el presente mexicano.

No había escrito media página cuando comenzó a emprender esa tarea desplegando frente a sus lectores

> [...] el cuadro de las impresiones de mis primeros años al despertar a la vida en el Molino del Rey, mimado de mis padres, acariciado de mis primos y gozando mi alma con las agrestes lomas, los volcanes gigantes, la vista de los lagos apacibles y el bosque augusto de ahuehuetes, titanes de los siglos... recuerdo los fervorosos rezos de la capilla, a mi hermoso padre arrodillado

ante el altar entre los peones de campo, al sacerdote «conjurando la nube de granizo», al reverberar de los relámpagos, al retumbar el trueno en medio de nuestro asombro y postraciones... A las orillas de las milpas y trigales caminaba la procesión, con los niños vestidos de blanco llevando en andas a la Virgen, las frescas muchachas vestían de pastoras y llevaban flores, las mujeres, los ancianos, los peones con sus velas en las manos o tiestos con incienso, al fin los dependientes de la casa llevando el palio y el sacerdote revestido con su sobrepelliz y su capa reverberando de blanco y oro, cantando la letanía y respondiendo el coro de voces conmovidas.

Tenía Guillermo Prieto siete años cuando fue convocado a ocupar el lugar que era suyo por derecho en esas devociones:

Dispuso mi abuelo... un suntuoso altar de Dolores con bosque y calvario, profusión de aguas de colores, sembrados de tiestos porosos... naranjas con banderitas de oro volador y papel picado, y... un repuesto de ollones colosales de chía, horchata, tamarindo, chimbiche, todo debido servir, según se requería, con su polvo de canela aromática, en vasos o en jícaras doradas... El alma de la fiesta era el sermón, y mi padre grande quiso que yo lo recitase; vistiéronme de canónigo, se preparó el púlpito, un sabio dieguino me hizo el sermón y me ensayó para decirlo... Llegóse la noche tremenda; la concurrencia a la casa de mi abuelo era numerosa, ofició el rezo un alto personaje, el general Victoria, y se cantaron los misterios con música de orquesta.

Pero Prieto no supo mantenerse a la altura de las circunstancias:

Anuncióse el sermón. Persignéme. Dije aquello de *Stabat juxta crucem Jesu mater eius* y no era asombro sino embriaguez la que producía esa miniatura de Bossuet pero en éstas me distraje o qué sé yo, y que el sermón se va, y que tartamudeo, que quieren alentarme, que alguien ríe... y que me suelto llorando y sollozando y desciendo, entre enojos y regaños y rechifla estupenda, el púlpito... De esa tremenda derrota nace mi poca vanidad oratoria.[14]

En la ocasión siguiente ya reveló haber adquirido el aplomo necesario para asumir las responsabilidades conexas con su posición en la sociedad mexicana; ocurrió ello en el coloquio dispuesto por su madre. Para la ocasión

> [...] se tiraron paredes, se convirtieron los trojes en salones y se improvisó un teatro con todos sus menesteres... Las chicas se hicieron pastoras, y pastores los dependientes. Fue designada para Virgen Lolita, que era de mis primas la más encantadora, para Luzbel mi tío el coronel Pradillo, arrogante mozo y caballero completo, y yo fui San Miguel... Había boca de infierno que arrojaba llamas, había escotillones y vuelos, había una cena de pastores de chuparse los dedos, y trajes y accesorios de enloquecer... Tuvo la Virgen sus aficionados, las pastoras bebían los vientos para que el diablo se las llevase, y San Miguel triunfaba no sólo de Satán, sino de sus escrúpulos de niño de arcángel.[15]

Cuando Guillermo Prieto alcanzó la edad escolar, su mundo, centrado hasta entonces en el Molino del Rey, se ensanchó hasta abarcar la ciudad de Mexico, pero siguió siendo teatro de un idilio rústico representado sobre un trasfondo de peones para quienes el nombre del amo,

> [...] tan fino, tan amigo de los pobres... era un nombre mágico que producía el contento, ahuyentaba las penas y que corría como perfume en aura mansa, produciendo bienestar y placer.

Sobre ese trasfondo, sigue diciéndonos Prieto

> [...] mi hermano, mis primos y un competente número de criados partíamos mañana tras mañana a caballo del molino a México, a

[14] Las tres citas anteriores en MMT, 52-3, *passim.*

[15] MMT, 53-4.

> la escuela famosa de mi venerable maestro el señor don Manuel Calderón y Samohano, calle 2ª del Puente de la Aduana número 14. Éramos «medio pupilos», y regresábamos en la tarde... Aquellas expediciones diarias nos hicieron jinetes consumados, saltábamos zanjas, formábamos circo en medio de las calzadas, lazábamos y corríamos atropellando transeúntes, desesperando a los criados y llevando a menudo sendos costalazos... y tengo en mi cuerpo cicatrices que recuerdan mis travesuras.[16]

Al término de esa cabalgata cotidiana, que confirmaba todavía de otro modo hasta qué punto era privilegiado el lugar que la sociedad mexicana reservaba a los bien nacidos, la nueva generación de Prietos ingresaba en una de las dos escuelas que eran en la ciudad de México «el almácigo de los niños finos». De ella estaban ausentes el cepo y la corma que en las destinadas a un alumnado menos selecto aprisionaban el cuello o los pies de los más rebeldes, y era desconocido el ritual que en éstas dedicaba los martes a azotar a quienes durante la semana se habían hecho merecedores de ello. Dividida en dos secciones, a saber, una sala de lectura y un salón de escritura y explicaciones, era la primera

> [...] pequeña y cubierta de gradas desde cerca del techo, lo que formaban cuatro cataratas de muchachos inquietos, en efervescencia, agitándose, chillando y amenazando con sus avenidas formidables, [a quienes] don Isidro, un español reacio, chiquitín y despierto [sólo estaba autorizado a mantener en vereda recurriendo] a estrujones expresivos, y a hincar y poner en cruz a sus súbditos. Con lo cual desde la aurora eran crucifixiones por todas partes, bosques de brazos se alzaban por los aires. Los chicos aprovechaban las distracciones del maestro, y entonces eran los juegos en el suelo, era el retozo y todo lo consiguiente... Don Isidro murió más protomártir que San Felipe de Jesús... La sala de escritura era otra cosa. Buenas pinturas al fresco, papeleras

[16] MMT, 56. *passim*

> corridas teniendo de trecho en trecho bien grabadas muestras de don Torcuato Torio de la Riba,[17] [y] en el fondo del salón se veía al señor Calderón en una mesita pequeña descollando con notable majestad... en una de sus manos se percibía la tremenda disciplina calzados sus ramales con pergamino... el señor maestro, aunque con parsimonia, no escaseaba los azotes, y éstas eran las solas interrupciones del silencio del salón... A las once de la mañana cesaba todo trabajo y nos agolpábamos todos con verdadero placer a escuchar las explicaciones. [Eran éstas] de moral, de urbanidad, de buenas maneras, en estilo llano pero florido y elocuente... Era, sin saberlo yo, la gran lección oral, «hablada en niño», penetrando sagaz en el alma con el encanto de la leyenda, con la magia del cuento de hadas.[18]

Mientras en la calle 2ª. del puente de la Aduana el majestuoso señor Calderón penetraba en el alma del niño Guillermo para inculcarle, sin que éste lo advirtiese, una precisa imagen del mundo y del lugar que Dios le había asignado en él, en su casa, donde «la parte religiosa era lo esencial de la vida de hogar» y «era unánime el entusiasmo por las cosas divinas», la rutina de los días, los meses y los años se la inculcaba también con una elocuencia que no necesitaba usar palabras para dar en el blanco:

> ¿Cómo no alborotarse con la fiesta de indios y con la de la Aparición?... ¿cómo permanecer en sosiego al anuncio de la romería de Chalma, lugar en que se veían en el lago de una cueva, estrellas, y se admiraban las piedras en que se convirtieron dos

[17] Se refiere a las láminas con muestras de escritura incluidas en el *Arte de escribir por reglas y con muestras; según la doctrina de los autores antiguos y modernos, extranjeros y nacionales, acompañado de principios de aritmética, gramática y ortografía castellana, urbanidad y varios sistemas para la formación y enseñanza de los principales caracteres que se usan en Europa*, por Torcuato Torio de la Riva, en la imprenta de la viuda de don Joaquín Ibarra, Madrid. 1798 (con numerosas reediciones en los siguientes dos siglos).

[18] MMT, 56-59 *passim*.

> compadres de sexos distintos que, olvidando el sacramento, se aficionaron a los picos pardos?... En mi casa todo lo dicho nos preocupaba hondamente, haciendo excursiones frecuentísimas a la parroquia de Tacubaya, o al convento de dieguinos del mismo pueblo, donde figuraban mis padres en primera línea como bienhechores.[19]

Residía también en casa de los Prieto una opulenta tía Juanita, cuya opinión sobre estos temas gravitaba con mayor peso que las de sus dueños. Esa mujer

> [...] alta, cejijunta, fornida y agria que conservaba, a pesar de su pronunciado bigote, reminiscencias de hermosura mundana... era nuestra directora de conciencia por ser la predilección, el encanto y la admiración de toda la gente de iglesia... A mi tía Juanita llamaban los padres la Doctora, y ella compraba con valiosas dádivas su título y autoridad... Un frontal para el altar y pañuelos bordados para tal predicador; una alba con deshilados y una molienda de chocolate para el prior; unos manotejos con encarrujos exquisitos, y unas peras aprensadas o bocadillos de coco para cualquiera de nuestros confesores. ¿Cómo no había de tener prestigio mi tía Juanita?

Esa sabia Doctora había tomado a su cargo enseñar a los niños de la familia

> [...] la *religión*... Ella nos describía con desusada elocuencia los sapos y culebras que lanzó un predicador por la boca porque ocultó sus pecados en la confesión... Ella sabía, como nadie, trasmitir los diálogos que ocurrían entre San José y la Virgen al tratarse del Niño que dejaba la garlopa para predicar, y la Virgen lo defendía porque era niño fino y no estaba para adocenarse en oficio vil, con lo que San José ardía y la Virgen reclamaba los

[19] MMT, 60.

> fueros del la gente decente... era íntima de San Judas y le complicaba en todas sus aspiraciones pidiendo que desterrase a tal amigo, acortase los pasos de tal chico que le chocaba, pusiese en pobreza a tal otro que la veía con desdén, y obsequiase con unas viruelas a tal buena moza que se atraía las atenciones de uno de los padrecitos... Por lo demás, cuánto sabía mi tía y cómo creaba en nosotros un espíritu «retecristiano»... horas enteras pasábamos pendientes de los labios de mi tía [cuando] nos encarecía las visitas del Señor del Rebozo a la monja predilecta, desclavándose de la cruz para ir de tertulia a la celda, rehusar el chocolate, fumar su puro y aceptar en una noche de lluvia, el rebozo de la monja, el Santo Cristo, para no pescar un constipado.[20]

Al llegar aquí Prieto, dudando al parecer de que las sacrílegas fantasías de la Doctora a la que debió su formación religiosa hablasen por sí mismas, creyó necesario poner los puntos sobre las íes sobre las consecuencias que esa formación temprana había de tener aun para quienes la hubieran recibido de instructores menos extravagantes:

> El ideal de un niño consistía en que se estuviese quietecito horas enteras, en saber un buen trozo del catecismo de memoria, en oficiar el rosario en las horas tremendas, comer con tenedor y cuchillo, dar las gracias a tiempo, besar la mano a los padres y decir que quería ser emperador, santo sacerdote, o, cuando muy menos, mártir del Japón... En cuanto a la niña, le era permitido dar sus ojitos y sus piernitas a sus amigos, hacer comida con sus muñecas, ir a la iglesia con los ojos bajos, comer poco...rezar mucho y no querer jugar al merolico con sus primos sino ser monja... Retozos, maldades, robillos, malicias, etc. tenían el atractivo de lo ilegítimo, y por la misma espontaneidad hacían progresos, cuidando, por supuesto, del tinte de falsedad e hipocresía indispensables para el bienestar de la familia.[21]

[20] MMT, 60-63, *passim.*
[21] MMT, 63.

Pero esa mirada lúcida logró desgarrar sólo por un instante la niebla de la nostalgia con que Prieto había decidido velar sus recuerdos infantiles. Unas líneas más abajo estaría de nuevo confiando a sus lectores cómo al arrimo de su madre, sus primas y las criadas de su casa seguía entregándose alegremente a sus travesuras,[22] y gracias a esa reconquista de su inocencia, cuando las consecuencias de la muerte del padre lo expulsen con inaudita brutalidad de su paraíso infantil, podrá entrar en esa prematura adultez conservando intacta la que seguirá haciendo de él un desconcertado actor quc avanza a tientas en un drama del que sólo sabe que en cada paso de su avance está poniendo en juego su destino.

Cuando escribe sus *Memorias* ha avanzado lo suficiente en ese drama para saber que ha tenido un final feliz, y si una de las consecuencias de ello es que la mirada retrospectiva que dirige a su participación en una de las etapas más trágicas de la historia mexicana aparezca también ella envuelta en una inesperada niebla nostálgica, otra sin duda más importante es que esa reconquistada inocencia, al impedirle percibir lo que ya entonces había estado en juego en los conflictos que dividían a los mexicanos, hiciera innecesaria cualquier toma de distancia crítica frente a los zigzagueos de su itinerario de marcha en ese laberinto, en un relato que, como se ha indicado más arriba, encontró espontáneamente su cauce adecuado en la tradición narrativa de la picaresca.

Como en ella, el observador marginal es a la vez la figura central, en relación con la cual todas las restantes se reubican a medida que las vicisitudes de su avance la van modificando, y en *Memorias de mis tiempos* nadie atraviesa una metamorfosis más radical y más rápida que don Andrés Quintana Roo, en quien en 1833 había encontrado Prieto un segundo padre cuya «figura augusta» lo había dotado de

[22] «y aquello de poner un cohete a la cola de un perro para que al chisporrotear y tronar bebiese los vientos, aquello de atar un papel a la cola de un gato, para que se enloqueciese dando vueltas, o calzarlo con cáscaras de nuez y cera, para que resbalase a cada movimiento, me era familiar, perfeccionándome en la mentira para las disculpas», MMT,66.

todos los atributos requeridos para desempeñar con singular autoridad ese papel frente a quien se sabía demasiado niño para no necesitar de su apoyo. En junio de 1836 habían trascurrido sólo tres años desde ese encuentro, pero la de Prieto era ya una presencia significativa en el mundillo letrado de la capital mexicana, al que se había incorporado como integrante de una novísima promoción que aspiraba a darle una orientación más adecuada al nuevo orden republicano desde la Academia de San Juan de Letrán, por ella creada con ese propósito, y es ése el marco en que vemos reaparecer (primero de incógnito) a don Andrés Quintana Roo en el escenario de las *Memorias,* «en una de las tardes, tristona y lluviosa por cierto» en que la Academia celebraba una de sus sesiones, esta vez bajo la figura de «un viejecito con su barragán encamado a cuadros, con su vestido negro, nuevo y correcto, y su corbata blanca, mal anudada, y un sombrero maltratado con la falda levantada por detrás», que sólo conservaba del señor Quintana de tres años antes la «frente verdaderamente olímpica y llena de majestad»; en efecto los académicos hallaron «penoso el andar del anciano» (que, nacido en 1787, tenía entonces 49 años) con «su cuerpo notablemente inclinado», aunque nada sugería que se percibiera a sí mismo como esa figura patética cuando «se entró de rondón en el cuarto» en que sesionaban los académicos y «se sentó con el mayor desenfado entre nosotros, diciendo: "Vengo a ver qué hacen mis muchachos"».

«La Academia —prosigue recordando Prieto— se puso en pie y prorrumpió en estrepitosos aplausos que conmovieron visiblemente al anciano... El nombre de Quintana Roo, que tal era nuestro visitante, fue pronunciado por todos los labios, y por aclamación irresistible fue elegido nuestro presidente perpetuo... El júbilo por ese nombramiento fue tan ardiente como sincero; nos parecía la visita cariñosa de la Patria.»[23] En esa nueva etapa mexicana el único papel que había quedado disponible para Quintana Roo era el de precursor de la generación que había comenzado a poner su sello a la vida letrada de la república naciente, y su promoción a presidente perpetuo de la Academia en medio de las aclamaciones de sus miembros vino a

[23] MMT, 150

premiar la lucidez con que había sabido advertirlo. El «júbilo ardiente» reflejado en esas aclamaciones, que celebraba el magistral *art de vivre* del venerado y venerable padre de la patria, anticipó la relación que iban a establecer con ese hombre «callado y poco expansivo» en quien contrastaban «con su reserva y su constante seriedad los dichos agudos y los epigramas saladísimos que como a su pesar e inconscientemente se escapaban de sus labios», y ello aún en sus evocaciones de los años heroicos por él vividos en el territorio rebelde al lado de Morelos.

A partir de este punto la narrativa de Prieto toma un giro anecdótico que ya no ha de abandonar. Para esa prolija crónica de su paso por la escena literaria mexicana se apoya en su capacidad de trazar en pocas líneas el retrato de cada una de las figuras secundarias que se cruzaron en su camino; he aquí (y es un ejemplo entre cientos) el de Munguía, que en los primeros años de la Academia se hizo conocer con un estudio sobre Abelardo, el teólogo medieval. Era Munguía

> [...] enjuto de carnes, y de color amarillo de cera el cutis, pecoso, escurrido, casi vulgar... gustaba de las relaciones íntimas en cuyo seno era expansivo y amable, notándose desde luego en su trato, como dos personas diferentes; una de antes y otra de después de las comidas. Esto dependía de su penosísima enfermedad de estómago... En las mañanas, ¡cómo nos encantaba con su erudición y con su verba! ¡cómo nos parecía increíble que en todos los ramos del saber humano hubiese acumulado tan caudaloso saber![24]

No ha de extrañar que Prieto halle difícil dotar a su representación de las mayores figuras que dominan esa floración intelectual del relieve capaz de hacerles justicia. No es que no lo intente, así con Ignacio Ramírez, el Indio, ya entonces reconocido como uno de los mayores intérpretes del enigma que es México; está en efecto demasiado consciente de que

[24] MMT, 159.

> [...] yo, para hablar de Ramírez, necesito purificar mis labios, sacudir de mi sandalia el polvo de la musa callejera, y levantar mi espíritu a las alturas en que conservan vivos los esplendores de Dios, los astros y los genios.

Pero su modo de abordar ese desafío no se aparta demasiado del que ha utilizado frente al tanto más modesto de evocar la figura del estudioso de Abelardo:

> Una noche de Academia, después de oscurecer, percibimos, al reflejo verdoso que comunicaba a la luz, el velador de la bujía que nos alumbraba, en el hueco de una puerta, un bulto inmóvil y silencioso, que parecía como que esperaba una voz para penetrar en nuestro recinto... avanzó el bulto, y en una claridad muy indecisa vimos acercarse tímido a la mesa del presidente, un personaje envuelto en un capotón o barragán desgarrado, con un bosque de cabellos erizos y copados por remate... Representaba el aparecido dieciocho o veinte años. Su tez era oscura, pero con el oscuro de la sombra; sus ojos negros parecían envueltos en una luz amarilla tristísima; parpadeaba seguido y de un modo nervioso, nariz afilada, boca sarcástica. Pero sobre esa fisonomía imperaba la frente con rara grandeza y majestad, y como iluminada por algo extraordinario... En el auditorio reinaba un silencio profundo. Ramírez sacó del bolsillo del costado, un puño de papeles de todos tamaños y colores, algunos impresos por un lado, otros en tiras como de molde de vestido, y avisos de toros y de teatro. Arregló aquella baraja, y leyó con voz segura e insolente el título, que decía: «No hay Dios»... El estallido inesperado de una bomba, la aparición de un monstruo, el derrumbe estrepitoso del techo, no hubieran producido mayor conmoción. Se levantó un clamor rabioso que se disolvió en altercados y disputas. Ramírez veía todo aquello con despectiva inmovilidad... El señor Quintana, muy conmovido, ponía su mano sobre la cabeza de Ramírez, como para administrarle el bautismo de la gloria. La discusión se abrió, y si se hubiera dado a la prensa for-

> maría época en la historia del progreso intelectual de México... La composición de Ramírez era visiblemente un pretexto para hacer patentes sus estudios de muchos años, y como a su pesar, se traslucía su jactancia de malas cualidades que no tenía, fue aceptado con entusiasmo y cariño aun por los que se presentaron con carácter de enemigos.[25]

El modo en que Prieto evoca el episodio no deja duda de que cuando le tocó ser testigo de un momento que no necesitó dejar su huella en la prensa diaria para marcar un hito en la historia del progreso intelectual de México pasó de largo sin advertir en él otra cosa que la oportunidad de trabar una lid literaria que, como la que había buscado suscitar Fray Servando con su sermón guadalupano, prometía brindar ocasiones de lucimiento a cuantos se avinieran a participar en ella, que no dejarían pasar en vano los presentes en esa sesión académica. Era ésta una reacción que sugería algo mucho más radical que una falta de interés intelectual por los temas que se rozaron en ella: un desinterés profundo por los grandes dilemas abordados por esa temática frente a los cuales en el curso de sus vidas letrados e iletrados se ven forzados por igual a dar respuesta.

Y no es que Prieto no advirtiese que no había sido la promoción de un debate literario lo que había llevado a Ignacio Ramírez a hacer estallar esa bomba, y así lo dice él mismo cuando observa

> A Ramírez se le ha juzgado con justicia como gran poeta y como gran filósofo, como sabio profundo y como orador elocuente, y Ramírez era en el fondo la protesta contra los dolores, los ultrajes y las iniquidades que sufría el pueblo... En política, en literatura, en religión, en todo era una entidad revolucionaria y demoledora; era la personificación del buen sentido, que no pudiendo lanzar sobre los farsantes el rayo de Júpiter, los flagelaba con el látigo de Juvenal y hacía del ridículo la picota en que a su manera los castigaba. Pero para esto necesitaba un gran talento, un corazón

[25] MMT, 161-63 *passim*.

lleno de bondad y una independencia brusca y salvaje sobre toda ponderación.[26]

La indiferencia de Prieto ante esos grandes dilemas que afectan por igual a letrados e iletrados no reflejaba entonces ninguna ingénita incapacidad para elevarse más allá de la anécdota, sino su total solidaridad con la respuesta que a ellos había formulado Ramírez en la última estrofa de su *Poema por los gregorianos muertos:*

> *Madre naturaleza, ya no hay flores*
> *por do mi paso vacilante avanza,*
> *Nací sin esperanza ni temores,*
> *Vuelvo a ti sin temores ni esperanza.*[27]

Una solidaridad que lo unía también con esas víctimas a la vez resignadas e indómitas del destino que les ha tocado en suerte que son las muchedumbres mexicanas, a merced siempre de la próxima catástrofe demográfica que habrá de restablecer el equilibrio con el suelo que las sustenta, y dispuestas siempre a retomar el combate por la supervivencia sobre ese mismo suelo que saben destinado a ser su tumba como lo es ya de las que las precedieron en la batalla.

Y porque ese heroísmo colectivo es hasta tal punto condición de vida que no es percibido como tal Prieto puede, después de que una súbita iluminación le permitió vislumbrarlo por un instante, retornar al plácido relato anecdótico del combate por él librado junto con Ramírez desde la franja extrema del liberalismo mexicano, seguro de encontrar, tanto entre esas muchedumbres como en el círculo de los letrados, interlocutores para quienes es ése también el modo natural de abordar la narrativa de los azares de sus vidas.

En ese relato iba ser tema central el esfuerzo por eliminar las consecuencias del revés que a la muerte de su padre había torcido el rumbo de su vida. Que ese revés Prieto lo hubiera sufrido en una esfera

[26] MMT, 163-64.

[27] <http://www.poemasde.net/por-los-gregorianos-muertos-ignacio-ramírez/>

privada en la que no habían incidido las vicisitudes atravesadas en esos momentos por la naciente república mexicana no impedía que fuese tan sólo en la arena pública donde podría encontrar el modo de reconquistar el lugar en el mundo del que ese revés lo había despojado. Y al tomar por tema ese esfuerzo su narrativa inevitablemente desborda los límites cronológicos fijados en *Memorias de mis tiempos,* no sólo para incorporar la etapa abierta por el extrañamiento que contra él fulminó el Mariscal Santa Anna, cubierta en las crónicas por él incluidas en sus *Viajes de orden suprema* y recogidas en cuatro volúmenes de sus *Obras completas* bajo el título común de *Crónicas de Viajes,* sino en el testimonio que en esas mismas *Memorias* ofrece acerca del presente desde el cual vuelve su mirada al pasado, en que cierra triunfalmente su carrera como el poeta nacional en quien las clases letradas mexicanas reconocen al más fidedigno vocero de las masas a las que han tomado a su cargo elevar a la altura de los tiempos.[28]

Cuando Prieto, bajo el título «Del 37 al 40», pide a su memoria que «nos conduzca a los palacios y academias, a las mansiones de los próceres, a los modestos gabinetes de los sabios y a las tertulias en que todas esas entidades se mezclaban delineando las facciones de nuestra sociedad» lo primero que esa memoria le recuerda es que aunque él mismo no había sido «del todo extraño a la epidemia política que nos ha invadido desde tantos años... y a pesar del roce académico con gente de espada y con próceres del gran teatro del mundo, *le* importaban una higa los cambios políticos y las peripecias palaciegas, conforme con *su* importancia de escribiente y *su* vida airada de capense».[29]

Con ese ánimo enfrentaba ya el mundo en la Pascua de Pentecostés de 1834, cuando en los festejos del paseo de Belén vio por primera vez a la que iba a ser su esposa. Era el segundo día en que se celebraba allí la fiesta a la que Prieto había acudido tras completar su jornada

[28] Como señala Fernando Curiel en loc. cit. n. 20, p. 45, en 1890, cuando el diario capitalino *La República* invitó a sus lectores a elegir al «poeta más popular», para quien destinaba una corona de plata, entre los 14 que recogieron el apoyo de los 7.787 votantes, Prieto recibió el 48,6% de los sufragios.

[29] MMT, 225.

en la Aduana, «con *su* inseparable capotillo, leve como gasa y casi transparente, *su* Chantreau[30] bajo el brazo, descuadernándose, cuando llamó *su* atención en uno de los balcones... una niña de doce años a lo más, que daba a una colosal muñeca que tenía en el brazo cuenta de lo que se veía en la calle». Y prosigue Prieto su relato:

> [...] yo me fijé en ella, y viéndola, viéndola, perdí el equilibrio, trastabillé, abrí los brazos y caí, regándose como chorro las hojas de mi Chantreau... Corrido y amostazado alcé la vista, y la chica con su muñeca reía tan ingenuamente, tan de buena gana, que desarmó mi cólera... Era la niña de hermosas facciones, de dentadura que hacía luz cuando desplegaba los labios, y de unos ojos negros y brillantes, sobre todo lo imaginable en cuanto a expresión de ternura... Indagué curioso, y supe que se trataba de una niña de opulentísima fortuna que residía frecuentemente en una de las haciendas de su padre, quien retraído con las preocupaciones de la riqueza, el apartamiento campestre y cierta aspereza intolerante unida a la temprana edad de la niña, recibiría pésimamente al coplero desdichado, quien sembraría de espinas, con sus galanteos, la senda feliz que pisaba la señora de sus pensamientos... Desde entonces, aunque seguí flotando a merced del oleaje de mi caprichosa fortuna, en mis horas de angustia y amargura me pareció ver un punto luminoso que brotaba en aquella tiniebla, que irradiaba y se extendía vaporoso y celeste, y que me descubría aquel semblante risueño, como una esperanza cierta de venturoso porvenir.[31]

Esa esperanza iba a satisfacerse por un inesperado y en verdad imprevisible atajo a partir del 27 de agosto de 1837, cuando Guiller-

[30] Todavía en 1886 Prieto no necesitaba explicar a sus lectores qué era «el Chantreau». Se trata del *Arte de hablar bien francés o gramática completa,* de Pierre-Nicolas Chantreau, publicado por primera vez en español en 1781 y en Madrid por A. de Sancha, del que el *Libraries Worldwide Catalog* registra 78 reediciones escalonadas a lo largo del siglo XIX.

[31] MTM, 122-23 *passim.*

mo Prieto, que había ya descubierto que ni sus ingresos en la Aduana ni los de sus demasiado episódicas contribuciones al periodismo lo protegían suficientemente del acoso de sus acreedores, decidió jugar el todo por el todo contribuyendo al acto solemne que iba a tener como teatro el aula mayor de la Universidad en que el General Atanasio Bustamante, presidente de la República que había logrado ganarse la enemistad de casi el entero arco de la política mexicana entregaría los premios a los mejores egresados del Colegio de Letrán con una oda en la que, según recordaba:

> Desde el principio me disparé como un energúmeno y embestí contra tirios y troyanos atropellando en mi furia armas y letras; gobierno, administración, clero y cuanto a mis mientes se vino, con un gesticular, un manoteo y un ir y venir en la cátedra como un endemoniado... Al descender, muy bonitamente se me acercó el jefe de la policía ordenándome que al día siguiente me presentara, al oscurecer, al señor Presidente en su residencia de San Agustín... Aquello fue el colmo de la felicidad. ¡Qué emoción para mi futuro suegro! ¡Qué chasco para los ingleses! ¡Qué posición tan dramática para mi adorada y para mí![32]

Pero cuando se presentó en la residencia presidencial, no le sorprendió ni le intimidó que el general Bustamante le dijese «con suma dulzura: —Quiero que lo de usted sea como si hablase para oír toda la verdad: nada tema usted». Prieto supo en su respuesta ser «muy respetuoso, pero sin encogimiento; muy enérgico, pero sin insolencia» y pudo ver con satisfacción cómo «la sorpresa, la ira contenida, la sonrisa de benevolencia» se sucedían en el semblante de su interlocutor, quien por toda respuesta llamó a su secretario y señalándolo le indicó: «Este joven queda aquí en la secretaría a mis inmediatas órdenes y le da usted de lo mío cien pesos mensuales, además, pone usted un acuerdo para que el señor Jiménez lo nombre redactor del

[32] MMT, 283-85 *passim.*

Diario Oficial con la dotación asignada (ciento cincuenta pesos)... ¡Bueno!, bueno, hombre... Vamos a almorzar, caballerito».

Renunciando a protagonizar junto con su adorada la novela de amores contrariados que había imaginado en la víspera, Prieto comenzó en ese momento a establecer con el Presidente una relación en la que descubrió en él rasgos admirables, entre ellos una «probidad en materia de dinero [que] llegaba al quijotismo» y una saludable duda acerca de su propia capacidad para afrontar los desafíos del cargo, que lamentablemente tenía como consecuencia que «si le persuadía el ajeno consejo, lo exageraba con ardor convirtiendo muchas veces en crueles sus resoluciones».[33]

> Salí a la calle —prosigue Prieto— como quien despierta de un sueño... pensaba en María y mi madre contentas, pero con la adivinación de la ternura temiendo que entraran en una vida azarosa y llena de peligros.

En ese estado de ánimo partió en busca de don Isidro Rafael Gondra, director del *Diario Oficial* a cuyas órdenes debía trabajar, y de quien ofrece uno de sus más trabajados retratos:

> [...] era un hombre de unos cincuenta y cinco a sesenta años, pequeño de cuerpo, como enjuto y encallejonado... su voz era dulcísima y sus maneras apacibles. En el fondo de su aspecto se distinguía tristeza profunda, que al mismo tiempo que le conquistaba simpatía, le alejaba de toda confianza... pude notar al hombre fino y caballeroso, de mansedumbre grande y de aspiraciones bondadosas y llenas de cariño. Pero esas prendas estaban como realzadas en un hastío, en una indiferencia por todo, que helaba la sangre.

Prieto lo encontró leyendo durante su almuerzo la prensa del día, y para que comiera con más libertad le propuso leérsela él mismo, pron-

[33] MMT, 287.

to con lágrimas en los ojos porque se veía ya como la próxima víctima de los dicterios que llovían sobre el director del *Diario,* quien por su parte seguía comiendo su almuerzo «con inverosímil apetencia».

> [...] aquello era horrible —prosigue Prieto— y horrible porque en muchas ocasiones, fuera de la injuria había razón. Gondra era un sabio, un liberal eminente, de ideas luminosas y avanzadas, que la fatalidad... hacía defender lo que estaba acaso contra su conciencia, entregando a discreción su talento a personas que tenían menos instrucción y valía que él, pero comprendidos en los fueros de la ciencia infusa de los favorecidos de la fortuna y del poder... Decíase que el señor Gondra había hecho brillantísimos estudios encaminados a la carrera eclesiástica, hasta ordenarse de Evangelio. Circunstancias que no quise nunca profundizar, hicieron que pugnase por no seguir la carrera e hizo esfuerzos por desligarse de sus votos; pero el poder inmenso del clero dio a sus gestiones carácter de apostasía y fue perseguido cruelmente, sufriendo prisiones, embarazando sus afanes para vivir independiente, escudriñando los más secretos rincones de su vida íntima y envenenando estudios, afectos y hasta el aire que respiraba. Para escudarse contra las persecuciones, Gondra se hizo masón, se afilió al partido exaltado y, al fin, buscando el arrimo del gobierno, fuese el que fuese, fungía como redactor en jefe del *Diario* cuando me le presenté.[34]

Comenzó así para Prieto una etapa de algo más de dos años, cubierta en no más de cinco páginas de *Recuerdos,* en que, introducido en el cogollo mismo de la elite del poder, aprendió a conocer y admirar «a esos hombres que pasaban del campo de batalla al gabinete, y como quien adquiere por intuición, talentos, elocuencia, infalibilidad, disponían de la suerte de los pueblos y hacían de ellos cera y pabilos a su antojo».[35] Estamos en 1840, la presidencia de Atanasio Busta-

[34] MMT, 288-89 *passim.*
[35] MMT, 290.

mante, que acababa de sofocar a duras penas una insurrección local, había entrado en irrefrenable agonía, y —recordaría Prieto— «me hería hondamente... la serie inaudita de traiciones que brotaban a mi alrededor, que tenía por increíbles aun palpándolas y que aprendí entonces a conocer, como preludios del "sálvese el que pueda", en las revoluciones».

Mientras tanto tocaba al *Diario* publicar diariamente boletines en respuesta a los ataques de la cada vez más deslenguada prensa opositora, y —prosigue narrando Prieto—

> [...] el señor Gondra, como muy conocedor del mundo, quiso hacerme el honor de que yo escribiera de preferencia aquellas hojas insultantes, que escribía con la más sincera vehemencia, puesto que defendía a mi bienhechor y a personas muy queridas de mi corazón... Todo esto me lastimaba y me exponía a la burla de los aguerridos en estas escenas, de las que los veteranos políticos sacan partido.[36]

En una de esas jornadas de agonía —recordaría de nuevo Prieto en sus *Memorias*— cuando en conversación con su bienhechor echaban ambos una mirada casi póstuma a los años que habían pasado juntos, se había atrevido a solicitar del todavía presidente Bustamante un último favor:

> Quisiera que después de haber arado el frente de la casa [de su adorada] sufriendo chubascos y soportando burlas de tenderos, recauderas y vecinos curiosos e inciviles... me vieran pasar un día en el coche de la presidencia, muy echado atrás, con mucho aplomo y donaire... mandar parar el coche y enviar frente a frente una misiva a mi papá suegro... Al siguiente día... la estufa presidencial me esperaba reluciente de lujo y elegancia... Partió volando el coche... Yo llevaba prevenido un lápiz como una astabandera y como había antecedentes muy hostiles de parte de

[36] MMT, 305.

papá, yo... le escribí en una tira de papel: «Señor Caso, deseo casarme cuanto antes con su hija de usted. Avíseme si sigue o no en su posición para tomar mis providencias».

Gracias al espaldarazo de quien todavía ocupaba el sillón presidencial, Prieto logró ser admitido «en la casa como novio oficial una vez por semana», ingresando así en «un mundo nuevo, pues *su* suegro y la familia ofrecían los tipos de los ricos hacendados de la época colonial». Volvió así a conocer el «modo de vivir aristocrático con *su* familia, guardando las tradiciones de *sus* padres» que hubiera debido ser siempre el suyo, y del que lo habían despojado arteramente algunos siempre innominados parientes cercanos.

Pero el México en que le había tocado vivir no era ya el de sus padres, y si en él había logrado reconquistar su lugar de origen entre los bien nacidos había sido gracias a su capacidad de adecuarse instintivamente a ese país nuevo pese a que —como confesaba de buen grado— constantemente lo desconcertaba esa sociedad en que algo parecido al caos había venido a reemplazar el orden anquilosado de la Nueva España. Era esa apuesta a la vez ciega y clarividente por la alternativa que habría de emerger vencedora de ese caos la que se reflejaba tanto en el «amor al pueblo» premiado por su capacidad de establecer con él un contacto fácil y cordial, «a pesar de su falta de civilización, sus inconsecuencias y sus vicios», cuanto en el «deseo de estudiarlo»[37] para descubrir cómo lograr que colaborase activamente en su propia redención que, según aseguraba en ese mismo pasaje, habían guiado y seguirían guiando su accionar en la escena pública mexicana.

En su visión retrospectiva, esa apuesta instintiva había sido la brújula que le había permitido llegar a buen puerto tras más de un cuarto de siglo en incesante tormenta, desde que, cuando finalmente ocurrió lo que todos esperaban, y el todavía presidente decidió marcharse al interior tras lanzar una proclama redactada por Prieto en que decía esperar «que la mano del tiempo pondría en su verdadero punto de

[37] MMT, 297.

vista a los hombres y las cosas», quien acababa de dar de ese modo testimonio de su inquebrantable lealtad al bienhechor a quien todos habían abandonado a su destino se encontró, «como era de esperarse, "mal ferido e peor parado" expiando con odios y desprecios *su* imprevista elevación y restituyéndo*lo* la suerte a *su* pobreza incorregible.»[38]

Fue en ese momento de extrema angustia cuando comenzó a emerger el Guillermo Prieto que hoy vive en la memoria mexicana. El derrocamiento de Bustamante había marcado el comienzo de un realineamiento de fuerzas que iba a despejar muchas de las ambigüedades en medio de las cuales había avanzado Prieto en su carrera, y él mismo comenzó a adecuarse a los nuevos tiempos cuando, ya al abandonar su puesto en el *Diario Oficial*, explicó su gesto «manifestando *su* odio a la dictadura y a los procederes de Santa Anna»[312] y poco después la cordialidad con que fue recibido en Zacatecas cuando aceptó el cargo de visitador de la Renta de Tabacos en ese gran centro minero que en la década anterior había sido la principal fortaleza del liberalismo federalista le reveló que con ello había cortado los puentes con ese pasado sin embargo tan cercano en que no le habían importado «una higa los cambios políticos y las peripecias palaciegas».[39]

En Zacatecas, ciudad «liberal hasta la médula de sus huesos» era viva la nostalgia por los aún cercanos tiempos de prosperidad transcurridos bajo el gobierno de Francisco García; ese «hombre lleno de bondad era su ídolo, y no perdonaba su desastre en los llanos de Guadalupe, obra de la fuerza brutal y de la ambición de Santa Anna». Y fue durante su estancia en esa ciudad en la que en ese momento «despertaba mal dormidos odios» la tibieza con que el Congreso Constituyente en que eran mayoría los partidarios de mantener el régimen federal de gobierno reaccionaba frente a «las insinuaciones tiránicas» del vencedor de Guadalupe, y en la que era enorme «la avidez con que se devoraba *El Siglo XIX*, periódico magistralmente escrito, de universal y merecida reputación» que desde la capital martillaba sin tregua sobre esos mismos temas, cuando Prieto, que había comenzado

[38] MMT, 310.

[39] Loc. cit. n. 30.

a colaborar en el periódico con algunos de sus primeros artículos de costumbres, cada vez más frecuentemente interpelado por entusiasmados lectores de *El Siglo XIX* y, «sea por la vanidad de hombrear*se* con personas, sea porque así lo sentía, brotaba panegíricos, y ensalzaba entusiasta a los adalides de la libertad» se vio rápidamente separado de su destino, «con los lauros de víctima, pero en la bruja más tremenda y como acabado de salir de la escuela».[40]

Sus experiencias en el viaje de retorno a la capital le revelaron que la situación en que había caído le ofrecía compensaciones que no había esperado: «Para dar una idea de la boga y la estimación que gozaba en esa época *El Siglo XIX* diré que en ese viaje tan dilatado y costoso, que hice con familia, no gasté un solo centavo, por todas partes recibía agasajos y se daban por pagados por conocer a uno de los que, aunque en escala muy ínfima, formaban parte de aquella brillante redacción».[41]

Aleccionado por esas experiencias, a su llegada a México, Prieto se apresuró a formalizar los lazos que iba a mantener por más de medio siglo con el gran diario de la era liberal:

> Hecho una lástima —sigue rememorando— llegué a don Ignacio Cumplido, quien me asignó quince pesos mensuales por dos artículos semanarios, y además siete pesos cuatro reales para el abono del teatro, quedando entendida mi obligación de hacer lo más que se me ordenase.[42]

Aunque el nivel de remuneración de Prieto como periodista opositor no alcanzaba a la décima parte del que había gozado en la prensa de Estado, su colaboración con *El Siglo XIX* no dejaba de ofrecerle otros atractivos que compensaran la modestia de sus ingresos, así no los encontrase tan deslumbrantes como ese «muchacho pobre, desconocido, objeto de desprecio en su colegio, con porvenir dudoso, con

[40] MMT, 341.
[41] MMT, 342.
[42] MMT, 343.

sueños de gloria» a quien evocaba en las consideraciones sobre el nuevo papel de un periodismo que estaba ya en camino de constituirse en el cuarto poder del Estado, y para quien

> [...] era una transformación deslumbradora la de ver su nombre en letras de molde, hombrearse con los próceres, ser invitado a banquetes y saraos, fallar sobre hombres públicos, abatir a un cómico, ensalzar a un torero, hacerse el oráculo de algunos imbéciles.

cuando por otra parte estaba menos dispuesto que ese hipotético muchacho a escuchar a

> [...] un ministro [que] le excitaba para una conferencia, le iniciaba en una conversación, le inspiraba un artículo de circunstancias y le ofrecía al descuido un empleo pingüe o una curul.[43]

Porque en esta nueva etapa de su carrera, en que Prieto no necesitó del influjo que podía provenirle de su papel en la prensa para ocupar posiciones de responsabilidad en la administración de las finanzas mexicanas que le ofrecerían más de una ocasión de disponer del destino de sumas ingentes, porque se las iba a abrir la casi sobrenatural capacidad de trabajo que podía movilizar al servicio de su disposición a ponerlo todo en el esfuerzo por aprender lo que no sabía, nunca necesitó reivindicar una condición de incorruptible que por otra parte, si era universalmente dada por descontada, era menos universalmente celebrada por una clase política en que no faltaban quienes la vieran como una peligrosa infracción a las reglas del juego por ellos practicado con éxito.

Pero mientras avanzaba en esa carrera de servidor del Estado, en medio de las ruinas materiales y políticas legadas por la catastrófica guerra de 1846-48 con el vecino del Norte, Prieto avanzaba en paralelo en la de escritor y publicista, en la que seguía bregando por conquistar en la arena literaria y en la opinión un lugar que no desmereciera del que el antiguo orden había reservado también en esa esfera a los bien

[43] MMT, 343 *passim*.

nacidos, hasta que en 1855 el triunfo del Plan de Ayutla, al apartar definitivamente a Antonio López de Santa Anna de la escena pública, la despejó para la larga y sangrienta confrontación destinada a cerrarse sólo doce años más tarde abrió una nueva etapa en su carrera en que esa preocupación pasó a segundo plano, mientras ocupaba el primero el tenaz combate que libró al servicio de las banderas liberales triunfantes con la restauración republicana de 1867.

A la vez Prieto, que al examinar esa etapa de su trayectoria no estaba más cercano a develar esos enigmas que tanto lo obsesionaban que en el resto de sus *Memorias,* pasó de largo frente a lo que en esa misma etapa contribuiría a asegurarle el solidísimo lugar que hasta hoy ocupa en la memoria mexicana.

Fue en efecto en esa etapa cuando, sostenido por la inagotable vena que había comenzado a fluir desde dentro de él mismo cuando, en sus quince años, improvisaba sonetos en sus caminatas por las calles de su ciudad nativa, se descubrió capaz de hablar, a más de con la voz que le era propia, con la de un doble que, como él mismo, estaba buscando la manera de sobrevivir en México sin sacrificar para lograrlo el respeto que se debía a sí mismo.

Ese doble era Fidel, a quien ya en 1842 Prieto había atribuido la autoría del relato de su viaje a Zacatecas con que se sumó a la redacción de *El Siglo XIX,*[44] y que en el mismo periódico tomó a su cargo, entre 1842 y 1844, la crónica de los estrenos teatrales que le encomendara Cumplido al incorporarlo a su cuerpo de redactores,[45] y desde entonces lo iba a acompañar a lo largo de su entera trayectoria, tanto en los versos que iba a recopilar por segunda vez en 1885 en los tres magros volúmenes de *Musa Callejera*[46] como en los tres del

[44] «Apuntes de Fidel en un viaje a Zacatecas en agosto de 1842», publicados en los números del 19, 22 y 28 de noviembre y los del 4, 17 y 26 de diciembre de 1842 de *El Siglo XIX,* cit. en Malcolm D. McLean, *Vida y Obra de Guillermo Prieto,* El Colegio de México, México, 1960 (en adelante VOGP), p. 18.

[45] VOGP, pp. 114-16.

[46] Guillermo Prieto, *Musa callejera,* Tercera edición, Editorial Porrúa, México, 1985 (1885) (en adelante MC).

Viaje a los Estados Unidos,[47] por él publicados en 1877. ¿Cuál era la nota distintiva de los textos en que Prieto interponía ese doble entre él mismo y sus lectores? Puesto que en buena parte de ellos Fidel presta su voz a algún integrante de esa plebe capitalina a la que ama y con quien se precia de mantener contacto «a pesar de su falta de civilización, sus inconsecuencias y sus vicios»[48] se podría imaginar que había establecido con ése su doble un vínculo análogo al que en el otro hemisferio José Hernández estableció con el gaucho Martín Fierro o en el Viejo Mundo J.P. de Béranger con la abuela de *Les souvenirs du Peuple,* pero si en *Musa Callejera* se encuentra eso, se encuentra mucho más que eso; es éste apenas un rincón del inmenso fresco en que Prieto, ya sea como Fidel o como él mismo, retrata a su ciudad, a su México y al entero mundo sublunar y todavía al cielo, infierno y purgatorio explorados por Dante en su *Commedia,* en imágenes tomadas en préstamo de entre las innumerables que su omnívora retentiva ha archivado en su memoria, y que despliega ante sus lectores como las de ese caleidoscopio que Margo Glantz evoca en su tan fino análisis de lo que torna eficaz a la magia con que logra sumir en una suerte de trance hipnótico a los lectores de *Memorias de mis tiempos.*[49]

Si esa magia funciona con tan segura eficacia es quizá porque el primer seducido por ella es el propio Guillermo Prieto, sumido él mismo en ese trance cuando, cercano a los quince años, cinceló sus primeros sonetos en sus frenéticas caminatas por las calles capitalinas y todavía sumido en él cuando, nueve años más tarde, se incorpora a la redacción de *El Siglo XIX.* Fue entonces, tal como lo narra él mismo en sus *Memorias,* cuando

[47] Guillermo Prieto, *Obras completas. Crónicas de Viajes,* Consejo Nacional para la Cultura y las Artes, México, 1993-4 (1877) (en adelante GPCV), vols. 1-3.
[48] Loc. cit. n. 38.
[49] Margo Glantz, «*Memorias de mis tiempos,* Representatividad de una realidad teatral», en Guillermo Prieto, Tres semblanzas, México, UNAM (Cuadernos de Humanidades, 7), 1977.

> [...] a mí me destinó el señor Cumplido una pieza en la azotea... Tan distinción se me hizo por mi fama de parlanchín y de amigo de perder el tiempo, y por la manía, de que no me he podido curar [y no lo lograría hasta el fin de sus días], de hablar en voz alta, gritar, llorar, reír y armar bulla cuando escribo, y esta manía era hasta tal punto notable, que las lavanderillas que tendían sus ropas en aquella azoteas, bajaron un día despavoridas a participar al señor Cumplido que un loco se había metido en el cuarto, y estaba armando una algarabía de los mil demonios.[50]

Pero esos gritos inarticulados que tanto alarmaron a las lavanderas del señor Cumplido no reflejaban hasta qué punto era abrumador el dominio conquistado sobre el ánimo de Prieto por una pasión demasiado intensa para expresarla de otra manera; del mismo modo que la sibila délfica él era tan sólo el vocero de un mensaje que lo trascendía, y ése era también el papel por él asumido en el torrente de prosas y versos que son fruto de las más de seis décadas en que se esforzó por volcarlo en palabras. Se diría algo más, a saber, que la eficacia con que ese mensaje alcanza a sus lectores requiere que también éstos lo reconozcan como originado en esa fuente impersonal de la que tanto bajo la advocación de Fidel como la de Guillermo Prieto se ha constituido en vocero, y les iba a resultar menos fácil reconocerle ese origen cuando él mismo, Guillermo Prieto, decidió llenar con su corpulenta presencia el primer plano, tal como ocurrió en el *Romancero Nacional*,[51] esa obra de su vejez que fue recibida con mal disimulada perplejidad por sus contemporáneos, y no por las razones que Carlos Monsiváis, a un siglo de distancia, podía ya hacer explícitas, cuando dictaminaba que

> [...] el civismo profesional de Prieto es su zona más débil y *Romancero Nacional...* es sólo una (precaria) versificación es-

[50] Loc. cit. n. 43.

[51] Guillermo Prieto, *Romancero Nacional,* Editorial Porrúa, México, 1984 (1885) (en adelante RN).

colar. Pero la «sentimentalidad siempre despierta que lo hacía llorar en las tribunas» y el requerimiento liberal de incitaciones bélicas y cívicas no impiden la vigencia de buena parte de *Musa Callejera*, no gran poesía (lo que nunca se propuso ser) sino punzante poesía popular.

Para concluir que

[...] la producción de Prieto tiene partes muy rescatables. Al margen de su condición de gran protagonista de la historia mexicana, Prieto es uno de los escritores de nuestro siglo XIX aún legibles por razones ajenas al aprovisionamiento documental.[52]

No, la perplejidad de sus contemporáneos no se debía a que encontrasen difícil reconocer en el torrencial legado literario de ese «gran protagonista de la historia mexicana» los valores estéticos que Alfonso Reyes, citado allí mismo por Monsiváis, no tuvo ya empacho en negarle. Esa perplejidad surgía en cambio de que desde que Prieto, descartando la máscara de Fidel, asumió la plena responsabilidad personal de su mensaje, los forzó a reconocer en ese mismo mensaje su contribución a un esfuerzo colectivo orientado a dotar a México de un pasado a la medida de la gran nación moderna que su generación había tomado por tarea construir.

Y para juzgar la contribución de Prieto a ese esfuerzo les era difícil ignorar lo que el proyecto mismo tenía de problemático; hasta qué punto lo advertían puede percibirse en el prólogo que Ignacio Altamirano, que dentro de esa generación había tomado a su cargo enfrentar, tanto en el plano teórico como en el práctico, los problemas que planteaba la creación de una literatura que a más de contribuir a ese esfuerzo ofreciera testimonio de que por lo menos en ese campo éste estaba ya dando frutos, antepuso a la primera edición de *Romancero Nacional.* Comenzaba así Altamirano su exploración del tema:

[52] Loc. cit. n 7, p. 30.

> El viejo cantor de las glorias y de las esperanzas de México, el más popular y fecundo de nuestros poetas, Guillermo Prieto, ha coronado su vida literaria, reuniendo en una colección de romances, todos los recuerdos históricos y tradicionales de la Independencia Nacional... Es decir, ha llenado un vacío que existía en la poesía patria, en nuestra historia y en nuestros sentimientos, y ha creado la Epopeya Nacional en una de sus varias formas.[53]

Y al llegar aquí formulaba la pregunta obvia ¿por qué fue necesario esperar hasta 1885 para que a alguien se le ocurriera abordar esa tarea? La respuesta cubre las veinticinco tupidas páginas que completan su prólogo, y es que la entera historia de México a partir de la Conquista es la de «un nuevo y extraño pueblo colonial con los restos todavía muy grandes de la antigua nación vencida y con los elementos pequeños relativamente de una nación conquistadora». Pero esa tajante división encubre todavía otras que hubieran hecho imposible el surgimiento de dos rivales tradiciones épicas:

> [...] los restos indígenas... aunque doblegados bajo el yugo que a todos se les impuso, no sentían más vínculo de unión que el de la servidumbre; pero divididos por añejas rivalidades anteriores a la conquista... no se amaban como hermanos en la desgracia, no lloraban juntos la pérdida del poder... ni siquiera podían expresar sus odios y sus dolores en una misma lengua... Los restos de la tribu *mexica* eran los únicos que tenían derecho de lamentar la pérdida de su imperio... pero los restos de esa fiera tribu, que si antes había subyugado a las otras, mostró cuando menos, al desaparecer, que había sido digna de la supremacía, o se retiraron en dispersión a las montañas, y allí se refugiaron en el silencio y en la barbarie; o perecieron pronto diezmados por el sufrimiento o el suicidio.[54]

[53] RN, p. IX.
[54] RN, p. XVII.

O, para decirlo en términos más crudos que los que usa Altamirano, en tiempos coloniales no hubo epopeya nacional mexicana porque no había nación mexicana. A partir de la insurrección de Hidalgo y Morelos afloró por un instante el esbozo de una nación de los vencidos, pero su memoria, junto con la de los cantos que le dieron voz, se disipó en las tormentas que no iban a cesar desde entonces:

> [...] entre las tropas insurgentes, particularmente entre las de Morelos, Mina y de Guerrero, hubo muchos cantos en que se celebraban las victorias, se lamentaban los reveses y se alentaban las esperanzas de la Patria. Hace cuarenta años que los viejos insurgentes y sus hijos los entonaban todavía algunas noches en sus cabañas montañesas. Eran romances muy rudos naturalmente, pero muy expresivos, y pintaban con exactitud los sentimientos de la época. Pero esos cantos se han perdido, y los sucesos desgraciados de nuestra guerra con los yankees y los de nuestras continuas guerras civiles los han hecho olvidar completamente.

En 1821, fecha oficial del nacimiento de la nación mexicana, aunque en el segundo movimiento a favor de la independencia «tomaron parte las clases más cultas y se notó mayor aceptación por parte de todas» su triunfo no inspiró a la musa épica, y no sólo porque

> [...] gran parte del pueblo, al ver este complot teocrático y oligárquico, lo aceptó por necesidad, pero bien pronto manifestó su aversión a los nuevos caudillos... Además, la famosa cruzada del plan de Iguala no se prestaba a la epopeya... Fue más bien una cruzada mercantil, en la que si hubo alguna lucha entre los *héroes,* fue la motivada por el precio de la apostasía, de la traición y de la bajeza, y por las competencias de la subasta. Fue una conquista iniciada por frailes y ricachos en los rincones de los conventos, y concluida por los mensajeros que se dirigían a los cuarteles cargados de onzas de oro y libranzas.[55]

[55] RN, pp. XXII-XXIII *passim.*

Más allá de las olvidadas canciones de los insurgentes, en las tres décadas abiertas por ese sórdido episodio la musa épica no fue capaz de legar al futuro ningún testimonio de que aún pervivía en el pueblo el recuerdo de los fundadores de la nación mexicana:

> Los poetas cortesanos de ese tiempo, ¿cómo habían de pulsar la lira en loor de esos caudillos, corriendo el riesgo de desagradar al gobernante? ¡Imposible! Y la desgracia fue que no floreció en aquellos tiempos calamitosos ningún poeta valeroso e independiente que pulsase la lira en alabanza de los verdaderos héroes.

La reparación sólo iba a llegar a esos héroes cuando

> [...] el joven príncipe que ocupaba el trono levantado bajo los auspicios de la intervención francesa, se manifestó desde los primeros días admirador entusiasta de los caudillos de la Independencia, y sincero o no en su admiración... trasladóse con una gran comitiva, en septiembre de 1864, al pueblo de Dolores, y allí solemnizó la noche del 15 el grito de Independencia dado por Hidalgo en 1810, y peroró al pueblo desde la misma ventana en que según la tradición habló a las masas el ilustre caudillo... Después, en 1865, quiso celebrar con solemnidad inusitada el centenario del hombre más grande de la insurrección, del inmortal Morelos; hizo erigir una estatua y colocarla en una de las calles más céntricas y brillantes de México... y allí rodeado de su corte y del ejército... él mismo fue el orador, tributando un homenaje de admiración al héroe sin rival.

Pero fue ésta una iniciativa condenada a caer en el vacío; nadie entre los poetas de la corte imperial

> [...] pulsó la lira en ese tono... ni la lisonja palaciega logró producir en el alma de aquellos poetas del partido monárquico una inspiración patriótica. ¡Pobre Maximiliano! Él no conocía tal vez el fondo de odio inextinguible que existía en el espíritu de

nuestros literatos contra los caudillos de nuestra independencia en 1810.

Pero lo peor aún no había llegado; si la obra con que Guillermo Prieto iba a coronar su carrera literaria vino a pagar la deuda que la nación mexicana aún no había saldado con sus padres fundadores fue porque

> [...] después del triunfo de la República en 1857... las glorias de la segunda guerra de Independencia hicieron olvidar las de la primera. Se olvidó a Hidalgo y a Morelos, y sólo se pensó en D. Benito Juárez... como si hubiera sido lo mismo crear la patria sacándola del caos de la servidumbre, que conservarla por deber cuando estaba ya formada, y como si fuese dable que en México pudiera haber algo ni entonces ni jamás, que se igualase a la resolución sublime de Hidalgo, ni al genio de Morelos... Por lo demás Hidalgo y Morelos fueron personalidades, y Juárez fue una personificación de la defensa nacional. Pero como la fama y la poesía buscan precisamente las personificaciones, el hecho es que Juárez asumió la gloria colectiva de la guerra y por entonces su imagen opacó en la memoria del pueblo la de los Padres de la Patria. Tan cierto es esto que... mientras se le ha erigido por orden del Gobierno un suntuoso sepulcro de mármol adornado con su estatua, no se ha erigido todavía en México la del ilustre caudillo de 1810.[56]

Quien hoy lee este texto de Ignacio Altamirano no puede dejar de percibir no sólo todo lo que diferenció —y todavía hoy diferencia— el modo como se plantea en México y en el resto de la América española la problemática de la creación del Estado-nación y del papel de los intelectuales en ese proceso, sino también la razón última de esa diferencia, y es ésta que en México hasta donde se extiende la mirada hacia el pasado encuentra ya un sujeto de poder cuya continuidad

[56] RN, pp. XXV-XXVIII *passim*.

hasta el presente se refleja en la del lugar desde el cual ese poder se ejerce, que hace que cada 15 de septiembre el presidente de México la refirme desde el lugar mismo en que hasta hace medio milenio el tlatoani mexica recurría para asegurarla a los sangrientos rituales que espantaron a la hueste de Cortés.

La consecuencia es que cuando el intelectual mexicano busca definir su contribución a la implantación en su país de un Estado-nación lo hace en diálogo con un poder que es a sus ojos tan antiguo como el mundo. A la vez que le ahorra algunas de las angustias que en sus horas más desesperadas atormentaron a Bolívar, la presencia de ese poder le inspira la implícita confianza en el futuro reflejada en la riqueza de detalles con que Ignacio Altamirano planea el aparato que habrá de inculcar a las masas mexicanas la versión del pasado más adecuada a la nación moderna que tanto él como los titulares de ese poder aspiran a hacer de México.

De eso exactamente se trata, y la promoción de intelectuales que participa en esa empresa así lo entiende con total claridad. Porque no es para ellos la ilusión que anima a Guillermo Prieto en las noches febriles en que se descubre trasmutando en riadas de versos los mensajes de un saber anónimo y colectivo que misteriosamente lo ha ungido su vocero, aceptan sin vacilar el papel que su destino les ha impuesto como colaboradores de ese poder en un proyecto de construcción nacional que, según están convencidos, sólo si son capaces de orientar adecuadamente puede arribar a buen puerto. En ese diálogo es imprescindible que trasmitan con total fidelidad su mensaje a ese interlocutor, pero también que lo hagan en términos que no lo lleven a rebelarse frente al papel de discípulo dócil al que podría sentirse reducido. Y de nuevo encontramos aquí lo que diferencia la experiencia mexicana de la de las tierras del sur, que se advierte con particular claridad cuando se compara el vínculo que unió a Ignacio Altamirano con Porfirio Díaz con el que en el otro extremo de la América española unió a Juan Bautista Alberdi con Justo José de Urquiza. En ambos casos los interlocutores dialogan de potencia a potencia, pero mientras los que en el sur se enzarzan en ese diálogo no pueden avanzar demasiado en él porque uno y otro descubren que chapalean en el mismo barro en que sintió hundirse Bolívar, en México ambos se afirman en sólida roca, y —diferencia aún más importante— cuando ambos desaparezcan habrá otros para retomar el diálogo en exactamente los mismos términos.

En ese diálogo el intelectual puede llegar muy cerca de la arrogancia (así Altamirano cuando describe el papel de D. Benito Juárez en la historia de México como el infinitamente más modesto que los de Hidalgo y Morelos, creadores ambos de la patria mexicana, de quien la conservó por deber cuando estaba ya formada, a sabiendas de que esa figura de burócrata consciente de sus deberes encarna la del Estado al que se convoca a las masas mexicanas a rendir culto, mientras se coloca a sí mismo en la estela de quienes a partir del «caos de la servidumbre» supieron forjar una patria) y puede hacerlo porque su poderoso interlocutor sabe que ese consejo está inspirado por el sincero deseo de contribuir al éxito de un proyecto que es común a ambos.

Desde luego Altamirano no olvida qué le ha ofrecido la ocasión de reflexionar en estas páginas acerca de lo que se requiere para llevar adelante con éxito ese proyecto: es la coronación del «viejo cantor de las glorias y de las esperanzas de México, el más popular y fecundo de nuestros poetas», que es a la vez un amigo muy querido, y muy comprensiblemente la imagen que en el prólogo a *Romancero Nacional* traza de Guillermo Prieto, del todo adecuada a ese propósito celebratorio, lo es menos en cuanto al papel que el veterano hombre de letras desempeñó en esa etapa convulsa de la historia de su patria.

Así, no ha de extrañar que cuando Altamirano lamenta que no hubiera florecido «en aquellos tiempos calamitosos ningún poeta valeroso e independiente que pulsase la lira en honor de los verdaderos héroes» pasara decididamente por alto que hubiese sido precisamente en esos tiempos cuando Guillermo Prieto había guardado fidelidad hasta la última hora a ese «militar sanguinario y brutal, sin talento y sin virtudes» que había sido el presidente Anastasio Bustamante.[57] Y no es que aquí Altamirano intente ocultar algo de lo que su amigo deba avergonzarse, sino que prefiera ignorar que había sido otro el

[57] RN, XXV.

modo con que éste había elegido entonces proclamar su compromiso con la causa del liberalismo en su calculado desafío a Bustamante; más serias consecuencia tiene la imagen que propone del papel de Prieto durante las guerras de Reforma, cuando «no hubo lugar más que para la poesía burlona del pueblo». Brotó espontáneamente entonces —agrega Altamirano— «algo de epopeya colectiva y democrática, y Guillermo Prieto fue uno de los poetas que contribuyeron a ella con los cantos más populares que servían de provocación al enemigo y de toque de arremetida a las huestes de la Reforma». Algo parecido volvió a ocurrir —de nuevo en opinión de Altamirano— durante la guerra de intervención extranjera; esta vez «el triunfo del 5 de mayo dio vuelo por unos días a la poesía lírica, que expresó en varoniles acentos el orgullo de la patria, y todavía Guillermo Prieto fue el autor de los más inspirados, así como siguió siendo el cantor de la lucha, aun en medio de los mayores reveses y en el camino del destierro».[58]

Ahora bien, ocurre que la única huella que nos ha dejado la acción de Prieto en el papel de Tirteo de esas dos guerras que le asigna Altamirano son las tres estrofas de *Los Cangrejos*,[59] y basta echarles un vistazo para entender por qué su autor no creyó del caso incluir en *Musa Callejera* a esta breve composición satírica de la que sólo ha sobrevivido el título en que había sabido resumir todas las razones que llevaron a los liberales a no cejar en el combate hasta que su improbable victoria les permitiera tomar a su cargo la construcción de un México distinto de su pasado.

El prólogo que Altamirano antepuso a *Romancero Nacional* sugiere qué cerca la coronación que Prieto había elegido para su carrera pudo haber estado de despojarlo de todo lo que había hecho de él el

[58] CN, p. XXVI.

[59] Que, constantemente mencionadas, son hoy casi inhallables. Aquí se ofrece el texto incluido en el *Ómnibus de Poesía Mexicana*, de Gabriel Zaid, tal como aparece reproducido en <htpp://cangrejopistoleropoesía.blogspot2008/11/himno contra los…>: «Casacas y sotanas/dominan dondequiera/los sabios de montera/felices nos harán/ *Cangrejos a compás/marchemos para atrás/zis,zis y zas/marchemos para atrás//* ¡Maldita federata!/ ¡Qué oprobios nos recuerda!/hoy los pueblos en cuerda/se miran desfilar/*Cangrejos…*//Si indómito el comanche/nuestra frontera asola,/la escuadra de Loyola/en México dirá:/*Cangrejos…*»

poeta nacional de esa etapa mexicana, y el final a toda orquesta con que el mismo Altamirano lo cerró lo hace aún más claro; allí leemos cómo «sea que el camino que ha abierto sea frecuentado o no, él habrá adquirido un nuevo título a la inmortalidad, ya que fue en su juventud y en su edad madura el cancionero del pueblo, el poeta pindárico de la Libertad, y siendo hoy en su vejez, a semejanza de Homero, el cantor de los héroes de su Patria».[60]

Pero si es del todo exacto que era esto último lo que Prieto se había propuesto en la obra de su vejez, había encarado esa tarea del único modo que sabía hacerlo, en las noches febriles en que encarnaba a la vez a la sibila délfica y al intérprete que traducía sus gemidos en un flujo inagotable de versos, y ello hace del *Romancero Nacional,* que Monsiváis clasifica justificadamente como un ejercicio del «civismo profesional» de su autor algo no sé si mejor o peor, pero sin duda del todo distinto de esa «(precaria) versificación escolar»[61] que el mismo Monsiváis dice haber encontrado en él, y que tan poco podría tener en común con el inagotable torrente de octosílabos que en *Romancero Nacional* hace inventario de un igualmente inagotable torrente de crímenes, horrores y sufrimientos con un brío que parece reflejar el inesperado pero no injustificado optimismo de quien descubre que ha sobrevivido sin daño a esa prolongada estación en el infierno.

Pero si eso hace de la lectura de *Romancero Nacional* un ejercicio mucho menos tedioso de lo que sugiere la caracterización de Monsiváis ello no impide que no se encuentren en él los rasgos que hicieron de Prieto el adecuado vocero literario tanto del liberalismo militante como del triunfante, y hay que admitir que si, como afirma en las *Dos palabras del autor del Romancero,* con que cerró la edición de 1885, su ambición al componerlo había sido «que en mi patria sean mis Romances como los frijoles, lisonja en la rica porcelana del banquete, y refrigerio y contento en el grosero barro de la choza del artesano y del labriego»[62] esa ambición no se ha visto satisfecha; a

[60] RN, XLI.

[61] Loc. cit. n. 53.

[62] RN, 227.

la suntuosa edición *princeps* sólo iba a seguir una segunda que a un siglo de distancia parece una visita a un mausoleo.

Muy distinto fue el origen de *Musa Callejera,* que reúne poesías publicadas —más de una de ellas repetidas veces— en periódicos de la capital mexicana las más, y las restantes en los de vida efímera que vieron la luz allí donde los defensores del régimen republicano hallaron refugio durante el breve reinado de Maximiliano. En ellas, se dice frecuentemente, Fidel desempeña el papel de quien, porque su personalísima trayectoria le ha dado, así sea brevemente, oportunidad de vivir una etapa de ese medio siglo de eterna tormenta tal como deben vivirlo en permanencia las aún irredentas masas mexicanas, puede revelar a las elites a las que pertenece por nacimiento qué sentimientos suscitan en aquéllas los esfuerzos de éstas por redimirlas. Pero apenas se echa una mirada a *Musa Callejera* se advierte que con ello cumple sólo una parte, y quizá no la más importante, de su papel de intermediario e intérprete entre esos dos hemisferios de la sociedad mexicana: también le toca revelar a las masas qué reacciones están dispuestas a aceptar de ellas quienes las gobiernan.

Así leída *Musa Callejera* es un manual de instrucciones acerca de cómo sobrevivir honradamente en México sin provocar la peligrosa cólera de quienes detentan el poder. Lo primero que debe aceptar quien lo intente es que vivir en su país nativo no es un derecho sino un privilegio que debe ser apreciado y conquistado como tal; en el romance «16 de setiembre en el cielo»[63] Jesucristo, instalado en un mirador del cielo en alegre charla con San Pedro, escucha repiques «por el rumbo más hermoso/sin duda el rumbo de México». Pero si México es más celestial que el paraíso, éste se parece demasiado al mundo en que nos toca vivir; cuando el Redentor y el Apóstol deciden llamar a la policía para averiguar la causa de esos repiques descubren que nadie está en su puesto y será el padre Hidalgo quien les explique que lo que oyen son los festejos del aniversario del Grito de Dolores. Agradecido, Jesús le ofrece concederle las mercedes que quiera pe-

[63] «16 de setiembre en el cielo. Romance», setiembre 16 de 1881, MC, 155-56, la cita de p. 156.

dirle, lo que da ocasión a que éste proponga entre vivas y aplausos todo un plan de gobierno:

«Te pido tres epidemias/ padre amante, padre tierno,/ una para proyectistas/con mañas y sin dinero/ otra para pretendientes/ de uñas largas y sin mérito/ y otra para subvenciones/ de ésas a diestro y siniestro./ Que encuentren todos trabajo/ no en palacio, en campo y cerros,/ vayan a más las escuelas/ y los cuarteles a menos/ que se alarguen los sembrados/ y se encoja el presupuesto,/ que se exija para empleados/ y aún para los altos puestos,/ las cuatro reglas corridas,/ leer y escribir por lo menos,/ y la guarda imperturbable/ del sétimo mandamiento...»/ Iba a proseguir Hidalgo,/ pero cabeceó San Pedro/ y otros bienaventurados/ también estaban durmiendo./ Entonces don Jesucristo/ dijo a Hidalgo: —Ya veremos./ Y tomando el sobretodo,/ fue a dar su vuelta al paseo.

Esta lúgubre visión de un orden inicuo e inmutable que rige por igual en los cielos y en la tierra, y al que Jesucristo obedece tan resignadamente como el más desvalido de los mexicanos da la medida del escepticismo del que a juicio de Fidel los hombres del poder aspiran a ver impregnados a sus gobernados en la esperanza de que la lucidez con que éstos perciben las injusticias de las que son víctimas, en cuanto les asegura que quienes se las infligen no han logrado tomarlos por tontos, les haga más fácil resignarse a sufrir lo que por otra parte consideran inevitable.

Unos meses antes de celebrar de este modo el aniversario del Grito, Fidel ha decidido celebrar el del milagro que para edificación del obispo Zumárraga había hecho florecer rosas en lo más crudo del invierno con un romance a la Virgen de Guadalupe[64] en que recurre a título personal a la misma malicia que recomendará a sus desvalidos compatriotas:

[64] «A María Santísima de Guadalupe. *Non fecit taliter omni nationi*» Diciembre 12 de 1880, MC, 169-70 *passim.*

> Virgen, que tu servidumbre/ la compones sólo de ángeles,/ o gente de medio cuerpo/ porque los que están cabales/ atienden al Presupuesto/ y terrestres variedades./ Virgen, déjame quererte/ Virgen, déjame ensalzarte/ porque como tú dijiste/ o dijeron de tu parte:/ Ésta es la tierra dichosa,/ la feliz, la sin rivales/ .../ Aquí cualquier pimpolluelo/ que apenas escribir sabe/ y pasa por un colegio/ de Darwin y sus secuaces,/ o esos en que a la materia/ se enseña a bailar jarabe/ y Dios está tan de malas/ que ni de gendarme vale/ cuando le arman tal mitote/ a la historia y sus anales/ a los monos, a los dioses,/ a chinos y santos padres;/ que se hunde el mundo, señores,/ que escarapelan las carnes,/ y todo para adherirse,/ y todo para colgarse/ de cualesquiera despacho,/ con mil doscientos anuales/ .../ Aquí no queremos lagos,/ aquí no queremos mares,/ y nos estorban las minas/ y el vapor y otros mil gajes./ La política nos brinda sus mil dones a raudales/ .../ el que logra de valiente/ tener en el mundo pase,/ las puertas encuentra abiertas/ de honores y dignidades./ Si Santa Anna le da pesos/ le regala un rancho Juárez;/ si ayer lo mimó Porfirio/ hoy lo sublima González:/ y si por el rey austriaco/ perdió el prest y empeñó el sable/ lo indemnizan los patriotas/ con soberbios equipajes. Virgen sagrada María,/ recibe tierna mis plácemes,/ porque somos tan felices/ que nos envidian los *yankees.*/ Y ya ves, están llegando/ a hacernos bien sin percances,/ porque somos muy chistosos/ porque somos muy amables:/ en suma por lo Juan Diegos/ *y porque somos muy grandes.*

Pero ya cuando no había pasado aún un año desde la restauración de la república, Fidel había encontrado un modo aún más radical de proclamar que nada se le escapaba de lo que tenía de alarmante la gestión de Juárez, tan indulgente con quienes habían sostenido al efímero emperador y tan distante y desconfiado frente a quienes habían combatido contra viento y marea hasta derribarlo: la confesión, en una letrilla fechada el 18 de enero de 1868,[65] de que sentía demasiado miedo para mencionar lo que todos sabían:

[65] «El miedo.Letrilla», MC, 139-40 *passim.*

Diga usted, por vida suya/ por qué gozan los rufianes/ y curas y sacristanes/ están cantando aleluya/ Dígalo usted, con mil sanes.../ que les alcance una pulla.—Chico, aunque decirlo puedo,/ *tengo miedo.../ /...//* Sobran lanzas y cañones, y brío y marcial coraje, en fiestas y procesiones/ y no hay quien chiste al salvaje/ ni ataje sus incursiones;/ ¿no es esto mengua? ¿no ultraje?/ —Chico, aunque decirlo puedo/ *tengo miedo//* Haciendo están maravillas/ esas momias del Imperio, y ya piden a lo serio/ el auxilio de Castilla.../ Hombre, ¿tienen su misterio/ los retratos de golilla?/ —Chico, aunque decirlo puedo, *tengo miedo...//* Nerón de miga de pan/ Sila trunco de sainete/ ¿por qué la mano se dan/ la cachucha y el bonete?/ ¿por qué tan juntos están/ la santa cruz y el machete?/ —Chico, aunque decirlo puedo/ *tengo miedo.../ /.../ /.../ /.../ /* Hablad...te daré mordaza,/ pensad... te daré destierro/ para la mosca, tenaza/ para el bien... trato de perro/ Di algo... —Aunque decirlo puedo/ *tengo miedo/ /.../ /.../ /.../* /Por postre no hay nacioncitas/ ni cívicos turbulentos,/ ni hay esas juntas malditas/ de periodistas hambrientos;/ hay soldados y jesuitas,/ hay jinetes y jumentos/ porque no andan... habla quedo/ *tengo miedo.../ /* Si no, dijera al instante/ que aunque nos extraiga el quilo/ tanto zote gobernante/ no le hallarán punta al hilo/ porque... ¡¡¡Señor Comandante!!!/ ¿usted bien? Estoy tranquilo./ ¿Escribe?... Un verso, un enredo/*sobre el miedo.*

Las 1.170 páginas de los tres tomos de las *Obras completas* de Guillermo Prieto dedicados a su viaje de seis meses a los Estados Unidos entre enero y junio de 1877 revelan hasta qué punto estaba dispuesto él mismo a avanzar por el camino que recomendaba a sus compatriotas para reconquistar un lugar en el México que comenzaba a conocer la *pax porfiriana.* Ese exhaustivo Baedeker de una travesía de San Francisco de California hasta la tejana San Antonio, con estaciones intermedias en Nueva Orleáns, Cincinnati, Cleveland, el Niágara, Nueva York y Boston, publicado entre 1877 y 1878 bajo el título *Viaje a los Estados Unidos por Fidel,* muestra a un Prieto decidido a hacer suya sin reticencia alguna la *fable convenue* acerca de la epopeya liberal en que debían comulgar quienes quisieran encontrar un lugar en su país nativo.

Abre su narrativa relatando cómo había despertado «como de un sueño a la orilla del mar Pacífico y en el puerto de Manzanillo, el 13 de enero de 1877», muy comprensiblemente en ella prefiere dar cuenta de los progresos realizados por ese puerto desde que lo había visitado por primera vez en 1858, «embriagado de luz con la grande epopeya de la Reforma, y tratando de seguir las huellas, como las seguí de cerca, de Juárez, de Ocampo y Degollado»[66] a mencionar las precisas circunstancias en que volvía a visitarlo, ahora en su capacidad de secretario de Gobernación en el gabinete de José María Iglesias, presidente de la Suprema Corte de Justicia quien, tras negarse a reconocer como legítimo sucesor del fallecido Benito Juárez a Sebastián Lerdo de Tejada, cuya elección como tal había sido rechazada como fraudulenta por un número creciente de gobiernos estaduales, y cuyos partidarios habían sido decisivamente derrotados por los de Porfirio Díaz, se había proclamado presidente interino a los efectos de presidir una nueva elección exenta de las manchas de la precedente. Aunque en esas nuevas circunstancias esa elección sólo hubiera venido a consagrar la victoria de Díaz, éste prefirió declarar caducas a todas las autoridades federales, y ganó rápidamente para esa solución a la mayor parte de los gobiernos estaduales que habían dado su apoyo a Iglesias; cuando Fidel abre su narrativa es para aludir del modo más sucinto a la recepción que esperaba a su comitiva en el puerto de Manzanillo: anoticiados allí el fugitivo Iglesias y su gabinete por las autoridades locales de que éstas habían trasferido su lealtad a Díaz, pero no hasta el punto de impedirles probar suerte con las de la vecina Mazatlán, al descubrir que también allí eran rechazados declararon su intención de deponer toda resistencia y decidieron seguir viaje a San Francisco para entregar el vapor que debía conducirlos de Manzanillo a Mazatlán a los representantes de las autoridades mexicanas en el puerto californiano, pero en ese relato

[66] GPCV, I, 19.

encuentra espacio para evocar pormenorizadamente el encuentro con una reliquia viva de su anterior paso por la comarca, en que no es sólo su memoria la que aparece aún «embriagada de luz con la grande epopeya de la Reforma»:

> Íbamos al acaso [por las calles de Manzanillo], cuando de un balconcillo pequeño, angosto, desdentado y trémulo de barandal, una señora frescachona, morena, alegre y de blanquísima dentadura nos dio el alto.
> «Aquí, señor don Guillermo, aquí, yo soy Fermina, la que asistió a ustedes la otra vez; aquí, en este lugar, vivió el señor Juárez, yo tengo la silla en que estuvo sentado, y no la doy por todo el oro de la tierra... Pasen ustedes.»[67]

Ese encuentro, con su demasiado reconocible eco del que en *Les souvenirs du Peuple* de Béranger había asignado al vaso en que el fugitivo emperador había bebido la función de asegurar el vínculo con el pasado, venía a certificar retrospectivamente la «enérgica fidelidad» con que Prieto afirmaba retener en su memoria el recuerdo de su anterior paso por Manzanillo, en que

> [...] habiendo llegado muy enfermo y manifestando deseo de ver la bahía, Juárez y Ocampo me hicieron silla de manos y me pasearon por la playa, yendo yo orgulloso y triunfal y con el alma luminosa dentro del pecho, más feliz que sobre el primer trono del mundo.[68]

Al abrir su narrativa con el recuerdo del instante en que Benito Juárez le dio asiento en un trono que lo hizo más feliz que si hubiera sido el primero del mundo, Prieto puso aún más en relieve lo que iba a tener de patético su retorno a México en actitud del suplicante que sólo aspira a que el dueño del poder le conceda el privilegio de morir

[67] GPCV, I, 21.
[68] GPCV I, 20.

y ser enterrado en su suelo nativo, tal como lo proclama en el poema con que cierra la crónica de su viaje a los Estados Unidos.[69]

Es que, mientras desde la aparición de Porfirio Díaz en el horizonte de la gran política mexicana Ignacio Altamirano le había brindado un apoyo sin fallas, que le permitía entablar con él un diálogo libre de reticencias, la relación que con él había mantenido Guillermo Prieto había conocido altibajos que justificaban la duda acerca de la recepción que le esperaba en su tierra nativa. Si en 1867, distanciado él mismo de Juárez, había integrado en el Congreso el reducido grupo de diputados porfiristas, luego en la convención del grupo llamado progresista había apoyado la candidatura presidencial de Díaz, y se había opuesto junto con los demás porfiristas a las reformas a la constitución de 1857 propuestas por Juárez,[70] en 1871, cercano a la posición de Sebastián Lerdo de Tejada, juzgó severamente el alzamiento del Plan de la Noria protagonizado por Díaz, que proclamaba «combatiremos por la causa del pueblo, y el pueblo será el único dueño de su victoria», lo que le llevó a comentar:

> [...] en el plan fraguado y proclamado en los cuarteles ¿qué participación ha tenido el pueblo? ¿Dentro de esas murallas de Oaxaca, coronadas de cañones, en esos cuarteles, henchidos de gente forzada, existe el pueblo soberano? ¿Será el pueblo el dueño de su victoria el día que se haga la distribución del botín que deje el asalto al poder? Cuando una obra tiene tan grosero engaño; cuando con la impostura se amengua lo que pudiera tener de elevado cualquier sentimiento patriótico, cuando de la mentira se hace el primer instrumento de guerra, ¿qué

[69] «De mi mal en los excesos/pidió mi voz dolorida/a Dios, no dicha, no vida.../tu tierra para mis huesos», quinta estrofa del poema «A MI PATRIA» por él improvisado «al rayo del sol y recargado en un desnudo tronco hundido en la arena» en el momento mismo en que, cruzado el 6 de agosto de 1877 el Río Bravo, volvió a pisar tierra mexicana, GPCV, 3, 340-41.

[70] Daniel Cossío Villegas, *Historia moderna de México.La República Restaurada.La vida política,* Editorial Hermes, México-Buenos Aires, 1955, pp. 76,87, 139-40 y 193.

puede esperarse de la rectitud ni de la probidad política de un partido?[71]

Pero Díaz se reveló pronto dispuesto a olvidar pasadas ofensas: en preparación de las elecciones legislativas de 1880 hizo «bondadosas calificaciones» de la candidatura de Guillermo Prieto, que éste agradeció efusivamente porque, para decirlo con sus palabras «pudiendo estar enojado conmigo por mi oposición al Plan de la Noria, me buscó para abrazarme»,[72] y de este modo Prieto reconquistó sólidamente su lugar entre las Figuras Señeras que al decir de Monsiváis dominaron el horizonte de la vida pública en la etapa de triunfo liberal: «Juárez y Díaz, Comonfort y Ocampo, Zarco y Payno, Altamirano y Lerdo, Ramírez y Prieto».[73]

Esa tan agradecida benevolencia la iba a practicar sistemáticamente Díaz con todas esas figuras cuyas disputas habían puntuado la agitada historia de la etapa cerrada por el triunfo de la Revolución Tuxtepecana, comenzando por la de Juárez, metamorfoseado bajo su inspiración en el numen que guiaba a la nación desde la tumba. Así en 1889, al morir Sebastián Lerdo de Tejada en Nueva York, tras declinar las invitaciones de retornar a México que a lo largo de los años le había prodigado Díaz, éste dispuso su entierro en la Rotonda de Hombres Ilustres y presidió la ceremonia en que tocó a Guillermo Prieto evocar la figura del ilustre desaparecido junto con las de Juárez y José María Iglesias como las de los tres próceres que habían protagonizado la lucha contra la intervención francesa, en la que quien presidía el acto había tenido un papel no menos decisivo. Pero Díaz no iba a resentirse por ello, ya que la preterición de su nombre lo confirmaba en el papel tanto más importante que había elegido para sí como el heredero y continuador de todos los pasados paladines de la epopeya liberal.

[71] Loc. cit. n. anterior, p. 636.
[72] Daniel Cossío Villegas, *Historia Moderna de México. El Porfiriato. La vida política interior. Parte Primera,* Editorial Hermes, México-Buenos Aires, 1950, p. 496.
[73] Loc. cit. n. 7, p. 14.

Como prohombre en el marco del Porfiriato Fidel no iba a tener demasiadas ocasiones de volver a desempeñar útilmente el de intérprete entre los dos hemisferios de la siempre escindida sociedad mexicana, pero sí algunas de revelar que no se había roto el lazo de simpatía recíproca con las masas mexicanas que lo había habilitado para desempeñarlo. El prestigio que había ganado gracias a sus servicios al frente de las finanzas del Estado mexicano en las angustiosas circunstancias creadas por las guerras exteriores y civiles hizo que su contribución al debate parlamentario se concentrara en ese campo, e iba a ser precisamente en él, donde menos se lo hubiera esperado, donde sus intervenciones iban a reflejar hasta qué punto ese lazo continuaba gravitando sobre él. Así en 1883, ante una emisión de moneda de níquel muy mal recibida en los sectores populares, se alzó la voz de Fidel para condenar el proyecto «por inmoral, por antieconómico, por innecesario y sobre todo porque el níquel tiene un olor a extranjero», y dos años más tarde, al discutirse en el Congreso el tratado de consolidación de la deuda inglesa negociado por José Yves Limantour, el futuro jefe de los «científicos» que iban a tener tanta parte en la vida pública mexicana durante la etapa de madurez del Porfiriato, su violenta prédica opositora, que daba de nuevo voz al alarmado e intransigente patriotismo de Fidel, logró reclutar 43 votos negativos frente a los 93 que dieron su apoyo al proyecto en un cuerpo legislativo habituado a servir disciplinadamente las directivas del jefe de la Revolución Tuxtepecana, y ello en medio de una agitación pública en que mientras los estudiantes de las escuelas superiores de la capital mexicana, entre vivas a Prieto y mueras a Porfirio Díaz, boicoteaban ostentosamente las clases de Justo Sierra y Francisco Bulnes, defensores ambos del proyecto en la cámara, algunas de las sociedades científicas que florecieron en esa etapa apartaron de sus filas a este último, cuando comenzaba ya a revelar los rasgos del perfil intelectual que haría de él una de las figuras centrales en el debate de ideas del siglo XX mexicano.[74]

En 1890 una iniciativa del periódico capitalino *La República,* que solicitó de sus lectores que eligieran con sus votos al poeta más popular

[74] *Op. cit.*, n. 73, pp. 760 y 784.

entre los mexicanos, reveló hasta qué punto las elites letradas mexicanas lo reconocían en el papel para el cual su trayectoria de vida lo había preparado. De un total de casi ocho mil votantes, más que considerable si se considera el volumen total de los integrantes de esas elites, el 48% dio su voto a Guillermo Prieto, lo que de acuerdo con las normas establecidas en la convocatoria lo hacía merecedor de ser coronado príncipe de los poetas mexicanos en una pública ceremonia en que ceñiría sus sienes una corona de laureles cincelados en plata. Fue entonces cuando reveló mejor que nunca en el pasado que a lo largo de una vida gastada en el esfuerzo finalmente exitoso por ganar la tolerancia del poder para su ambición de vivir una vida que no incluyera nada de lo que debiera avergonzarse había aprendido también a ver su propia trayectoria con la mirada burlona y escéptica que tanto las elites como las masas mexicanas dirigen a quienes ocupan un lugar en la escena pública.

Esa mirada le reveló que le era indispensable evitar que tan extravagante ritual cerrara su carrera pública, dejando que los promotores de la iniciativa, que no podía estar seguro de que no hubieran previsto que al exhumarlo del pasado iban a proporcionar un momento de sana diversión al público capitalino, asumieran los costos requeridos para ahorrarle el trance en que su torpeza o su malicia había venido a colocarlo. La solución que encontró para el problema no podía haber sido más adecuada: él era indigno del premio que le había sido conferido porque no había sido sino el discípulo y continuador de José Joaquín Fernández de Lizardi, «*El pensador mexicano*», brillante padre fundador del periodismo político mexicano, e invocando esa filiación encomendaba a los promotores de la iniciativa conservar como un sagrado depósito la presea que le había sido adjudicada hasta que los restos de su ilustre predecesor encontraran el lugar de su descanso definitivo (lo que no iba a ocurrir hasta bien entrado el siglo XX).

Desde entonces pudo él mismo descansar en paz, cada vez más recluido en su finca de Tacubaya, donde murió el 2 de marzo de 1897, a los 79 años de su edad, en presencia de su segunda esposa, hijos y nietos, para ser enterrado pocos días después en la Rotonda de Hombres Ilustres del Panteón Civil de Dolores presidiendo la ceremonia (¿pero será necesario decirlo?) el presidente Porfirio Díaz.

VII

JOSÉ VICTORINO LASTARRIA: LUCHA CONTRA EL OLVIDO

En sus *Recuerdos Literarios.* publicados en Santiago de Chile en 1878, y de nuevo en una segunda edición ampliada en 1885, José Victorino Lastarria se propuso reivindicar su papel protagónico en el «movimiento literario que se operó en 1842 entre nosotros», del que —como se complacía en recordar— había recibido su «impulso inicial el portentoso progreso que han hecho las letras en Chile durante los treinta y cinco años que nos separan de aquella fecha memorable». A lo largo de ellos —prosigue Lastarria— pudo verse cómo aquel impulso se dilataba «en círculos regulares y concéntricos, como si la inteligencia fuese un océano, cuya superficie hubiera recibido un choque en sentido vertical», y todo permitía esperar que siguiera dilatándose indefinidamente «mientras aquella inteligencia no sea limitada por las barreras del despotismo, o por la esclavitud del espíritu».[1]

Contra quienes asignaban a ese súbito estallido una larga gestación en que habrían tenido el papel central «influencias sociales», Lastarria se proponía probar que había surgido de «una reacción casi individual», cuyo comienzo creía posible fijar con total exactitud en 1836. Ese año, que había marcado la punta extrema de «la parálisis

[1] José Victorino Lastarria, *Recuerdos Literarios. Datos para la historia literaria de la América Española y del progreso intelectual de Chile,* Segunda Edición, Santiago de Chile, Librería de M. Servat, 1885 (en adelante RL), pp. 1-2. En las citas de textos que utilizan la ortografía reformada de uso en Chile por un siglo a partir de mediados del XIX los he vertido en la hoy corriente.

intelectual y moral en que la situación política nos había colocado», y en que «la vieja rutina... aparece otra vez triunfante al lado de la reacción colonial que se había entronizado con el partido retrógrado en 1830» marcó también a su juicio «el momento supremo de la crisis, y allí principia la convalecencia de nuestro espíritu, en la que por fortuna tuvimos cierta acción».

Lo ha decidido a reivindicar el papel que le había tocado desempeñar en esa hazaña de unos pocos el descubrimiento de que «para los historiadores, como lo dejan entender claramente, para la generación actual, que utiliza los esfuerzos de los últimos treinta años, *es* indiferente el conocer cuál ha sido aquella acción». Y es esa indiferencia la que ha obligado a quien «aun cuando no tenga derecho a la gratitud de nadie, lo tiene para rechazar una mortaja que no quiere llevar, estando vivo —la del olvido» a alzar su voz en reclamo del «puesto que le corresponde, contra los que se empeñan en desalojarle».[2]

Desde la publicación en folletín de los *Recuerdos literarios* sus lectores se interesaron menos en discutir la validez de los argumentos que en ellos esgrimía Lastarria que en lo que esa desaforada *apologia pro vita sua* sugería acerca de la personalidad de su autor. No es sorprendente que así ocurriese, cuando predominaban entre esos lectores los implícitamente acusados de participar en la conspiración de silencio allí denunciada, pero no fueron sólo quienes tenían motivos para reconocerse como blanco de esas denuncias los que leyeron *Recuerdos Literarios* en esa clave. Así, aun quien había sido su secretario en sus últimos años iba a dedicar buena parte de su afectuosa y admirativa evocación póstuma de Lastarria a ofrecer en esa misma clave una razonada refutación de que los hubiera inspirado la «monstruosa vanidad» que atribuían a su autor sus detractores. Augusto Orrego Luco prefería en efecto ver reflejado en ellos el legítimo orgullo de «un hombre de un mérito sólido, evidente, que había prestado grandes servicios a nuestro desarrollo intelectual», y que por añadidura, sin haber contado nunca con fortuna y apoyos que le hicieran fácil avanzar en su carrera,

[2] RL, p. 5.

había aprendido muy pronto que «el que no tiene más base que sus méritos no puede permitirse ser modesto».[3]

Sin duda, basta hojear las casi seiscientas páginas que los *Recuerdos literarios* alcanzaron a cubrir en la bellísima segunda edición que su autor encomendó a las prensas de F. A. Brockhaus, de Leipzig, para ver confirmada la sospecha de que quien erigió ese vasto monumento a sí mismo estaba dotado de una dosis muy generosa de egocentrismo, pero sería absurdo reprochárselo cuando gracias a ello podemos contar con el testimonio del único integrante de la promoción de pensadores surgidos en el marco del renacimiento liberal de los años centrales del siglo XIX hispanoamericano que se creyeron entonces destinados a dar su ley a ese mundo nuevo cuyo advenimiento juzgaban inminente, y se descubrieron muy pronto condenados a buscar su lugar en uno en que, si mucho había cambiado, lo había hecho sobre líneas bastante distintas de las anticipadas en esos años de encendidas esperanzas, que porque se negó obstinadamente a reconocer que en lo que realmente contaba ese desconcertante cambio de fortuna hubiera tenido lugar pudo ofrecer un testimonio que permite medir mejor hasta qué punto pudo ser removedor vivir esa durísima experiencia que los de quienes supieron adaptarse mejor a sus consecuencias.

En 1878 Lastarria ocupaba en la vida pública chilena un lugar que pocos podían creer, como él, no menos central que el que había ocupado en ella en la década de 1840, pero aún así considerable, ahora como promotor de iniciativas orientadas a reanudar, así fuera en un contexto menos favorable, el avance del «movimiento literario» iniciado en 1842 e interrumpido en 1851 como consecuencia de una abrumadora sucesión de reveses políticos. En eso estaba cuando comenzaron a menudear en Chile otros ejercicios de memoria que le revelaron que estaba madurando ya una imagen retrospectiva de los años en que había irrumpido en la escena pública, y que aunque ella le reconocía un papel que estaba lejos de ser secundario, éste estaba también lejos

[3] Augusto Orrego Luco, «Don Victorino Lastarria. Impresiones y Recuerdos». *Retratos*, Santiago de Chile, Ediciones de la Revista Chilena, 1907 (en adelante AOL), pp. 191-239, en especial págs. 203-208 y *passim*.

de coincidir con el que él mismo se asignaba en sus esfuerzos por persuadirse de que no había fracasado en su proyecto de vida.

Hasta qué punto lo alarmó ese descubrimiento lo revela la modestia del estímulo que lo llevó a escribir y publicar sus *Recuerdos Literarios,* Si se decidió a oponer esa desmesurada réplica a la publicación en folletín por un periódico de Valparaíso de la «reseña del movimiento y de la lucha de los partidos desde 1823 hasta 1871» que Isidoro Errázuriz destinaba a servir de introducción a la historia del período presidencial 1871-76, en que ocupó la primera magistratura su remoto pariente Federico Errázuriz Zañartú,[4] fue sin duda porque descubrió en ella la prueba de que su sospecha de que comenzaba a predominar en la opinión chilena una imagen tan injusta como errada acerca del papel que a él mismo le había tocado desempeñar en la vida pública de su país estaba plenamente justificada. Porque hay que agregar que el peligro que preocupaba a Lastarria no era exactamente el de verse cubierto en vida con la mortaja que hubiera significado para él caer en el olvido; en efecto, en su relato Errázuriz no muestra el menor empeño por desalojarlo del puesto que fue el suyo durante esa etapa chilena, y el juicio que su desempeño en él le merece está muy lejos de ser negativo. Y no fue él por otra parte el único que en los años que precedieron la publicación de *Recuerdos literarios* evocó la acción de Lastarria en esa etapa chilena; también. Benjamín Vicuña Mackenna lo hizo en 1876 en *Los girondinos chilenos*[5] y más extensamente dos años más tarde en su *Historia de la jornada del 20*

[4] Biblioteca de Autores Chilenos *Historia de la administración Errázuriz, precedida de una introducción que contiene la reseña del movimiento y la lucha de los partidos, desde 1823 hasta 1871, por Isidoro Errázuriz, prólogo de don Ricardo Donoso,* Santiago de Chile, Imprenta de la Dirección General de Prisiones, 1935 (en adelante HAE). Hay que agregar que la prometida historia de la administración Errázuriz, si es que alguna vez fue algo más que un proyecto, nunca alcanzó a ver la luz, y en consecuencia no aparece tampoco en la edición en volumen a cargo de Ricardo Donoso.

[5] Benjamín Vicuña Mackenna, *Los girondinos chilenos,* Santiago, Editorial Universitaria. 1989 (1876) (en adelante LGC).

de abril de 1851,[6] en términos que no suscitaron protestas análogas a las que iba a oponer Lastarria a la narrativa de Isidoro Errázuriz.

También Vicuña Mackenna buscó el hilo conductor para su narrativa de la etapa de historia en que Lastarria ingresó en la escena pública chilena en «el movimiento y la lucha de los partidos», más bien que «en el portentoso progreso que han hecho las letras de Chile» en que decía haberlo hallado el propio Lastarria, y si éste no objetaba esa diferente perspectiva, tal como lo iba a hacer frente a Errázuriz, era sin duda porque veía presentado su papel en la arena política en términos tan halagadores que lo llevaron a pasar por alto que Vicuña Mackenna aludiera apenas al que él mismo se asignaba en el progreso intelectual de Chile (en *Los girondinos chilenos,* tras presentar al «publicista Lastarria» como «el más brillante y popular orador de su época», y celebrarlo como «la primera espada» en el debate parlamentario, mencionaba con aprobación que los jóvenes paladines de la nueva generación liberal, al identificarse cada uno de ellos con alguno de los revolucionarios franceses evocados por Lamartine en su *Histoire des Girondins,* hubieran conferido a Lastarria «con justicia y en propiedad el nombre del publicista y jefe de la Gironda. Brissot, cuyas ideas políticas había formado la encarnación de su partido, y cuyo talento de luchador le había puesto a su cabeza»,[7] pero el recuerdo de la contribución de las ideas políticas de Brissot a su desempeño como líder de la Gironda en las asambleas revolucionarias no comienza siquiera a hacer justicia al papel no menos central que como propulsor de la renovación intelectual e ideológica en curso en esa etapa chilena Lastarria iba a reivindicar para sí).

Pero, si Lastarria hubiera encontrado difícil protestar ante un retrato tan favorecido, que lo dejara pasar en silencio, no restaba ninguna firmeza a esa reivindicación de un papel que excedía en mucho el de un publicista (es decir un escritor que en la prensa periódica debate

[6] Benjamín Vicuña Mackenna, *Historia de la jornada del 20 de abril de 1851: una batalla en las calles de Santiago,* Santiago, Pontificia Universidad Católica de Chile, Instituto de Historia, 2003 (1878) (en adelante HJ).

[7] LJC, pp. 39,45 y 51-52.

temas de interés público), y anticipaba más bien el de los caudillos culturales que iban a florecer en América Latina en el siglo siguiente. Ya lo había reivindicado con fiera energía en 1871, cuando el mismo Vicuña Mackenna, en una de las cartas enviadas durante uno de sus viajes europeos para su publicación en *El Mercurio,* había presentado una versión del proceso de emancipación ideológica y cultural vivido en Chile que apenas lo mencionaba al pasar. A ella repuso Lastarria con otra publicada en *El Ferrocarril* en que reprochaba «a *su* querido amigo y discípulo» que, llevado «por su impetuosa facundia a tratar los hechos pasados con alguna inexactitud» y «obedeciendo a ciertas corrientes de falsa opinión que se forman entre nosotros, a favor de algunos hombres, más por simpatía y afecto, que por concepto reflexivo e imparcial» no sólo hubiera atribuido a éstos méritos que no tuvieron sino que al hacerlo hubiera incurrido en una injusticia aún más grave, «achacando a los verdaderos reformadores una acción distinta de la que han tenido», en lo que calificaba como «una invasión a la prusiana en la historia literaria de su país».[8]

Examinaremos más adelante las personalísimas razones que llevaban a Lastarria a distinguir tan nítidamente entre el «movimiento de los partidos» y el «movimiento literario», con lo que venía a postular la presencia de una neta disyuntiva entre dos vocaciones que están lejos de ser incompatibles (desde Bolívar y Alamán hasta Sarmiento y Mitre no es imposible encontrar en la Hispanoamérica del ochocientos quienes fueron capaces de satisfacerlas por igual), y que por añadidura en el contexto ofrecido por Chile en esos años cruciales no se diferenciaban aún lo suficiente para que las separase una frontera tan precisa como lo hubiera requerido ese planteo, y a denunciar en consecuencia como cómplices activos de una universal conspiración del silencio a quienes, reconociéndole un papel central en el primero de esos terrenos, apenas mencionaban al pasar sus contribuciones al segundo... Pero si tenía razones sobradas para persistir en ese planteo, le hacía fácil insistir en él con tanta energía que la frontera entre uno y otro campo, tan tenue cuarenta o treinta años, era ya mucho

[8] RL, pp. 15-16.

más perceptible en el Chile de 1878, y no era Lastarria único de los chilenos que al volverse a esa etapa aún reciente del pasado recurrían a las mismas categorías que utilizaban para mirar al presente, y que, o bien les impedían captar los rasgos que mejor definían lo que esa etapa había tenido de más peculiar, o bien los llevaban a reducirlos a síntomas de un atraso que por fortuna Chile había hecho ya mucho por dejar atrás.

Había varias razones para que quienes participaban en el colectivo ejercicio de memoria al que Lastarria vino a sumarse con sus *Recuerdos Literarios* encontraran difícil trazar una imagen del pasado nacional que no estuviera influida por una del presente influida a su vez por el lugar que cada uno de ellos había logrado conquistar en la vida pública chilena. Y es muy clara la que hace que su testimonio se oponga diametralmente al de aquellos a quienes acusa de negarle el lugar en la historia de Chile que a su juicio le pertenece en derecho: Lastarria, profundamente insatisfecho del lugar que le es reconocido en su nativo Chile luego de las más de tres décadas de «portentoso progreso» que no se cansa de celebrar, ha encontrado una halagadora explicación para la injusticia de la que es víctima por parte de quienes se contentan con los avances que están lejos de haber elimninado por completo «las barreras del despotismo»: Es ésta que quienes se la infligen están demasiado satisfechos con las posiciones que han logrado ganar en la vida pública de su país para recibir con beneplácito las advertencias del propio Lastarria acerca del peligro ya inminente de una recaída en «la esclavitud del espíritu», de la que ellos mismos se están haciendo cómplices no totalmente involuntarios, a través de conductas en que se refleja «la cobardía de unos, el egoísmo de otros y la debilidad de todos».[9]

Y es innegable que quienes en efecto consideran razonablemente satisfactorios los avances que la causa liberal ha realizado en Chile a partir de su nadir de 1851, al cabo de una nada rectilínea transición que había parecido primero destinada a avanzar en medio de la violencia, pero a partir de 1860 se había desenvuelto dentro del marco de las

[9] Citado por Augusto Orrego Luco, AOL, p. 199.

instituciones impuestas por la «reacción colonial entronizada con el partido retrógrado en 1830», que Lastarria estaba decidido a seguir estigmatizando con la misma energía que en el pasado, comenzaban a ver a ese pasado con creciente indulgencia. Muy comprensiblemente, al descubrirse herederos privilegiados del sólido armazón institucional que durante el caótico segundo cuarto del siglo XIX hispanoamericano había hecho de Chile una envidiada excepción entre las comarcas antes españolas, encontraban difícil seguir viendo en Diego Portales, el inventor y ejecutor de la fórmula política triunfante en 1830, tan sólo al cruel perseguidor que sobrevivía en la memoria liberal. Comenzaba así a esbozarse en el seno del liberalismo en avance una visión alternativa de lo vivido por Chile en ese cuarto de siglo, en que la figura de Portales comenzaba a adquirir las dimensiones monumentales propias de la de un padre de la patria.

Sin duda no todos iban a llegar tan lejos en esa dirección como Benjamín Vicuña Mackenna quien en su *Don Diego Portales*[10] iba a poner las bases ya en 1863 del que es cada vez más frecuentemente denunciado en Chile como el mito de Portales desde que éste tuvo la desgracia de ser invocado como su modelo político por el general Pinochet,[11] y por añadidura aún si coincidían en juzgar sustancialmente exitosa a la experiencia política atravesada por Chile en el medio siglo cubierto en la reseña de Isidoro Errázuriz no coincidían necesariamente en la apreciación de las distintas etapas de la transición que cubría sus tres últimas décadas, y del papel que cada una de las corrientes políticas que convivían en el ámbito del liberalismo, y entre las cuales se dividían sus lealtades, había desempeñado en ellas. Por esas razones no ha de sorprender verlos más interesados en las discre-

[10] Benjamín Vicuña Mackenna, *Don Diego Portales,* Santiago de Chile, Universidad de Chile, 1937 (1863).

[11] La impugnación del supuesto mito portaliano tuvo su expresión más autorizada en Sergio Villalobos R., *Portales, una falsificaión histórica,* Santiago, Editorial Universitaria, 1989; una visión más matizada y extremadamente sugerente la ofrece Alfredo Jocelyn-Holt Letelier en *El peso de la noche: nuestra frágil fortaleza institucional,* Santiago, Planeta, 1997.

pancias entre sus respectivas visiones del pasado, que pesaban todavía sobre las que mantenían en el presente, que en las que separaban las de todos ellos de la de Lastarria.

Ese interés está en cambio apenas presente en la reseña histórica de Isidoro Errázuriz, y eso explica quizá que Lastarria haya leído en ella un desafío más frontal que en otros ejercicios de memoria que también se habían anticipado en poco al que él mismo iba a volcar en sus *Recuerdos Literarios.* La rara ecuanimidad que Errázuriz supo mantener a lo largo de su reseña del pasado medio siglo de historia de Chile, que decidió a Lastarria a oponerle esa abrumadora réplica, era sólo una de las cualidades que hacen de ella la única temprana narrativa política chilena que, como señaló con entera justicia Simon Collier, tiene aún hoy mucho que ofrecer a quien le consagre una lectura atenta.[12] Tanto esa virtud como otras también presentes en un texto insólitamente rico en sugerencias certeras deben mucho a que tanto su personalidad como las vicisitudes de su vida contribuyeron a que Errázuriz se volviera a ese Chile en que se desenvolvió su carrera pública en una actitud inesperadamente cercana a la de los antropólogos que un siglo después definen su papel frente a su objeto de estudio como el del observador-participante.

Participante lo había sido Isidoro Errázuriz desde su temprana adolescencia, en que se incorporó a las filas del liberalismo, que nunca iba a abandonar, y en las que ya en 1859 dio la medida de su compromiso político como combatiente en el fallido alzamiento contra el gobierno conservador de Manuel Montt, que le valió una pena de destierro en la vecina Argentina. Pero a partir de 1861 la vida política chilena entró en una etapa decididamente más apacible, poco después de ello una oportuna amnistía permitió a Errázuriz volver a su patria y en 1867 su elección como diputado en las listas liberales marcó el comienzo de una carrera política que iba a continuar en el escenario parlamentario hasta su muerte en 1898 e iba a darle más de una vez

[12] Collier la menciona como la única «*very early political narrative that continues to repay close attention*» en Leslie Bethell (ed.) *The Cambridge History of Latin America, vol. XI, Bibliographical Essays* Cambridge, Cambridge University Press, p. 290.

ocasión de ocupar posiciones en el Gabinete. Ese *cursus honorum,* del todo comparable con el que Lastarria recorrió con tan profunda amargura en esa etapa tardía de su carrera, parece haber satisfecho plenamente a quien nada sugiere que hubiera aspirado a conquistar un lugar protagónico en la vida política de su país, y sin duda eso contribuye a dar a su testimonio el tono esperable de parte de un observador que se interesa más por entender lo que ha visto que por asegurarse de que sus lectores hagan plena justicia a su contribución a la vida pública chilena. Es sin duda la ausencia de esa agenda más personal, que si domina hasta la obsesión en los recuerdos de Lastarria ejerce un influjo más discreto sobre los testimonios de otros de sus contemporáneos, la que hace que la reseña de Errázuriz pueda hoy ser leída no sólo con el provecho que Collier menciona con entera justicia sino con el placer que despierta el testimonio de un observador agudísimo, cuya malicia muy chilena tuvo además a su servicio una prosa cuya espontánea frescura contrasta gratamente con la monótona compostura que suele caracterizar a la de la mayor parte de sus contemporáneos.[13]

Pero si la ausencia de esa agenda excesivamente personal permite a Errázuriz contemplar esa vida política de la que ha sido plenamente participante con una serenidad ausente en quienes han volcado en ella más de sí mismos, hay otra razón para que haya alcanzado una distancia análoga cuando toma por tema los rasgos más básicos de la realidad social chilena. Aquí tuvo —me parece— un papel decisivo su larga residencia ultramarina que —a diferencia de la de sus compatriotas que encontraron en Francia o los Estados Unidos un modelo capaz de guiar sus esfuerzos por curar los males de su tierra nativa— se limitó a sumergirlo por años en una realidad demasiado radicalmente distinta de la chilena para ofrecer lecciones aplicables a ella.

Eso ocurrió cuando, precoz militante ya en 1851 en las filas de la oposición liberal, su abuelo paterno decidió protegerlo de las consecuencias de la persecución que se avecinaba para su partido en-

[13] La única excepción que conozco en este punto la ofrece Vicuña Mackenna, cuyo programático desenfado es reflejo de una variante eufórica de un egocentrismo tan intenso como el que ensombreció la visión de Lastarria.

viándolo a proseguir estudios en el extranjero. Bajo el patrocinio del patriarca del clan Errázuriz su nieto completó la carrera de leyes en la universidad de Gottingen, hasta que, luego de haber hecho durante varios años vida de estudiante en ese reino de Hannover en que el liberalismo estaba aún sufriendo en pleno las duras consecuencias de la derrota aún más abrumadora que había puesto término en los países alemanes a las revoluciones de 1848, retornó en 1856 a Chile, donde retomó de inmediato el combate en las filas de la oposición liberal al gobierno de Manuel Montt, con las consecuencias que se han mencionado ya más arriba.

Aunque la actitud con la que a su retorno Isidoro Errázuriz se aproxima a los problemas de su patria no le impide seguir compartiendo en lo esencial el diagnóstico de los males nacionales propuesto desde hacía más de dos décadas por el renaciente liberalismo, le permite percibirlos con una inmediatez ausente de las denuncias de esos males que ocupan tanto espacio en la prédica liberal. Así, porque ve a Chile como una realidad exótica puede advertir hasta qué punto su clave central se encuentra en la historia de una conquista que aún no se ha completado. A ella se debe que en el presente sigan siendo «dos clases rivales, casi dos razas, de las cuales la una alienta el orgullo y la conciencia de su usurpación y la otra lleva escondido en el fondo de su alma el instinto de su agravio y el encono de su inferioridad, las que viven así, la una al lado, o más bien la una sobre la otra en los campos y enseguida en las ciudades de Chile». Errázuriz, que ya ha visto reflejada esa dura realidad chilena en «el recogimiento taciturno y rencoroso de los campos», descubre también su huella en las ciudades, donde «el mismo individuo sin techo propio, sin haberes, sin familia... saluda con fingida humildad» al patrón que allí «reaparece en el jefe de faena, y lo maldice».[14]

Sin duda haber participado en la vida de un rincón de Europa que, apenas dejadas atrás las convulsiones de 1848, conservaba una muy viva memoria del violento ingreso en escena de nuevos y amenazantes actores sociales cuya derrota nada aseguraba que los hubiera elimi-

[14] Isidoro Errázuriz, HAE, p. 15.

nado irrevocablemente de ella hace más fácil a Errázuriz ver de esa manera las que agitaron a Chile por esos mismos años, pero quizá contribuyó también a esa mayor lucidez haber descubierto, como tantos viajeros de ultramar, en los rasgos de los caminantes con quienes compartía las calles de Santiago, que en ellas se mezclaban los integrantes de «dos clases rivales» en las que se continuaban las dos razas que convivían en la tierra chilena a partir de la conquista española.

Porque ese rasgo ocupa el lugar central en su visión de Chile, el diagnóstico que Errrázuriz propone de los problemas nacionales es a la vez más y menos pesimista que el predominante en las filas liberales. Más pesimista, porque sugiere que para la sociedad chilena forjada en el sangriento crisol de la conquista el legado de ésta no se agota en los rasgos negativos que el programa liberal aspira a eliminar de la vida nacional. Ese legado es la sociedad misma, y eso solo basta para que plantee a las fuerzas políticas que aspiran a trasformarla un problema mucho más serio de lo que tres décadas antes habían sospechado los pioneros del renaciente liberalismo. Pero a la vez menos pesimista porque ese problema mucho más serio es sólo la versión chilena del que afrontan todas las sociedades que en ambas orillas del Atlántico necesitan encontrar modo de absorber con mínimo daño las consecuencias sociales del avance de la democracia política, y lo están haciendo ya, con resultados que aunque muy desiguales y en todos los casos demasiado limitados para satisfacer a los más impacientes, Errázuriz encuentra sin duda suficientes para mirar con confianza hacia el futuro.

Esa visión de la hora que viven Chile y el mundo permite a Errázuriz desplegar una imagen de las realidades chilenas que aunque es en algunos aspectos aún más negativa que las propuestas desde las filas liberales reemplaza el tono de áspera denuncia en que éstas habían sido formuladas con el entre resignado y satisfecho de quien a pesar de todo no se siente incómodo en un mundo en que nada es perfecto pero casi todo es mejor de lo que fue en la víspera. Una consecuencia positiva de la satisfacción con que Errázuriz contempla tanto el mundo en que le toca vivir como el lugar que ocupa en él es —se ha visto ya— que no haya sentido la necesidad de consagrar su ejercicio de memoria a la reivindicación para sí de uno distinto y mejor que el que la opinión de sus coetáneos le ha ya reconocido. Otra menos positiva es que esa visión en suma optimista del proceso vivido en Chile lleva a Errázuriz a definir a las realidades pasadas a partir de la distancia que las separa de un presente necesariamente mejor, extremando así la tendencia a juzgar a aquéllas con las mismas categorías usadas para éstas. Así ocurre, en un ejemplo sin duda menor pero particularmente revelador, cuando se refiere a la pérdida de la mayoría por parte del bloque parlamentario que, acaudillado por Lastarria, había apoyado la política de apertura hacia el liberalismo que había seguido hasta su dimisión en 1849 el ministro Manuel Camilo Vial. En la memoria liberal había sido causa de esa pérdida una sublevación parlamentaria inspirada por las razones más sórdidas, y también aquí Errázuriz, como era esperable, iba a desplegar una muy recomendable independencia frente a un diagnóstico que sin duda hallaba excesivamente maniqueo. Pero no era ése el principal motivo que lo llevaba a rechazarlo; más importante era a su juicio que quienes habían hablado de sublevación parlamentaria no habían aprendido aún «que cada vez que una de esas sublevaciones parlamentarias ocurre en un país gobernado constitucionalmente, el único remedio que la ciencia y la experiencia aconsejan es la dimisión del Gabinete», y la razón para su ignorancia de algo tan obvio era que «en la época de que nos ocupamos no reinaban entre los políticos de Chile ideas muy claras y exactas de las relaciones del Ejecutivo con el Congreso». Faltaban en efecto largos años —agregaba Errázuriz— para que «alumbrara en los espíritus la sospecha de que el Cuerpo Legislativo es [...] en virtud de su facultad constitucional de votar el impuesto y en virtud de la facultad de censurar a los ministros —jamás negada a ninguna de las cámaras— el supremo poder del Estado y el árbitro irresistible de la marcha política del país».[15]

Se advierte de inmediato lo que este comentario tiene de absurdo: el problema no es hasta qué punto eran «claras y exactas» las ideas que los políticos chilenos sustentaban acerca de las relaciones entre el Eje-

[15] Errázuriz, HAE, pp. 295-6.

cutivo y el Congreso, sino si algo había cambiado en la historia de esas relaciones entre 1849 y 1878 —y no sólo en Chile— que hacía que la aplicación de las ideas vigentes en 1878 a las prácticas dominantes en 1849 llevara más fácilmente a condenarlas que a entenderlas. Y había en efecto ocurrido un cambio, y éste había venido a consumarse sólo dos años antes de 1878 en la nación que para entonces había pasado a ofrecer a los chilenos el más obvio término de referencia en esas materias, cuando en vísperas de unas elecciones generales Léon Gambetta advirtió al Mariscal MacMahon, el muy poco republicano Presidente de una recién nacida Tercera República francesa que pocos creían destinada a larga vida, y al aún menos republicano «ministerio de los duques» que las había convocado, que frente a una victoria de las fuerzas republicanas por él acaudilladas no les quedaría más alternativa que someterse al veredicto del electorado o dimitir, y el ministerio, tras de descubrir que, contra lo que muchos habían esperado, no podía contar con el apoyo del ejército para mantenerse en el poder ignorando ese veredicto, eligió la dimisión.

Que la más ecuánime y sagaz de las evocaciones del contexto chileno en que se desenvolvió la trayectoria de Lastarria se revele en algunos aspectos esenciales aún más obtusa que otras inspiradas por rencorosas memorias de disputas presentes y pasadas sugiere que quien en busca de entender mejor esa trayectoria intente contrastar con las claves contenidas en los discordantes testimonios retrospectivos de sus coetáneos las que el propio Lastarria propone con abrumadora insistencia en sus *Recuerdos Literarios,* sólo podrá utilizar con provecho tanto a aquéllos como a éstos al precio de proyectarlos sobre el telón de fondo de una cambiante realidad chilena cuya imagen él mismo habrá trazado según su leal saber y entender (utilizando para ello entre otras fuentes, lo que no deja de ser paradójico, esos mismos testimonios, y en primer término el que aquí acaba de ser reconocido como el más ecuánime y sagaz de todos ellos), y es precisamente eso lo que se intentará hacer aquí.

* * *

Hay ciertos rasgos básicos en el proceso histórico chileno cuya presencia y gravitación ha sido reconocida desde muy pronto y en torno a los cuales se ha consolidado también desde muy pronto un consenso tan amplio que se acerca a la unanimidad. El primero de ellos lo hemos visto aludido por Errázuriz: es el peso de una guerra que, abierta con la llegada de los primeros conquistadores y que hasta que la clausurara en 1878 el derrumbe de la última resistencia indígena sólo había conocido algunas treguas, iba a ser un dato permanente de la historia chilena. En consecuencia, mientras tanto en Mesoamérica como en los Andes los descendientes de los conquistados, idealmente organizados en una «república de naturales» segregada de la que integraban los herederos de sus conquistadores permanecían encuadrados en estructuras comunitarias que, a la vez que tomaban a su cargo la percepción de las cargas fiscales impuestas a los integrantes de esa república en beneficio de la corona y la organización de los servicios estacionales que era obligación de la comunidad ofrecer a empresarios agrícolas o artesanales pertenecientes a la llamada república de españoles, protegían (así fuese con muy variable eficacia) las tierras y los modestos patrimonios de los integrantes de la etnia conquistada de la codicia de los más emprendedores integrantes de la dominante, en Chile —donde ese modelo sólo se implantó en unos pocos «pueblos de indios»— la inmensa mayoría de los indígenas que pasaron a poblar las zonas incorporadas al territorio conquistado ingresaron en la sociedad colonial a título individual y como prisioneros de guerra, subordinados de inmediato a través de distintas figuras jurídicas (una de las cuales fue por algún tiempo la esclavitud) a un integrante igualmente individual de la etnia dominante. Ese modo de incorporación no sólo eliminó el efecto amortiguador que la coexistencia de las dos repúblicas había introducido en la relación entre dominantes y dominados, sino separó hasta tal punto a estos últimos de sus raíces en el pasado prehispánico que les hizo imposible apoyarse en ellas para erigir una secreta barrera interior frente al orden que les había sido impuesto. Era esa resignada mansedumbre la que Errázuriz había sabido leer en una plebe rural que, aunque «lleva escondido en el fondo de su alma el instinto de su agravio... saluda con fingida humildad» a quien vuelve a infligírselo cada día.

Pero no es sólo la herencia de la conquista la que hace que en Chile el orden social no afronte desafíos tan temibles como en otras repúblicas hispanoamericanas, y que —tal como celebraba San Martín en 1842— sea allí más fácil que en su tierra nativa «mantener las barreras que separaban las diferentes clases de la sociedad, conservando la preponderancia de la clase instruida y que tiene algo que perder».[16] La solidez de ese orden marcado por la desigualdad más extrema debe también mucho a que hasta el derrumbe del imperio español Chile no había sido mucho más que un vasto y fértil valle en que las explotaciones agrícolas habían venido avanzando desde Santiago sobre los territorios abiertos a ella por el paulatino avance hacia el sur de la frontera de guerra, con el ritmo algo soñoliento propio de una comarca que había desempeñado hasta ese derrumbe el papel de una colonia de segundo grado, que como satélite económico del vecino Perú, y desde mediados del setecientos también de la ascendente Buenos Aires encontraba en la demanda de esas modestas metrópolis un estímulo demasiado débil para sostener una expansión menos pausada.

Todo eso hacía que para muchos la imagen retrospectiva del Chile prerrevolucionario fuera la de un plácido mundo perdido; no eran tan sólo en efecto las turbulencias políticas que no iban a cesar desde que en 1810 Chile entró en una era de revoluciones las que llevaban a tantos chilenos —como iba a hacer notar Sarmiento a Lastarria, cuando éste se obstinaba en describir al dominio español como una sangrienta tiranía— a atesorar el recuerdo de «los felices tiempos del coloniaje, en que se llevaba una vida tan pacífica, tan sin temor del gobierno, ni de las persecuciones».[17] Sin duda no faltaban razones para recordar-

[16] José de San Martín a Pedro Palazuelos, 26/VIII/ 1842, en *Archivo de don Bernardo O'Higgins,* Santiago de Chile, Nascimento, 1946, IX, 124-26. Ya en 1829 Juan Manuel de Rosas, en ocasión de asumir el gobierno de la provincia de Buenos Aires, señalaba en la debilidad de esas barreras en la Argentina la razón por la cual el régimen centralista vigente en Chile, a su juicio teóricamente preferible al federal propugnado por su propio partido, no tenía posibilidad alguna de implantarse allí con éxito.

[17] Domingo F. Sarmiento, *Obras completas,* Segunda Edición, Buenos Aires, Luz del Día, 1948, II, p. 227

las con nostalgia, cuando el trato dispensado luego de cada cambio político a quienes habían apoyado la causa derrotada podía hundir en la ruina a enteras familias, pero otras novedades menos negativas, consecuencia también ellas del derrumbe del antiguo régimen, venían a reforzar la imagen de placidez idílica de la experiencia vivida bajo la que Sarmiento iba a recordar en otra ocasión como «la blanda tutela del Rey», en la que se apoyaba esa nostalgia.

Al redefinir el lazo no sólo político sino también mercantil con el mundo exterior, la transición a la independencia instaló en la que había sido en el marco del imperio español una colonia de segundo grado el emporio desde el cual los agentes mercantiles de ese nuevo centro imperial que era la Gran Bretaña distribuían en los mercados del Pacífico sudamericano una panoplia de mercancías acrecida por la Revolución Industrial. Valparaíso podía ser, todavía en 1841, cuando lo visitó Sarmiento, «la Europa acabada de desembarcar y botada en desorden en la playa»[18] pero había cambiado ya para siempre el lugar de Chile en el continente y en el mundo, y porque ese cambio estaba promoviendo a Chile a un lugar menos marginal en una economía atlántica que estaba en vísperas de incorporar en sus redes al entero planeta, el descubrimiento en 1830 de ricos minerales de plata en el norte semiárido pudo inaugurar allí una etapa de rápida expansión que contribuyó tanto como el ascenso de Valparaíso a que en ese país acostumbrado a un ritmo más apacible en su desenvolvimiento económico el surgimiento de nuevas fortunas y el opacamiento de otras más tradicionales diera también alimento a la nostalgia de algunos.

Los vientos del cambio sólo iban a alcanzar al Valle Central luego de que las oportunidades abiertas a sus productos por la frenética expansión de California y unos años después de Australia pusieron fin al secular estancamiento de su economía agrícola; y durante las dos décadas que separan a 1850 de 1830, en que trascurrió la etapa decisiva en la carrera política de Lastarria, el influjo absolutamente dominante ejercido sobre la vida política chilena por esa región que si no era ya todo Chile seguía siendo su núcleo, aseguraba que siguiera

[18] Sarmiento, *op. cit.*, I, p. 131.

también influyendo con todo su peso la herencia de esos tres siglos de guerra y conquista que, tal como celebraba San Martín, protegía —allí mejor que en las tierras del Plata— «la preponderancia de la clase instruida y que tiene algo que perder».

Había a la vez otro sector cuya gravitación en ese núcleo de Chile era también ella fruto de una guerra que aún no había cesado: era éste desde luego el de los cuerpos encargados de hacerla; cuyo influjo era también él absolutamente dominante en la frontera sur y que, ampliados junto con su esfera de acción por las guerras de Independencia, a diferencia de otras comarcas hispanoamericanas en que una vez concluidas éstas parecía haber perdido la razón de su existencia, volvieron a volcarse en esa otra guerra que era preciso seguir librando. El peso que ese sector iba a retener en Chile se refleja en que desde la refundación de la república chilena en 1818 hasta 1851 todos los ocupantes de la presidencia hayan surgido de sus filas.

Pero la influencia de esos jefes militares arraigados en la frontera de guerra no era el principal obstáculo para que quienes tenían algo que perder gravitaran en la naciente vida política chilena con el mismo peso que en la sociedad de Santiago y el Valle Central. Para que ello ocurriera hubiera sido necesario que aspiraran espontáneamente a desempeñar un papel central en esa vida política, y su experiencia bajo el Antiguo Régimen (en que los clanes familiares en que estaban divididos se habían concentrado en la disputa por el favor de los agentes del poder imperial) los preparaba muy mal para ello. Durante la etapa de la Patria Vieja sólo uno de esos clanes —el de los Carrera— había dado dirigentes a la turbulenta política revolucionaria, y el trágico fin de los dos hermanos que lo habían representado en ella no iba a estimular a otros a tomar el mismo camino. Una consecuencia de ese automarginamiento es que quedara vacío en la escena revolucionaria el ancho espacio que —como iba a observar Isidoro Errázuriz— vinieron a ocupar figuras ajenas por origen a Chile.[19] Otra quizá más

[19] «...fue argentino el ilustre Blanco, el organizador de nuestro poder marítimo. El oráculo de los hombres de la Patria Vieja en materia militar fue el irlandés Mackenna, La primera constitución de Chile fue obra de don Juan Egaña, hijo de Lima... a quien

importante fue que, si la consolidación de un orden estable en un país que acababa de atravesar una etapa de convulsiones revolucionarias debía usar en su ventaja la pasiva aquiescencia de esas mayorías que, si vivían en el encono su inferioridad, habían aprendido a reconocer en ella un rasgo del orden natural de las cosas, y faltaba a la clase dominante tanto la vocación como la capacidad de trasformar su usurpada superioridad en un arma eficaz en la arena política abierta por la revolución, iba a ser necesario que estímulos surgidos de fuera de ella la incitaran a hacer sentir todo su peso también en esa arena de conflicto que hubiera preferido seguir esquivando. Lograr arrastrarla a ella fue una de las hazañas políticas de Portales; tal como observó de nuevo con total justicia Errázuriz, sólo después de haber sido envalentonada y aguijoneada por éste se decidió la aristocracia santiaguina a imponer a sus miembros rebeldes la disciplina que iba a permitirle aplastar bajo su inmenso peso social cualquier veleidad de turbar el orden político vigente.[20]

Es éste sin duda el núcleo de realidad que —como todo mito— esconde el así llamado mito de Portales. Este gran comerciante lanzado a la escena política por el conflicto que lo opuso a la administración liberal como el más importante de los concesionarios del monopolio del tabaco no sólo estaba admirablemente dotado de la vocación y la competencia necesarias para actuar en ella, sino que se guiaba en ese campo en una imagen muy precisa de los problemas de esa hora chilena. A su juicio lo que había salvado a Chile de la disolución social en la que habían amenazado precipitarlo las convulsiones revolucionarias había sido «el peso de la noche»; con esa poderosa metáfora evocaba Portales el del aislamiento y la ignorancia en que el Antiguo Régimen había mantenido a la plebe chilena, y que la llevaba ahora a seguir otor-

---

cupo la gloria de establecer el Instituto... Nuestro primer hombre de Estado fue el argentino Juan Martínez de Rosas, y otro argentino, el doctor don Bernardo Vera, prestó las cuerdas de su lira más sonora que armoniosa al entusiasmo tartamudo de los hijos de los encomenderos. El español Mora inspiró a nuestros legisladores de 1828... (Isidoro Errázuriz, HAE, pp. 18-19).

[20] Errázuriz, HAE, p. 139.

gando al orden establecido un pasivo pero inconmovible asentimiento ante el cual se iba a estrellar cualquier intento de continuar introduciendo reformas cuyo mérito él no negaba, pero que consideraba del todo inoportunas en un país que encontraba ya difícil absorber en paz el alud de innovaciones de la era revolucionaria que acababa de cerrarse.

A esa visión en verdad escasamente original de esa hora chilena e hispanoamericana (Bolívar la había ya articulado con una elocuencia del todo ausente de la sobria prosa del mercader trocado en político) se acompañaba una igualmente precisa de los objetivos a cuyo servicio debía ponerse el Estado chileno cuya autoridad Portales buscaba consolidar. Fue ella la que lo decidió a imponer contra viento y marea la continuación de la guerra contra la confederación peruano-boliviana, el proyecto neobolivariano del mariscal Santa Cruz, en el que vio sin equivocarse una amenaza mortal contra el lugar central que Chile había conquistado en el nuevo orden mercantil del Pacífico sudamericano. Tan impopular era esa guerra que su obstinación en proseguirla le costó la vida, pero su ejecución por un motín de oficiales urgidos de poner fin a una aventura que no había logrado excitar la imaginación de los chilenos abrió una inesperada etapa póstuma para el gobierno de Portales sobre Chile, en que la abrumadora victoria que vino a premiar la terquedad con que había forzado a sus compatriotas a perseverar en el combate vino a completar el núcleo de realidad en que se apoya el mito portaliano.

Esa victoria, que hizo de Chile, y ya no sólo en la esfera mercantil, la presencia dominante en el Pacífico sudamericano, trasformando póstumamente a la que había sido primero vista como guerra de partido en una empresa nacional cuyo éxito podía ser celebrado por todos los chilenos, abrió al ejército victorioso un nuevo campo de acción que al hacerlo más temible para sus vecinos que para sus compatriotas logró que, sin abandonar su lugar en la constelación política instalada en el poder en 1829, se remontase a la vez por encima de ella. En 1841 la elevación del general Manuel Bulnes, jefe de la victoriosa fuerza expedicionaria, a la presidencia de la República, vino a consolidar un equilibrio institucional que, como lo había revelado el trágico fin de Portales, no había alcanzado durante la gestión de éste toda la firmeza de la que el gran ministro había buscado dotarlo, y en él el primer magistrado surgido de las filas de la corporación militar que junto con la aristocracia santiaguina ofrecía la base social para la fórmula política llevada al triunfo por Portales, iba a asumir un papel cercano al que según Benjamin Constant correspondía al soberano de una monarquía constitucional, como titular también él de un *pouvoir modérateur* encargado de asegurar que entre los otros tres reinara siempre la necesaria armonía.

Sin duda el aparato institucional así consolidado no iba a estar ni aún entonces protegido contra nuevas rupturas del equilibrio entre los distintos sectores que compartían su control, pero cuando Lastarria ingresó en la escena pública seguía estándolo contra cualquier desafío del resto de la sociedad chilena, y ese rasgo, que era en efecto peculiar a Chile, hizo que allí pudiera persistir más largamente que en otras comarcas hispanoamericanas un modo de encarar la agenda de gobierno que resultaba difícil ubicar sin ambigüedades bajo el signo tanto del conservadurismo como del liberalismo que se estaban perfilando como las alternativas destinadas a afrontarse en la etapa posrevolucionaria.

Y resultaba difícil ubicarla allí porque en Chile la más completa supervivencia de los rasgos propios de una sociedad de Antiguo Régimen hacía posible mantener una continuidad con la agenda que éste había hecho suya bajo el signo del reformismo ilustrado. Gracias a ella en la del Chile que vivía de la herencia de Portales iban a conservar vigencia los mismos temas que la habían dominado en la década anterior también en Buenos Aires, pero que allí habían sido muy pronto desplazados, junto con el régimen que los había incluido en ella, por las más devastadoras tormentas políticas propias de una sociedad mucho más intensamente movilizada en ese terreno que la chilena.

La continuidad con el pasado así asegurada hacía posible que un régimen que atesoraba la herencia religiosa del Antiguo Régimen, y para muchos de sus servidores no sólo porque ella reforzaba la eficacia con que cumplía su función el «peso de la noche», atesorara también la del reformismo ilustrado. Así, nadie podría dudar de la sólida fe católica de ese Juan Egaña a quien Chile, como recuerda Errázuriz, debió tanto su primera constitución como la creación del Instituto Nacional, pero ella no le impidió recomendar a su hijo Mariano, que a punto de partir a Europa le había solicitado una lista de lecturas destinadas a ampliar sus horizontes intelectuales, que utilizara con ese propósito el Índice de libros prohibidos por la autoridad eclesiástica, eliminando tan sólo los que habían terminado en él por excesivamente licenciosos, lo que hace menos sorprendente que unos años después el no menos devoto Mariano Egaña, celebrando que los liberales todavía en el gobierno hubieran contratado a tres sabios europeos que debían contribuir a difundir en Chile las luces del siglo, propusiera completar «esa gran obra de beneficencia nacional» costeándola mediante la eliminación de tres canonjías del capítulo de la catedral de Santiago y de tres plazas de coronel de la planta del Estado Mayor del ejército, en un comentario que no hubiera sorprendido tampoco medio siglo antes en la pluma de cualquiera de los no menos devotos servidores de la monarquía ilustrada.[21]

En las instituciones creadas en ese espíritu sobrevivía en pleno la inspiración doblemente autoritaria de quienes, apoyándose en la autoridad de un monarca de derecho divino, habían buscado inculcar en las mentes de muchedumbres sumidas en la ignorancia nociones evidentes a la luz de la sana razón, cuya autoridad esas muchedumbres aprenderían a acatar tan religiosamente como la del mismo monarca apenas la prédica de sus servidores lograra disipar el velo interpuesto por esa secular ignorancia. En una de esas instituciones, ese Instituto Nacional cuya creación fue una de las glorias de Juan Egaña, ingresó Lastarria en 1831, a la edad de catorce años.

Ya dos años antes había comenzado su educación formal en el Liceo fundado y dirigido por José Joaquín de Mora que, forzado a abandonar su nativa España al ser restaurado el absolutismo, contaba para esa empresa con el apoyo y protección del gobierno liberal del general Pinto, a él iba a presentar Lastarria en sus *Recuerdos* como el maestro en cuyas huellas iba a avanzar desde entonces.

[21] Citado en Bernardo Subercaseaux, *Cultura y sociedad liberal en el siglo XIX (Lastarria, ideología y literatura)* (en adelante CSL), Santiago, Aconcagua, s/f. pero 1981, p. 14.

Cuando la caída del gobierno liberal puso fin a la experiencia del Liceo y obligó a Mora a una nueva emigración, esta vez al Perú, «don Francisco de Asís Lastarria puso a su hijo en el Instituto Nacional, donde siguió y concluyó su enseñanza literaria y forense».[22] En un país en que —como iba a proclamar insistentemente en sus *Recuerdos* el nuevo alumno del establecimiento— la reacción triunfante en 1830 había impuesto el silencio del terror, y bajo el auspicio de las autoridades que esa reacción había puesto al frente del Instituto, cuya misión era impedir cualquier retorno a las inquietudes y curiosidades ideológicas e intelectuales a las que responsabilizaban en buena medida por la crónica inestabilidad política que su victoria aspiraba a haber dejado atrás para siempre, la carrera del ahora adolescente José Victorino Lastarria prosiguió su avance triunfal. Ya en el año de su ingreso inició su formación filosófica en el curso ofrecido por Ventura Marín, bajo la inspiración de las mismas «inmortales lecciones de Lamoriguière»[23] que antes la habían ofrecido a los que Mora había dictado en su Liceo, y al año siguiente, en el de Legislación Universal igualmente a cargo de Marín, iba a familiarizarse no sólo con textos de Locke, Benjamin Constant y Destut de Tracy, sino también —según creía recordar en 1878— con otros de Ahrens, John Stuart Mill y Spencer.[24]

Al llegar aquí el lector de los *Recuerdos literarios* no puede evitar algún desconcierto frente a un relato según el cual un régimen firmemente decidido a impedir que los vientos de cambio que en materia de ideas e ideologías habían soplado sobre Chile volvieran a turbar la paz que se gloriaba de haber reconquistado encomendara esa tarea, precisamente en las disciplinas que más requerían de esa severa vigilancia, a quien no era secreto para nadie que no compartía en absoluto ese objetivo, y puede estar tentado de atribuir esa inadvertida contradicción a algún desfallecimiento en la memoria de quien

[22] Alejandro Fuenzalida Grandón, *Lastarria y su tiempo (1817-1888). Su vida, su obra e influencia en el desarrollo político e intelectual de Chile* (en adelante AFG), Santiago de Chile, 1911, vol. I, pp. 20 y 22.

[23] Lastarria, RL, 17.

[24] Subercaseaux, CSL, p. 29.

buscaba en su ancianidad reconstruir experiencias vividas como adolescente (reflejado por otra parte en la lista de autores arriba citada, en cuanto a esto si no es imposible que el nombre de John Stuart Mill hubiese reemplazado en ella al del ya para entonces menos célebre padre James Mill, alguna de cuyas obras sí pudo estar incluida en el currículum del curso, ni Ahrens, sólo publicado en francés en 1837, ni menos Spencer pudieron figurar entre los autores usados en éste).

Pero para resolver ese pequeño enigma contamos con un testimonio más temprano del propio Lastarria; es el del *Diario político* para los años que van de 1849 a 1852,[25] y allí puede verse que ya en esos años no había percibido mejor que en 1878 lo que su imagen de la reacción política triunfante en Chile a partir de 1830 tenía de contradictorio. Por fortuna, apenas se aparta de temas que, como éste, tocan directamente a su agenda reivindicatoria, Lastarria se revela capaz de ofrecer una narrativa que, aunque no deja de estar afectada por las demasiadas décadas y los demasiados cambios de fortuna que lo separan de los hechos que evoca, permite adivinar algo del ánimo con que en su momento los había vivido. Así ocurre cuando esboza la imagen de la nación agobiada bajo los efectos de la victoria conservadora que ofreció el telón de fondo para el drama que le había tocado vivir en el Instituto. Su abordaje inicial no hubiera podido ser más convencional; recordemos en efecto que había abierto su evocación estipulando —del todo de acuerdo con lo que creía recordar la memoria liberal— que «la reacción de 1830 trajo el silencio del terror», pero apenas comienza a describir la experiencia de vivir bajo el peso de ese terror comienza a percibirse que es demasiado compleja para que ese término le haga entera justicia.

Desde luego, comienza por conceder sarcásticamente Lastarria, no se sentían oprimidos por ese terror «los bienaventurados egoístas que medraban a la sombra del poder absoluto, o que no sentían la necesidad de pensar libremente, ni la de tener derechos; y como estos bienaventurados son siempre muchos, todo terror tiene sin esfuerzo una

[25] José Victorino Lastarria, *Diario politico 1849-1852* (en adelante DP), Santiago, Editorial Andrés Bello, 1968.

numerosa falange de hombres *sensatos* en quienes apoyarse». Muy distinta es la situación de «los espíritus independientes, que no han amortiguado su libre albedrío, ni lo han disciplinado a las exigencias de un dogma o de un interés personal». Sin duda —admite— «ésos no son muchos, sobre todo en los pueblos de nuestra estirpe», pero son ellos los condenados a sufrir bajo el terror, «y entre ellos mucho más los espíritus altivos, que si logran escapar de las crueldades del despotismo, no se salvan siempre de las del ridículo con que aquél y sus amigos aplastan a los que no se humillan».[26] Y ya antes había señalado cómo «la independencia de juicio, la espontaneidad, los vírgenes entusiasmos del patriotismo, la aspiración a la vida pública, tuvieron que someterse a una moral ficticia y a conveniencias políticas que justificaban los más duros y arbitrarios castigos sobre los rebeldes, o las más ultrajantes burlas y sarcasmos contra los que se atrevían a tener otra moral, otra opinión u otro modo de apreciar aquellas conveniencias, aunque no ofendieran los intereses de la dictadura».[27]

La insistencia con que en 1878 Lastarria denuncia el ridículo como el arma por excelencia del terror desplegado por la reacción triunfante en 1830 refleja sin duda fielmente la experiencia que entonces había vivido, y ante la cual había reaccionado —como observó Isidoro Errázuriz— desplegando «una susceptibilidad vidriosa, que sus adversarios y amigos notaban ya en él en 1843, antes de su primera entrada en la cámara».[28] Hacía aún más dura esa experiencia que, mientras debía arrostrar el ridículo porque se atrevía a tener otra moral distinta de la ficticia impuesta por los vencedores de 1830, sólo estaba en sus manos desafiar a ésta en el plano de las ideas, mientras debía ajustar su conducta exterior a «la compostura de palabras y costumbres de que daban el modelo los vástagos de la oligarquía», y a «las tradiciones de la colonia [que] imponían la obligación de rezar en público dos veces al día, o por lo menos de aparentar que se rezaba» y autorizaban como única diversión para la juventud «jugar al billar en los cafés,

[26] Lastarria, RL, p. 23.

[27] Lastarria, RL, pp. 22-23.

[28] Errázuriz, HAE, 324.

pasear en el tajamar por el invierno, y en la alameda por las tardes y noches de verano».[29]

Cuando se leen estos amargos comentarios es fácil imaginarlos inspirados por sentimientos análogos a aquellos a los que Francisco Bilbao iba a dar expresión más explícita en 1844 en *Sociabilidad chilena,* en que tras denunciar a San Pablo, «el primer fundador del catolicismo» como el responsable de haber condenado a la mujer a una esclavitud que impone que «la pasión de la joven *deba* acallarse», agregaba que «el hombre, más altivo para someterse a tanta esclavitud, tiene con todo que llevar su peso [...] Figuraos al joven de constitución robusta, de alimentos fuertes, de imaginación fogosa, con algunas impresiones y bajo de esa montaña de preocupaciones. Figuraos el drama que sentiría agitarse en su interior; pero somos historiadores fríos...»[30] Nada sugiere sin embargo que esas motivaciones hayan pesado muy fuertemente sobre Lastarria, y parece más pertinente la clave que ofrece Orrego Luco para la tensa relación que ya en esa etapa había establecido con el orden vigente, que la relacionaba con la humillante marginalidad en que le había tocado vivir cuando «principiaba su vida pobre y sin apoyos».

Esa clave permite entender mejor que el profundo aborrecimiento que le inspira el orden que lo ha marginado no le impida estar marcado por éste más de lo que él mismo advierte; así, mientras no hay ningún motivo para dudar de que «la obligación de rezar en público dos veces al día, o por lo menos de aparentar que se rezaba» le había resultado tan odiosa como afirma en sus *Recuerdos,* eso no impide que en 1842, cuando los integrantes de una joven generación ansiosa de abrirse a los vientos del mundo lo llaman a dirigir la Sociedad Literaria que los agrupa, presida sus reuniones, que se abren pasando lista de los miembros presentes, en compañía de un fiscal que, sentado a su izquierda, se encarga de hacer cumplir la prohibición de fumar

[29] Lastarria, RL, pp. 24-25

[30] «Sociabilidad chilena», en Francisco Bilbao, *La América en peligro. Evangelio americano, Sociabilidad chilena,* Santiago, Ercilla, 1941, pp. 75-124, las citas de págs. 83 y 87.

en el recinto y la de abandonarlo en el curso de las sesiones, en acatamiento a normas disciplinarias no muy alejadas en espíritu de las que Juan Egaña había impuesto en el Instituto Nacional, y que hacen hoy pensar a Bernardo Subercaseaux «más que en jóvenes románticos, en déspotas ilustrados».[31]

Si esos jóvenes incorporaban sin necesitar siquiera pensarlo aspectos esenciales de un orden cuyos rigores encontraban a menudo intolerables era sin duda porque, mientras atribuían a la cerril ignorancia que afectaba tanto a las elites como a las masas chilenas que ambas vieran en él reflejado el orden natural de las cosas, por su parte estaban más cerca de reconocerle en los hechos lo mismo que recusaban en teoría, y este rasgo contribuye a que el laberíntico proceso político que en Chile terminó por poner a los liberales en el timón de la nave del Estado forjado bajo la égida de Portales anticipe en más de un aspecto al que en el siglo siguiente caracterizó a las transiciones abiertas por el derrumbe de regímenes totalitarios. Desde luego el estado portaliano estaba lejos de ser totalitario (mucho más lejos por cierto que el que en esos mismos años estaba siendo erigido en Buenos Aires bajo la égida de Rosas); tal como el mismo Portales había señalado, el secreto de su fuerza residía más bien en la pasividad de la sociedad a la que gobernaba, pero ésta le permitía encerrar a sus súbditos en un entorno tan hondamente marcado con su sello como el de esos regímenes del futuro.

Así, el mismo Lastarria que, como recuerda Errázuriz, era «entre los jóvenes educados a la sombra del régimen pelucón... el que con más decisión y constancia había mantenido su espíritu abierto a las doctrinas modernas», hasta 1845 «penetrado del respeto por la Constitución del Estado, como todos sus contemporáneos» al tomar distancia frente al régimen establecido en 1830 no había ido más allá de reconocer «siempre la necesidad de aplicar sus disposiciones [las de esa constitución] con sinceridad y liberalidad» con vistas a lo cual «había aconsejado la reforma de algunas de las leyes complementarias»,[32] y el

[31] Subercaseaux, CSL, pp. 56-57.

[32] Errázuriz, HAE, pp. 322-23.

respeto que tributaba al documento fundador de un régimen que, tras de retacear por largos años las libertades públicas, seguía teniendo en esa misma constitución el instrumento legal que le permitiría volver a restringirlas apenas lo juzgara oportuno no podía exhibir demasiados títulos para reclamarlo de quienes se guiaran por las «doctrinas modernas» no nacía tan sólo de consideraciones de prudencia frente a un poder poco dispuesto a tolerar que se pusiera en tela de juicio su legitimidad de origen, ni tampoco tan sólo de la necesidad de seguir contando en alguna medida con apoyos dentro de ese poder, que compensaran por los que era demasiado sabido que no habrían de llegar de sector alguno de una sociedad en cuyo pasivo consenso favorable al orden establecido Portales había confiado para proteger a Chile de la disolución social.

No ha de negarse que era esta última una consideración importante, y no sólo para Lastarria. Al referirse Isidoro Errázuriz a la negativa de Francisco Bilbao, el apóstol de la Sociedad de la Igualdad, que en 1850 quiso hacer de ella el instrumento de una prédica destinada, para decirlo con un término anacrónico pero en este caso del todo pertinente, a concientizar a las masas chilenas sobre los males del orden social vigente («entendían —nos dice Errázuriz— que la clase obrera necesitaba... adquirir... cierto grado de ilustración, el conocimiento de sus derechos y la conciencia cabal de las injusticias de que era víctima») a confundir esa prédica con la de la oposición política, no lo hacía tan sólo porque «veía en la independencia y la neutralidad las garantías más eficaces para la propagación de sus doctrinas favoritas» sino porque no podía «sentir una inclinación muy fuerte a comprometer su popularidad y su condición de empleado público en obsequio de un partido [el liberal pipiolo] que se mostraba vacilante y contemporizador en las cuestiones que el joven radicalismo consideraba de primordial importancia».[33] Sería erróneo imaginar alguna intención maliciosa tras de esa alusión al pasar a la condición de empleado público del apóstol de la revolución social, que en el Chile portaliano no podía llamar la atención de nadie. Así, a propósito de Miguel Luis Amunátegui, una de las grandes figuras

[33] Errázuriz, HAE, pp. 408 y 466-7

del liberalismo de la segunda mitad del siglo, Augusto Orrego Luco, en el ensayo que le dedicó en su volumen de *Retratos,* recordaba cómo lo auxilió en sus difíciles comienzos su designación en la recién creada oficina de Estadística (en la que también iba a revistar Bilbao) por un gobierno que «se preocupaba vivamente de abrir fáciles caminos a los que manifestaban algún poder intelectual. El talento era un título que se hacía valer por sí solo, era un poder reconocido, era todo el pasado que invocaban los políticos más prominentes de aquel tiempo», y en consecuencia «Amunátegui no podía pasar desapercibido para el gobierno, quien, siguiendo la política tan vigorosamente acentuada por Portales, buscaba para los puestos públicos a los jóvenes que más se distinguían».[34]

Había entonces en el respeto que Lastarria tributaba a la Constitución del Estado algo más que su aceptación resignada de lo que se había revelado inevitable. Si podía tributárselo sin violentar su conciencia era también porque el régimen instaurado en 1830, al que denunciaba, sin duda sinceramente, como la expresión política de «la reacción colonial triunfante» en el campo de batalla no había renunciado a hacer del «peso de la noche» el instrumento que debía permitirle reanudar desde la cima del poder la revolución desde arriba con que la monarquía ilustrada había buscado eliminar ese peso abrumador, interrumpida cuando alcanzó al mundo hispánico el vendaval revolucionario surgido en ambas orillas del Atlántico norte.

Si la gravitación de la herencia de la monarquía ilustrada en la agenda de la república portaliana hacía posible a Lastarria convivir con un régimen que —aunque tenía mucho de objetable a los ojos de quienes como él se guiaban por las «doctrinas modernas»— estaba sinceramente decidido a llegar tan lejos en sus esfuerzos por difundir las luces del siglo como lo hiciera prudente la situación de un país todavía convaleciente de las convulsiones de la era revolucionaria era porque, como por otra parte los demás que desde las filas liberales se sumaban al consenso que tributaba un religioso respeto a la Constitución del Estado, coincidía más de lo que él mismo advertía con los

[34] Augusto Orrego Luco, AOL, pp. 10-11.

criterios y valores implícitos en esa empresa de esclarecimiento desde lo alto. Hacía más fácil esa coincidencia no sólo que esos criterios se inspiraran en buena medida en una visión compartida acerca de las condiciones en que esa empresa debía avanzar en el marco de una sociedad muy poco inclinada a movilizarse en pos de esos objetivos, sino más aún que llevarla adelante formara hasta tal punto parte de los objetivos centrales de ese régimen que bastó la eficacísima gestión de Manuel Montt y su sucesor Antonio Varas al frente de una escuela secundaria (que poco más que eso era el Instituto Nacional) para instalar a ambos en el centro mismo de la escena política chilena.

Una empresa de esclarecimiento así inspirada se apoyaba en supuestos compartidos también ellos por el consenso liberal del que participaba plenamente Lastarria. Era central entre éstos el que quienes la servían se constituían en vehículos a través de los cuales un saber ya madurado en el centro del mundo se tornaba accesible a esa remota periferia de la que Chile era parte. Así considerada, su labor de esclarecimiento no requería de ellos ninguna originalidad de pensamiento para desenvolverse con eficacia (y aún podría argumentarse que la de la originalidad era una tentación a la que hubiera sido imprudente que cedieran quienes eran tan sólo discípulos que, habiendo accedido a ese exótico saber antes que la generalidad de sus compatriotas, se esperaba ahora que lo trasmitieran a éstos). Invitaba aún más a alcanzar esa conclusión que, dado el papel central del Estado y sus instituciones, las relaciones establecidas en su marco siguieran siendo, como en el de la monarquía ilustrada, las propias de un ordenamiento jerárquico y autoritario que lejos de debilitarse se consolidaba aún más al invocar en su favor el veredicto de la sana razón. Quedará para más adelante examinar las diversas maneras en que esos supuestos guiaron el alegato reivindicatorio que iba dar tema a los *Recuerdos Literarios,* baste señalar aquí que ya en 1842 estaba tan compenetrado con ellos como lo sugería el curioso reglamento con que gobernó la *Sociedad Literaria.*

Para entonces Lastarria había recorrido ya los primeros tramos de una trayectoria vertiginosamente ascendente, que iba a culminar en 1850, cuando lograría reunir bajo su liderazgo a un bloque mayoritario dentro de la Cámara baja del congreso chileno que por un momento llegaría a aparecer cercano a quebrar el predominio de las corrientes conservadoras decididas a gobernar la república de Portales en el espíritu de su fundador. Como había sido ya el caso de las de Montt y Varas, también la carrera de Lastarria iba a avanzar en sus primeras etapas en el marco de instituciones de enseñanza, e iba a ser el prestigio que había ganado en ellas el que lo proyectaría finalmente al centro de la escena pública.

Ya en los cursos del Liceo desplegó Lastarria —asegura su biógrafo Fuenzalida Grandón— «una precocidad admirable», reflejada en «la facilidad con que asimilaba las ideas de sus maestros y... la prodigiosa facultad de memoria con que retenía sus conocimientos», y al finalizar su primer año en el Instituto, su desempeño en el examen final del curso de filosofía «notable por la lucidez con que había sabido asimilarse las teorías más abstrusas que dividían el campo filosófico», reveló que «no era un estudiante vulgar», y no sólo porque «sabía sus ramos concienzudamente, los preparaba *con amore* en el curso de cada año, y en la época de exámenes obtenía la deseada nota de aprobación *nemine discrepante*». Sus curiosidades intelectuales, que excedían en mucho los límites del currículum obligatorio, lo incitaron a aprender el inglés, en un curso en que sólo lo acompañaron dos condiscípulos, y «como el francés lo sabía bastante bien, después de las lecciones recibidas en el Liceo de Chile... quedaba en aptitud de leer y aprender en los pocos buenos libros que en aquella sazón llegaban a nuestras librerías». Ya entonces tenía «una predilección extraña» por los estudios históricos; en este campo «sus primeros cuidados fueron conocer en todos sus detalles la historia de América. Por un precoz desarrollo de sus facultades, y rastreando de aquí, de allá, con mil dificultades cuanto libro podía darle luz, supo conocer todo lo que en aquellos tiempos estaba a los alcances de un escolar. Aprovechaba sus conocimientos para discutir con sus compañeros de aula, y, prevalido de su superioridad de elocución... no ocultaba la satisfacción que le proporcionaban sus conocimientos de historia, que se traducían en afirmaciones contundentes y dogmáticas».[35]

[35] Fuenzalida Grandón, AFG, I, pp. 20 y 23-24

En 1834, recordaba Lastarria cuatro décadas más tarde, «cuando el señor Bello comenzó a enseñar en su casa dos cursos, uno de gramática y literatura y otro de derecho romano y español» él mismo se incorporó de inmediato al grupo que los seguía. No le satisfizo del todo el método del maestro, que a su juicio «adolecía de cierta estrechez... de la que todavía no había podido emanciparse... obedeciendo a las influencias de la época en que se formara... Nunca explicaba, sólo conversaba, principiando siempre por exponer una cuestión, para hacer discurrir sobre ella a sus discípulos... el aula era su escogida biblioteca, y todas las consultas de autores se hacían por los alumnos bajo la dirección del maestro [...]» «Esta manera de hacer estudiar a los alumnos —concluía en 1874 Lastarria—, que tan provechosa puede ser con una dirección filosófica, perdía toda su utilidad con aquel método fundado en la enseñanza de los detalles, bueno sin duda para formar abogados casuistas y literatos sin arte».[36]

El rechazo que inspira a Lastarria el método mayéutico al que recurría Bello, que por esos años comenzaba a trasformar el estudio de las humanidades en Alemania y unas décadas después se extendería al resto de Europa, y que si era útil para trasformar en buenos abogados casuistas y competentes literatos sin arte a quienes no podían aspirar a ser nada mejor que eso, alcanzó resultados harto distintos sobre Francisco Bilbao, confirma lo que sugiere ya el perfil del caudillo intelectual que maduraba en Lastarria, tal como lo esbozaba Fuenzalida Grandón, que hacía de su privilegiada memoria y sus dotes oratorias los instrumentos que le permitían imponer en el debate con sus condiscípulos conclusiones siempre contundentes y dogmáticas, a saber, que ese estilo de caudillaje estaba destinado a encontrar en la naciente palestra parlamentaria un campo de acción quizá aún más adecuado que el ofrecido por las instituciones académicas en las que había madurado.

La transición a ese escenario más amplio era facilitada por otra parte por el lugar nada marginal que estas últimas instituciones ocu-

[36] «Recuerdos del maestro», incluido en *Suscripción de la Academia de Bellas Letras a la estatua de don Andrés Bello,* Santiago, 1874, p. 82, cit. en Fuenzalida Grandón, AFG, I, pp. 26-27.

paban en la vida pública chilena. Así, el talento oratorio de Lastarria comenzó a ser conocido y apreciado más allá de aquellas en que había encontrado ubicación luego de completar estudios en el Instituto con el título de bachiller en cánones y leyes a través de los discursos por él pronunciados en colaciones de grados de las que la prensa periódica ofrecía la crónica.[37] Esos comienzos estuvieron marcados por una penuria que nunca iba a olvidar, y que lo obligó —mientras en el colegio del canónigo Romo tomaba a su cargo el curso de geografía, en el de niñas de las hermanas Cabezón el de literatura, y otros todavía en el de Santiago, donde contó entre sus alumnos a Isidoro Errázuriz y Benjamín Vicuña Mackenna, y todavía se daba tiempo para ofrecer cursos de derecho público a alumnos privados— a abordar otras tareas para sostener un tren de vida que no podía ser más modesto. En 1838 publicó con ese propósito unas *Lecciones de geografía moderna,* que siguió conociendo reediciones por varias décadas, y —convencido de que «un libro en que se expusiesen con claridad las doctrinas legales referentes a los testamentos» vendría a llenar una sentida necesidad— se valió de la *Práctica de testamentos* del padre Morillo, de la que se habían hecho varias ediciones en Chile y en el Perú para «hacer un extracto de las doctrinas legales sobre esa materia».[38]

En 1839 cuando los cursos de Legislación y Derecho de Gentes ofrecidos en el Instituto Nacional quedaron vacantes por enfermedad de Marín, y noticiado de ello «después de los exámenes de nuestros alumnos particulares, pedimos al rector, don Manuel Montt, que nos inscribiera para el caso de realizarse el concurso... cuando estábamos esperando la citación, el digno rector nos comunicó el nombramiento que él mismo había obtenido, desistiendo de la idea de dar a oposición las cátedras». Ese nombramiento —notaba satisfecho Lastarria— le

[37] «En 1841 no sólo era profesor en el colegio del presbítero Romo, sino también tenía participación en la dirección y régimen económico, y en este carácter se esforzaba por allegar al establecimiento todo género de propaganda, sea en las publicaciones que hacía, en los programas de exámenes que arreglaba, o en los discursos que en las reparticiones de premios pronunciaba», Fuenzalida Grandón, AFG, I, 35

[38] Fuenzalida Grandón, AFG, I, pp.34-35

había significado «un doble triunfo; porque probaba, por una parte, que habíamos sabido mantener nuestra enseñanza en una región elevada, a la cual no alcanzaban las pasiones ni los recelos del momento, y por otra que habían sido satisfactorios los exámenes que en el Instituto habían rendido nuestros alumnos particulares».[39]

En ese momento —recuerda Lastarria— aunque su reputación no cesaba de crecer, sus ideas no encontraban eco entre sus contemporáneos; mientras los jóvenes liberales, que no hallaban otra solución que la rebelión a mano armada, las rechazaban como planes de cobardía, los aristócratas de la oligarquía, «que consideraban ese orden como el honor de Chile, que había alcanzado con él a ser la *república modelo*, las desdeñaban como simples absurdos que acusaban extravagancia o necia presunción».[40]

Pero en paralelo con su labor docente que estaba decidido a mantener en esa región elevada Lastarria no se prohibía incursionar en las de la política. Cuando, sofocada la rebelión que costó la vida a Portales, el gobierno pelucón decidió llevar adelante la guerra «hasta dar por tierra con la armazón monárquica que en su beneficio había erigido un caudillo militar», juzgando que ésta había sido santificada «con este elevado y patriótico propósito [...] como el país callaba todavía» Lastarria consideró «altamente político estimularle a unirse con el gobierno en defensa de la causa nacional», y con ese propósito tras de fundar el periódico *El nuncio de la guerra* participó en el lanzamiento de *El diablo político,* que gracias a su recomendación el dueño de la imprenta de Colocolo se avino a publicar a su costo, y debía ser en su intención «un periódico festivo, que estimulando la curiosidad, se atrajera simpatías, sin irritar a nuestros dominadores, a fin de levantar poco a poco el espíritu público, y reconstituir el partido de la libertad». Pero si *El diablo político* logró desde el comienzo costear sus gastos y aun dejar ganancias fue porque, lejos de atenerse a ese objetivo, se definió como un «periódico de guerra [...] conquistándose por un lado aplausos, mas haciendo fermentar por otro la bilis de los poderosos».

[39] Lastarria, *RL*, pp. 55-56.
[40] Lastarria, *RL*, p. 52-60

Lastarria se decidió entonces a abandonar una empresa cuya creciente «procacidad habría traído su aislamiento, y por lo tanto su muerte, si no hubiera sido la expresión fiel... de la excitación que producían en la opinión liberal las medidas que el gobierno adoptaba para asegurar su triunfo en las elecciones«, y fue esa creciente excitación la que decidió al gobierno a restaurar el estado de sitio horas después de que un juicio de imprenta pusiera fin a la existencia del periódico.

El episodio parecía sugerir que «el peso de la noche» había requerido para gravitar con la eficacia que Portales esperaba de él ser complementado con las medidas de excepción que sólo iban a ser abandonadas después de su muerte, cuando el gobierno del presidente Prieto —como recordaba también Lastarria— decidido a dejar atrás su identificación exclusiva con la facción dominante desde 1830 y con vistas a ello devolvió a la Constitución su imperio, eliminando «los tribunales excepcionales de consejos de guerra permanentes».[41] Esa decisión suponía una apuesta quizá demasiado audaz acerca del futuro; pronto se hizo evidente el obstáculo que oponía a la ambición de la facción gobernante de conquistar un consenso que fuera más allá de sus filas la necesidad de recurrir en cada ocasión electoral a medidas de excepción que le eran indispensables para conservar el absoluto predominio al que no estaba dispuesta a renunciar ni en el Congreso ni en las administraciones locales.

Aunque en 1839 y de nuevo en 1841 quienes ocupaban el poder no vacilaron en recurrir a ellas, Lastarria no se apartó del camino que se había trazado, y al abrirse la nueva década seguía contándose entre quienes veían en Manuel Montt «el ministro que servía de centro a las esperanzas de todos los que anhelábamos por un cambio de política, y por una protección más inteligente y más decidida a la instrucción pública». Sin duda no dejaba de tomar en cuenta que el joven ministro, «por haber sido rector y compañero... en el Instituto nos honraba con su confianza», reflejada en su designación en 1842 para el cargo de censor de espectáculos teatrales. Ello no impidió que al año siguiente, en que su elección como diputado por el distrito de Elqui y Parral

[41] Lastarria, *RL*, pp. 56-57.

dio comienzo a su extensa carrera parlamentaria, aceptara el cargo de oficial mayor del ministerio del Interior que le ofreció Ramón Irarrazával, identificado con una línea política más cercana a la que aspiraba a ver implementada Lastarria que la favorecida por Montt. quien aspiraba por su parte a preservar el aparato autoritario legado por Portales para ponerlo al servicio de una revolución desde arriba más decididamente orientada a abrir a Chile a los vientos del mundo de lo que el gran ministro había creído posible y oportuno.

Para entonces las penurias de las que Lastarria nunca dejará de quejarse son cosa del pasado; el cuadro que ofrece del escuálido cuarto en que conoció a Sarmiento, fugitivo de su país natal, es el esperable de quien ha dejado definitivamente atrás el no menos escuálido que le había dado morada unos años antes, y está ya en situación de adquirir «las entregas del *Diccionario de la Conversación* que el emigrado llevaba consigo como su único tesoro... mediante cuatro onzas de oro, que él recibió como precio, para atender a sus necesidades».[42] Teniendo en cuenta que cuatro onzas de oro equivalen a 74 pesos plata, y que Sarmiento iba pronto a conquistar una muy envidiada posición en la prensa chilena al encontrar ocupación como redactor en *El Mercurio* con un sueldo de treinta pesos mensuales, es preciso concluir que para entonces Lastarria se había ya aclimatado plenamente en un nivel económico en que la noción de penuria no era la misma de cuando en efecto había tenido que sufrirla.

Mientras tanto la distensión política modificaba el clima colectivo vigente en los distintos sectores de la elite santiaguina; «el teatro, las tertulias, los paseos cobraban animación, y en todas partes, principalmente en las reuniones privadas de hombres que se mantenían en algunos salones particulares, se hablaba de letras, de política, de progresos industriales». Dentro de esas elites, el sector atraído por el que Lastarria llama «movimiento literario», antes tan reducido, se amplía rápidamente, y él mismo encuentra oportunidad de desempeñar un papel central en ese proceso gracias a que «la juventud distinguida, que poco antes estaba reducida al estrecho círculo de los retoños y de

[42] Lastarria, *RL*, pp. 82 y 84.

las criaturas de la oligarquía dominante, había recibido un refuerzo numeroso con la nueva generación, que se había educado por nosotros con otros principios y distintas aspiraciones, y que sentía estimulada su actividad con el roce de la ilustrada y bulliciosa emigración argentina [...] en este comercio de francas y cordiales relaciones resaltaba siempre el elegante despejo y la notable ilustración de los hijos del Plata, causando no pocos celos, que ellos provocaban y excitaban, haciendo notar la estrechez de nuestros conocimientos literarios, y el apocado espíritu que los más distinguidos de nuestros jóvenes debían a su rutinaria educación». Lastarria decidió entonces usar esos celos para «estimular a sus compañeros y discípulos al estudio, a fin de desmentir estas censuras con los hechos; pero sea que los primeros se creyeran fuera del alcance de tales celos, y despreciaran las censuras; o sea que no tuvieran tiempo ni voluntad para bajar de la altura en que estaban colocados, lo cierto es que sólo los segundos aceptaban nuestras amonestaciones».

Fue entre sus estudiantes de los últimos cursos de legislación donde Lastarria iba a reclutar los futuros miembros de una sociedad literaria que tendría como objetivo el «de escribir y traducir, de estudiar y conferenciar, para preparar la publicación de un periódico literario que fuese al mismo tiempo un centro de actividad intelectual y un medio de difusión de las ideas», en una iniciativa que iba a ser recibida sin favor por sus «antiguos condiscípulos, que atribuían nuestro empeño a pretensiones que no existían».[43]

Nacía así el 3 de mayo de 1842 la Sociedad Literaria, inspirada en el ejemplo de la Asociación de Mayo surgida a breve vida en el inhóspito marco ofrecido la Buenos Aires rosista, y el acto fundacional no dejaba duda de que en su marco tocaba a Lastarria ocupar la posición de jefe y maestro de la joven generación que en esa precursora trasandina había sido la de Esteban Echeverría. Él mismo abrió el acto con un extenso discurso-programa, seguido de una muy concisa respuesta del presidente de la Sociedad, su discípulo Anacleto Montt, quien tras de confesarse consciente de que la ambiciosa agenda que

[43] Lastarria, *RL*, pp. 85-86.

ésta se había fijado imponía a sus miembros una carga demasiado pesada para sus débiles fuerzas, lo que le hacía necesario «buscar la protección de alguno de nuestros compatriotas ilustrados» exclamaba, en una conclusión que no dejaba duda alguna al respecto: «¿Y en quién mejor que en vos podíamos hallarla? ¿En vos, que tantas veces nos habéis manifestado vuestro amor, y que ahora patentizáis vuestro empeño por nuestros progresos? ¿En vos, señor, pero no me es posible continuar porque vuestra modestia se ofendería? Básteme sólo deciros que nuestra gratitud será igual a vuestros beneficios; éstos nos seguirán en el curso de la vida, y en ella nos encontraréis siempre dispuestos a rendiros homenaje».[44]

Cuando don Andrés Bello buscó disuadir a Lastarria de hacer del que la Sociedad se proponía publicar un «periódico exclusivo de una sola doctrina literaria» éste encontró de inmediato convincente el argumento de que «un periódico de bandería literaria... era ocasionado a peligros políticos, y más que eso, al peligro de que no pudiéramos dirigir y moderar la impetuosidad juvenil, que tal vez podría sublevar tempestades [...] precisamente porque lo que más temíamos... era comprometer, con los peligros de la política, nuestra acción en la enseñanza y la escuela reformista que deseábamos fundar».[45] El *Semanario* nació así con una fuerte presencia de quienes juzgaba de antemano hostiles a la renovación a la vez literaria e ideológica que él mismo había reclamado en su discurso-programa; que de inmediato utilizaron las columnas del recién fundado periódico para lanzar ataques feroces contra los emigrados políticos argentinos, quienes —fuertes de las experiencias acumuladas en su propia tierra— habían asumido el papel de mentores de sus huéspedes trasandinos, dejando al propio Lastarria el poco envidiable papel de componedor entre los así agredidos y las «criaturas de la oligarquía dominante» cuya compañía había aceptado. Cerrada la polémica en el número 29, el 31 iba a ser el último publicado del *Semanario;* Lastarria atribuye el brusco fin de esa ambiciosa empresa a que publicar el periódico «nos imponía

[44] Lastarria, *RL,* pp. 115-16.
[45] Lastarria, *RL,* pp. 146-47.

dos gravámenes que nos hacían molesta su edición, el de procurarnos los materiales que se necesitaban para la publicación de cada número, y el de tener que saldar los gastos, pues, según las cuentas de la imprenta, el producto no cubría los costos de edición»[46] y sin duda el fin de la polémica que había contribuido hasta entonces a hacer más soportable el primero de ellos precipitó la decisión que puso fin con la entrega publicada el 2 de febrero de 1843 a una trayectoria abierta sólo seis meses antes.

En el recuerdo de Lastarria con el fin de la polémica se abrió una etapa de «concordia entre todos los círculos literarios y políticos» que a su juicio «continúa, a lo menos hasta 1850, con muy ligeras intermitencias, caracterizando el desarrollo intelectual que se opera en toda aquella época, y que trasforma a nuestra sociedad». Lo que hizo posible ese formidable avance fue a su juicio que éste «se había verificado lejos de toda presión de parte del Estado y de la Iglesia, las dos únicas potencias que hubieran podido matar ese movimiento, o dirigirlo en el sentido de sus intereses, si hubieran aspirado a ello. No lo hicieron» y en consecuencia «el efecto natural de semejante evolución fue la emancipación social de las preocupaciones y tradiciones religiosas, políticas y literarias».

Pero se ve inmediatamente obligado a reconocer que a principios de 1843 «el poder eclesiástico comienza a apercibirse a la resistencia» y que «en las regiones del partido conservador comenzaba a tomar consistencia una división [que] tenía sus representantes en el seno mismo del Gabinete», en el cual, mientras los unos querían «adelantarse a las exigencias de la opinión, para conservar las inmunidades del poder... a ejemplo del partido tory de Inglaterra», los otros «aspiraban a que no se relajase por concesiones el predominio absoluto del poder, ni se alterasen las tradiciones políticas que habían mantenido la dictadura del partido pelucón y su omnipotencia».[47] Es de temer que la explicación que aquí sugiere Lastarria para esa ampliación de horizontes de la sociedad chilena, que la atribuye a la pasividad con

[46] 45 Lastarria, *RL*, p. 178

[47] Lastarria, *RL*, pp. 204-206.

que Estado e Iglesia asisten a su avance, pague tributo a su extremado egocentrismo; que hace que aunque había percibido con total claridad los signos de tensiones crecientes entre las corrientes innovadoras y las temibles fuerzas que se oponían a ellas, se rehusase a centrar su atención en esos signos, más impresionado sin duda por la celeridad creciente con que, mientras se acumulaban, él mismo ganaba acceso a esferas cada vez más altas de poder e influencia.

En 1843, cuando Lastarria lanzó un nuevo periódico, *El crepúsculo* (era habitual en la joven generación chilena reservar ese término para el matutino), esta vez como vocero exclusivo de una doctrina literaria, y Bello «se asoció a nuestra empresa prometiéndonos un artículo para cada número» creyó por un momento que el maestro «se había sumado a nuestras filas». Aunque en el discurso que Bello pronunció meses después en el solemne acto de inauguración de actividades de la Universidad de Chile lo iba a decepcionar que se limitara a dar «la mano a todos, sin satisfacer a ninguno de los dos bandos»,[48] al año siguiente el mismo Bello iba a ofrecer un reconocimiento aún más explícito de la posición de liderazgo intelectual que ocupaba ya Lastarria al encomendarle la preparación de la primera de las memorias históricas que todos los años la Universidad debía presentar en ocasión del aniversario patrio «porque debiendo [ésta] ir adelante, a nosotros nos correspondía, como revolucionario, dar el impulso».[49] La sugerencia así recibida de quien en la esfera de la cultura y de las ideas era el árbitro universalmente acatado como tal, tanto por la sociedad como por el Estado chileno, decidió a Lastarria a asumir plenamente el papel de vocero de la corriente que lo reconocía como su guía, y así lo hizo en la memoria que tituló *Investigaciones sobre la influencia social de la conquista y del sistema colonial de los españoles en Chile*. Aunque tomaba distancia de ellas cuando condenaba en los términos más enérgicos el «fatalismo histórico» que hacía estragos entre las nuevas promociones de estudiantes argentinos y ahora también chilenos, influidas ambas en este

[48] Lastarria, *RL*, p. 225.
[49] Lastarria, *RL*, p. 238.

punto por las ideas de Herder y Vico por ellas recibidas a través de su presentación por Quinet y Michelet, para los discípulos y seguidores de Lastarria contaba menos sin duda esa discrepancia que su total y fervorosa coincidencia con el balance fuertemente negativo ofrecido por su caudillo intelectual del legado que de la colonización española había recibido el Chile republicano.[50]

Lastarria iba a ofrecer en 1878 un balance no menos negativo de la recepción que encontró su ensayo histórico, y si en efecto ya en 1842 había concluido que al no recoger el asentimiento sin reservas de los interlocutores que había buscado para su presentación de «nuestra teoría sobre la filosofía de la historia, y el ensayo de aplicación que habíamos hecho al estudio de nuestra historia nacional».[51] Esa experiencia se cerraba con un veredicto de fracaso. Habría que concluir que la imagen del pensador sistemáticamente ignorado por haberse adelantado en exceso a su tiempo, que se iba a apoderar tan fuertemente de su imaginación cuando se descubrió incapaz de superar las consecuencias del brusco anticlímax que en 1851 cerró con una abrumadora derrota esos años de constantes triunfos, estaba ya en germen en su mente mientras cosechaba esos mismos triunfos. Porque si es cierto que el comentario que Bello publicó en dos números sucesivos de *El Araucano* se limitó «a tomar nota de nuestra teoría, sin combatirla», pero también sin aprobarla, esa reacción que Lastarria juzgaba insuficientemente entusiasta no impedía que la publicación de su extenso estudio, del mismo modo que la del no menos extenso que Sarmiento publicó en *El Progreso*, en el que también registraba sus desacuerdos con el ensayo de Lastarria, fuesen parte de un esfuerzo concertado por hacer de su aparición un acontecimiento literario de singular relieve, con un éxito reflejado en el comentario en que, en ese mismo año de 1878 en que Lastarria rubricaba ese veredicto negativo, Isidoro Errázuriz recordaba a la Memoria de 1844 como un texto fundador, que al abordar «valientemente la crítica histórica [...] fue como la introducción a una serie de trabajos históricos» abierta con

[50] Lastarria, *RL*, pp. 240-41.

[51] Lastarria, *RL*, p. 249.

los de García Reyes, Federico Errázuriz, Santa María y Tocornal, y no interrumpida desde entonces.[52]

Pero a ser difícil para los valedores de Lastarria lograr que los ecos que aspiraban a suscitar con sus comentarios no fueran eclipsados por los de un mucho más ruidoso suceso literario que se extendía en ese momento mucho más allá del reducido círculo que en Chile podía apasionarse por los problemas de la filosofía de la historia. Lo suscitó —luego de un primer año en que *El Crepúsculo* había publicado con general beneplácito en sus doce números no menos de once artículos de don Andrés Bello, nueve de ellos de tema filosófico y dos de historia literaria— la inclusión en el segundo número de su segundo volumen de uno más extenso en que bajo el título de *Sociabilidad chilena* Francisco Bilbao había abordado la misma problemática a la que Lastarria consagró su memoria universitaria. Las consecuencias iban a probar hasta qué punto estaba justificada la cautela con que éste había velado hasta entonces por asegurar que su periódico se limitara «a propagar los sanos principios, a ilustrar, sin sublevar las preocupaciones, las cuales cedían porque hasta entonces habíamos cuidado de no irritarlas».[53]

¿Por qué esa cautela fue dejada de lado frente al escrito de Bilbao? Lastarria no cree necesario explicarlo; a su juicio el escándalo que provocó su publicación fue resultado puramente accidental de que desempeñara «una de las fiscalías un impetuoso joven, que se preciaba de ser un rabioso representante del antiguo régimen... y osado servidor de todo poder fuerte». Fueron sus denuncias las que decidieron a la Universidad a expulsar a Bilbao de todas las instituciones de educación pública, «y, lo que es más deplorable y vergonzoso, obtuvieron que la Corte Suprema mandase que el impreso que contenía el escrito de Bilbao fuese quemado por la mano del verdugo».[54]

A juicio de Lastarria, nada justificaba esa reacción del «doble fanatismo de la clase dominante» frente a un escrito que se limitaba

[52] Errázuriz, HAE, p. 235.
[53] Lastarria, *RL*, p. 276.
[54] Lastarria, *RL*, p. 285.

a volcar «ataques envejecidos [...] en las formas bíblicas de Lamennais, preciándose de un estilo enigmático, que llamaba apocalíptico». Es ésta una conclusión que revela hasta qué punto estaba decidido a ignorar que, lejos de limitarse a reiterar «ataques envejecidos», Bilbao había buscado en ellos argumentos en favor de una propuesta de futuro que no era ya la que movilizaba a «los pocos que servíamos con lógica a la regeneración de las ideas y a la independencia del espíritu»,[55] y esto a pesar de que el mismo Lastarria había previamente dedicado no pocas páginas a inventariar esas discrepancias, que atribuía a que hasta el fin de su breve vida su discípulo no había logrado liberarse por entero de la fe en el «fatalismo histórico» aprendida de Quinet y Michelet en su más temprana adolescencia. Es muy claro qué mueve a Lastarria a aferrarse a esa ignorancia de lo que por otra parte sabe perfectamente: ella le permite ver en el. episodio que ya en 1844 anunciaba el fin de esa etapa de inesperada concordia que proclamaba abierta en 1843 y destinada a prolongarse hasta 1850 tan sólo la consecuencia de un desdichado error táctico de parte de los combatientes por las nuevas ideas, más bien que el primer anuncio de futuros cambios en el clima político, social e ideológico vigente en Chile que, comenzando por hacer de su devoto discípulo un indeliberado pero exitoso rival en la conquista de esa posición de caudillo intelectual que considera ya suya, terminarían por despojarlo para siempre de cualquier posibilidad de ocupar el lugar protagónico que por un momento había parecido cercano a conquistar en la vida pública de su país.

Su primera reacción frente al que quería ver como un percance en el camino fue un retorno más pleno a la cautela que se había decidido a mantener en el campo político, y que no le había impedido asumir en la prensa diaria el papel de vocero de un remozado liberalismo decidido a sumar a los sufragios de quienes veían en el legado de las experiencias liberales de la década de 1820 el de un programa de trasformaciones sociales y culturales más bien que el que atesoraba la rencorosa memoria de una facción ansiosa de vengar agravios por otra parte demasiado reales, los de quienes en las filas conservadoras

[55] Lastarria, *RL*, pp. 278 y 293.

había aspirado a ganar para el orden que su victoria le había permitido imponer en Chile el sólido consenso mayoritario que esa victoria no había alcanzado a conferirle, al precio de conceder un lugar en ese orden a los herederos y continuadores de los derrotados en 1829. Era ésa la política que bajo la inspiración de Lastarria —y contando con la protección del ministro del interior Irarrazával— algunos de sus antiguos discípulos venían sosteniendo desde comienzos de abril desde las columnas de *El Siglo,* en respuesta a la que Sarmiento defendía desde enero en las de *El Progreso,* órgano de la fracción conservadora que respondía a Montt.

Hasta abril de 1845 el estilo de gobierno del primer magistrado chileno, cercano al de un *roi fainéant,* y puntuado por frecuentes ausencias cada vez que asuntos urgentes lo llamaban a la frontera sur, había trasformado a esa rivalidad en un rasgo permanente de su administración. Si en ese momento Bulnes creyó necesario arbitrar a favor de Montt, designándolo para reemplazar a su rival en el ministerio del Interior, mientras lo reemplazaba en el de Justicia con su fidelísimo discípulo y colaborador Antonio Varas la razón era que de nuevo la ciudadanía estaba en vísperas de ser convocada a elecciones para renovar su representación en las instituciones del Estado, y la necesidad de que la facción dominante retuviera su control total sobre éstas recuperaba la prioridad absoluta en su agenda política. Montt y Varas se iban a encargar una vez más de asegurarlo, con una eficacia que en Valparaíso provocó varias víctimas fatales, y en ese clima político enrarecido Lastarria, dimisionario de su cargo en el ministerio del Interior al abandonarlo Irarrazával, decidió tomar distancia de una batalla electoral en que le resultaba imposible identificarse con la facción oficialista, pero también difícil hacerlo con la opositora, dominada por el espíritu faccioso de los herederos de la causa vencida en Lircay. Prefirió entonces abandonar temporariamente su carrera parlamentaria, y —rememoraría en 1849— «manifestar mi adhesión al orden y a las reformas pacíficas consagrándome al servicio público». Le iban a ser ofrecidas «mil ocasiones de satisfacer ese deseo» luego de que Bulnes, triunfalmente reelegido gracias a los esfuerzos de Montt y Varas, inauguró su nueva gestión reemplazando al primero con Manuel Camilo Vial y al segundo con Salvador Sanfuentes, con cuya presencia en el Gabinete «la tendencia a la concordia quedaba mejor asegurada» aún. Luego de dos años en que, gracias a la división de las dos fracciones del peluconismo que encarnaban por igual «el antiguo espíritu de ese partido» el ministro Vial había podido comenzar a satisfacer, así fuera en mínima medida, las demandas de «la parte juiciosa de la sociedad, que demanda hoy sordamente *más justicia,* y que mañana exigirá al grito de alarma *más libertad»,* Lastarria se atrevía a pronosticar que «si el ministerio, salvándose de preocupaciones pueriles, abre la marcha con energía, se creará un partido formidable, el partido progresista, y quizás ahorrará al país una revolución sangrienta».[56]

Se multiplicaban mientras tanto los signos de que el peso de la noche en que había confiado Portales como garante de última instancia del orden en Chile perdía progresivamente eficacia. El mismo Portales había introducido un elemento paradójico en su uso de ese recurso, en cuanto buscó hacer de la pasiva aquiescencia de las plebes al orden establecido el móvil para una activa movilización de las masas chilenas «a la voz de guerra a los herejes y a los extranjeros».[57] Pero esa movilización podía ser un arma de doble filo: en 1845, cuando el coronel Pedro Godoy, un veterano gacetillero liberal acusado de haber injuriado a la autoridad departamental de Santiago, fue absuelto en un juicio de imprenta promovido por ésta, los festejos con que celebró la noticia la muchedumbre plebeya que se adueñó de las calles vecinas provocaron suficiente alarma entre las clases respetables para suscitar la creación de una Sociedad del Orden, que bajo la presidencia de Ramón Errázuriz, el patriarca del clan, atrajo a sus filas a tres jóvenes liberales que entre 1871 y 1886 iban a ocupar sucesivamente la Presidencia de la República de Chile, a saber Federico Errázuriz, Aníbal Pinto y el secretario de la Sociedad, Domingo Santa María.

A la agitación plebeya se acompañaba un despertar político animado por las esperanzas de las que se hacía eco Lastarria, en que co-

[56] Fuenzalida Grandón, AFL, I, pp. 127-31.

[57] Errázuriz, HAE, p. 139.

menzaban a desplegarse las consecuencias de otro elemento no menos paradójico en el programa de Portales, que tras movilizar en su favor el misoneísmo de las masas no renunciaba a ponerlo al servicio de un retorno a la agenda de los servidores de Carlos III, más bien que de Felipe II. Era éste un proyecto que treinta años después se habría hecho hasta tal punto incomprensible que con toda su agudeza Isidoro Errázuriz era ya incapaz de reconocer en Bello a «un pensador de mucha pujanza», y veía en él tan sólo a «un auxiliar precioso para un gobierno que deseaba con sinceridad estimular el cultivo de las letras, sin favorecer por eso la audacia y las curiosidades del espíritu», sin tomar en cuenta que al poner al alcance de los lectores del periódico oficial del que era redactor textos de Mme. De Stael, Chateaubriand, Víctor Hugo o Byron Bello no podía ignorar que corría el riesgo (que quizá no consideraba tal) de estimular en ellos las curiosidades del espíritu. Pero no se equivocaba Errázuriz cuando concluía que al no renunciar a usar su influencia a favor del progreso de la Ilustración el Estado portaliano ignoraba hasta qué punto «es empresa arriesgada y temeraria jugar con el espíritu. Y cuesta menos trabajo despertarlo y producir su aparición, en la noche de una sociedad, que contenerlo y alejarlo». No había previsto en efecto que mientras «Don José Victorino Lastarria, discípulo de Bello... [que] abordó valientemente la crítica histórica en la Memoria... que presentó a la Universidad en 1844... se mantenía en el terreno inmune de la tesis académica... el espíritu de la juventud, una vez lanzado, no se detuvo allí... La prensa política... no tardó mucho tiempo en adquirir robustos representantes en las principales ciudades del país. En fin, un espíritu de atrevida resistencia a la tradición religiosa comenzó a agitar la juventud».[58]

Y de nuevo acertaba Errázuriz al juzgar que la aspiración a abrir las puertas a «la audacia y las curiosidades del espíritu» para ponerlas al servicio de un programa de reformas impuestas autoritariamente desde lo alto, difícil de satisfacer un siglo antes, era ya totalmente inalcanzable. Hacía ahora más difícil llevarla adelante con éxito el legado de las convulsiones dejado por el ciclo revolucionario abierto en 1810,

[58] Errázuriz, HAE, pp. 233-37.

y su secuela de discordias políticas que habían forzado al régimen portaliano a recurrir a una práctica de gobierno que no podía sino perpetuarlas y ahondarlas, debido a que la pasiva aquiescencia en que el antiguo orden había sabido mantener a las masas no había sobrevivido a la tormenta en la medida necesaria para consolidar sólo sobre ella su autoridad, con lo que el paso del debate de ideas al conflicto político al que aludía Errázuriz se hacía difícilmente evitable. Pero lo que iba a hacer radicalmente imposible retomar el programa lanzado por la monarquía ilustrada e interrumpido por la tormenta revolucionaria iba a ser más bien el impacto que ésta alcanzó sobre la relación entre el poder secular y el eclesiástico que había conocido la España del antiguo régimen. Debilitadas por esa tormenta las bases territoriales de las iglesias nacionales, la restauración del poderío eclesiástico que en 1815 siguió a la clausura del ciclo revolucionario acentuó aún más la concentración de autoridad en la cúpula supranacional de la Iglesia católica, que ya antes de encontrar consagración teológica en el Concilio Vaticano I había inspirado un esfuerzo concertado por rodear en la imaginación popular a la figura del Pontífice de un aura más que humana que hacía aún más irresistible la influencia de quienes actuaban en su nombre. La creciente dependencia de un centro romano que imponía al clero chileno una puntillosa independencia frente al poder secular abrió una grieta que no cesaría de ahondarse entre las corrientes que se reclamaban por igual de la herencia de Portales, agregando una dimensión más —que iba a revelarse decisiva— al ya suficientemente complicado drama político en que Lastarria iba a ocupar el centro de la escena.

En las elecciones de marzo-abril de 1849 la lista que gozaba del favor oficial estaba dominada por conservadores cercanos al ministro Vial, acompañados de algunos pipiolos y de un grupo —también pequeño— de candidatos que recibían su inspiración de Lastarria, marginando casi totalmente al resto de las fuerzas conservadoras (sólo dos pelucones ajenos al círculo de Vial, «que habían observado siempre la más esmerada moderación»,[59] uno de ellos Montt, fueron

[59] Diego Barros Arana, *Obras completas, t. XV, Un decenio en la historia de Chile*

incluidos en la lista oficial), y ello decidió al peluconismo puro y duro a dar batalla en tres distritos, iniciando así «la era de las candidaturas de origen popular en contraposición a las candidaturas por decreto de los Ministros».[60] En los tres obtuvo otras tantas victorias, en dos de ellos gracias al reclutamiento de candidatos locales dotados de prestigio o fortuna, uno por añadidura veterano militante pipiolo, y en el más importante de Valparaíso, insertándose en una disputa que dividía a los más importantes círculos mercantiles del puerto, y beneficiándose con la neutralidad del intendente Blanco Encalada, quien se rehusó a poner su autoridad al servicio del oficialismo. En el resto de Chile predominaron las elecciones canónicas, en que el candidato oficial no necesitaba afrontar opositores (una de ellas fue la del propio Lastarria), y en las restantes el oficialismo no vaciló en recurrir a la manera fuerte, llevada a extremos particularmente escandalosos en los distritos incluidos en la intendencia de Colchagua, que tenía por titular al futuro presidente Domingo Santa María.

A este poco edificante triunfo, tan alejado del que Lastarria había imaginado para ese Partido Progresista que soñaba destinado a ganar el apoyo unánime de «la parte juiciosa de la sociedad», siguió dos meses más tarde la dimisión del largo ministerio Vial, que había perdido en esas jornadas electorales los últimos jirones de su prestigio. El general Bulnes lo reemplazó con uno encabezado por el veterano y moderadísimo político conservador José Joaquín Pérez como ministro del Interior, e integrado con Manuel Antonio Tocornal en el de Justicia y Antonio García Reyes en el de Hacienda, a quienes Vicuña Mackenna evoca en su prosa alborotada como «dos gemelos… del aula, del foro y casi de la cuna, porque nacieron ambos en el mismo año de la Revolución (1817)».[61] Lastarria, nacido en el mismo año y amigo de ambos desde la infancia, comenzó deplorando tener que cumplir frente a ellos sus deberes de opositor. Pronto sin embargo esa confrontación cada vez más tensa lo llevaría a descubrir en esos

(1841-1850), Tomo II, Santiago de Chile, Imprenta Barcelona, 1913, p. 291.

[60] Errázuriz, HAE, p. 395.

[61] Vicuña Mackenna, HJ, p. 58.

antiguos condiscípulos a dos vástagos de la oligarquía con quienes le había sido ya penoso convivir en las aulas, y que se negaban ahora a reconocer en él al guía a quien rendían en cambio tributo quienes habían pasado unos años después por esas mismas aulas.

Contra ellos iba a librar un combate cada vez más desesperado como jefe en la cámara baja de una mayoría opositora que iba reduciéndose a medida que se desvanecía la esperanza de reconquistar el favor presidencial. Sólo en junio de 1850, cuando ya era rara la ocasión en que alcanzaba a derrotar los proyectos apoyados por el nuevo oficialismo, y aun en esos casos con una ínfima mayoría de votos, logró Lastarria reunir una abrumadora cantidad para rechazar el proyecto de financiación de las mejoras en la enseñanza primaria presentado por Montt. Esa que Isidoro Errázuriz iba a estigmatizar como una «triste victoria que no sería justo cargar a cuenta del prestigio y de la influencia de los liberales, sino a la del oscurantismo pelucón insurreccionado en mala hora contra un propósito elevado y generoso de su propio caudillo»[62] anticipaba ya el desenlace que iba a alcanzar una década más tarde la compleja partida política que había comenzado a jugarse en ese momento en Chile, en que no iba a emerger victorioso ese progresismo capaz de reunir los sufragios de la «parte juiciosa de la sociedad» por el que había apostado Lastarria, sino la resistencia de dos sectores ubicados en los extremos opuestos del espectro político que por razones también opuestas se unieron para poner freno al avance de una cada vez más ambiciosa revolución desde arriba, y creo que su incapacidad de percibir lo que esa victoria tan celebrada auguraba para el futuro reflejaba muy bien las limitaciones de Lastarria en su papel de jefe de facción.[63]

Esas limitaciones eran compensadas por otras cualidades muy reales, que si no lograron más que postergar un desenlace en verdad inevitable lo habían revelado como el elocuente y experto caudillo parlamentario que en él celebraba Isidoro Errázuriz, en primer lugar entre ellas las dotes y ventajas de primer orden que posee como

[62] Errázuriz, HAE, p. 438.

[63] Lastarria, DP, p. 83.

orador, a saber, «reposo, arte para agrupar los hechos y argumentos, amplitud en el desarrollo del pensamiento», y también una modulación perfecta, admirablemente servida por ese «timbre de voz suave, lleno y metálico que cautiva los oídos más rebeldes»[64] que iba a ser también celebrado casi en esos mismos términos tanto por Vicuña Mackenna como por Orrego Luco. Pero si el talento y la destreza de Lastarria como líder parlamentario no lograron revertir la situación en su favor, lograron en cambio impedir que el nuevo Gabinete al que sometía a incesantes ataques consolidara convincentemente la autoridad que necesitaba para influir eficazmente sobre el cada vez más cercano proceso electoral del que surgiría el sucesor del general Bulnes, lo que finalmente decidió a éste a reemplazarlo por uno del todo identificado con la candidatura presidencial de Manuel Montt, tras de la cual terminaron por alinearse todos los sectores conservadores cuando se hizo evidente que ese hombre que —para citar de nuevo a Errázuriz— era «de una sola pieza... Siempre dueño de sí mismo, de su actitud y de su palabra, imponía por la calma sagaz, por la lógica y por el desarrollo tranquilo de su pensamiento, y su firmeza era respetuosa e infundía respeto»,[65] al que siempre habían vacilado en aceptar por jefe porque temían de él que les impusiera la misma disciplina que se imponía a sí mismo, era ahora el único bajo cuya jefatura estarían seguros de superar la prueba electoral.

De este modo la gestión parlamentaria de Lsstarria concluyó favoreciendo el resultado que había buscado desesperadamente evitar. Como iba a subrayar Sarmiento en el título mismo del folleto en que proclamaba la candidatura de Montt,[66] al hacer de la futura elección un plebiscito en torno a esa candidatura, la corriente liderada por Lastarria había hecho más de la mitad de lo necesario para asegurarle la victoria. El mismo Lastarria iba a coincidir implícitamente en ese pronóstico cuando, tras de señalar que mientras «Montt reúne en

[64] Errázuriz, HAE, p. 324.

[65] Errázuriz, HAE, p. 241.

[66] «¿A quién rechazan y temen? ¡A Montt! ¿A quién sostienen y desean? ¡A Montt! ¿Quién es entonces el candidato? ¡MONTT!», cit. en Vicuña Mackenna, HJ, p. 149.

su persona todo el prestigio, todo el afecto, todo el interés, todo el respeto, que inspiraban antes todos los caudillos del partido pelucón que han desaparecido [...] la oposición carece de un hombre que la represente», y si levanta otra candidatura para oponer a la que reúne tras de sí a todos los conservadores lo hace «por honor y nada más que por honor, y para satisfacer nuestro corazón y parecer lógicos nos mostraremos a nosotros mismos cualidades que no vemos en nuestro héroe»,[67] en quien los atrae en cambio la puramente negativa pero para el caso decisiva de no ser Montt.

Quienes se mantenían leales a esa oposición condenada a seguir avanzando hacia una ya inevitable derrota tenían por centro de reunión el Club de la Reforma, fundado en octubre de 1849 cuando aún la esperanza no se había disipado del todo en sus filas. Fue en los salones del Club donde Santiago Arcos, «socialista y banquero que mientras llegaba su hora disimulaba mal [allí] su impaciencia entre los grupos de los liberales desalentados y desmoralizados [quien] en una de esas horas de murmuración y mal humor del otoño de 1850... indicó en un pequeño círculo la idea de levantar la clase obrera, de organizarla con entera independencia de los partidos y de la política militante y de educarla en el conocimiento y el amor de sus derechos».[68] Los integrantes de esas jóvenes generaciones que a su paso por el Instituto y la Universidad se habían alineado en el séquito de Lastarria, entre quienes había resonado con particular intensidad el eco del estallido revolucionario que en 1848 convulsionó a Francia y Europa, iban a encontrar inmediatamente atractiva la propuesta de introducir en la palestra ideológica y política chilena los temas que ese estallido había proyectado al centro mismo de la del Viejo Mundo.

Lo que iba a hacer irresistible esa propuesta fue la reaparición en ese escenario de Francisco Bilbao, de retorno luego de cinco años de residencia en París, donde había tenido ocasión de tomar contacto personal con su admirado Lamennais. Es indudable en efecto que

[67] "Proyecto de reorganización del Partido Liberal, redactado por el diputado don José Victorino Lastarria el 20 de marzo de 1850», en Vicuña Mackenna, HJ, p. 371.
[68] Errázuriz, HAE, p. 408.

Santiago Arcos, que si iba a entrar en la memoria histórica chilena como el opulento dandy que por aburrimiento se hizo revolucionario, y cuyo inconfundible acento andaluz recordaba a cada instante que había pasado casi toda su vida fuera de Chile, era porque estaba ya presente con esos mismos rasgos en los testimonios de quienes vivieron como actores o espectadores la experiencia de la Sociedad de la Igualdad, no hubiera podido nunca reunir tras de sí el séquito que iba a rodear a Bilbao al retornar de su destierro. Mientras en 1844 «el anatema de una sociedad intempestivamente arrancada al letargo de tres siglos lo había perseguido... hasta más allá de los umbrales de la patria; ahora los gobernantes le brindaban destinos, los partidos lo cortejaban, y la juventud liberal veía en él un apóstol, una enseña y un centro de agrupamiento».[69]

Tras de ese apóstol y con esa enseña surgió la Sociedad de la Igualdad, que en abril de 1850 lanzaba el primer número de *El amigo del pueblo.* Como iba a recordar Vicuña Mackenna, el nombre tomado en préstamo del órgano de Marat por su redactor Eusebio Lillo, que era a la vez presidente de la Sociedad, «no inspiraba a nadie recelos sanguinarios», ni hubiera habido tampoco motivo para ello, ya que los principios que invocaba, aunque innegablemente revolucionarios, eran «puramente democráticos». (Y para afirmarlo hubiera podido apoyarse en la presentación del periódico, en que Lillo definía así su objetivo: «Queremos que el pueblo se rehabilite de veinte años de atraso y de tinieblas... Queremos que don Manuel Montt, fatal a las libertades públicas, fatal a la educación, fatal a la República, se anule para siempre».)[70]

¿Hasta qué punto es fidedigna la visión retrospectiva que propone Vicuña Mackenna, que hace de la creación de la Sociedad de la Igualdad una tentativa de continuar en otro escenario y por otros medios el combate por una causa cuyo triunfo parecía cada vez más difícil alcanzar en la arena parlamentaria? Sin duda en la intención tanto de Arcos como de Bilbao —como no ocultaba Vicuña Macken-

[69] Errázuriz, HAE, p. 407.

[70] Vicuña Mackenna, HJ, pp. 85-86.

na— la Sociedad había estado destinada por lo contrario a ser «más socialista que democrática, más revolucionaria que política»,[71] pero es ya significativo que no lo fuera para quien había sido llamado a presidirla, y ya el mismo Vicuña Mackenna había dejado constancia en *Los girondinos chilenos* de cómo los integrantes de esa novísima generación que, influidos por el clima que habían introducido en Chile los sucesos de Francia, se preparaban a abandonar sin pena las cada vez más deprimentes tertulias del Club de la Reforma para transferir a ella su militancia, habían buscado sus términos de referencia en la memoria de la Gran Revolución más bien que en las novedades aportadas por la más reciente, que había introducido en la agenda revolucionaria motivos socialistas ausentes de la de aquélla, y es muy improbable que fueran siquiera capaces de percibir la presencia de una alternativa que los obligase a optar entre una meta genéricamente democrática y una específicamente socialista, que Vicuña Mackenna proyectaba algo anacrónicamente hacia el pasado desde su presente de 1878.

Lo que hacía atractiva para Vicuña Mackenna esa visión anacrónica de los dilemas que Chile había afrontado tres décadas antes era que le hacía posible, al evocar con afecto y orgullo su experiencia como militante en la Sociedad de la Igualdad, pasar por alto o por lo menos dejar en la penumbra todo lo que hacía que a los ojos de algún observador poco benévolo pudiera tener de incongruente que ella le hubiera abierto el camino que lo había llevado a ocupar una posición eminente en un orden político muy poco igualitario, no mucho más democrático y desde luego nada socialista, en el que todo sugiere que se sentía perfectamente cómodo. Fue en efecto ese anacronismo uno de los recursos a los que acudió Vicuña Mackenna para lograr que su relato de 1878 fuese también, como ha señalado muy justamente Cristián Gazmuri en su estudio preliminar a su reciente reedición, «una suerte de retractación sobre los que fueron sus ideales de aquellos años», a los que insistía en reducir a veleidades juveniles que ya en su momento no hubieran debido alarmar a nadie.

[71] Vicuña Mackenna, HJ, p. 84.

No iba a preocuparse entonces por explorar todo lo que la experiencia de la Sociedad de la Igualdad podía tener de revulsivo para la república de Portales, pero le resultó más fácil hacerlo porque esa revulsión fue mucho menos intensa de lo que hubiera sido esperable, hasta tal punto que la represión que puso fin a la breve trayectoria de la Sociedad sólo se produjo después que ésta, consagrada hasta entonces a una prédica igualitaria que, así no rozara los tópicos que bajo la etiqueta socialista acababan de irrumpir en la palestra política francesa, planteaba una exigencia que sólo hubiera podido satisfacerse mediante una trasformación radical del orden vigente en Chile, se vio invadida, como nos recuerda también Gazmuri, por «la masa de la oligarquía pipiola y los pelucones "vialistas"»,[72] que la trasformaron de inmediato en uno de los instrumentos de la insurrección armada a la que se preparaban a acudir en un desesperado intento de detener el triunfal avance de Montt hacia el poder.

Hasta ese momento había sido la prédica oral y escrita de Francisco Bilbao la que no sólo hizo de éste «un apóstol y una enseña» para la juventud liberal, sino que encontró un eco inesperadamente amplio y benévolo entre esas masas cuya movilización «a la voz de guerra a los herejes y los extranjeros» había ofrecido una contribución decisiva a la victoria conservadora de 1829. El eco que la prédica de Bilbao suscitó por igual en esos dos públicos tan diversos respondía sin duda menos al contenido de su mensaje que al atractivo de su figura apostólica, que iba a sobrevivir en la memoria de sus devotos con rasgos que anticipaban en parte los que la de José Carlos Mariátegui o Ernesto Guevara iban a retener en una mucho más vasta memoria colectiva un siglo más tarde. Como para ella, también para la de los devotos de Francisco Bilbao la imagen que ella veneraba incluía una dimensión patética que agregaba una nota de efusiva intimidad en la relación que con ella mantenía un séquito póstumo en el cual la admiración más extrema se doblaba de una compasión a la que no hacía entera justicia la adscripción de un papel apostólico a quien suscitaba

[72] Cristián Gazmuri, «Estudio preliminar», en Vicuña Mackenna, HJ, pp. 9-50, las citas de pp. 43 y 44.

esos sentimientos: no es difícil reconocer la sobrehumana figura sobre cuya memoria sus devotos iban a modelar la de Bilbao, Mariátegui o Guevara, y es sin duda sugestivo en este punto que, por esos mismos años en que Chile se abrió a la prédica de Bilbao, en Nueva Granada, donde entre los jóvenes que tuvieron un papel central en el resurgimiento del liberalismo no surgió una figura apostólica comparable a la suya, éstos compensaran esa carencia acogiéndose a la jefatura del Mártir del Gólgota.

Esa relación nueva entre dirigente y séquito reflejaba un cambio en la sensibilidad colectiva que no alcanzaba tan sólo al «grupo de obreros... que en todo seguían al tribuno, porque no le comprendían y a la vez le amaban» con cuyo apoyo —cree recordar Vicuña Mackenna— al discutirse la profesión de fe de la Sociedad «hizo el nuevo profeta prevalecer la fórmula mística del *dogma de la razón* contra la verdad revelada, por una considerable mayoría de votos». Ya se ha consumado la fusión de la Sociedad de la Igualdad con el moribundo Club de la Reforma, y su contribución a la batalla parlamentaria, que la oposición acaudillada por Lastarria sigue librando entre junio y agosto de 1850, recuerda a Vicuña Mackenna la de un «*Club de los Jacobinos* abierto a las puertas de la Convención» (y en efecto, como los seguidores de Robespierre en la Convención, sus asociados van a formar la aguerrida barra organizada en apoyo de los oradores del bloque opositor), cuando estalla finalmente el tan temido conflicto con el «compacto, aferrado y receloso catolicismo del país» que no habían alcanzado a provocar ni la invocación de la soberanía de la razón contra la verdad revelada incluida en la Profesión de Fe de la Sociedad, ni los ataques a esa verdad incluidos en los *Boletines del espíritu* que Bilbao venía publicando en el periódico de los igualitarios, en que en medio de una «confusa sucesión de ideas atenuadas por la fraseología pomposa del estilo que viste de jirones de oro un esqueleto de huesos» lo único que «había de claro y comprensible era la triple negación del pecado original, de la divinidad de Jesucristo y de la existencia del infierno».

Lo que ese reiterado ejercicio de la blasfemia no había logrado lo iba a provocar finalmente la comenzada publicación en folletín de la traducción de las *Palabras de un creyente,* de Lamennais, debida a Mariano José de Larra. Mientras la protesta de don Ignacio Víctor Eyzaguirre, que unía a su condición de presbítero la de integrante del bloque de oposición liberal en el Congreso, no logró interrumpir la publicación de un texto y un autor explícitamente condenados en una bula pontificia, sí lo consiguió en cambio la pastoral en que el arzobispo de Santiago ordenaba a su clero que procurara «preservar a los fieles de sus emponzoñados escritos y alejarlos de su corruptor aliento», recordando a éstos las palabras del apóstol San Juan, cuando decía: «*Si alguien viene a vosotros y no hace profesión de esta doctrina, no lo recibáis en vuestra casa ni lo saludéis. Porque el que lo saluda comunica con sus obras*» y fulminaba con excomunión a quienes sostenían pertinazmente errores como los que contenía la obra de Lamennais. La reflexión con que Vicuña Mackenna cierra su evocación del episodio subraya complacidamente cuánto ha cambiado la situación en un presente en que «los "librepensadores" no sólo [son] partido tolerado y triunfante en Chile, sino su gobierno de hecho y de derecho»,[73] y la reacción de los santiaguinos frente a esa pastoral que no dejaba lugar a ambigüedades vino a probar que el terreno estaba más preparado para esa feliz trasformación de lo que suponían los estrategas del bloque opositor que habían buscado en vano poner coto a las imprudentes iniciativas de Bilbao.

Mientras la alarma de esos liberales, en cuyo «espíritu tenía hondas raíces la idea del inmenso poder del clero y del inveterado fanatismo de un pueblo que no se habían tomado el trabajo de estudiar y comprender» se reflejó tanto en la distancia que la prensa opositora se apresuró a tomar frente a la prédica de Bilbao (como recuerda Isidoro Errázuriz, mientras *El Progreso,* órgano por excelencia de la oposición parlamentaria, que hasta entonces había venido prodigando comentarios admirativos a los *Boletines del Espíritu,* ofreció una palinodia particularmente abyecta «los redactores argentinos de *La Tribuna* lo hicieron con más dignidad, pero siempre volvieron atrás. No así su compatriota y correligionario de *El Mercurio* [se trata en

[73] Vicuña Mackenna, HJ, las citas de p. 85, p. 100, p. 79 y p. 102.

realidad del oriental Juan Carlos Gómez] a quien cupo la gloria de defender hasta lo último los fueros de la libertad de pensamiento», así fuera en uno de los órganos favorables a la candidatura de Montt), como en las propuestas del pipiolo Manuel Guerrero, quien pasó a integrar la directiva de la Igualitaria luego de la fusión con el club de la Reforma, y desde esa posición invitó a Bilbao a abandonar sus filas y a las autoridades de la Sociedad a apartarlo de ellas. Fue entonces cuando se reveló hasta qué punto era excesivo ese temor reverencial de la oposición parlamentaria ante un estamento eclesiástico capaz de movilizar el supuesto fanatismo de las masas chilenas. Eran en efecto integrantes de esas masas «los obreros de la Junta Directiva, [que] abriendo sus brazos al propagandista rechazado por los hombres de su clase y de su raza, se pronunciaron unánime y resueltamente a favor de Bilbao», frustrando los propósitos de Guerrero. Pero no fue sólo la solidaridad de los subalternos la que trasformó a quien había sido fulminado por la pastoral del Arzobispo en el héroe del día: a más de los jóvenes del Instituto y la Universidad, a la muchedumbre de inesperados admiradores que vino a rodearlo se sumó de modo aún más inesperado la comunidad de San Agustín, que lo invitó a visitar su claustro y allí lo recibió «con música, felicitaciones y todas las demostraciones del más vivo entusiasmo [...] frailes y artesanos fraternizaron bajo la influencia de la palabra conmovedora de Bilbao».[74]

En el recuerdo de Vicuña Mackenna, que, aunque integrante a sus dieciocho años del grupo fundador de la Sociedad, parece haber sucumbido sólo ocasionalmente al mágico encanto de la palabra de Bilbao, los primeros en acudir a la convocatoria que terminó por reunir en torno a ella a un séquito multitudinario fueron atraídos a la órbita de la naciente Sociedad por Eusebio Lillo y Manuel Recabarren, jóvenes profesores ambos del Instituto Nacional, «queridos de la juventud y de la muchedumbre que por su parte tascaban el freno de la impaciencia, comprimidos como muchos otros en la decadente esfera del *Club de la Reforma*». Prosigue su testimonio Vicuña Mackenna:«tomado ese núcleo superior, era fácil allegarse algunas voluntades subalter-

[74] Errázuriz, HAE, pp. 427-31.

nas entre las masas, eligiendo a los mejor acreditados de sus corifeos» entre los cuales cita en primer término «al artista don José Zapiola, que representaba la categoría más encumbrada de la clase obrera», y tras de él a otros integrantes de esa misma categoría.[75]

No era ésta la primera vez que integrantes de ese estrato social habían sido invitados a incorporarse a la arena política. Como nos recuerda Luis Alberto Romero, también Portales (que ya en la década de 1820 no había desdeñado recurrir a menos limitadas apelaciones a la plebe; a la que convocaba desde las columnas de *El Hambriento,* su órgano de batalla al frente del llamado Partido del Estanco) y sus herederos políticos habían buscado incorporar a figuras de influencia entre los artesanos santiaguinos a las filas del peluconismo. Pero mientras esa incorporación, propuesta en el marco de una sociedad estamentaria y por lo tanto intrínsecamente desigual, estaba marcada con el sello de esa sociedad misma, en que los artesanos se veían reconocidos en un lugar legítimo y honorable, pero de ninguna manera igual al de aquellos de quienes partía la invitación, la Sociedad de la Igualdad, aún antes de proponer cambio alguno en la estructura de la sociedad chilena, la imponía ya entre quienes militaban en ella.

Así, en las clases nocturnas en que —recuerda Vicuña Mackenna— enseñaba «cada cual su arte o su ciencia, con poquísimo provecho, es verdad, pero con denodada intención y perseverancia», mientras José Zapiola daba clase de música y el sastre Rudesindo Rojas impartía los rudimentos del arte de la aguja, Manuel Recabarren, que enseñaba economía política en el Instituto, tomaba también a su cargo la enseñanza de esa disciplina para los igualitarios.[76]

Se esbozan así en el seno de la Sociedad nuevas pautas de sociabilidad, que desde luego afectan tan sólo a un sector todavía minoritario de la capital y aún dentro de éste en un muy acotado campo de actividades, pero que alcanzan a esbozar el perfil de un nuevo sujeto colectivo, formado por quienes tanto en la una como en la otra de esas dos clases que en la visión de Isidoro Errázuriz son casi

[75] Vicuña Mackenna, HJ, pp. 80-81.

[76] Vicuña Mackenna, HJ, p. 91.

dos razas comparten una misma fe política y social. Ese episodio fugaz, que no alcanzó a desviar siquiera por un instante a Manuel Montt de la ruta que se había fijado para su avance hacia el poder, fue en cambio suficiente para cerrar con un fracaso irrevocable la trayectoria ascendente de Lastarria, cuando ésta parecía ya cercana a alcanzar su cima.

Lo que ella logró lo resumen dos frases que Vicuña Mackenna dedica a Lastarria en *Los girondinos chilenos,* en la primera, evocando la batalla parlamentaria que se estaba encaminando ya a una segura derrota cuando la Sociedad de la Igualdad irrumpió en la escena pública, lo presenta como «el más brillante y popular orador de su época, [que] probaba la fuerza de aquella mayoría, que le fue empero fiel sólo unas pocas horas (era mayoría forjada en los moldes de palacio, como más o menos lo son todas)», en la segunda Lastarria es ya tan sólo «la primera espada del parlamento», y el «gran orador, el primer orador de su tiempo» es ahora Bilbao, así fuera éste un «simple escritor bíblico, a veces casi ininteligible como Lacunza», el sacerdote jesuita que, exiliado de su nativo Chile, se le había anticipado como profeta de una inminente era apocalíptica en *La venida del Mesías en gloria y majestad.*[77]

Lo que hacía irrevocable el fracaso de Lastarria fue algo más grave que la aparición de un rival mejor dotado de talentos oratorios; a saber, el triunfo de una noción distinta de qué constituye a un gran orador, que hace que bajo su nuevo perfil esa figura sólo pueda ser adecuadamente encarnada por Bilbao. Sin duda, el mismo Vicuña Mackenna que así ha venido a reconocerlo no deja dudas de que encuentra que bajo ese nuevo perfil la figura del gran orador es más ridícula que admirable, cuando describe a Bilbao encabezando un desfile igualitario «por la calle central de la Alameda... con su traje favorito de verano, frac azul de metales amarillos, ceñido al cuerpo, y pantalón blanco de lienzo esmeradamente planchado (vestido de paz y de cielo como inocente paloma) y [llevando] en sus manos con cierta unción de apóstol, a manera de custodia de *Corpus,* un pequeño árbol de la libertad que podría tener dos cuartas de elevación, y que había sido trabajado de

[77] Vicuña Mackenna, LJC, las citas de pp. 39-40 y 45.

finísima y multicolor *mostacilla* no sabemos en qué claustro o taller femenino de la capital».[78]

Pero precisamente porque se encarna en esa figura estrafalaria el orador de nuevo estilo logra establecer con un público de multitudes un vínculo mucho más íntimo y efusivo que el que brota de la mera coincidencia en una misma idea, y a una distancia de más de un cuarto de siglo, todavía Vicuña Mackenna no ha podido escapar a la fascinación que Bilbao había ejercido en una de las últimas asambleas de los igualitarios sobre una «multitud cuyo número no bajaba de dos mil quinientos socios, contando con 258 que se incorporaron esa tarde [cuando] avanzóse en pos del obrero del pueblo sobre el proscenio ...y con voz elocuente y patética, cual rara vez le oímos más vibrante y más sonora, arrastró todos los corazones [...] "Ciudadanos, exclamó al comenzar, batiendo con su brazo el vistoso ramillete de flores de primavera que en galante encuentro le habían proporcionado, ciudadanos, el ruido del tambor, la distribución de instrumentos de muerte, el armamento de los cañones, el apresto y carreras de los caballos, todo os anuncia que se trata de matar a la *Sociedad de la Igualdad.* Y entre tanto nosotros ¿qué hacemos? Ciudadanos, la *Sociedad de la Igualdad* se arma de flores».

> Un tumulto indescriptible de entusiasmo se sucedió a aquella hermosa oratoria que tenía el doble mérito de ser hermosa y de ser verdadera.[79]

Frente a un nuevo modo de articular la relación entre guía y seguidores que en algunos aspectos recuerda la que ya por esos tiempos en los Estados Unidos enlazaba al predicador y los fieles en los *revivals* evangélicos bajo la carpa, y en otros anticipa el que puede suscitar hoy un ídolo del rock, la reacción de Vicuña Mackenna oscila sin resolverse entre el desprecio, la admiración y la comprensión nostálgica, y si no parece sentir la necesidad de alcanzar un juicio global sobre el

[78] Vicuña Mackenna, HJ, p. 148.
[79] Vicuña Mackenna, HJ, p. 155.

episodio que tuvo a Arcos por inspirador y a Bilbao por protagonista que ofrezca justificativo para todas y cada una de esas reacciones tan disímiles, es porque a su juicio lo importante es que —para decirlo en un lenguaje que no es desde luego el de Vicuña Mackenna— con la perspectiva que permite la distancia en el tiempo pudo descubrir que la astucia de la razón logró agregar un más tardío desenlace feliz a ese episodio que en su momento pareció condenado a no dejar rastro alguno de sí tras de cerrarse en catástrofe. Esa astucia se reflejaba en que, mientras luego de la triunfal reacción conservadora de 1851 fue borrada de la agenda de todas las facciones políticas cualquier propuesta de trasformaciones sociales, así fueran ellas mucho menos radicales que las articuladas por Arcos y profetizadas por Bilbao, y en el orden político chileno en 1878 las mayorías parlamentarias seguían como treinta años antes siendo «forjadas en moldes de palacio», los librepensadores eran ahora en Chile «gobierno de hecho y de derecho», lo que era desde luego mucho más que lo que la oposición parlamentaria había intentado en vano obtener para ellos tres décadas antes.

La serenidad y ecuanimidad que puede inspirar el descubrimiento de que el destino le ha concedido un lugar entre los beneficiarios de ese final feliz permiten así a Vicuña Mackenna, que no ha ocultado antes su horror ante las propuestas con que Santiago Arcos excedía «a todo lo que los antiguos *partageux* habrían soñado para disolver en su provecho las sociedades cristianas y volver de un solo salto a la barbarie»[80] ofrecer su conmovido homenaje a un luchador social movilizado tras de esas propuestas, como ese «zapatero Manuel Lucares, un verdadero valiente, corazón chileno, hombre probado en el calabozo y en el fuego, que murió, como sus compañeros, en la infelicidad y en la miseria».[81]

No hubiera podido ser ésa la reacción de Lastarria. En su momento no parece haber advertido del todo lo que de nuevo introducía en la vida pública chilena la irrupción en ella de la Sociedad de la Igualdad, aunque la mención en su *Diario político* del ataque oficioso del

[80] Vicuña Mackenna, HJ, p. 75.

[81] Vicuña Mackenna, HJ, p. 81.

que, luego de cerrada una reunión a la que habían concurrido entre 600 y 800 socios, fueron víctimas los rezagados que aún no habían abandonado aún el local, agredidos por un grupo de matones de cuyo reclutamiento en el seno del *Lumpenproletariat* santiaguino Vicuña Mackenna iba a ofrecer tres décadas más tarde un relato tan lleno de vivacidad y brío como suelen ser los suyos[82] mostraba que estaba perfectamente al tanto de la envergadura que estaban alcanzando esas innovaciones mismas. Tampoco lo lleva a reflexionar sobre ellas la mención, un par de páginas más adelante, de la reunión evocada por Vicuña Mackenna en que el genio oratorio de Bilbao alcanzó su máximo triunfo. A esa reunión dedica sólo unas pocas líneas en que consigna que a ella habían acudido más de mil socios y «la calle del local estaba apretada de curiosos», para concluir que «esta Sociedad es el único elemento de poder que le queda a la oposición. Reunida desde hace cuatro meses bajo la dirección de Bilbao, Arcos, Prado y Guerrero, ha ido aumentándose y tomando consistencia de día en día».[83] Nada sugiere aquí que haya siquiera comenzado a advertir todo lo que significaba para él que la base de poder de la oposición se hubiera desplazado del Parlamento a esa organización surgida de la nada hacía sólo cuatro meses, ni tampoco lo que en su dirigencia diferenciaba el liderazgo de Bilbao, que ahora tenía el pulso de eso que Lastarria denominaba «la opinión», con cuyo apoyo había esperado en vano la oposición parlamentaria cerrar victoriosamente su difícil batalla contra el régimen conservador implantado en 1830, del de Prado y Guerrero, quienes en la comisión directiva de la Igualitaria representaban a esa misma oposición ya derrotada en el Congreso.

Lo que se negaba a percibir era que, si la oposición no había sido aún derrotada, él sí ya lo había sido. Esa derrota personal sólo lo iba a golpear con fuerza abrumadora luego de que el totalmente previsible fracaso de las insurrecciones surgidas de la acorralada oposición lo obligara a buscar refugio en la clandestinidad, y a ésta continuaba acogido ese 18 de setiembre de 1851 en que lo alcanzó en su asilo a

[82] Vicuña Mackenna, HJ, pp. 115 y ss.

[83] Lastarria, DP, pp. 95-97.

dos leguas de Santiago el eco del cañón del cerro de Santa Lucía cuya estampido anunciaba que en ese mismo momento prestaba el juramento de práctica «Montt, ese presidente impuesto a Chile por los más ruines de sus hijos».[84] A partir de ese momento, seguirá registrando en su *Diario político* sus reacciones frente a todo lo que está trayendo consigo ese triunfo de lo que hay en Chile de más ignominioso, en un tono que refleja una impotente, amarga, desesperada indignación que no habrá perdido nada de su fuerza cuando cierre ese diario desde su destierro limeño, el 11 de marzo de 1852.

Y desde entonces esa amargura iba a seguir acompañándolo hasta casi el fin de su existencia. Aquí cabe preguntarse por qué esa experiencia, que compartió con buena parte de las primeras figuras de la oposición, dejó en él una huella que ya no iba a borrarse, y que se buscaría en vano en los testimonios de sus compañeros de infortunio. Una razón que no olvida nunca mencionar es que en esa oportunidad pudo volver a sentir con su intensidad originaria las consecuencias de la misma falta de apoyos y recursos que había hecho excepcionalmente difíciles los comienzos de su carrera. Y para concluir que no le faltaban motivos basta comparar su experiencia durante esos años de adversidades con la de Vicuña Mackenna, quien, fulminado con una condena a muerte luego conmutada por la de cárcel, pudo contar con esos apoyos para su fuga de la de Santiago que le permitió retomar actividades revolucionarias, y cuando debió de nuevo abandonarlas pudo acogerse a una menos dura clandestinidad que la de Lastarria, ya que le sirvió de refugio su casa paterna de Valparaíso, donde permaneció hasta noviembre de 1852, cuando esos mismos apoyos le permitieron partir también clandestinamente al extranjero. Fue ése el comienzo de un viaje de varios años por Estados Unidos y Europa, hasta que a fines de 1855 cuando «posiblemente había recibido de su familia noticia de que ya no se lo perseguía», regresó a su patria por Río de Janeiro y Buenos Aires, trayendo consigo 1.300 libros y una importante colección de documentos de historia hispanoamericana. Para Gazmuri, considerando que su padre don Pedro Félix Vicuña no

[84] Lastarria, DP, p. 119.

era un hombre de fortuna, quién pagó ese largo viaje, la publicación de un folleto en francés sobre condiciones de vida en Chile destinado a eventuales emigrantes a ese país, y sus compras en el extranjero constituye un misterio[85] que por cierto no plantea la larga etapa de Isidoro Errázuriz trascurrida también en el extranjero con el apoyo de su abuelo. Es fácil comprender que para Lastarria la existencia de esas facilidades que hicieron más soportable para ambos el peso de la desgracia política contribuyera a devolver parte de su intensidad originaria a la conciencia de todo lo que lo separaba de los «vástagos de la oligarquía» que tanto había amargado sus comienzos.

Esa distancia era particularmente dolorosa porque —señala Fuenzalida Grandón— no le permitía separar «un momento los ojos de las consecuencias pecuniarias que podrían sobrevenir a los suyos» si persistía contra viento y marea en su militancia opositora, lo que lo obligó a optar, muy a su pesar, por «desvíos prudentes, [que] si lograron empañar un poco la pureza del desinterés absoluto, no llegaron a conmover el corazón de piedra del despotismo». Quizá fue, más aún que esa consideración, un desfallecimiento momentáneo de su fe en su destino de caudillo —y ya no sólo intelectual— de la nación chilena cuando lo había visto frustrarse cuando se había creído ya cercano a alcanzar la meta, el que lo decidió a rechazar «la idea de expatriar a los suyos y quedarse definitivamente en el Perú, cuyo gobierno, dice uno de sus biógrafos, estaba dispuesto a encomendarle la creación y dirección de un gran establecimiento de instrucción pública», y retornar en cambio a Chile cuando no le estaba aún permitido establecerse en Santiago, para probar fortuna en Copiapó, diminuta capital de ese norte chileno que desde hacía dos décadas vivía un sostenido auge minero. Allí iba a contar con la cálida protección del jefe de la tropa pacificadora, el español Victorino Garrido, un «hombre de mundo, alegre, sociable y de buen corazón» que, lejos de guardar rencor a Lastarria por las hirientes «cuchufletas que en prosa y verso» éste le había asestado durante la etapa previa a las sublevaciones de 1851 en

[85] Cristián Gazmuri, «Estudio preliminar», en Vicuña Mackenna, HJ, pp. 9-50; las referencias al primer viaje al extranjero de Vicuña Mackenna en pp. 13-16.

que, en medio de una cada vez más desbridada guerrilla periodística «era el insulto la única suprema razón», puso todo su empeño en que «el gobierno dejara en las minas tranquilo al emigrado». Contando con esa protección Lastarria pudo adquirir «en barras de minas una fortuna regular» y abrir con éxito su bufete de abogado, hasta que en 1854, convencido por fin de que «Copiapó no era campo suficientemente ancho para un espíritu como el suyo [...] se estableció definitivamente en Valparaíso, puerto en donde continuó en el ejercicio de su profesión».[86]

En 1853, todavía residente en Copiapó, Lastarria se reincorporó al movimiento literario con una *Historia constitucional de medio siglo,* publicada en Valparaíso por la imprenta de *El Mercurio,* que presentaba al público como «un pobre libro, que se ve avergonzado en letras de molde, tan solamente por no perderse en manuscrito», cuyas insuficiencias eran las que podían esperarse de una obra que era «aborto de la aflicción, bautizado con más de una lágrima vertida sobre las ruinas que el despotismo deja en su marcha» cuando su autor «proscripto, perseguido, sin un palmo de tierra seguro que ocupar en [su] patria [se entretuvo] en redactarla... pero sin tranquilidad, sin aquel contento del espíritu que necesitaban las ideas grandes para fecundarse, sin libros, sin apuntes y muchas veces aun sin los elementos necesarios para escribir».[87]

Resuena aquí una nota patética que se acentuará aún más en los *Recuerdos Literarios,* y que las adversidades que tuvo que afrontar Lastarria en el momento más duro de su agitada carrera pública no logran justificar del todo. Al cabo el desterrado debió esperar menos de un año para que su retorno a su tierra nativa diera inicio a la etapa más próspera de su entera trayectoria, y poco después —mientras el régimen despótico que lo había hecho su víctima seguía gobernando a su antojo a Chile— podía ya echar una quejumbrosa mirada retrospectiva sobre su martirio en un libro salido de las prensas del más importante cotidiano chileno. Y si el argumento según el cual ha

[86] Fuenzalida Grandón, AFG, I, pp. 222-24.

[87] Cit. en Fuenzalida Grandón, AFG, I, pp. 248-49.

sido objeto de una persecución política particularmente despiadada que invoca para justificar tanta amargura no es del todo convincente, tampoco lo es el que lo reemplazará en el primer plano, que prefiere evocar el triste destino de quien desde sus comienzos se ha visto obligado a librar una lucha incesante y nunca del todo exitosa contra la recaída en una indigencia de la que nunca iba a lograr apartarse lo suficiente para juzgarse liberado de ese peligro. Nunca Lastarria iba a aceptar que la época en que había vivido en una precaria y penosa penuria había quedado atrás; seguía considerándose sumergido en ella cuando sus ingresos le permitían ya brindar una ayuda no del todo desinteresada a Sarmiento (así lo registra la visión retrospectiva de esa etapa ascendente de su carrera que de él recogió Vicuña Mackenna, que lo presenta «unida su vida a una joven que le ayudaría a formar un hogar cariñoso en medio de las privaciones de incesante pobreza»),[88] y aún al fin de esa vida esa misma penuria seguía siendo a sus ojos su constante compañera en la casa de tres plantas descrita en sus *Retratos* por Augusto Orrego Luco, en que lo acompañaban hijos y nietos, a más de una nube de anónimos criados.

¿A qué se debe la insistencia con que Lastarria prodiga los testimonios de la compasión hacia sí mismo que le inspira descubrirse condenado a ese duro destino? Al comienzo ella cumple una función exculpatoria: es la falta de fortuna y apoyos la que le impide llevar su acción militante a extremos que otros más afortunados pueden permitirse, pero cuando escribe *Recuerdos literarios* ha cesado ya de disculparse: ahora está convencido de que durante su entera trayectoria ha combatido sin desfallecimientos por el progreso intelectual de Chile, mientras quienes lo acusan de haber desertado del combate en la hora del peligro, capturados por la vorágine de conflictos facciosos que se han arrastrado ya en Chile por más de medio siglo, entre los cuales seguía gravitando con más fuerza que cualquier otro el referido a la posición que debía asumir el poder político frente a la dura batalla que el propio Lastarria y sus aliados de causa estaban librando al servicio del progreso intelectual de Chile, habían terminado por

[88] Vicuña Mackenna, HJ, p. 191.

olvidar hasta tal punto su originario compromiso con esa causa que no habían vacilado en aliarse con la corriente política a la que su cerril hostilidad hacia los proyectos con que desde el gobierno los herederos de Portales intentaban a su manera servir a esa misma causa había llevado a sumarse a la oposición.

Por lo tanto Lastarria no necesitaba ya oponer ninguna circunstanciada defensa de su propia trayectoria a los oblicuos ataques de quienes osaban poner en duda su férrea lealtad a una causa a la que había consagrado su vida, luego de haber decidido que concertar esa monstruosa alianza con sus más implacables enemigos no era pagar un precio demasiado alto por el lugar que ella les había permitido conquistar entre quienes ahora gobernaban a Chile. Si, desaparecida esa función exculpatoria, insistía en evocar esa inescapable penuria era sin duda porque le ofrecía una justificación para el descontento que le inspiraba el destino que le había tocado en suerte, que le hubiera resultado demasiado doloroso confesar que brotaba del descubrimiento de que su lugar en la vida chilena no era, ni sería ya nunca, el que había creído que estaba al alcance de su mano durante los años ascendentes de su trayectoria, irreversiblemente cerrados en 1851.

Porque es ese lugar el que añora en vano, no valdría objetarle todo lo que prueba que en ese otro Chile que emerge lentamente de las ruinas dejadas por esa derrota éste está lejos de ser el de un marginado. En 1855, cuando aún gobiernan quienes se la han infligido, vuelve al Congreso como diputado por Caldera y Copiapó, y en ese mismo año la publicación de una *Miscelánea Literaria,* que reúne una masa considerable de sus contribuciones a la prensa publicadas en años anteriores, marca su reingreso en la escena literaria; en 1859, ya de retorno en Santiago, funda el Círculo de Amigos de las Letras, que celebra sus reuniones en su casa hasta 1864, en 1860 ocupa en la Universidad de Chile el decanato de su Facultad de Filosofía y retorna al Congreso como diputado por Valparaíso; en 1862, el presidente Pérez, elegido el año anterior con el apoyo de las fuerzas que se preparan a aliarse en la detestable fusión, lo designa ministro de Hacienda, cargo que resigna a los tres meses, al año siguiente el mismo presidente le encomienda la representación diplomática de Chile en Lima, que resigna a los seis meses invocando esta vez razones de salud; en 1864 es de nuevo elegido diputado por Valparaíso pero pronto abandona su banca para representar a Chile en la Argentina. Vuelve a su patria en 1866 y al año siguiente, como diputado por La Serena, protagoniza una vehemente campaña oratoria contra la fusión. En 1870, elegido al Congreso por octava vez, es también el primer chileno elegido como miembro correspondiente de la Real Academia Española, pero en un año más su decisión de volver a buscar fortuna en explotaciones mineras, esta vez en Caracoles, en territorio aún boliviano, a la que se dice forzado por su incapacidad de mantener a su familia con sus ingresos en Santiago, refleja sin duda el descontento que le inspira una trayectoria a primera vista excepcionalmente exitosa. Esta vez la fortuna no lo acompaña, y en 1873, de retorno en Santiago, funda la Academia de Bellas Letras, con la que se propone erigir una barrera frente a los avances clericales en ese campo. En 1875 es designado ministro en la Corte de Apelaciones (en 1883 lo será de la Suprema Corte de Justicia), y en 1876, elegido senador por Coquimbo, es llamado a ocupar el Ministerio del Interior (que hace de él en los hechos el jefe del Gabinete) por el presidente Aníbal Pinto, posición que retiene por más de un año, hasta poco antes de publicar la primera edición de sus *Recuerdos Literarios.*

Es notable en este punto que la amargura que lo acompaña mientras avanza en una trayectoria política que muchos encontrarían más que satisfactoria no se refleje en reacciones análogas a las ofrecen inspiración inagotable al autor de *Recuerdos literarios* cada vez que juzga que no se hace entera justicia a su contribución al progreso intelectual en Chile, cuando no puede dejar de advertir que en esos años en que su propia carrera política, así se desenvuelva en los más altos niveles del aparato institucional chileno, permanece sustancialmente estancada, dos de sus antiguos discípulos han logrado coronar las suyas desde la primera magistratura de la República de Chile.

Si puede contemplar ese contraste con inesperada ecuanimidad es sin duda porque esa república ya no podría darle el lugar al que había aspirado en la forjada bajo la inspiración de Portales. La que comienza a perfilarse a partir de 1861 bajo el signo de la fusión es una república oligárquica, en que el Presidente logra menos que a medias desempeñar el más modesto papel de *primus inter pares* que debiera ser el suyo en un modificado marco institucional en el que no hay ya posición alguna desde la cual pudiera Lastarria ocupar el lugar en la vida nacional que había creído a su alcance hasta 1851. No había por lo tanto razón alguna para que le inspirasen envidia esos dos ex discípulos que en su última década de vida pasaron los cinco penosos años en que ejercieron la primera magistratura defendiendo su problemática autoridad tanto de quienes los habían promovido a ella cuanto de sus adversarios.

Se ha visto ya cómo para poder seguir creyendo que ese fracaso no era irrevocable Lastarria vino a redefinir póstumamente su proyecto de vida despojándolo de su dimensión estrictamente política, que era precisamente la que se había tornado radicalmente irrealizable en el nuevo marco institucional. Pero es precisamente esa mutilación póstuma la que le ofrece la premisa que le permitirá construir sobre ella el monumental autorretrato del héroe cultural que ocupa el centro de la escena en sus *Recuerdos literarios.* Porque esa renuncia inevitable no lo llevó a fijarse objetivos más modestos, sino por lo contrario a extremar sus ambiciones en el terreno más restringido en que se veía obligado a confinarlas, aplicando para ello (es de suponer que a puro instinto) estrategias que sólo hoy están sacando a luz estudiosos interesados en los mecanismos de funcionamiento del que ha dado en llamarse campo intelectual.

Tal como iba a proponer Borges, anticipándose también él a los actuales exploradores de ese campo, el primer movimiento estratégico debía ser la elección de un elenco de precursores cuyo reconocimiento como tales ayudaría a definir (y prestigiar} el proyecto de quien se acogía a su influencia sin que sus contribuciones alcanzaran enjundia suficiente para hacer superflua la de éste. Exactamente ése fue el punto de partida que eligió Lastarria: se recordará cómo Isidoro Errázuriz, al referirse —en términos extremadamente positivos— a su papel de iniciador de toda una corriente de estudios históricos, lo presentaba como el primero de los discípulos de Bello, y se recordará también que, puesto que hubiera sido imposible reducir el papel de Bello al de un mero precursor, Lastarria prefirió asignar ese papel a la figura decididamente menos imponente de José Joaquín de Mora. Justificar esa decisión le requirió abrir una disputa de más amplio alcance que anticipaba puntualmente las que hoy se libran en torno a la composición del canon, un término que en este caso refiere a una suerte de cuadro de honor que asigna a cada una de las figuras dignas de ser incluidas en él el lugar que sus logros le han dado derecho a ocupar en el orden de méritos.

Raramente esas querellas hoy tan frecuentes disputan un espacio tan vasto como el que reivindicó Lastarria para la corriente que había tenido a Mora por precursor y de la que era él mismo el corifeo, en la que era la entera historia intelectual —y en rigor no sólo intelectual— del Chile republicano la que sometía a una enérgica reestructuración destinada a asegurarle en ella el papel protagónico. Cuando reivindicaba para Mora, a quien Vicuña Mackenna acababa de acusar de haber elevado a José de Hermosilla al trono del que la Revolución había desalojado a los Borbones, y no para Bello, como quería el mismo Vicuña, el papel de precursor de la *revolución literaria* que hizo eclosión en Chile en 1842, se apoyaba en una premisa que permanecía implícita pero no por eso gravitaba sobre su argumentación con menos fuerza: puesto que la contribución de Mora a las innovaciones ideológicas y culturales que habían irrumpido en Chile en los años de predominio político de la facción liberal era un hecho indiscutible, y lo era aún más el lugar central que pasó a ocupar Bello en el campo de las ideas y la cultura a partir del triunfo reaccionario de 1829, es sencillamente imposible que en la disputa literaria ambos hayan desempeñado los papeles que Vicuña acababa de asignarles. Pero el escepticismo con que fue recibido el alegato de Lastarria debía menos a lo que esa premisa tenía de problemático que al hecho bien conocido de que la orientación neoclásica y la preferencia por términos de referencia españoles que Vicuña atribuía a Mora había sido en efecto la suya.

Es menos probable que los lectores de *Recuerdos literarios* recordaran que el propio Lastarria, en su discurso-programa de 1842, había ignorado él mismo esa premisa cuando recomendaba a los miembros de la Sociedad Literaria frecuentar no sólo a los clásicos del Siglo de

Oro español, desde Garcilaso, el divino Herrera y Fray Luis de León hasta «Mendoza, Mariana y Solís [que] os enseñarán la severidad, facundia y sencillez del estilo narrativo», mientras en Fray Luis de Granada invitaba a la emulación «la inimitable dulzura de su habla para expresar las verdades eternas y el idealismo del cristiano»; sino también a los modernos escritores españoles, en quienes podrían recoger enseñanzas aún más relevantes, ya que hallarían «en ellos el antiguo romance castellano hecho ya el idioma de una nación culta, y capaz de significar con ventaja los más elevados conceptos de la filosofía y los más refinados progresos del entendimiento del siglo XIX».[89]

Lastarria tenía en todo caso una respuesta disponible para esa objeción que nadie llegó a formular contra la tan discutible premisa en la que se apoyaba su reivindicación del ignorado papel central de Mora en el progreso intelectual de Chile. Ya había recordado cómo en su discurso-programa de 1842 se había visto obligado a acatar las limitaciones impuestas por una coyuntura en que revelar francamente sus ideas hubiera autorizado «todas las hostilidades de los poderosos contra el pobre ensayo que hacíamos para asegurar nuestro desarrollo intelectual», lo que no impidió que ese mensaje «lleno de reticencias, y erróneo en algunos conceptos incidentales y pasajeros» fuese «un documento histórico», en el que «los extranjeros que escribían en Chile» habían sabido reconocer mejor que quienes lo contemplaban retrospectivamente «la primera voz que pronuncia la generación nueva», comparable con «la primera palabra que pronuncia un niño, causando una sonrisa de júbilo en el semblante de su madre».[90]

El comentario que aquí ofrece Lastarria muestra muy bien cómo al referirse a su primera contribución significativa al progreso intelectual de Chile describe su papel en ella como el propio de un orador cuyo sentido de la oportunidad le permite utilizar hábilmente la única que tiene a su alcance, al precio de acatar los severos límites que ella impone a cualquier propuesta innovadora, mientras se muestra mucho más lacónico en cuanto al aporte de ideas de ese discurso-programa que

[89] Lastarria, RL, p. 108.

[90] Lastarria, RL, pp. 93-4. El extranjero aquí aludido es Sarmiento.

quiso y logró marcar el rumbo para la etapa de prodigioso progreso intelectual evocada en *Recuerdos literarios.* En cuanto a esto último, Lastarria sólo iba a agregar a su muy razonable negativa a convenir que las reticencias en que debió incurrir para poder ofrecer su aporte afectaran negativamente el valor de éste una muy concisa admisión de la presencia en su discurso de conceptos erróneos que no creyó necesario especificar, ya que se habría tratado en todo caso de errores incidentales y pasajeros.

Sin duda el marco ofrecido por el Chile portaliano hizo fácil a Lastarria no advertir siquiera lo que tenía de limitativa una visión del papel de pionero intelectual que ambicionaba encarnar que apenas se preocupara por perfilar con alguna precisión los supuestos y objetivos del programa para el cual su elocuencia conquistó el apoyo de una nueva generación chilena. Lo que lo hacía posible era todo lo que en esa visión coincidía con la del proyecto cultural e ideológico de la reacción gobernante que, continuando en este punto la de la monarquía ilustrada, concebía el progreso intelectual como el resultado de la incorporación gradual al patrimonio intelectual de los chilenos de las innovaciones originadas en el que también en este aspecto era el centro dinámico de un mundo en que Chile se encontraba relegado a la más extrema periferia. Se ha señalado ya cómo, dada esa noción de progreso intelectual, lo que se esperaba de quien aspirara a orientar el esfuerzo colectivo por promoverlo no era que fuese capaz de definir de modo original y convincente el perfil ideológico y cultural que Chile debía aspirar a adquirir a través de ese proceso, sino que en los más variados campos su contribución a esa incorporación de nuevos elementos a la vida de las ideas y de la cultura se anticipase a la de sus compañeros y rivales en ese esfuerzo.

Es precisamente esa noción la que se refleja en los argumentos que elige Lastarria para reivindicar para sí el papel de propulsor y guía del progreso intelectual chileno en su etapa más intensa, hasta tal punto que el que primero invoca en la carta a Vicuña Mackenna con que se abre el memorial de agravios que ofrece el tema central para sus *Recuerdos literarios* es su condición de autor del primer texto de geografía publicado en Chile (anterior en casi dos años al de

Tomás Godoy Cruz, a quien Vicuña Mackenna erróneamente asigna esa gloria), en el que en los primeros meses de 1838 había volcado el contenido —necesariamente muy elemental— de las clases que desde 1836 había tomado a su cargo sobre ese tema en la escuela de niñas de las hermanas Cabezón.[91]

No es que Lastarria ignore que de un caudillo cultural se espera algo más que esa labor de pionero en la difusión de las novedades que en ambos campos se suceden a un ritmo cada vez más febril en los países más adelantados. No podría ignorarlo porque una de esas novedades es el surgimiento en esos países de avanzada de caudillos culturales que en esos mismos campos son reconocidos como tales por un numeroso séquito de discípulos y admiradores gracias a su capacidad de proponer claves universales para la comprensión de los procesos históricos (prueba que es éste un criterio conocido y aceptado en Santiago la disposición que en el reglamento de la Sociedad Literaria impone para sus sesiones de estudio «leer a Herder cuando resulte conveniente»).[92] Parece más bien que considerara que ese otro papel le ha sido concedido por añadidura, y es comprensible que alcanzara esa conclusión luego de que Anacleto Montt así lo proclamara en nombre de ese séquito en respuesta a su discurso-programa de 1842. De nuevo aquí el marco ofrecido por el orden portaliano le hace más fácil creerlo así, en cuanto gracias a que el molde jerárquico y autoritario que ese orden intentó imponer en todas las esferas de la vida chilena se reproduce también en la relación que con él establece ese séquito, éste puede reconocerlo como su guía intelectual, en el sentido más fuerte del término, invocando como único argumento que —para decirlo con las palabras de Montt ya una vez citadas— «tantas veces nos habéis patentizado nuestro amor, y... ahora patentizáis vuestro empeño por nuestros progresos».[93]

De este modo la fuerza con que el orden vigente en el Chile de Portales lograba marcar con su sello aún las iniciativas de quienes

[91] Lastarria, RL, pp. 27-29.

[92] Subercaseaux, CSL, p. 56.

[93] A. Montt, loc. cit. n. 44.

aspiraban a dejarlo atrás, al dotar a Lastarria del prestigio que provenía de su superioridad jerárquica frente a sus discípulos (cuyo papel central se advierte muy bien en las razones que invoca Montt para justificar su liderazgo), le hacía más fácil sentirse cómodo en ese papel de guía intelectual de una nueva generación ansiosa de encolumnarse tras él. En este punto la respuesta de Montt nos acerca a la clave del enigma que iba a atormentar largamente a Lastarria en su vana búsqueda de las razones de la universal conspiración de silencio de la que se proclamaba víctima. No hay dos maneras de referirse a esa clave a la vez demasiado obvia y demasiado penosa para que Lastarria pudiese siquiera entrar a considerarla, y era ésta que, mientras su posición en la historia chilena quedaba para siempre asegurada por el papel protagónico que fue el suyo en los años de resurgimiento a la vez ideológico y político del liberalismo cerrados por la derrota de 1851, no necesitó entonces para desempeñarlo con la autoridad propia de un caudillo intelectual madurar una imagen precisa y coherente de la propuesta innovadora en cuyo favor llamaba al combate, cuya ausencia se iba a hacer en cambio cada vez más perceptible cuando, luego de su retorno a la escena pública, buscó asegurarse un lugar en ésta reivindicando para sí tan sólo la dimensión de liderazgo intelectual del papel tanto más complejo que había desempeñado en ella en los años anteriores a esa derrota.

Le hizo aún más fácil no advertirlo que hasta 1848 tanto la revolución literaria que significó el romanticismo cuanto el retorno a la agenda política de la temática de la democracia alcanzaron en Chile ecos demasiado limitados e imprecisos para que Lastarria debiera definir las claves en que se apoyaba para trazar su programa de acción en ambas esferas con una precisión y una coherencia que no era seguro que fuese capaz de alcanzar. Hasta qué punto podía ser nebulosa la visión que del desarrollo de esa nueva disciplina en que se esperaba encontrar esas claves que era la filosofía de la historia podía alcanzarse desde Santiago lo revelaban en 1846 los versos en que Jacinto Chacón, un coetáneo y condiscípulo de Lastarria que por esos años le brindó su apoyo en los debates historiográficos en curso en Chile, celebraba los avances de esa nueva rama de la filosofía. «El libro de la Historia comprende y va adelante/ La Europa lo descifra, escuchad sus lecciones/ Lo fataliza Vico, Bossuet lo profetiza, Guizot lo desarrolla y Herder lo profundiza./ Modernos inspirados que en este Álbum divino/ de Dios ven los decretos, y nuestro gran destino.»[94] Esa secuencia de nombres ordenados según las necesidades del metro, en que el de Vico precede al de Bossuet y el de Guizot al de Herder, creo que explica bastante bien por qué Lastarria no corría riesgos demasiado serios de que sus limitaciones como pensador fueran percibidas como tales.

Pero no por eso eran ellas menos reales y menos graves. Así, tras evocar cómo ya en su memoria universitaria de 1844 había rechazado el «fatalismo histórico, según lo conciben algunos sabios» quienes, como Herder, suponen a la humanidad «sujeta en su marcha a leyes providenciales, tan ciegamente como lo está la materia a las suyas», conclusión ante la que se rebela, argumentando que si la humanidad no tuviera «una parte activa en la dirección de sus destinos... su libertad sería una mentira insultante, su dignidad desaparecería, y en el mundo no podría existir idea de la justicia»,[95] propone adoptar como base de la filosofía de la historia, «las leyes de libertad y progreso que la humanidad cumple y debe cumplir en su evolución histórica, como nosotros lo habíamos dicho en 1844». En 1864, al leer la obra de Augusto Comte, creyó descubrir en la base del vasto monumento filosófico desplegado en ella su intuición de veinte años antes, y confortado por ese descubrimiento agregó precisión y urgencia a su alegato a favor de esas mismas leyes, sin reparar ni por un momento en que aunque no invocaran como su origen un decreto de la divinidad ellas venían a imponer límites aún más estrechos a la libertad de iniciativa de los hombres que las postuladas por Vico o Herder (y en efecto pronto iban a ser los defensores de la visión providencialista quienes acusarían al cientificismo de raíz positivista de no reservar lugar alguno en su visión histórica a la libertad y la dignidad del hombre y de negar que la noción de justicia conservase alguna relevancia para el estudioso de las sociedades humanas).

[94] Cit. en Subercaseaux, CSL, p. 58.

[95] Lastarria, RL, las citas de pp 243, 241 y 242.

Lejos de ello, a sus ojos su profética coincidencia con la prestigiosa doctrina de Comte vino a consolidar aún más sus derechos a constituirse en caudillo intelectual de las iniciativas destinadas a asegurar que el portentoso progreso experimentado por las letras chilenas a partir de la eclosión en 1842 del movimiento literario por él acaudillado continuara en el futuro sin perder velocidad y sin desviarse de su rumbo. Se ha señalado ya cómo tras la exaltación de su papel en esas iniciativas se escondía una implícita admisión de que estaba ya fuera de su alcance retomar el papel no menos central que había entonces desempeñado en cuanto a la dimensión estrictamente política de un movimiento que nunca había sido exclusivamente literario. Pero esa consideración no le imponía dar a las iniciativas que prohijó el perfil que las iba a caracterizar, que hace que la observación de Bernardo Subercaseaux acerca del reglamento de la Sociedad Literaria, que juzgó más adecuado que para jóvenes románticos para déspotas ilustrados, resulte aquí aún más relevante.

Se refleja de nuevo en ellas el peso con que las perspectivas de los servidores de la monarquía ilustrada, mantenidas en lo esencial por la república de Portales, siguen gravitando sobre Lastarria. La actividad principal tanto del Círculo de Amigos de las Letras, fundado en 1859, como de la Academia de Bellas Letras, que lo fue en 1873, es la organización de certámenes destinados sucesivamente a premiar composiciones en verso en loor del 18 de setiembre, día nacional de Chile, en honor a la memoria del prohombre liberal Salvador Sanfuentes, en loor del abate Molina, el erudito jesuita chileno que desde su destierro italiano alcanzó fama europea como naturalista, a quien el liberalismo había incorporado a título póstumo al panteón de precursores a los que rendía culto, en celebración de la Exposición Internacional de 1876 y en honor de un nuevo aniversario de la independencia de Chile, a los que se agregó en 1874 uno convocado para premiar una composición dramática.

¿Hasta qué punto podía satisfacerse Lastarria con los frutos de ese esfuerzo por seguir guiando el «portentoso progreso que *habían* hecho las letras en Chile» desde que él mismo le había impreso su impulso inicial en 1842? Hay que decir que los jurados designados tanto por el Circulo cuanto por la Academia habían ya coincidido en echar sobre ellos una mirada más resignada que entusiasta, que los llevaba más de una vez a justificar el galardón que demandaban para producciones cuyas insuficiencias no habían intentado en absoluto esconder alegando que eran a pesar de ellas las mejores entre las que habían sido llamados a juzgar. Pero no era sólo la inocultable mediocridad de esos frutos la que pudo haber decepcionado a Lastarria; quizá pudo encontrar aún más inquietantes los criterios aplicados por esos jurados, tan dominados como los concursantes por las pautas neoclásicas que él mismo había negado apasionadamente que hubieran sido las que habían guiado a Mora en sus esfuerzos por sacar a las letras chilenas de su multisecular letargo.

Y hay motivos para sospechar que en efecto la fatiga ante esos rutinarios ejercicios lo estaba preparando para dejar atrás esa etapa; ya lo sugería que comenzara a someter a una nueva estilización a su pasada trayectoria; así como en 1864 se había descubierto precursor de Augusto Comte, como austero apóstol del austero credo positivista, en 1875 comienza a recordarse integrante cuatro décadas antes de una juventud muy distinta de la que en sus *Recuerdos* de 1878 iba a presentar obligada a adaptar su conducta exterior a las exigencias de un régimen en el que «nadie podía impunemente apartarse de la compostura de palabras y costumbres del que daban el modelo los vástagos de la oligarquía». En *Mercedes,* la breve novela que publica en esa fecha, se recuerda como uno más de «aquellos jóvenes [que] no adoraban al Papa, ni al becerro de oro. Eran más bien gentiles que sacrificaban a Venus, a Terpsícore y a Baco; eran unos perdidos que no sabían especular, haciéndose los santurrones y los siervos del poder para enriquecer y hacer carrera». Y podían impunemente ser todo eso, porque la sociedad que los rodeaba tenía muy poco en común con la rígida hasta el total anquilosamiento que evocaría tres años más tarde en *Recuerdos.* Era aquélla «una sociedad en embrión. Como entonces había muy pocas fortunas, y el poder no se había consolidado, el imperio no pertenecía ni a los gobernantes ni a los ricos [...] Aquella sociedad era de todos, pertenecía a todos; y como no había quien la dominase, quien la empujase por una sola vía, cada cual hacía de las suyas y era señor de sí mismo. Por consiguiente había una franqueza casi salvaje, sin disimulo, sin hipocresía, sin sujeción a conveniencias determinadas, ni a creencias regladas».

En ese marco social tan laxo, esa «juventud que no era brillante, sino atolondrada», esa «juventud perdida, que frecuentaba el café, que charlaba y discutía en público sobre todo, hasta de religión y política [...] que bailaba todas las noches, en todas las casas, sin necesidad de soirée, de sarao o de ambigú»[96] había podido entregarse a una inesperada *vie de bohème* sin afrontar los obstáculos que hubieran podido temerse en ese otro tan distinto que Lastarria iba a evocar en las páginas iniciales de sus *Recuerdos.* Si recurrimos, como todos, a la admirable imagen novelesca de esos años chilenos que es *Martín Rivas,* de Alberto Blest Gana, podemos adivinar tras ella los contornos de una sociedad cuyo perfil no hubiera sido imposible estilizar en las dos direcciones opuestas en que lo iba a hacer Lastarria en 1875 y 1878, y todo sugiere en efecto que mientras redactaba esos recuerdos que lo colocaban en el centro de la vida chilena como profeta y paladín del positivismo entonces en avance estaba ya preparado para una última metamorfosis de la que su relato novelesco de 1875 ofrece un apenas esbozado anticipo y cuyos primeros avances se reflejan ya inequívocamente en *Salvar las apariencias,* una también breve novela publicada en 1884, en cuya prosa «a medio camino entre la que usa José Martí en *Amistad funesta* (1885) y Díaz Rodríguez en *Sangre patricia* (1902)» Bernardo Subercaseaux reconoce «un aire de familia con la renovación temático-verbal rubendariana».[97]

Y estaba muy cerca de consumarla cuando lo sorprendió la muerte: sólo ella le impidió ofrecer, en el prólogo que Rubén Darío, entonces en sus años chilenos, le había pedido para *Azul...,* el espaldarazo a un movimiento literario destinado a conocer progresos aún más portentosos que aquel en cuyo inicio en el ya remoto 1842 él mismo había tenido «cierta acción».

Esa segunda apuesta sobre el futuro, que en el umbral de la muerte había venido a desplazar a la que desde 1851 se había negado obsti-

[96] Pasajes de *Mercedes* citados en Fuenzalida Grandón, AFG, II, pp. 163-166.
[97] Subercaseaux, CSL, pp. 295-96.

nadamente a admitir que estaba irreversiblemente perdida, permitió a Lastarria morir reconciliado consigo mismo y con su destino. A la vez, su muerte trasladaba el problema que había ilusoriamente resuelto trasfiriéndolo a un futuro que ya no estaba a su alcance a los custodios y voceros de la memoria liberal, que no podían ni dejar a reconocer en Lastarria a una figura central (quizá *la* figura central) en la irrupción del liberalismo, que en esa remota fecha había iniciado el avance hacia la posición hegemónica que en el presente ocupaba tanto en el campo político como en el ideológico, ni ignorar las limitaciones que debían explicar la temprana e irrecuperable pérdida de esa centralidad.

Armonizar esos dos objetivos difícilmente conciliables planteaba problemas aún más delicados porque, mientras el liberalismo chileno iba a mantener esa hegemonía en ambos terrenos, en el político las consecuencias de la honda crisis que desembocó en la guerra civil de 1891 y en lo ideológico la reformulación por parte de la Iglesia de los términos de su inveterado rechazo de una modernidad dominada por el avance de liberalismo y capitalismo, cuando éste encontraba un obstáculo inesperado en la agudización de los conflictos sociales en los países se situaban en su vanguardia, que le permitía ofrecer una solución de paz y armonía para un problema cada vez más central que sus adversarios se revelaban cada vez menos capaces de superar, anunciaban que también en Chile los paladines de la causa liberal necesitarían seguir tomando cn cuenta la presencia de un rival mucho mejor preparado para disputarle esa doble hegemonía de lo que hubiera podido imaginarse sólo dos décadas antes. Al afrontar una tarea que esa circunstancia hacía aún más ardua, los custodios de la memoria liberal contaban ahora con una sola ventaja, y era ésta que no debían ya temer las reacciones de Lastarria ante cualquier reticencia que viniese a limitar el reconocimiento de sus eminentes servicios a Chile y a la causa del liberalismo, y se iban a mostrar plenamente capaces de sacar provecho de ella.

En primer lugar en lo referente al reconocimiento del papel protagónico de Lastarria en la historia del liberalismo chileno. Éste se iba a reflejar en una muerte que en un marco estrictamente secularizado logró ocupar tan plenamente el centro de la escena pública como las de figuras comparables en la edad barroca. «Apenas se supo en Santiago la enfermedad que había atacado al ilustre ciudadano —nos dice Fuenzalida Grandón— su casa se convirtió en centro de peregrinación», mientras el avance implacable de la pulmonía que lo afectaba «siguió haciendo su obra destructora, sumiendo al enfermo en los desvaríos incoherentes de la fiebre, precursora de la crisis». Pero ésta lo encontró sereno, «conversó un rato con uno de los doctores que lo asistían» y supo en ese momento supremo cumplir con sus deberes de liberal («no tuvo por un momento —prosigue Fuenzalida Grandón— la idea de que se llamase un confesor: sus convicciones de toda la vida estaban tan sólidamente arraigadas que no vacilaron ni aún en la víspera de su muerte») La dura prueba se cerró en la mañana del 14 de junio de 1888, en que «el ilustre servidor de Chile moría, rodeado de todos sus hijos, después de una agonía tranquila, sin sufrimientos ni convulsiones».[98]

A esa muerte siguieron de inmediato los homenajes: de la Universidad, que decide colocar el retrato al óleo de Lastarria en el salón de sesiones del Consejo de Instrucción Pública, del gobierno de Chile, cuya palabra lleva al cementerio el jefe del Gabinete, de las cámaras legislativas, que por iniciativa de la de senadores dispone conceder pensiones vitalicias a las cinco hijas solteras que lo habían sobrevivido. A ellos se agregó en 1905 la edición de sus obras completas, por iniciativa de la Universidad y decisión del Ejecutivo aprobada por las cámaras legislativas, que invocaba como único precedente que el mismo honor póstumo había sido conferido a Bello. La tarea editorial fue encomendada a Fuenzalida Grandón, quien ya en 1890 había sido laureado en el concurso convocado por el Club del Progreso tomando por tema de la vida y obra de Lastarria, y había publicado en 1893 una primera versión del aquí abundantemente citado *Lastarria y su tiempo,* que había alcanzado la «desmesurada extensión» de 464 páginas y en la nueva edición de 1911, contra la intención originaria de su autor, que hubiera preferido «concentrar en menos páginas la narración» se extendía sobre 777 páginas que había sido necesario distribuir en dos volúmenes.

Las colosales dimensiones alcanzadas por ese monumento bibliográfico erigido a la memoria de Lastarria confirma que en él ha

[98] Fuenzalida Grandón, AFG, pp 204-205.

comenzado a verse a quien había sucedido a Bello en el papel de guía y maestro cultural e ideológico de la nación chilena que éste había desempeñado en el marco de la república de Portales, y así lo sostiene Rafael Altamira, el eminente historiador español, en el comentario que dedica en el *Boletín de enseñanza* por él dirigido en Madrid a la aparición de la primera edición de la obra, en que reconoce a Lastarria «importancia y representación iguales» a quien «fue, para Chile, algo más que un poeta, un maestro, un educador, que con sus escritos, con sus ejemplos, con sus actos como rector de la Universidad impulsó y dirigió grandemente la educación de todo un pueblo». Pero el comentario abierto por ese juicio que no podría ser más admirativo se desliza rápidamente hacia reticencias bastante más marcadas que las que en vida de Lastarria habían provocado sus amargas quejas. Así, cuando tras evocar la «vida trabajosa, llena de grandes iniciativas y alimentada por un espíritu inteligente, vivo, amante del progreso» que fue la de Lastarria, y señalar que ella «ofrece un ejemplo interesante, hoy más que nunca, para la juventud deslavazada, fría y débil de nuestro tiempo», Altamira pasa a comentar su obra escrita, y comienza por señalar que la dedicada a la enseñanza consiste en libros de texto que «aun cuando son defectuosos, tienen a su favor el mérito de la iniciativa», mientras por su parte sus escritos propiamente históricos revelan que no tuvo «educación ni tipo de investigador» ya que «aparte del sentido político que hay siempre en ellos, se resienten del tono retórico, pseudofilosófico e idealista que reinó grandemente en Europa a mediados del siglo», concluye señalando que tampoco fue Lastarria «como lo fue Bello, perito en puntos de filología e historia literaria», aunque «nadie con más gusto y ardor empujó a la juventud hacia el cultivo de las letras» lo que hizo de él «uno de los más entusiastas, amorosos y constantes provocadores y mantenedores del renacimiento chileno».[99]

Es quizá revelador que Fuenzalida Grandón haya incluido el comentario de Altamira entre los tres suscitados por la publicación de la primera edición de *Lastarria y su tiempo* con que se abre el primer volumen de la segunda (los otros dos, uno de ellos debido a Eugenio

[99] Reproducido en Fuenzalida Grandón, AFG, I, pp. XXI-XXIV.

María de Hostos, se ocupan más del libro del que Fuenzalida es autor que del personaje que le dio el tema). No es que se prepare a encarar el problema que plantea la valoración de Lastarria con la contundencia que despliega Altamira en su comprimido comentario de cuatro páginas, pero eso no le impide sembrar las casi ochocientas de esa segunda edición, así sea acudiendo al recurso tan chileno a la reticencia, de indicaciones de que ha entendido perfectamente que la trayectoria de Lastarria plantea un problema demasiado evidente para que pueda ser pasado por alto, y para el cual ofrece una clave totalmente convincente que logra no sin esfuerzo presentar en términos que no desentonan en el vasto monumento funerario que ha dedicado a su desaparecido maestro.

Lo hace al tratar un aspecto de la trayectoria de Lastarria que lo toca muy de cerca, y es éste su apoyo a la versión del credo positivista articulado por Comte, que Fuenzalida, convencido seguidor de Spencer, no puede sino deplorar y atribuye a la peculiar relación que Lastarria ha mantenido durante su entera trayectoria con el mundo de las ideas, y que —como admite al pasar— no sólo en este punto alcanza consecuencias problemáticas. Comienza a encarar el tema al referirse a la pretensión de Lastarria al título de precursor de Comte, que en los *Recuerdos literarios* reivindicaba invocando para ello —se recordará— la introducción a su memoria universitaria de 1844. Aquí Fuenzalida abandona toda reticencia para observar que, mientras «nada habría sido más halagador para la honra de nuestras letras que reconocer este suceso», al vindicar con ese argumento para su memoria «un puesto en el movimiento intelectual de nuestra América» Lastarria comete un error, nacido de que «trasportaba su modo de pensar en 1874 al año en que escribió sus *Investigaciones* y daba como un hecho que era suya propia y original doctrina, la que fue el fruto de su lenta trasformación de ideas, merced a la firme asimilación que constituyó uno de los rasgos más salientes de su espíritu».[100]

Eso está lejos de disminuir el valor de los aportes de Lastarria como pensador, que exceden el que provendría de la condición de precursor de Comte que injustificadamente se arroga: «Estamos lejos

[100] Fuenzalida Grandón, AFG, I, 107.

de pensar que sea un demérito el haber hecho progresar las ideas en el sentido de una transformación completa. Al revés, conseguir que las ideas, que por lo general se adueñan definitivamente del cerebro entre los 20 y los 30 años, sigan evolucionando y adaptándose a nuevas formas más perfectas, es facultad propia de espíritus privilegiados y excepcionales. Lastarria, aun a los sesenta años, era capaz de modificar sus ideas, cuando libros nuevos traían nueva luz a su cerebro».[101]

Pero a medida que avanza en el examen de la obra de Lastarria, Fuenzalida se atreve a discutir de modo cada vez menos reticente las contrapartidas que puede traer consigo esa permanente disponibilidad para asimilar nuevas ideas. «En el curso de sus ideas —anota en sus comentarios al *Libro de oro*, de 1862— Lastarria no forma una teoría neta, clara y explícita. Llevado por su índole esencialmente asimiladora, agrupa los sistemas, que cuando son incoherentes, no pueden formar un cuerpo homogéneo.»[102] Como suele ocurrir, la lucidez de Fuenzalida frente a esa consecuencia negativa de la constante evolución del pensamiento de Lastarria se agudiza cuando descubre que lo lleva a mantener en su horizonte de ideas nociones que no merecen su aprobación, en este caso que no se haya desembarazado del todo de «las ideas corrientes sobre las doctrinas morales», de base teológica y metafísica, aunque en otros aspectos se haya acercado ya a las posiciones del positivismo.

Que Lastarria se haya aferrado a esas «ideas corrientes» constituye un desafío demasiado directo a las convicciones de Fuenzalida para que éste no reaccione encarando por una vez de frente los problemas que plantea la avasalladora vocación asimiladora de nuevas ideas que caracteriza a Lastarria. «Se diría que secreta fuerza lo arrastra fuera del medio ordinario y como que lo llama a ser profeta de ideas que aún no maduran y que apenas si se presienten... Sugestionado por la novedad, se embarca, por esa genuina índole de su talento, en el libro que más fuertemente lo impresiona.»

[101] Fuenzalida Grandón, AFG, I, p. 109.
[102] Fuenzalida Grandón, AFG, I, p. 331.

> En esto también está el secreto de la evolución perenne que sufre su pensamiento [...] Como se sabe, hay cierta edad en los individuos en que, con la plenitud del juicio y en el entero desarrollo de sus facultades, el criterio se afirma, se estaciona y las ideas se fijan por modo inalterable... En Lastarria no hubo edad alguna en la cual sus ideas filosóficas adquirieran la madura y persistente consistencia de lo definitivo... Es curioso observar cómo Lastarria, con tener tan poco caudal de originalidad, puede construir un sistema casi suyo. Su vigoroso poder de asimilación le da fuerza para dominar los más complejos problemas, su espíritu eminentemente asociador de ideas sabe combinar con diestra y lógica ilación lo que viene del exterior con lo que encuentra dentro; y así se informa su manera intelectual, su procedimiento metodológico para concebir con elementos extraños sistemas propios.[103]

Los límites de la eficacia de ese «procedimiento metodológico» se alcanzan cuando Lastarria se empeña en integrar sistemas apoyados en principios opuestos en un todo homogéneo, y en ese error incurre de nuevo cuando otorga simultáneamente su adhesión a las teorías sociales de Comte y a las posiciones liberales —totalmente incompatibles con aquéllas— que en el plano político debe a Laboulaye. De este modo, sin duda sin que fuera ése su objetivo, Fuenzalida Rondón nos ofrece la clave del enigma que había atormentado a Lastarria, develando la razón por la cual nunca pudo hacer de nuevo suyo el papel de guía y orientador de una promoción intelectual que había fugazmente ocupado en los comienzos de su carrera pública, y sabe hacerlo con tan discreto tacto que su vasto estudio vino a cerrar dignamente el homenaje que el Chile liberal tributó a quien, más que ningún otro, se acercó a ser su padre fundador, en el momento en que se incorporaba a la cohorte de los grandes muertos de la nacionalidad.

TULIO HALPERIN DONGHI
Universidad de California, Berkeley

[103] Fuenzalida Grandón, AFG, II, pp. 64-65.

EPÍLOGO

Cuando Sarmiento, Lastarria, Alberdi o Samper, tras descubrir que el nuevo orden que habían contribuido a instaurar no les había reservado el lugar que se habían creído destinados a ocupar en él, volvían la mirada sobre el momento fugaz en que se habían creído llamados a guiar a sus pueblos en el esfuerzo por arraigar las más audaces conquistas de la nueva civilización liberal y capitalista en un suelo mal preparado por los tres siglos trascurridos bajo la égida de la monarquía católica, no podían sino concluir que ese decepcionante desenlace había disipado para siempre la ilusión que había asignado el papel de secreto legislador del universo al pensador que se habían preparado largamente para encarnar en ese momento decisivo. Las reacciones ante ese cruel desengaño abarcan tanto la amargura reflejada en los coléricos testimonios de Lastarria y Alberdi, como la resignada melancolía en la que Samper buscó refugio, esforzándose por reconocer en ella algo así como una sombra de la felicidad, o la serenidad con que Sarmiento asumió su marginación en una Argentina que aunque le negaba un lugar a su medida no dejaba por eso de ser su criatura. Sólo Guillermo Prieto, que no había compartido las esperanzas y por lo tanto tampoco las desilusiones de su generación, pudo instalarse en el marco de la nación que había dejado atrás ese medio siglo en perpetua tormenta tan poco problemáticamente como en el que le había ofrecido la desgarrada etapa mexicana en que había trascurrido su turbulenta juventud.

Tanto esa resignación como esa cólera reflejaban la convicción de que la posibilidad de ocupar el lugar protagónico que al mediar el siglo habían imaginado al alcance de la mano se había desvanecido para siempre. Y en este punto no se equivocaban, ya que quienes debían inventar su propio camino en una etapa en que los que habían estado abiertos a los letrados bajo el Antiguo Régimen ya no conducían a ninguna parte y sólo comenzaban a esbozarse los que habían de reemplazarlos, y venciendo el temor a caer «en el osario común de la muchedumbre oscura y miserable» que retrospectivamente había aterrado a Sarmiento habían decidido jugarse el todo por el todo en una apuesta que no se contentaba con menos que un destino de pastores de sus propios pueblos, iban a descubrir demasiado pronto no sólo que a lo largo de esas decisivas décadas centrales del siglo XIX el campo intelectual se había ampliado y diversificado hasta tal punto que era ya imposible encontrar en él el lugar central desde el cual ejercer la influencia que habían aspirado a conquistar en las nuevas naciones que comenzaban a emerger de las ruinas del imperio español, sino —lo que era aún más grave— que sus pasadas hazañas no los habían provisto de credenciales universalmente reconocidas como legítimas para ocupar las menos exaltadas posiciones que el destino les había deparado en ese nuevo marco.

Las experiencias acumuladas por la promoción hispanoamericana que había jugado su vida en esa desmesurada apuesta parecían ofrecer una lección suficientemente clara para disuadir a las que iban a seguirle de cualquier veleidad de reiterarla. No iba a ser así, sin embargo; y ya antes de cerrarse el siglo se habían esbozado las dos alternativas que quedaban abiertas para quienes estuviesen tentados de emprender de nuevo esa aventura.

La primera de ellas, y sin duda la más obvia, era la que asignaba ese perdido lugar central a los poetas, para quienes en su hora Shelley había reclamado el papel de *unacknowledged legislators of the world,* y ya en 1891 José Martí lo iba a reclamar implícitamente para sí en el texto de «Nuestra América», en que asumiendo el papel del vate dotado del don de profecía anunciaba el ingreso en escena de una nueva generación hispanoamericana lista para llevar «a cuestas [...] por las naciones románticas del continente y por las islas dolorosas del mar la semilla de la América nueva».[1]

[1] «Nuestra América» en José Martí, *Obras completas,* Editorial Lex, La Habana, 1940 (en adelante Martí, OC), II, pp. 105-112, la cita de p. 112.

No iba a ser sin embargo como un émulo del Hugo de *La légende des siècles* como Martí iba a conquistar no sólo en su nativa Cuba sino en Hispanoamérica entera una póstuma autoridad que perdura hasta hoy con toda su fuerza originaria, pero antes de explorar lo que en su específico perfil y trayectoria le iba a asegurar ese lugar de privilegio en nuestra memoria colectiva se buscará aquí rastrear a través de la de Rubén Darío las razones por las cuales en ese final de siglo era ya demasiado tarde para repetir en el otro hemisferio tanto la de Hugo como la de Béranger, cuyas coplas plebeyas, que le ganaron inmensa popularidad en la Francia de la Restauración, le habían asegurado también un lugar de honor en el canon de la *Weltliteratur* celebrada por Goethe.

El primer obstáculo provenía desde luego de esa ampliación y diversificación del campo intelectual, que tantas amarguras iba a deparar a los integrantes de la promoción que había invadido el centro de la escena pública hispanoamericana al promediar el ochocientos. La ampliación en primer lugar, que respondía a la de la demanda de lo que los intelectuales tenían para ofrecer; si, como nos recuerda Adolfo Prieto,[2] entre 1839 y 1845 Sarmiento había debido consagrar sus mejores esfuerzos a la invención del lector, medio siglo más tarde existía ya una masa de lectores desperdigada «del Bravo a Magallanes» y muy ampliada desde que en la década de 1860 Samper había comenzado con la colaboración de su esposa a saciar su sed de novedades ultramarinas.

En respuesta a esa acrecida demanda se habían multiplicado ya las plumas que desde los periódicos de las dos Américas se consagraban a satisfacer sus curiosidades. En esa naciente cofradía a medias desgajada de la que abarcaba el entero campo intelectual cada uno de sus integrantes, que para sobresalir de entre sus cofrades que eran también sus rivales debía encontrar modo de definir un perfil que le permitiera destacarse entre ellos, debía a la vez ajustarse a normas que en lo esencial no habían variado desde que una vez por mes las

[2] Adolfo Prieto, «Sarmiento, casting the reader, 1839-1845», en *Sarmiento, author of a nation* (T. Halperin-Donghi, I. Jaksic, G. Kirkpatrick, F. Masiello eds.), University of California Press, Berkeley, Los Angeles, London, 1994, pp. 259-271.

correspondencias de José María Samper habían informado al público limeño acerca de «todos los acontecimientos políticos, tratados tan a fondo como [le] era posible» y «el movimiento literario en todos sus aspectos», sin olvidar «los rasgos más notables de la economía industrial, el crédito público, la situación fiscal y la estadística de Europa» ni tampoco «las narraciones metódicas de todos sus viajes», mientras las también extensas de Soledad Ortega cubrían temas de «bibliografía, bellas artes, literatura, algo de observaciones de viajes y movimiento de la moda elegante en Europa».[3]

Y esto cubría sólo una parte del mosaico de actividades a las que Rubén Darío debía atender para sobrevivir, formando un conjunto tan heterogéneo como el que había debido afrontar Samper. Pero mientras éste, tras descubrir que el destino de excepción al que había aspirado se le había escapado para siempre de las manos, había descubierto también que la gratificante variedad de experiencias que le imponía afrontar la arcaica sociedad neogranadina le hacía más fácil resignarse a ese irreversible vuelco del destino, Darío seguiría empeñado hasta el fin de su vida en jugar el todo por el todo en una apuesta que —aunque radicalmente distinta de la de esa primera promoción de intelectuales hispanoamericanos— era apenas menos desmesurada que la de éstos; si en el filo del medio siglo Sarmiento había podido sucesivamente aspirar a guiar a un mejor destino a su tierra nativa como el émulo austral de Franklin, Tocqueville y Lamartine, ahora Darío lo iba a ser sólo de Verlaine desde que, muy temprano en su carrera, descubrió en él a su «padre y maestro mágico». Fue en ese campo más restringido del que Verlaine era el soberano donde decidió bregar por el triunfo que vendría a dotar retrospectivamente de sentido a una experiencia de vida para la que en su autobiografía solicitaba de sus lectores la misma compasión que en ella desplegaba frente al «triste, doloroso, grotesco y trágico» espectáculo ofrecido por su padre y maestro en el encuentro que con él mantuvo cuando éste estaba ya al borde de la muerte.[4]

[3] Samper, *Historia*, p. 479, cit. en cap. «Samper», n. 44.

[4] Rubén Darío, *Autobiografías*, Ediciones Marymar, Buenos Aires, 1976 (en adelante Darío, 1976), pp. 95-96.

Ese triunfo debía premiar la terquedad con que Darío perseveró hasta el fin en sus esfuerzos por dejar una huella indeleble de su paso por la ruta casi milenaria de la poesía española. Pero si en más de una de las creaciones poéticas que contribuyeron a asegurarle ese triunfo Darío se acercó a asumir la figura del vate, los estímulos que lo llevaron a hacerlo dependieron menos de ese compromiso con la poesía en el que estaba seguro de no haber nunca claudicado[5] que de su atención a «lo cotidiano» de una carrera que, si no estuvo marcada por la permanente penuria que en 1888 presentaba en los relatos en prosa que abrían la primera edición de *Azul...* como el inescapable destino del poeta intransigente en su decisión por serlo de veras, lo obligaba a una constante atención a las ocasiones que se le ofrecían para esquivarla. Y cuando las que se cruzaron en el camino lo llevaron a asumir esa figura las iba a abordar en el mismo espíritu en que lo hizo en su entera trayectoria de poeta quien desde su temprana infancia había descubierto que era en el terreno de la poesía donde se jugaba su destino.

Porque Darío fue poeta, y poeta famoso, antes de salir de la infancia, y desde entonces esa fama no cesó de crecer vertiginosamente; en su nativa Centroamérica había sido el «poeta niño», cuya instintiva y no aprendida destreza como versificador suscitaba una admiración comparable a la que rodea a esos otros prodigios de la naturaleza que son los *idiots savants,* pero debía haber algo más en su persona y en su promesa que permita entender que cuando apenas pasados los veinte años propuso desde Chile un nuevo rumbo para la poesía hispanoamericana, esa propuesta alcanzara un eco inmediato en las tierras españolas de ambas orillas del Atlántico. Hoy nos inclinamos a destacar en él las voces de quienes iban a dejar también una huella muy honda en la poesía y en la vida intelectual españolas, desde Miguel de Unamuno hasta Antonio Machado y Juan Ramón Jiménez, pero en ese fin de siglo éstas se confundían con las de Antonio Cánovas, el más

[5] «Como hombre he vivido en lo cotidiano; como poeta no he claudicado nunca», así en las «Dilucidaciones» por él antepuestas en 1907 a *El canto errante,* Rubén Darío, *Poesía,* Biblioteca Ayacucho, Caracas, 1977 (en adelante Darío, 1977), p. 305, cit. en Ángel Rama allí mismo p. IX.

influyente político de la Restauración, que era a la vez un auténtico hombre de cultura, o Emilio Castelar, el marginado jefe republicano cuyos artículos políticos publicados en la prensa hispanoamericana eran admirativamente seguidos «del Bravo a Magallanes», pero también las de figuras del todo convencionales del mundo literario, porque en él la eminencia de Darío como poeta se había tornado evidente aún para no pocos que ni entendían por qué lo era ni estaban demasiado interesados en averiguarlo.

Ya antes de alcanzar ese universal reconocimiento Darío había descubierto qué posibilidades le abría presentarse bajo la figura del vate. Llegado a Chile en 1886, y decidido de antemano a arraigar en el país que le había ofrecido hospitalidad, que juzgaba el más adecuado para iniciar desde él la revolución poética que aspiraba a llevar al triunfo en el mundo hispánico, en 1887 decidió presentarse al Certamen Varela, debido a la iniciativa de don Federico Varela, un exitoso empresario que tras ganar posiciones dominantes en la gran agricultura y en la minería chilenas había abordado una carrera política en el Partido Radical, entonces de extrema izquierda, al que iba a representar por décadas en el congreso. Para desempeñar el papel de mecenas que aspiraba a ocupar en la república de las letras, Varela buscó el consejo de Lastarria, a quien había elegido para encabezar el cuerpo de jurados del certamen, y contando con éste fijó temas inusualmente precisos para las producciones con las que invitaba a concurrir a los escritores chilenos; así el primero de ellos asignaba un premio de seiscientos pesos al mejor *Canto épico a las glorias de Chile en la guerra del Pacífico* y el segundo uno de quinientos a poesías líricas, que debía galardonar «a la mejor colección de (doce a quince) composiciones inéditas del género sugestivo e insinuante del que es tipo el poeta español Gustavo Adolfo Bécquer». Darío se postuló a ambos premios, y mientras en este último obtuvo un *accesit* no previsto en el reglamento, en el primero el jurado dividió el premio (de nuevo de modo no previsto en ese reglamento) entre su canto y el presentado por Pedro Nolasco Préndez.

Su presentación había sido fruto de una decisión improvisada a instancias de Pedro Balmaceda Toro, hijo veinteañero del presidente de Chile con quien en pocos meses desde su llegada al país había establecido una estrecha amistad, y que no sólo lo alertó sobre la oportunidad de obtener «un premio en dinero, que es la gran poesía de los pobres» sino que le ofreció sugerencias para la composición de las catorce poesías líricas con las que se postuló al segundo premio, mientras Eduardo de la Barra, sobrino y yerno de Lastarria, le proveía de la información necesaria acerca de las hazañas que se le solicitaba evocar en el *Canto épico.*[6]

Como se ve, en sólo un año desde su desembarco en Valparaíso Darío había logrado ganar la admiración de las elites sociales, políticas y culturales de Chile, que habían de inmediato reconocido en él la presencia de los talentos que le permitirían dejar una marca tan honda como lo había ambicionado en la historia de la poesía hispánica; fue ese reconocimiento el que hizo que este desconocido que emergía apenas de la adolescencia, y pronto iba a madurar en el «hombre simple, escasamente interesante, poco atractivo físicamente, de conversación apagada y opaca [...] tímido y aún confuso y vacilante, descolocado en el comercio intelectual, ceremonioso y diplomático en la vida pública», tal como apoyándose en el testimonio unánime de sus contemporáneos lo evoca para nosotros Ángel Rama,[7] que por meses luego de su llegada había sobrevivido nutriéndose de arenques y cerveza en una casa alemana de Santiago «para poder vestir*se* elegantemente como correspondía a *sus* amistades aristocráticas» compartiera frecuentemente sus veladas santiaguinas «en el silencio del palacio de la Moneda» con su amigo Pedro Balmaceda y el «el joven conde Fabio Sanminatelli, hijo del ministro de Italia», y que cuando el presidente de Chile lo invitó a almorzar lo ubicara a su derecha en una mesa que iban a compartir con «el canónigo doctor Florencio Fontecilla, que fue más tarde obispo de La Serena, y el general Orozimbo Barboza, a la sazón ministro de la Guerra» lo que «para ese hombre lleno de justo orgullo era la suprema distinción».[8]

[6] Raúl Silva Castro, *Rubén Darío a los veinte años,* Editorial Gredos, Madrid, 1956, pp. 175-8 cit. por Ernesto Mejía Sánchez en Darío, 1977, p. LVII.

[7] En Darío, 1977, p. X.

[8] Darío, 1976, p. 60.

Acaso fue precisamente esa opacidad que subrayaba Rama la que hizo que el reconocimiento cada vez más generalizado del lugar que Darío estaba destinado a ocupar en la poesía hispánica no inspirara el resentimiento que hubiera sido esperable entre cofrades cuyos *bons mots* en las tertulias que contaron con su silenciosa presencia han sido abundantemente recogidos por la crónica y a quienes el coronado príncipe de los poetas no hubiera sabido cómo hacer sombra. Esa opacidad y la batalla siempre perdedora que desde la adolescencia Darío debió librar contra su adicción alcohólica (en los recuerdos que de él nos han dejado esos cofrades abundan los episodios que los muestran tendiéndole una mano amiga, que les ofrecieron otras tantas ocasiones de descubrir que en algo eran superiores al hombre ante cuyo genio poético se inclinaban). Pero había algo más que hacía que ya en esa etapa inicial de la trayectoria de Darío quienes compartían con él la redacción del diario *La Época,* en que Eduardo MacClure había reclutado a «la élite juvenil santiaguina [...] un grupo de muchachos brillantes que han tenido figuración, y algunos la tienen no sólo en las letras sino también en puestos de gobierno», y no corrían riesgo alguno de dejarse tentar por la apuesta a la que Darío había decidido arriesgarlo todo vieran en él a un rival, sino casi como a una criatura de otra especie, un hijo y hermano de nadie, y lo bastante pobre para que el premio en dinero ofrecido por la munificencia de don Federico Varela le ofreciera un mayor aliciente para participar en el certamen que lo que verse agraciado con ese premio pudiera contribuir a aproximarlo al lugar que aspiraba a ocupar en la poesía hispánica.

Se entiende entonces que cuando MacClure, tras recibir una colaboración para su periódico del entonces celebradísimo poeta español Ramón de Campoamor, comunicó a la tertulia nocturna de sus redactores que había resuelto publicarla en un número especial al que los invitaba a contribuir, y concluyó prometiendo «doscientos pesos al que escriba la mejor cosa sobre Campoamor», la decisión de agraciar con ellos a la décima que improvisó Darío contara con la aprobación unánime de sus ocasionales rivales.[9]

[9] Darío, 1976, pp. 59-61.

El interés de Campoamor por verse publicado en Chile era un signo más de la maduración de una red de comunicaciones que abarcaba el entero mundo hispánico, y si cuando Darío emprendió su aventura chilena no había quizás advertido qué necesario le era para alcanzar su objetivo insertarse en esa red, cuando decidió retornar a su tierra nativa luego de que la publicación de la primera edición de *Azul...* no despertó el eco esperado y su carrera chilena al comienzo tan prometedora se había estancado hasta tal punto que se había visto obligado a refugiarse en el empleo administrativo que le habían procurado los buenos oficios de Pedro Balmaceda en la aduana de Valparaíso estaba ya plenamente consciente de que le era imprescindible insertarse firmemente en ella, no sólo para encontrar modo de vivir de su pluma, sino más aún para trocarla en la caja de resonancia que le permitiera llevar al triunfo la revolución literaria que se había prometido desencadenar.

Comunicó entonces a su amigo Eduardo de la Barra su «viva aspiración» a retornar a América Central como corresponsal de *La Nación* de Buenos Aires, el cotidiano dirigido por Bartolomé Mitre y por él fundado en 1870, trasformado en la década siguiente en un moderno diario de gran tiraje y sólidos recursos, que se preciaba de contar con el más brillante cuerpo de redactores permanentes de Hispanoamérica. Fue fácil a De la Barra persuadir a su suegro Lastarria que escribiera a Mitre una carta de recomendación que alcanzó efecto inmediato. La respuesta —rememora Darío— llegó «a vuelta de correo, con palabras muy generosas para mí, y diciéndome que se me autorizaba para pertenecer desde ese momento a *La Nación*».[10]

Contra lo que afirmaba —y sin duda creía— De la Barra, su suegro no era íntimo amigo de Mitre, quien por otra parte, aunque se había apartado de la administración cotidiana del diario, estaba vivamente interesado por asegurar que sus columnas ofrecieran un reflejo particularmente brillante del movimiento literario y del movimiento de ideas en Hispanoamérica entera, que venía siguiendo apasionadamente desde su más extrema juventud, cuando se había ya integrado

[10] Darío, 1976, p. 63.

con otros jóvenes que seguían no menos apasionadamente esos temas desde los más variados rincones del subcontinente en una sumaria red de contactos epistolares sobre cuya huella iba a afincarse la tanto más nutrida en la que el cotidiano por él fundado en 1870 ocupaba una posición central. No fue entonces la recomendación de Lastarria, sino el seguro instinto de ese caudillo cultural a la vez que político que fue Mitre el que hizo que luego de reclutar para su empresa a José Martí se apresurara a sacar ventaja de la nueva oportunidad que le brindaba la iniciativa de uno de sus corresponsales chilenos.

Darío esperaba que el vínculo con Mitre y *La Nación* le permitiera seguir avanzando hacia su irrenunciable objetivo cuando su carrera parecía haberse estancado apenas comenzada, pero había una circunstancia que iba a hacer más problemáticos sus futuros progresos sobre la escarpada ruta que volvía a abrírsele: mientras Mitre había reclutado a Martí porque había descubierto en él al corresponsal capaz de grabar en la memoria colectiva del subcontinente la imagen del encuentro en que en 1891 se enfrentaron en Washington la América anglosajona y la latina que aún hoy sobrevive en ella, no esperaba de Darío nada semejante; lo que lo atraía en su nuevo corresponsal era que sus crónicas llevarían la firma del futuro príncipe de la poesía hispánica que en él había sido capaz de adivinar. La consecuencia más grave no era —como hubiera podido temerse— que ese compromiso basado en una apuesta sobre el futuro corriera riesgo de flaquear si el resultado esperado se demoraba en exceso (ya se ha señalado cómo desde muy pronto en su trayectoria Darío había encontrado una y otra vez quienes creyeran tan firmemente como él en el gran destino que le esperaba en el mundo de las letras); ella derivaba más bien de que esas elites hispanoamericanas que le reconocían una posición cada vez más elevada en sus filas esperaban de él actitudes y aportaciones que iban más allá del compromiso periodístico que le imponía dedicar tanto de su tiempo a una labor en la que nunca intentó poner lo mejor de sí mismo, y que le harían aún más difícil consagrarse tan plenamente como lo hubiera deseado a su misión de renovador de las letras hispanas.

Esa multiplicidad de exigencias a las que Darío se veía obligado a someterse debía mucho a que hasta sus años finales su carrera había avanzado bajo los auspicios de una elite hispanoamericana en laboriosa transición hacia una modernidad que nunca iba a madurar del todo. Era ya enojoso que como consecuencia de ello nunca llegara a conocer esa regularidad en los ingresos que había esperado del vínculo con *La Nación;* aunque la remuneración que recibía de esa sólida empresa periodística era excepcionalmente generosa, necesitaba ser complementada o bien con colaboraciones en otros periódicos porteños o bien con las derivadas de posiciones en la diplomacia (la de cónsul general de Colombia en Buenos Aires que debió al influjo que sobre el régimen gobernante en ese país ejercía el brillante ideólogo Rafael Núñez, como Mitre caudillo cultural a la vez que político, que había adivinado tan certeramente como Mitre qué lugar el futuro tenía reservado para Darío en el mundo hispanoamericano, y antes y después las de representante de su nativa Nicaragua en España, Francia y México).

Más allá de que el vínculo con las élites hispanoamericanas nunca permitiera a Darío escapar a los azares de su cotidiana lucha por la supervivencia, éste se había definido desde su momento inicial sobre las pautas de una arcaica relación clientelar con quienes desempeñaban en ella un papel semejante al que Cayo Cilnio Mecenas había desempeñado en el siglo de Augusto. Como en su tiempo Cervantes o Quevedo, Darío había obtenido de sus benefactores la autorización a dedicarles la obra que veía la luz gracias a su apoyo, del presidente Balmaceda en cuanto al *Canto épico* «a las heroicas glorias de Chile, mi segunda patria» que le ofrendaba «como un homenaje al hombre ilustre, y como un recuerdo al padre de uno de mis mejores amigos»,[11] de don Federico Varela para la primera edición de *Azul...*, y para la segunda, publicada en Guatemala dos años más tarde, del «Sr. Dr. D. Francisco Lainfiesta» en signo de «afecto y gratitud».[12]

Más significativo que esos gestos de anticuada cortesía era el compromiso implícito con la visión que esas élites tenían de sí mismas; pero si cuando se refleja en la dedicatoria del poemario que incluye

[11] Rubén Darío, *Canto épico a las glorias de Chile* (reimpresión), Imprenta «El Globo», Santiago, 1918, p. 3.
[12] Darío, 1977, p. 157.

el tan poco favorecido retrato del «rey burgués» a ese Federico Varela que en Chile y en ese momento encarnaba mejor que nadie a ese irrisorio soberano invita a concluir con Ángel Rama que Darío arrastraba una contradicción nunca resuelta que lo llevaba a aceptar con demasiado fácil resignación lo mismo que denunciaba con tanta elocuencia[13] me parece que aún entonces reflejaba más bien una identificación sincera y sin reservas con unas élites que invocaban como la mejor de sus credenciales para guiar a sus pueblos en la construcción de un nuevo orden la audacia con que medio siglo antes los habían convocado al combate contra el viejo.

Cuando Darío celebra en 1911 que en vísperas de su retorno a Nicaragua hubiera alcanzado «la honra de conocer al gran chileno don José Victorino Lastarria»[14] no hay motivo para dudar de que la veneración por el veterano de tantas décadas de luchas por lo nuevo que esa frase trasunta es algo más que el testimonio de una ilusión retrospectiva. Y había sido Lastarria quien se había preparado a ungir a Darío como su continuador en el buen combate (sólo la muerte le impidió hacerlo así en el prólogo con que debía presentar *Azul...* y que terminó escribiendo en su lugar Eduardo de la Barra).

La contradicción que Rama detectaba en Darío es entonces la del liberalismo triunfante, que en el mismo Chile se había reflejado ya nítidamente en la satisfacción con que Benjamín Vicuña Mackenna celebraba que quienes medio siglo antes se habían rebelado contra el orden vigente bajo la bandera de la igualdad fuesen ahora gobierno en un país no mucho más cercano a realizar ese ideal que cuando había aplastado sin esfuerzo esa juvenil rebeldía. Y al encontrar en la Argentina una base más adecuada de lo que se había revelado la chilena para proseguir la aventura en la que había decidido jugarse la vida, Darío tuvo a su alcance una versión del liberalismo que iba más allá de ignorar esa contradicción: en la visión de Mitre, padre fundador a la

[13] «Se consoló pensando que no era él sino la época la que carecía de dimensión heroica: "A falta de laureles son muy dulces las rosas/ y a falta de victorias busquemos los halagos"», así A. Rama en Darío, 1977, p. X.

[14] Darío, 1976, p. 63.

vez de la Argentina moderna y de su historiografía, la sociedad creada por la conquista en las tierras del Plata, guiada desde su origen por un sabio instinto, había venido avanzando desde entonces sin prisa pero sin pausa hacia su plena incorporación al orden liberal y capitalista en avance desde el Atlántico Norte, y gracias a ello ese rincón privilegiado del mundo hispánico era capaz de construir su futuro sobre los cimientos de su pasado, mientras México o los países andinos afrontaban la tarea tanto más difícil y problemática de hacerlo contra ese pasado.

El contacto con Buenos Aires no iba a decepcionar las expectativas de Darío; en ese centro «modernísimo, cosmopolita y enorme, en grandeza creciente, lleno de fuerzas, vicios y virtudes, culto y polígloto, mitad trabajador, mitad muelle y sibarita, más europeo que americano, por no decir todo europeo»[15] no sólo iba a ser incorporado a una cofradía intelectual mucho más nutrida que la que lo había acogido en Chile, sino ya en el momento de su ingreso sería reconocido en una posición de liderazgo por quienes la integraban.

Era ésta una posición la que estaba convencido de tener pleno derecho; en 1896, cuando dedicó *Prosas profanas* a Carlos Vega Belgrano, que sufragó los gastos para su publicación, lo hizo «afectuosamente»,[16] sin invocar gratitud alguna, porque sabía que al estampar el nombre de ese «generoso y culto»[17] caballero en la portada de su nuevo libro daba más de lo que acababa de recibir. Y mientras las menciones de las figuras centrales del «Buenos Aires estudioso y literario» que Darío incluye en su autobiografía de 1911 son las de quien se considera por lo menos su igual, en la más restringida cofradía integrada por los poetas distribuye espaldarazos como quien sabe que tiene autoridad para hacerlo.

Todo eso se lo ha dado Buenos Aires, pero le ha dado aún algo más, porque gracias a su «grandeza creciente» al darle un lugar central

[15] Rubén Darío, «Introducción a *Nosotros*», de Roberto J. Payró», cit. por A. Rama en Darío, 1977, p. XXIV.

[16] «A Carlos Vega Belgrano, afectuosamente, este libro dedica R.D.» en Darío, 1977, p. 179.

[17] Darío, 1976, pp. 105-6.

en ella se lo ha dado también en el mundo. Y Darío no ha dejado de advertirlo; es ya significativa la distancia que corre entre la imagen que en su autobiografía traza del Madrid que conoció en 1891 y el que reencontró en 1899, y no hay duda de que el descubrimiento de Buenos Aires tuvo su parte en ello; lo confirma su reacción al descubrir que Unamuno, quien durante su segunda visita a la capital española le fue presentado por sus amigos de la novísima promoción literaria «como un ser raro— "es genial y no usa corbata, me decían"— [...] hablaba con cierto desdén, basado en pocas noticias, y en particular humor, de las letras argentinas»; como luego Unamuno desplegara esos sentimientos en un artículo en que denunciaba el decadentismo que por influjo francés hacía estragos en Buenos Aires, Darío resolvió finalmente poner las cosas en su lugar en otro que se anticipaba en dos décadas a los que en la del veinte iban a cruzarse en torno a la pretensión de algunos literatos madrileños de fijar en su ciudad el meridiano que daría la hora para todo el mundo hispánico:

> Decadentismos literarios no pueden ser plaga entre nosotros; pero con París, que tanto preocupa al señor de Unamuno, tenemos las más frecuentes y mejores relaciones. Buena parte de nuestros diarios es escrita por franceses. Las obras de Daudet y de Zola han sido publicadas por *La Nación* al mismo tiempo que aparecían en París, la mejor clientela de Worth es la de Buenos Aires; en la escalera de nuestro Jockey Club [...] la «Diana» de Falguière perpetúa la blanca desnudez de una parisiense. Como somos fáciles para el viaje y podemos viajar, París recibe nuestras frecuentes visitas y nos quita el dinero encantadoramente. Y así, siendo como somos un pueblo industrioso, bien puede haber quien, en minúsculo grupo, procure en el centro de tal pueblo adorar la belleza a través de los cristales de su capricho [...] Crea el señor de Unamuno que mis «Prosas profanas» pongo por caso, no hacen ningún daño a la literatura científica de Ramos Mejía, de Coni o a la producción regional de J. V. González; ni las maravillosas «Montañas de oro» de nuestro gran Leopoldo Lugones, perturban la interesante labor criolla de Leguizamón

y otros aficionados a ese ramo que ha entrado, en verdad, en dependencia folklórica.[18]

Ese exabrupto muestra hasta qué punto Darío se ha identificado con el país en el que cree haber encontrado su definitiva segunda patria, pero a la vez las razones que lo hacen identificarse con éste: es la «grandeza creciente» de esa improvisada cosmópolis que es Buenos Aires, y la riqueza creciente de esa «región de la Aurora» que es a la vez una «región de El Dorado», meta de una incontable muchedumbre de «errabundos y parias» que acude a compartir su prosperidad desde todos los rincones del planeta, la que permite a la metrópoli del Plata no sólo adornar la monumental escalera del suntuoso edificio recientemente construido para su Jockey Club con una estatua de Falguière sino también permitirse la extravagancia de albergar en su centro a quienes adoren «la belleza a través de los cristales de su capricho», la que a sus ojos lo autoriza a recurrir contra Unamuno a argumentos muy cercanos a los que daban expresión a la arrogancia de los *rastaquouères* que por entonces eran en París un blanco favorito de la sátira de bulevar.[19]

Pero si Darío gusta de imaginarse uno más de los que en esa «Babel en que todos se comprenden» han encontrado «el techo... bajo el cual se piensa morir»;[20] tiene algo para él más importante que celebrar en su encuentro con Buenos Aires: a saber, que la variada riqueza de su vida literaria y cultural, sostenida también ella por la pujanza de la economía argentina, permite a quienes participan de esa vida no sólo gravitar cada vez más sobre la del entero subcontinente, sino también, puesto que —como recuerda cruelmente a Unamuno— no sólo son

[18] Darío, 1976, pp. 127-8.

[19] Y no sólo de la de bulevar; en la crónica de su viaje a la Argentina en 1910 Georges Clémenceau no disimula su opinión acerca de la abrumadora exhibición de riquezas que parece ser lo que más admiran en ese edificio los argentinos (G. Clémenceau, *South America to-day,* G.B. Putnam's Sons, New York-London, 1911, pp. 163-4)

[20] Así todavía en 1910 en *Canto a la Argentina,* Darío, 1977, pp. 385-409, las citas de pp. 386-387.

fáciles para el viaje sino pueden viajar, mantener con ese todavía indiscutido centro del mundo que es París lazos más estrechos y menos desiguales que los integrantes de los círculos literarios de la villa y corte desde la cual la comarca rioplatense había sido gobernada hasta 1810.

Se entiende entonces que tanto en la prosa como en la poesía de Darío resuenen con toda su fuerza los temas que preocupan a esas élites que lo han acogido sin reserva alguna; en particular en la primera década del nuevo siglo tanto su «Salutación del optimista» como su poema «A Roosevelt», como el tan poco esperanzado «Canto de vida y esperanza», como «Los cisnes» guardan un eco que no podría ser más fiel del temple colectivo reinante en los sectores dirigentes argentinos, entre los cuales la serena y apacible, porque inquebrantable, confianza en el futuro que había inspirado la visión de Mitre está dejando paso a una angustia creciente frente a un porvenir acerca del cual lo único indudable es que prepara para el mundo una era de conflictos de dimensiones apocalípticas, en que si no está prohibido soñar que «la latina estirpe verá la gran alba futura»[21] y puede no ser totalmente quijotesco desafiar al «futuro invasor /de la América ingenua que tiene sangre indígena/ que aun raza a Jesucristo y aun habla en español» recordándole que «hay mil cachorros sueltos del león español»,[22] esos anuncios esperanzados y esos arrogantes desafíos no impiden que el poeta, temeroso de que cuando esos conflictos alcancen su desenlace «seremos entregados a los bárbaros fieros» y «tantos millones hablaremos inglés» se resuelva finalmente a interrogar «a la Esfinge que el porvenir espera», cuya respuesta —trasmitida por los cisnes— recuerda a quienes pueblan esas tierras hispanoamericanas «de sol y de armonía»[23] que la caja de Pandora aún conserva y guarda para ellos la Esperanza.

Al rehusarse a cualquier apuesta sobre el futuro Darío muestra qué lejos estuvo siempre de su ambición asumir el papel del vate

[21] «Salutación del optimista», Darío, 1977, pp. 247-8, la cita de p. 248.

[22] «A Roosevelt», Darío, 1977, pp. 255-6, la cita de p. 256.

[23] «Los cisnes I», Darío, 1977, pp. 262-3, las citas de p. 263.

cuando rozaba unos temas que por otra parte ocupan un lugar bastante modesto en la poesía de su madurez, y que tras dar argumento al aquí evocado primer poema de la serie «Los cisnes», cedían de inmediato el paso en ella a los que están en el trasfondo de toda su poesía, toda ella en irresuelta tensión entre el fascinado temor a lo desconocido que lo acechaba después de la muerte y el refugio en la sensualidad.[24]

Pero si al encarar poéticamente esos temas Darío no había aspirado al papel profético que Virgilio había asumido en la *Eneida*, no iba a dejar pasar las ocasiones que se le ofrecieron de hacer suyo el de poeta áulico que también había asumido Virgilio en la epopeya en que Venus, la celeste antepasada de la gobernante *Gens Julia-Claudia*, había sido convocada para servir de *dea ex machina*. La primera de esas ocasiones había dado su fruto en el *Canto épico a las glorias de Chile*, y a él iban a seguir dos poemas dedicados a Mitre, ambos publicados en *La Nación*, el primero en 1898 y el segundo en el suplemento que el diario publicó el 10 de marzo de 1906 en homenaje a su fundador, fallecido el 19 de enero de ese año, y el *Canto a la Argentina*, incluido, de nuevo en *La Nación*, en el volumen publicado por ese diario para conmemorar en su primer centenario a la Revolución del 25 de mayo de 1810, que derrocó al último virrey del Río de la Plata.

Las dos últimas son inequívocamente obras de encargo, que no hubieran sido escritas sin el aliciente de una recompensa excepcio-

[24] El segundo de los poemas incluidos en la serie, «En la muerte de Rafael Núñez» invoca su testimonio póstumo a favor de la vida después de la muerte («la negra barca/llegó a la ansiada costa, y el sublime/espíritu gozó la suma gracia;/y ¡oh Montaigne! Núñez vio la cruz erguirse,/y halló al pie de la sacra Vencedora/el helado cadáver de la Esfinge», Darío 1977, p. 264, mientras los dos finales evocan el encuentro de Leda y el Cisne desde un comienzo esperanzado («por un momento, oh Cisne, juntaré mis anhelos/a los de tus dos alas que abrazaron a Leda [...] Cisne, tendré tus alas blancas por un instante/y el corazón de rosa que hay en tu dulce pecho/palpitará en el mío con su sangre constante») hasta un final en sordina («¡Melancolía de haber amado,/junto a la fuente de la arboleda,/el luminoso cuello estirado/entre los blancos muslos de Leda!»). Darío, 1977, pp. 264-5.

nalmente generosa[25] pero nada sugiere que para adoptar en ellas el tono del panegírico Darío haya debido vencer ninguna reticencia interior. La narrativa de su experiencia argentina que incluye en su autobiografía de 1911 no deja duda de que encontró en Buenos Aires lo más parecido a esa segunda patria que había buscado en ella; la metrópoli del Plata fue el único lugar en que pudo sentirse aceptado sin reservas y en sus propios términos, y por otra parte los halagos que conoció en ella luego de sufrir las consecuencias de la austeridad chilena le hicieron sin duda más fácil aceptar quc, como había proclamado Mitre, la prosperidad que los ponía a su alcance era un signo del favor especial con que la Providencia preparaba los grandes destinos que el futuro tenía reservados para la República Argentina.

Y la veneración por Mitre que Darío iba a desplegar en la oda que consagró a su memoria resuena con la misma intensidad en su Autobiografía; se ha visto ya que en su texto la evocación de su etapa porteña nos muestra a un Darío plenamente consciente de su propio valer, que al referirse a las poesías que Rafael Obligado, el príncipe de los poetas argentinos en esos comienzos del siglo XX, leía a los huéspedes de las tertulias nocturnas a las que los convocaba en su residencia señorial, las describe en términos cercanos a la condescendencia como «vibrantes de sentimiento o llameantes de patriotismo», sin arriesgar opinión alguna sobre su valor como tales, pero el tono cambia totalmente cuando pasa a evocar la ocasión en que «el inolvidable Bartolito Mitre», director de *La Nación,* «me llevó a presentarme a su padre el general, y me dejó allí, ante ese varón de historia y de gloria, a quien no encontraba yo palabra que decir, después de haber murmurado una salutación emocionada. Me habló el general Mitre de Centroamérica y de sus historiadores [...] Estuvo suave y

[25] La del *Canto a la Argentina,* de diez mil francos (o sea de dos dólares por cada uno de sus 1001 versos) colocaba esta vez a Darío entre los autores más cotizados a los que acudía en ocasiones como ésta la prensa internacional, y se explica el especial esmero que puso en su preparación a partir de diciembre de 1909. Sobre esto Ernesto Mejía Sánchez en Darío, 1977, p. LXXXVI y Julio Valle-Castillo, allí mismo, p. 544.

alentador en su manera seria y como triste, cual hombre que se sabía ya dueño de la posteridad».[26]

Pero no se trata aquí de sopesar la sinceridad de los sentimientos que Darío desplegaba en estos ejercicios poéticos abordados por encargo ni tampoco, por otra parte, en los que sin tener ese origen rozaban también ellos los dilemas del presente, sino de comprobar una vez más que le interesaba menos su contenido temático que la ocasión que le ofrecían para explorar nuevos horizontes como artífice del verso, y que no dejaría pasar en vano; así el poema dedicado a Mitre en 1898 le ofreció la de revivir en sus dieciocho dísticos «el hexámetro que vibra en la lira de Horacio/y a Virgilio latino, guía excelso y amado del Dante»,[27] comenzando a explorar una línea de innovaciones métricas sobre la que avanzaría en 1905 en la más célebre «Salutación del optimista».

Sería por eso erróneo ver en la poesía de Darío un eco sonoro a través del cual podría quizá vislumbrarse con mayor precisión en sus trasformaciones casi cotidianas la visión que las elites con las cuales se identifica habían elaborado de ese mundo en vertiginoso avance hacia lo desconocido que les había tocado en suerte, y lo sería porque en su proyecto esa visión le ofrece antes que otra cosa la materia prima de la cual destilar su poesía. Así, mientras frente a la «Marcha triunfal» que es otra de las más recordadas poesías de Darío, publicada en 1895 por *La Nación* e incluida diez años más tarde en *Cantos de vida y esperanza,* en que el poeta imagina el desfile de un ejército argentino que acaba de alcanzar una abrumadora victoria «y trae cautiva la extraña bandera»[28] quien se interese por esa problemática no dejará de relacionarla con las cambiantes reacciones de la opinión argentina durante ese par de décadas en que más de una vez el país estuvo muy cerca de entrar en guerra con sus vecinos, por su parte Darío prefiere celebrar en el poema «un "triunfo" de decoración y de música»,[29] una trasposición poética de los *trionfi* que a partir del siglo

[26] Darío, 1976, pp. 100-101.
[27] Darío, 1977, p. 326.
[28] Darío, 1977, pp. 261-62, la cita en p. 62.
[29] Darío, 1976, p. 174.

XIV adaptaron al contexto de la inminente y temprana modernidad los que en la Antigüedad habían celebrado las victorias de la Roma republicana e imperial.

En cuanto a esto debe admitirse que la fidelidad del público que aseguró al poema su larga sobrevida (la *Marcha triunfal* fue por más de cinco décadas la *pièce de résistence* con que Berta Singerman, la célebre recitadora bielorruso-argentina cerraba sus recitales en sus exitosas giras por el mundo hispánico, en las que mantuvo hasta el fin total fidelidad al canon del modernismo hispanoamericano) debía menos al eco que en él podía encontrar su tema que a la maestría con el que Darío manejaba los recursos de un arte poética que no tenía ya secretos para él. Tanto desde la perspectiva del poeta como desde la de su público el atractivo del poema se entiende mejor cuando se lo vincula con el soneto «A Francia», publicado en 1907 en *El canto errante* y dos años anterior en su composición a la *Marcha triunfal,* en que para profetizar el inminente desfile del victorioso ejército de la Alemania imperial «que aguarda temblando la curva del arco triunfal»[30] Darío empleaba ya esos recursos (aquí en particular el sabio uso de las consonantes para obtener efectos sonoros, mientras que en la *Marcha* es más bien una versificación extremadamente flexible, que evoca el ritmo de marcha de un desfile triunfal, la que asegura la primacía de la música) que cuando se lo inserta en la serie temática que va de «Salutación del optimista» al *Canto a la Argentina.*

Cuando Darío decidió plantear la apuesta en que jugó su vida en el terreno de la poesía, más restringido que aquel en que habían librado su batalla los pensadores, no se condenó por ello a ocupar un lugar más modesto que el de éstos en la memoria hispanoamericana; la creciente complejidad del tejido social y cultural del subcontinente aseguró que el lugar que esa memoria reservaría al príncipe de sus poetas no iba nunca a quedar atrás de ningún otro, y ya había podido preverse que así iba a ser durante los años finales de su trayectoria, tan «tristes, dolorosos, grotescos y trágicos» como los de Verlaine, en que en medio de una decadencia aún más honda que la de su maestro lo

[30] Darío, 1977, p. 314.

cubrieron de halagos y honores tanto un par de grandes empresarios editoriales que esperaban lucrar con su nombre glorioso como el más sangriento de los tiranos centroamericanos, a quien se avino a celebrar en su poesía como al héroe cultural que Manuel Estada Cabrera aspiraba a encarnar. Pronto lo iban a confirmar más allá de toda duda tanto el eco inmediato y prolongado que suscitó en el entero mundo hispánico la noticia de su muerte, como el que ésta alcanzó en su tierra nativa, donde lo esperaba una semana de duelo nacional en que la Universidad, que hasta entonces lo había ignorado, el gobierno, en manos en ese momento de sus enemigos políticos, y la Iglesia, que en más de una ocasión había condenado su poesía como blasfema, le tributaron por igual los más grandiosos homenajes que estaba en sus manos ofrecerle, porque sabían ya que haber dado cuna a Rubén Darío era la más valiosa credencial que Nicaragua podía presentar frente al concierto de las naciones.

emecé

España
Av. Diagonal, 662-664
08034 Barcelona (España)
Tel.: (34) 93 492 80 00
Fax: (34) 93 492 85 65
Mail: info@planetaint.com
www.planeta.es

Paseo Recoletos, 4, 3.ª planta
28001 Madrid (España)
Tel.: (34) 91 423 03 00
Fax: (34) 91 423 03 25
Mail: info@planetaint.com
www.planeta.es

Argentina
Av. Independencia, 1682
1100 C.A.B.A.
Argentina
Tel.: (5411) 4124 91 00
Fax: (5411) 4124 91 90
Mail: info@eplaneta.com.ar
www.editorialplaneta.com.ar

Brasil
Av. Francisco Matarazzo,
1500, 3.º andar, Conj. 32
Edificio New York
05001-100 São Paulo (Brasil)
Tel.: (5511) 3087 88 88
Fax: (5511) 3087 88 90
Mail: ventas@editoraplaneta.com.br
www.editoraplaneta.com.br

Chile
Av. 11 de septiembre, 2353, piso 16
Torre San Ramón, Providencia
Santiago (Chile)
Tel.: Gerencia (562) 652 29 43
Fax: (562) 652 29 12
www.planeta.cl

Colombia
Calle 73, 7-60, pisos 7 al 11
Bogotá, D.C. (Colombia)
Tel.: (571) 607 99 97
Fax: (571) 607 99 76
Mail: info@planeta.com.co
www.editorialplaneta.com.co

Ecuador
Whymper, N27166,
y Francisco de Orellana
Quito (Ecuador)
Tel.: (5932) 290 89 99
Fax: (5932) 250 72 34
Mail: planeta@acces.net.ec

México
Masarik 111, piso 2.º
Colonia Chapultepec Morales
Delegación Miguel Hidalgo 11560
México, D.F. (México)
Tel.: (52) 55 3000 62 00
Fax: (52) 55 5002 91 54
Mail: info@planeta.com.mx
www.editorialplaneta.com.mx
www.planeta.com.mx

Perú
Av. Santa Cruz, 244
San Isidro, Lima (Perú)
Tel.: (511) 440 98 98
Fax: (511) 422 46 50
Mail: rrosales@eplaneta.com.pe

Portugal
Planeta Manuscrito
Rua do Loreto, 16-1.º Frte.
1200-242 Lisboa (Portugal)
Tel.: (351) 21 370 43061
Fax: (351) 21 370 43061

Uruguay
Cuareim, 1647
11100 Montevideo (Uruguay)
Tel.: (5982) 901 40 26
Fax: (5982) 902 25 50
Mail: info@planeta.com.uy
www.editorialplaneta.com.uy

Venezuela
Final Av. Libertador con calle Alameda,
Edificio Exa, piso 3.º, of. 301
El Rosal Chacao, Caracas (Venezuela)
Tel.: (58212) 952 35 33
Fax: (58212) 953 05 29
Mail: info@planeta.com.ve
www.editorialplaneta.com.ve

Grupo Planeta   Emecé es un sello editorial del Grupo Planeta www.editorialplaneta.com.ar